離散與回歸

在滿洲的臺灣人 ｜ 1905-1948　上冊

許雪姬——著

目次

上 冊

自序：來去滿洲　　　　　　　　　　　　　　　　　　　　006

第一章　概論　　　　　　　　　　　　　　　　　　　　　011
　一、離散之文獻回顧與分析　　　　　　　　　　　　　　014
　　（一）Diaspora 的猶太傳統原型　（二）Diaspora 的運用
　　（三）離散、認同與家鄉　（四）臺灣史學界的引進與運用
　二、日治時期臺灣人海外活動之研究回顧　　　　　　　　019
　　（一）在不同地區的海外籍民　（二）日本帝國擴張下的醫學生及醫師
　　（三）進入 1930 年代的戰爭動員期：軍夫、臺籍日本兵、高砂義勇隊
　三、滿洲國研究文獻回顧　　　　　　　　　　　　　　　029
　　（一）滿洲國研究概論　（二）臺灣的滿洲國研究
　　（三）滿洲國境內的多族群移民　（四）戰後「回歸」
　四、在滿洲國之臺灣人的相關研究材料　　　　　　　　　039
　五、本書的章節架構　　　　　　　　　　　　　　　　　045

第二章　臺灣人「滿洲經驗」的形成　　　　　　　　　　　049
　一、清代臺人對遼東、遼西的認識　　　　　　　　　　　051
　二、「滿洲國」的建立　　　　　　　　　　　　　　　　052
　　（一）關東州租借地的取得　（二）張作霖之死　（三）九一八事件前的東北
　三、臺灣人跨境的原因　　　　　　　　　　　　　　　　059
　四、前往滿洲的分期與分布　　　　　　　　　　　　　　063
　　（一）三個分期與申請渡華旅券　（二）臺灣總督府的管理與保護
　五、到滿洲的交通與人數　　　　　　　　　　　　　　　078
　　（一）交通　（二）航行的經驗　（三）人數
　六、由旅券中看臺灣人的「旅行目的」　　　　　　　　　086
　　（一）就職　（二）學事關係　（三）各項商、產、工、農、醫等參觀與考察
　　（四）參加博覽會　（五）慰勞皇軍、農業義勇團　（六）臺灣女性的依親與觀光
　小結　　　　　　　　　　　　　　　　　　　　　　　　102

第三章　赴滿洲國求學的臺人　　　　　　　　　　　　　　105
　一、滿洲國高等以上學校　　　　　　　　　　　　　　　108
　　（一）高等教育機關　（二）就讀中等學校的臺灣人
　二、醫學校的畢業生　　　　　　　　　　　　　　　　　113
　　（一）滿洲醫科大學　（二）新京醫科大學　（三）哈爾濱醫科大學
　　（四）滿洲開拓醫學院　（五）滿洲國立陸軍軍醫學校

　　　　（六）旅順醫學專門學校 （七）奉天齒科大學 （八）奉天護士養成所
　三、工業／科大學的畢業生　　　　　　　　　　　　　　　　　　　　145
　　　　（一）新京工業大學 （二）奉天工業大學 （三）旅順工科大學
　四、法律科畢業生　　　　　　　　　　　　　　　　　　　　　　　　154
　五、商業學校畢業生　　　　　　　　　　　　　　　　　　　　　　　155
　六、全滿最高學府——建國大學　　　　　　　　　　　　　　　　　　156
　小結　　　　　　　　　　　　　　　　　　　　　　　　　　　　　　162

第四章　滿洲國官僚體系的建立與臺籍官員　　　　　　　　　　　　　　163
　一、滿洲國官僚體系的建立與日系官員　　　　　　　　　　　　　　　165
　　　　（一）中央官制 （二）地方官制 （三）「滿洲國」官吏中的日系官吏
　二、滿洲高等官吏的搖籃——大同學院　　　　　　　　　　　　　　　172
　　　　（一）建立與分期 （二）滿洲國高等文官考試與大同學院
　　　　（三）高等官的官等與其薪資 （四）畢業於大同學院的臺灣人
　三、任職於中央部會的臺人　　　　　　　　　　　　　　　　　　　　195
　　　　（一）在宮內府、參議府 （二）在立法院 （三）在國務院部門
　四、在地方任公職的臺灣人　　　　　　　　　　　　　　　　　　　　261
　五、滿洲國軍隊中的臺人　　　　　　　　　　　　　　　　　　　　　266
　　　　（一）滿洲國第二軍（吉林） （二）滿洲國第四軍（哈爾濱）
　　　　（三）在關東軍中的臺人
　小結　　　　　　　　　　　　　　　　　　　　　　　　　　　　　　273

第五章　非公職的臺人及臺人在滿洲的生活　　　　　　　　　　　　　　293
　一、在國營會社任職的臺人　　　　　　　　　　　　　　　　　　　　295
　　　　（一）國營會社 （二）在南滿洲鐵道株式會社的臺灣人
　二、在特殊會社或準特殊會社任職者　　　　　　　　　　　　　　　　301
　　　　（一）滿洲中央銀行 （二）滿洲電信電話株式會社
　　　　（三）滿洲炭礦株式會社 （四）滿洲興業銀行 （五）株式會社滿洲映畫協會
　　　　（六）株式會社昭和製鋼所 （七）滿洲電業株式會社
　　　　（八）滿洲電氣化學工業株式會社 （九）滿洲特殊鑛會社
　　　　（十）滿洲國鏡泊湖水力電氣建設所
　三、在其他相關單位服務者　　　　　　　　　　　　　　　　　　　　321
　　　　（一）在會社工作者 （二）任職教師 （三）交通事業（四）與當地人合組公司
　　　　（五）在娛樂界、音樂界任職 （六）在協和會任職 （七）經營商工業 （八）其他
　四、臺人在滿洲的生活　　　　　　　　　　　　　　　　　　　　　　342
　　　　（一）滿洲的氣候與臺人的適應 （二）食衣住行娛樂
　小結　　　　　　　　　　　　　　　　　　　　　　　　　　　　　　366

目次

下　冊

第六章　在滿洲的臺灣醫師　375
　一、滿洲醫師資格的取得及滿洲的衛生環境　379
　　　（一）臺灣醫師的資格問題　（二）滿洲醫師的資格
　　　（三）臺灣醫師在滿洲開業的原因　（四）滿洲地區的衛生保健
　二、早期到滿洲的臺灣醫師　386
　　　（一）最早到滿洲的謝唐山　（二）豐原謝氏兩兄弟往大連、奉天
　　　（三）來自臺東的名醫孟天成與他的班底
　　　（四）臺南新化人梁宰醫師的天生醫院
　　　（五）陳章哲的仁濟醫院　（六）方瑞壁、張忠、李晏與侯全成
　　　（七）仁和醫院的創始人簡仁南　（八）民生醫院院長楊燧人
　　　（九）溥儀的私人醫師——黃子正
　三、後期在滿洲的臺灣醫師　416
　　　（一）在大連行醫者　（二）在奉天及附近行醫者　（三）在四平開業的臺灣醫師
　　　（四）在新京開業的臺灣醫師　（五）在牡丹江市開業的鄭順發
　　　（六）在滿鐵醫院服務的石林玉燦、游紹陳
　四、從事研究教學與進入醫療行政體系的臺灣醫師　433
　　　（一）以教學、研究及醫療行政為主者
　　　（二）滿洲醫師的研究著作：以在《臺灣醫學會雜誌》為例
　　　（三）得科學盛京賞的臺灣人
　五、醫師社群　444
　　小結　453

第七章　臺灣人在滿洲的戰爭經驗　459
　一、蘇軍的占領與國共內戰　462
　　　（一）二戰後期的滿洲國　（二）蘇聯進軍東北、滿洲國滅亡
　　　（三）蘇軍撤退與國共內戰
　二、面對變局臺人的因應　467
　　　（一）蘇聯兵進入滿洲與臺人的避難　（二）解除「玉碎」的困境
　三、臺人面對的蘇聯兵暴行　483
　　　（一）臺人所遭遇與所見的蘇聯兵暴行　（二）蘇聯兵拆解重工業機械運回蘇聯
　　　（三）臺人被帶往西伯利亞
　四、臺灣人、日本人、朝鮮人戰後的境遇　495
　　　（一）滿洲人報復性地追殺日本人
　　　（二）朝鮮人的遭遇　（三）在國共內戰中的臺灣人

五、千里迢迢回臺路 505
　　　　（一）積極籌設臺灣同鄉會　（二）回臺前的生活肆應
　　　　（三）回臺前的喪亡與被捕　（四）回臺的經過
　　小結 534

第八章　滿洲經驗者往後的遭遇與再離散 537
　　一、考試、就學與任教 539
　　　　（一）國家考試上的設限與就業不計年資　（二）繼續學業者
　　　　（三）在各大學、高中、高職任教　（四）進入各級政府部門工作者
　　二、在政治事件中的受難者 576
　　　　（一）二二八事件中的滿洲經驗者　（二）白色恐怖事件下滿洲經驗者的遭遇
　　三、再度離散 603
　　　　（一）戰後滿洲經驗的日臺人間的聯繫
　　　　（二）「東北會」的設立　（三）回歸後的再離散
　　四、留在東北者的遭遇 618
　　小結 627

第九章　結論 629

參考書目 649

索引 681

自序：來去滿洲

　　這是一本我前後耗時將近 30 年、得到許多人協助、且先出日文版（《離散と回帰：「満洲国」の台湾人の記録》，2021 年）的書，這在我將近 40 年的研究生涯中實為特例。在此有必要說明我研究的動機、遭遇的困難、如何突破，何以再出中文版。

　　對在滿洲國的臺灣人感興趣，主要是我參加 1991 年行政院成立「二二八事件工作小組」時，發現二二八時有關東軍陸軍少佐埔里人黃信卿，投身臺中地區反抗政府的行動；曾考上滿洲國最高學府建國大學的顏再策，和其高雄第一中學的學弟們企圖趕走高雄火車站二樓的憲兵，卻中彈而亡，因此在滿洲的臺灣人成為我注目的對象。此外我堂姑媽許淑蘋（牙醫），1937 年 7 月到哈爾濱，與屏東人京都帝大畢業、任職滿鐵的吳振輝結婚，卻在 1938 年 5 月因難產而亡故。她的故事、死亡，一直流傳在家族中，我從小就聽過。另一個因素是我四叔許溢悟，戰後於 1946 年考上臺灣省長官公署教育處舉辦的「升學內地專科以上學校公費考試」，分發到北京大學政治系就讀，1947 年一度回臺，1949 年以後音訊全無。經輾轉打聽，得知他在中共建政後，轉到哈爾濱外國語大學學習俄語，不久在瀋陽過世。我想透過尋找在滿洲臺灣人的足跡，了解臺灣人在滿洲的事蹟，及時為這一段向來不被重視的歷史進行描述，並看是否還有人還認識四叔，了解他人生的最後。

　　臺灣有關滿洲國的資料不多，有關在滿洲國臺灣人的資料更少，因此我決定先從口述歷史開始。我在完成《「二二八」事件研究報告》（1992）南部篇後，開始進行有關日治時期在中國大陸臺灣人的訪談。這時我擔任中央研究院近代史研究所「口述歷史小組」的執行秘書，因而得以將相關成果於 1993、1994 年刊載於該所《口述歷史》年刊中的五、六期，共 25 篇，其中梁許春菊、陳許碧梧女士，是我最早訪問的對象。之後得力於「東北會」會員的協助頗多，得以順利進行訪談。所謂「東北會」是戰後有「滿洲經驗」的臺灣人所組成，在陳許碧梧女士的介紹下，獲得會

員名單。除了「東北會」的名單外，中正大學歷史系張建俅副教授提供中國第二歷史檔案館典藏戰後編成的〈居住長春台灣省民名簿〉；畢業於滿洲醫科大學、戰後在沙鹿開業的劉建止醫師提供〈滿洲醫科大學在台畢業生聯絡名冊〉；再加上在建國大學肄業的吳憲藏先生介紹我認識建大畢業生、大學長李水清先生使我得以展開建大臺灣人學生的訪談。2002 年我集結 26 篇訪談紀錄，出版《日治時期在「滿洲」的臺灣人》（2004 年再版）。2014 年我再出版《日治時期臺灣人在滿洲的生活經驗》，包括十篇訪談紀錄（2015 年再版）。這其中有一篇是我在美國加州洛杉磯 Pasadena 訪談張琔女士的成果，她家在滿洲住了 11 年，戰後回臺，1972 年再移民美國，這是我訪談中得到離散滿洲、回歸臺灣、再離散美國的例子，對我的研究有所幫助。2019 年再出版兩篇在美國華盛頓州的林江金素女士（林欽明醫師妻）；加拿大溫哥華楊正昭醫師（楊金涵醫師長子），他是在滿洲的第二代。這兩篇訪問紀錄提供了在滿洲的臺灣人戰後回臺的情形，前者在 1973 年先到到日本的無醫村任職，1988 年移民美國的經驗；後者是滿洲第二代，在臺大醫學院畢業後申請到美國進修，之後到加拿大溫哥華從事婦產科醫師 34 年。這期間父母也移民溫哥華，弟、妹也分別在日、美定居最後全家移民。

除了進行口訪外，有關檔案史料先搜集各種報紙、《臺灣人士鑑》等相關人物傳記、網站著手，乃至於日本人編的《滿華職員錄》、《華北職員錄》、《中國紳士錄》等，自行編著「在滿洲臺灣人姓名、傳記表」作為研究的基礎。閱讀滿洲國相關出版品、報紙、檔案，最重要的是在《滿洲國政府公報》找到臺灣人在滿洲國任公職的紀錄，對有多少人就職於滿洲國官廳、校訂口述歷史的年代有所助益。庋藏於東京日本外務省外交史料館的《臺灣總督府旅券下付及返納表》，將旅券（護照，一種渡華旅券）中有關「旅行地名」中有「滿洲」兩字者勾稽出來，有 2,338 人次，收穫最大；到中國瀋陽的「遼寧省檔案館」看到滿洲醫科大學檔案，找到將近百名臺灣學生，此一檔案更是價值連城。此外臺灣各地方志、中國東北相關的文史資料也是重要材料之一；亦即由臺灣人如何看滿洲？東北人如何觀看臺灣人在滿洲，這兩個角度的史料都值得重視。

為了要搜集重要的檔案，我曾四次前往中國東北，以瀋陽的遼寧省檔案館為重點，往南到過大連、旅順、撫順、鐵嶺、安東，往北到過四平、長春、哈爾濱、海拉爾、滿洲里、黑河、璦琿，及內蒙呼和浩特，盡量踏查臺灣人走過的地方，以及當地相關圖書館，長春、瀋陽是我待較久的地方。我在瀋陽曾數次由原大和ホテル走到北陵，來體驗這個城市的紋路。

這些行程大半都自己前往，其中有部分行程和中研院近史所、臺史所的同仁一起去。除了在東北各地踏查外，也到過上海市立圖書館和檔案館。上述行程，得到臺灣鄉親和當地學術同行的協助不少。在東京的日本外務省外交史料館，也是我年

年必訪的對象。

　　在成書期間也陸續發表相關論文，第一篇為 2003 年〈滿洲經驗與白色恐怖：「滿洲建大等案」的實與虛〉；第二篇為 2004 年〈日治時期臺灣人的海外活動：在「滿洲」的臺灣醫生〉；第三篇是 2007 年〈是勤王還是叛國：「滿洲國」外交部總長謝介石的一生及其認同〉；第四篇是 2012 年〈在「滿洲國」的臺灣人高等官：以大同學院的畢業生為例〉；第五篇是 2013 年〈滿洲國政府における臺湾籍高等官（一九三二─一九四五）〉；第六篇是 2014 年〈滿洲國政府中的臺籍公務人員（1932-1945）〉；第七篇是 2016 年〈臺灣人在滿洲的戰爭體驗〉；第八篇是 2020 年〈日治時期臺灣女性在滿洲國的生活經驗〉。八篇中第三、八篇並未放入本專書中。這些論文的初稿，曾經在東京、名古屋、首爾、大連召開的學術研討會發表過。

　　本書共有九章，第一章概論，旨在說明如何利用 Robin Cohen 提出所謂輔助型離散（auxiliary diaspora）概念、John McLeod 認為不同世代會形成不同離散的經驗、從而對原鄉的認同亦不同的概念，來解釋臺灣人的「滿洲經驗」。臺灣人在滿洲國的活動，筆者將之視為臺灣人海外活動的一環，滿洲國雖然是日本所製造出來，但不應視為日本研究的附屬，應有其獨特的解釋觀點，因此在本章回顧先行的相關研究。此外，日本敗戰後，銷毀滿洲國大量的史料形成所謂的「紙灰檔」，而臺灣人當時相關記載零散，必須進行披沙揀金的工作，因此介紹相關研究史料與各章節的重點。第二章談臺灣人的滿洲認識、滿洲國的建立，何以臺灣人前往滿洲、如何前往？又如何在日治 50 年中做有效的分期？究竟在臺灣總督府所發下的旅券中有多少人次前往，都有一番探討。第三章探討在滿洲國接受中、高等教育者有哪些人，自醫科、工科、法科、商科一一探討，當時滿洲最高學府建國大學是唯一提供臺灣人可錄取 2% 的大學、免學費，再經大同學院訓練半年後可進入官僚體系，或成為協和會的主幹。求學是臺灣年輕人前往滿洲的重要原因之一，光是滿洲醫科大學的大學部、專門部，就有約一百名臺灣學生前往就讀。第四章說明滿洲官僚體系的建立與臺灣人的角色，篇幅較長，主要討論要成為滿洲國高等官，早期必須考入大同學院受訓，之後必須通過該國高等文官考試，進入中央、地方政府後，如何逐漸升為高等官。此外滿洲第二軍和臺灣有較深的淵源亦值得一提。本章放入前述第四、五、六等三篇論文。

　　第五章討論在國營、特殊、準特殊會社非公職的臺灣人，以及經商、從工，甚至是被僱傭者，後半的資料大致仰賴口述歷史，也沒有所謂大商人產出，開工廠的也有，但規模不大。本章第三部分，則在描述臺灣人在滿洲的生活，即分由環境氣候、食、衣、住、行、娛樂著手，特別針對女性在滿洲如何經營家庭生活。第六章探討在滿洲的臺灣醫生，除了少數當衛生行政官員、醫學研究外，大半走開醫院的路線，有幾家著名的大醫院，大連的孟天成的博愛醫院、新京謝秋涫的百川醫

院、大連簡仁南的仁和醫院；撫順梁宰的天生醫院；錦州王大樹的錦生醫院。在醫學研究體系中的謝秋濤和王洛，分別得過科學盛京賞。在滿洲執業的醫師，大半出身醫師世家，且彼此間亦有姻親關係；臺灣人開的醫院亦大半招徠臺灣人醫師、技師、護士，也有少部分和朝鮮人合開醫院，任用朝鮮護士與司機。本章大部來自己發表的論文第二篇，但也增補不少。第七章臺灣人在滿洲的戰爭體驗，這是在滿洲的臺灣人最為特殊的經驗，即面對蘇聯對日宣戰，集結同鄉先疏散，再尋找鄉親可以共居的宿舍準備返鄉。先是集中在交通方便的都市，組織各地臺灣同鄉會，在 UNRRA（聯合國善後救濟總署）的協助下，多路南下集中在上海等船，分班回臺。本章由論文第七篇增補而成，增加臺灣人如何集結返鄉的部分。第八章探討戰後回臺、留在東北的臺灣人，如何面對國共政權，重點放在臺灣，探討有些人陷入白恐案件，身陷囹圄；有些繼續在臺灣活用「滿洲經驗」，終能有所發揮。1970 年代以降中華民國被迫退出聯合國、各國與臺灣斷交，促使臺灣人再度選擇向海外移民，這其中至少二成以上有「滿洲經驗」者選擇再度離散，到日本、美國、澳洲尋找新的「王道樂土」。最後一章（第九章）為結論，總結研究的成果。

在進行滿洲研究期間（1991-2022），我在 1995 年 9 月到 1996 年 3 月，受國家科學委員會補助，前往日本京都大學研究半年，受到山本有造、山室信一兩位教授的協助，獲益良多。2011 年中央研究院通過由我主持的「臺灣歷史的多元鑲嵌與主體創造」主題計畫，前後三年，才讓我有機會完成幾篇重要的論文。[1] 2014 年科技部通過我一年的專書寫作計畫，最終在 2018 年完成。在我撰寫此書期間，日本愛知大學教授黃英哲告訴我，將選我這本書在蔣經國基金會贊助下譯成日文。我答應之後，雖還有些資料可以補入，限於時間只好交出書稿，一面翻譯，一面小規模的修訂，幾經校註，終於在 2021 年 6 月出了日文版。本來中文稿已找妥出版社要進行同步出版，不料相關在滿洲臺灣人的資料陸續出現，我不斷增訂，似永無停止的一天，終至不得不壯士斷腕，到日文版出版後的半年，中文稿才殺青。中文版由於晚兩年才要進入出版階段，在這一、兩年補充一些相關資料，如黃清舜，《一生的回憶》（1944-1945 在牡丹江的回憶）、杜聰明，〈杜聰明先生日記〉（1937.8.16-31，到奉天開日本學術協會第十三回大會之總會並接受頒獎，到大連、新京與當地臺灣人醫師會面的經過），相關圖表也做了一些修訂。細心的讀者應可看出中文版增加以及日文版被刪減的部分。

---

[1] 我的分支計畫為「外來政權與本地人才之登用：以國家考試為例」，除了發表〈高普考試分省定額制的形成與實際運作〉、〈另一類臺灣人才的選拔：1952-1968 年臺灣省的高等考試〉兩文外，也研究通過滿洲國文官高等考試的臺灣人，其中謝久子是第一位通過的臺灣女性，值得一提。

撰寫這本書，我得到許多人的協助：

在進行訪談有「滿洲經驗」的前輩時，他們訝異在幾十年後、在他們垂垂老矣之時，終於遇到將他們想說但不敢說的這段歷史說出來的學者而如釋重負，他們期望我的不只有口述歷史的刊布，應該還有學術專著，為他們留下這段不為國、共兩黨所喜的歷史，卻是重要而令他們懷念的生命旅程，他們還提供一些照片作為佐證。我有負他們的期盼，拖延這麼久，如今大半的滿洲第一代都已成仙，[2] 才終於出版，我深以為愧。這本書他們也是作者之一，如今能出版，如果他們地下有知，希望亦能深以為喜。我要謝謝接受我訪問的數十位前輩，特別是滿洲第二代的許文華先生，他一直關心這本書的出版，並為我在《日治時期臺灣人在滿洲的生活經驗》一書寫序，特別感謝。至於提供資料給我參考者，我都在引用時列出提供者的名字，並表示致謝之意，在此就不再一一稱謝。中研院臺史所檔案館是臺史所的藏經閣，本文使用的資料得到該館的助益頗多，一併致謝。

日本版的翻譯者羽田朝子、殷晴、杉本史子教授，在翻譯期間不斷提出書中的問題，讓我有機會修訂或補充論述，非常謝謝。

這本書前後進行了將近30年，前後的助理也有將近20人，沒有他們，這本書無法完成，希望我沒有遺漏任何一個。他們是：蔡說麗、吳美慧、丘慧君、鄭鳳凰、王美雪、黃子寧、林丁國、陳雅苓、藍瑩如、李安瑜、王瑋筑、林秀娟、劉世溫、徐紹剛、楊朝傑、賴仕偉、林佩儀，其中陳雅苓幫的忙最多、最久，謝謝你們。

本書即將出版，特別謝謝遠足出版社，尤其我的學妹總編龍傑娣。

許雪姬謹識
2022年4月17日於中研院臺史所所長室

---

[2] 我曾去參加吳左金、梁許春菊、施義德、李水清四位受訪者的葬禮，有兩位在聯絡中過世，一是傅慶騰，一是許建裕，令人不勝遺憾之至。

第一章 概論

一、離散之文獻回顧與分析
二、日治時期臺灣人海外活動之研究回顧
三、滿洲國研究文獻回顧
四、在滿洲國之臺灣人的相關研究材料
五、本書的章節架構

過去日治時期的臺灣史，戰後以抗日史觀敘述，解嚴後隨著臺灣總督府留下的大量史料開放，而不自覺變成親日史觀，亦即作為臺灣人的歷史，卻不是以當時臺灣人的眼光來看自己的歷史；近來此一現象漸有改善，但眼光只在臺灣本島和其附屬島嶼，對於臺灣人越境的島外／海外活動較少觸及。如有觸及也以華中、華南為主，對於離臺較遠的華北、東北甚至歐美一帶較少論及。日治臺灣史應不只是屬地、還是屬人的，所以臺灣人在東北／滿洲的經驗，是臺灣史中不可分割的一部分。「滿洲國」不論後世稱他為「非正式帝國」或是「偽滿」，都無法忽略在 1932-1945 年，這個國家是存在的，而且在外交上有十多個國家承認她。在研究這個主題，最令人困擾的莫如立場問題，是要譴責被殖民者在日本人勢力下，為虎作倀，十足漢奸行徑，還是要實事求是，客觀地記述在臺灣沒有出路的被殖民者，如何努力在新天地發展的過程。我個人選擇的是後者，亦即與其用政治觀點認為在滿洲的臺灣人是日本帝國主義的幫兇，還不如認為他們是有勇氣、有實力的臺灣人，才能到風土與臺灣截然有別的滿洲去開創理想的人生。由於臺灣人跨境遠赴海外的經驗一直未被重視，尤其到戰後稱為「偽滿」的有滿洲經驗者（尤其第一代），大半仙逝，而他們留下的文字出版的也不多，長此以往，這段歷史終有湮滅的一天。因此，進行在滿洲的臺灣人相關研究，以保留臺灣史上的這段歷史，是我最主要的研究動機。

　　文中混用滿洲、[1] 滿洲國[2] 等歷史、地理名詞，至於戰後則稱之為東北、中國東北，偶而也會隨情境需要而稱東三省、東北九省。[3] 為了稱呼滿洲國轄下「五族協和」中的滿、[4] 漢人，[5] 也使用「滿洲人」這個名詞。

　　本章概論將包括離散概念的引入、過去研究成果評介、重要的參考史料以及本書的章節安排。

1　滿洲是皇太極在 1635 年命令以 Manju 為國名的漢字表記。英文用 "Manchuria" 來表示。

2　滿洲國指 1932-1945 年間在日本卵翼下於中國東北建立的國家。1934 年由滿洲國變成滿洲帝國，先是由溥儀當執政，帝制後則當皇帝。英文用 "Manchukuo" 來表示。

3　東三省為清朝治下由盛京、吉林、黑龍江將軍來統轄的三個省，1907 年鑒於日、俄兩國對東北地區的侵略，故設東三省總督以加強統治。民國時期因之，即遼寧、吉林、黑龍江三省。日本敗戰後，中華民國政府改設東北九省。唯因 1948 年底中共已「解放」東北，因此所謂九省只短暫存在過。

4　在日本尚未製造滿洲國前，滿洲已有滿洲人／滿族、蒙古人居住，到二十世紀又有漢人、朝鮮人、俄國人、日本人陸續進入滿洲。

5　清代在十七世紀禁止由關內前往的漢移民。到咸、同年間弛禁，招徠移民，民國成立後，東北的人口數和開發土地面積數遽增加，而到東北的以近東北的河北、山東兩省人為多。移民以農人為多，勞動階級也不少，商人（包括山西商人）也有，入住城市，主導滿洲的經濟，將當地的大豆、豆粕運到華中、華南賣，再經通過科舉管道形成地方領導階層，滿洲成為以漢人為主體的社會。清末義和團事件、辛亥革命之際，逐步向建立地方政權之路邁進，張作霖為首的「奉系」政權，頗能保境安民，成為在地人支持的對象，一直到張學良主導的「東北易幟」，中華民國自開國以後至此才得到形式上的統一。見貴志俊彥等編，《二〇世紀滿洲歷史事典》（東京：吉川弘文館，2012），頁 11-12。

一、離散之文獻回顧與分析

本文擬用學者 Cohen 所提出的「輔助型離散」（auxiliary diaspora）作為分析臺灣人在滿洲國的離散、回歸、再離散的架構，以下分別介紹傳統猶太的離散觀念，以及其相關衍義及運用，亦即說明離散並非全然負面，而是廣泛涵蓋殖民性或自願性的遷移，隨著殖民者到了離散之地後，有其傑出表現的正面意涵，但當殖民者失敗，隨著殖民者遷移的被殖民者，或選擇返鄉，留在原地，甚至隨殖民者回到殖民母國。被殖民者中有第一代與第二代的分別，對於未曾踏上故土的第二代，他們返「鄉」後，與第一代不同的感受，亦值得重視。以下說明離散概念的緣起、重新詮釋以及在臺灣的引進與運用。

（一）Diaspora 的猶太傳統原型

離散之英文 Diaspora，因其字源而有既定意義及想像。長久以來因聖經的描述與流傳，致使西方對 diaspora 一詞多帶著猶太人集體流亡、離散的印象：孤獨、悲傷、毀滅性鉅變的根源、大眾離散、令人震驚不安的影響。[6] William Safran 於 1991 年即以猶太人離散傳統作為典型，提出 diaspora 的六項特質：

1. 自原中心地散居到至少兩個以上的邊陲地；
2. 持續保有對原有家鄉的記憶、憧憬與想像；
3. 相信他們未被（或是不可能被）現居國家完全接納；
4. 視原家鄉為最後的回歸處，在時機適當之時；
5. 致力於維持或恢復「家鄉」；
6. 群體意識及團結感界定於與家鄉之持續連結關係。[7]

近年來，許多學者對 diaspora 之既有猶太離散典型提出質疑。首先，猶太族群的歷史是否真正符合這些離散傳統的定義，可以再探究。James Clifford 指出，強調返回家鄉重建家園、與家鄉的強烈歸屬與連結，並未貫串猶太人的離散歷史。十一至十三世紀地中海地區的猶太散落社群，因著相同文化模式、親族關係、貿易網絡、旅行途徑和對幾個宗教聖地（巴比倫、巴勒斯坦、埃及）之虔誠感而相互連結，其以多中心連結而成的網絡，並不契合晚近支持猶太復國所強調的回歸單一中心家鄉論。[8] Cohen 在 *Global Diaspora* 一書中，則以一整個章節細數猶太族群的歷史，透過多面向

6　Robin Cohen, *Global Diaspora: An Introduction* (second edition, London: Routledge, 2008), p. 21.
7　William Safran, "Diasporas in Modern Societies: Myths of Homeland and Return", *Diaspora* 1:1 (1991), pp. 83-84.
8　James Clifford, "Diasporas", *Cultural Anthropology* 9:3 (1994.8), p. 305.

呈現猶太族群與其他民族關係、在不同帝國情境內的生存方式，論證歷史上猶太離散社群之多樣性及複雜性遠超過我們現在既有的猶太離散傳統想像。舉例而言，在巴比倫之囚時期，猶太人為鞏固其根源而開始定義歷史、創建傳統。巴比倫之囚後，回至巴勒斯坦猶大王國的猶太人，因回歸基本教義而未有過多的建樹，反而是留在巴比倫的猶太人離散社群，能於智識上及精神上有所突破和成就。Cohen 以此論證，「巴比倫不應僅代表負面意涵的流放，更應依據其歷史而帶有正面的創造意涵。」現今所流傳之猶太人巴比倫離散的悲傷懲罰性意涵，源自於後來基督教興起後不斷強化的流傳。[9]

其次，Diaspora 是否僅侷限於猶太離散典型的傳統，也值得再考量。Cohen 回歸到 diaspora 的字源，提出此字出於希臘版的聖經，對希臘人而言原是用以描述公元前 800-600 年對小亞細亞和地中海地區的殖民，因此，原有詞彙的主要涵義是侵略型擴張、軍事征服、殖民與移民。[10] Clifford 則針對 diaspora 和猶太離散傳統的關聯，提出「我們應認知到 diaspora 在語言上帶有的猶太歷史，但不需要讓猶太歷史成為詞彙的最終模型。猶太人（和希臘人、亞美尼亞人）的離散可作為一非基準式的起點以發展穿越並混雜於新全球情境的離散論述。」[11] 簡言之，應對 diaspora 所帶有的猶太傳統加以理解並超越之，此為諸多晚近學者討論 diaspora 的共識。

（二）Diaspora 的運用

超越猶太傳統的 diaspora 能如何延伸運用？diaspora 離散概念如何幫助我們分析過往及現今各式多元的離散，成為諸多學術討論的主軸。Safran 於 1991 年指出，當時學界對於 diaspora 的使用已是一譬喻式的用詞，用以形容不同類型的人（流放者、被驅逐者、政治難民、外國住民、移民者、民族或種族上的少數族群），並擴及猶太人以外的諸多族群。[12] Cohen 則與上述 Safran 所提 diaspora 六項特質對話，在其基礎上加入幾個擴張性的解釋，其中兩項為：

1. 離散原因除了傳統性質的被迫遷移之外，應涵蓋殖民性或自願性的遷徙。其可涵納因殖民擴張、貿易網絡、勞力需求而促成的離散。
2. 除了傳統的創傷受難意涵，diaspora 應納入離散移民富有生產力及傑出表現的正面性意涵。離散的猶太人自古至今於各領域的傑出表現，即為一例，

---

9 Robin Cohen, *Global Diaspora: An Introduction*, pp. 21-38.
10 Robin Cohen, *Global Diaspora: An Introduction*, pp. 21-22.
11 James Clifford, "Diasporas", p. 306.
12 William Safran, "Diasporas in Modern Societies: Myths of Homeland and Return,", p. 83.

這與其離散的處境及憂患意識有所關聯。[13]

以此為基礎，Cohen 提出了帝國型、勞力型，及商業貿易型離散。相較於以猶太人原型所形成的受難型離散，其看法主要著重於因外力災難所促成的創傷性、大規模遷徙（最著名的討論案例為非洲人因奴隸販賣所造成的離散、亞美尼亞人因種族清洗所造成的離散）；帝國型、勞力型及商業貿易型離散，則著重於遷移者相對而言所擁有的自主空間與能動性，遷徙者為尋求新機會、較好的工作或生活而選擇跨國遷徙。

關於勞力型離散，Cohen 以印度契約勞工離散至歐洲殖民地區熱帶大農場作為案例，論證其擁有是否續留當地之選擇權、且得以逐步累積資產，因而與非洲黑奴離散有所差異。將其定義為離散而非一般移民，在於其以重建家庭生活、堅定宗教信仰（印度教、伊斯蘭教）及教導傳承印度史詩 Ramayana 的方式維繫印度傳統，維持其離散意識。值得一提的是，作者特別提及印度人於南非的處境，即使印度人因獲得經濟資產而擁有一定的社會地位，但欲往上爬升，就會被隔絕於白人統治族群之外，若欲往下與同樣受壓迫的黑人連結，則害怕會失去既有的相關權利及經濟優渥處境，這使得印度族群處於南非社會階層之中心夾層。[14]

而關於帝國型離散，Cohen 將「帝國型離散」定義為因殖民、軍事所需而徵募、吸引人民至殖民地居住，其保有與原殖民母國之連結，複製並遵從其社會及政治制度，並擁有自己為龐大帝國體制一員的自覺。作者以大英帝國為例，指出人民選擇遷徙至殖民地之原因紛雜眾多，有因政治或宗教因素而離鄉背井，有因愛爾蘭饑荒及蘇格蘭高地清除（Highland Clearances）陷入貧窮困境而被迫移民，但大部分的移民者則是因嚮往追求新機會（土地、工作、更高收入或更好的生活）而移民，相信自己至新殖民地能有更好的發展或可能性。[15]

關於貿易離散，指的是同一族群散居於不同異地據以建立而成貿易網絡，群體內的商人來往於各地區之據點，透過家庭、家族關係、商業文化、宗教等共同文化因素作為基礎，建立信任機制，進行貿易。其於異地自成一聚落，未融入當地族群，並透過保有其傳統及文化鞏固異地之間的連結。

值得注意的是，在上述三種不同的離散類型中，Cohen 提出了介於殖民帝國離散與貿易離散類型之間的「輔助型離散（auxiliary diaspora）」。其指涉的是與殖民者相異的族群，隨著殖民政府之擴張而於異地展開商業貿易，其對於當地人民而言，更像是「外國人」與殖民政府相互合作。在歐洲殖民之東南亞進行貿易的中國商人、在加勒比海及西非的黎巴嫩人，或是在東非的印度人等，皆為類似的案例。合作或輔助之角色有時不限於商業貿易，錫克教徒即成為諸多英國殖民行政之軍事部署。

13　Robin Cohen, *Global Diaspora: An Introduction*, pp. 4-8.

14　Robin Cohen, *Global Diaspora: An Introduction*, pp. 61-68.

15　Robin Cohen, *Global Diaspora: An Introduction*, pp. 68-80.

Cohen 指出，輔助型離散群體居於異地，與殖民政府、當地人民的特殊關係，促使殖民統治結束之時往往得面臨選擇歸化為當地人民、遣散回國、或是被原殖民母國解救的局面。[16]

（三）離散、認同與家鄉

若對離散採取較寬鬆的定義，亦即遷徙至他鄉但未真正融入當地或徹底在地化，而對原鄉帶有依戀、保持一定的連結、認同與文化，則離散者對於家鄉的連結與認同即成為了離散意識的核心環節。McLeod 對於離散、家鄉與認同的議題做了相關的梳理，並提出離散的世代差異。[17] McLeod 指出，遷徙的影響往往是持續存在而長久的。其不因物理性的動作（遷徙）完成後就停止。因離家之人帶有行囊，包含物理上的行囊及心理上的行囊（信仰、傳統、行為舉止、習俗、價值等），這讓離家之人即使越過了行政邊界進入了另一個國度，仍然無法真正進入另一個國度，不被視為是新國度的一分子，或者是，自身認為或同時也被他者認為不歸屬於此新的國度。對於離散者而言，少年的離家、長成後的離家，已是一種對於家的失去；而遷徙到異地，截然不同的語言、環境、國度，會讓這樣的斷裂更為強烈，失去感更為深刻。於是，對於過去家的想像，往往不建構於現實，而帶有一種心靈上對於過往失去的、片段的家的記憶所構築的美好想像。因遷徙的第一代於少年或成年時離家，仍保有對於過往國度、家園的記憶，即使在時間推移中記憶中的家園已失去真實、與現實國度中的家園不相符合，但因曾真實經歷並保存著相關的記憶，回憶中的家園從而成為寄託情感與認同的存在。[18]

那麼，生長於遷徙地的第二代，對於未曾有所接觸的原家鄉，是否也同樣保有與第一代相同的感情與認同？其是否也可稱為是離散者？遷徙的第二代生於新國度，其未有遷移的經驗，但可能因自身父母的記憶及身處離散社群浸淫於離散文化中而同樣擁有 diaspora 的特質與印記。其對於「祖國」的認識是出於想像，或是根植於父母與家族的敘述與記憶。[19] 因而，第二代的認同往往與第一代所面臨的困境不太相同。即使自出生至長成皆在新國度，但在新國度的他人眼中，其家鄉所在仍是被理所當然認定為是那個陌生的、自己家族長輩曾生長過的舊國度。但第二代若真實回到父母的家鄉，卻顯得格格不入。其對於家鄉的陌生感受，或是被當地人視

16　Robin Cohen, *Global Diaspora: An Introduction*, pp. 83-102.
17　John McLeod, Diaspora Identities, *Beginning Postcolonialism*, pp. 205-238.
18　John McLeod, *Beginning Postcolonialism*, pp. 210-213.
19　John McLeod, *Beginning Postcolonialism*, pp. 209-210.

為外來他者而不歸屬於其中的感受，往往導致認同危機：我是誰。[20]

從而，離散中的認同成了另一重要的課題。離家之前，要去的彼岸（路）似乎是一個夢想之地；到達彼岸之後，過往的「家」成為一個美好的存在；待返家之後，對於美好「家」的幻想與現實「家」的落差往往使得對於過往家的記憶或是想像成為一個認同或是心中真正歸宿之所在。[21]離散者處於夾縫之間，不理所當然地被任何一方認可，反而是一種契機，認清認同是構築於片段及不完整之上，從而對於自身的存在與想像更為願意賦予新的可能性及創造力。對於過去、現在、未來的串連敘述與想像，因而從「根」變成了「路」。[22] Stuart Hall 於討論離散之經典論文 "Cultural Identity and Diaspora" 中提及，文化認同並非一固定不變的本質性存在。其更像是一過程性質、面對不同階段或情境下的再生產，考量的不僅是過去是誰，也考量著現在當下與未來所處的環境與身分，現在是誰、未來將是誰。[23]

（四）臺灣史學界的引進與運用

臺灣學術界約在 2000 年左右，開始引進「離散」的概念。檢視近 20 年的相關學術著作，離散概念之運用多集中於文學評論、文化理論及社會人類學領域。

雖然 Diaspora 的根據在臺灣史研究上運用的較少，但有其運用的可能。依上所述，Diaspora 強調的是遷徙本身所引發之離開根源地的感受，遷徙至他鄉但未真正融入當地或徹底在地化，而對原鄉帶有依戀感或仍保持連結，維持其認同與文化。因此，以離散角度出發的歷史研究，或可引領我們關注個人生命史與大環境的互動，看見個人在面臨所屬時代的變動下其主動或被動的離鄉背井選擇，及此選擇如何帶領其走向不一樣的道路、引發個體或群體的生命變化、及對於往後人生所帶來的或隱或顯的影響。因著更為強調個人生命歷程及其與時代的應對，從而以個人生命史角度出發的主觀感受及陳述，皆能因此被更深刻地突顯與探討。依此，於材料的運用上，個人口述訪談，包含個人對於生命經驗的敘述、側重強調的面向及其中的諸多主觀感受，將是重要的材料來源。

Diaspora 近年來已超越猶太典型，走向更為多元的運用。本書研究日治時期在滿洲（今中國東北）的臺灣人，也將利用離散的理論，關注在特定的時間下的海外活動。如前述 Cohen 之相關討論，帝國擴張下的人群流動（包含殖民母國往殖民地、殖民

20　John McLeod, *Beginning Postcolonialism*, p. 213.

21　John McLeod, *Beginning Postcolonialism*, pp. 208-209.

22　John McLeod, *Beginning Postcolonialism*, pp. 214-216.

23　Stuart Hall, Cultural Identity and Diaspora, in Jonathan Rutherford ed., *Identity: Community, Culture, Difference* (London: Lawrence and Wishart, 1990), p. 225.

地往殖民母國，以及殖民地與殖民地之間的人口流動），因貿易或是勞力需求所引發的主動性遷徙，或是以第三民族（非殖民者也非當地之被殖民者）而與殖民政權相互合作的輔助角色，皆可以 Diaspora 的視角被涵括與梳理。同為離開家鄉離散至異地的人們，於其時代脈絡下如何引發此際遇、如何做出選擇、於異地如何生存、有何感受、其異地經驗如何影響後續人生、如何被記憶與敘述，關注這些離散人們的故事，或可補足或更深化我們對於每一個引發離散之大時代的認識。臺灣人在日本政府殖民下，隨著日本對滿洲的占領、傀儡化而前往滿洲國，可以用 Cohen 輔助型離散觀點來作為觀察。臺灣人不是大和民族，卻隨著殖民政府到達滿洲，任官吏、醫師，展開一種在統治上合作或輔助的角色，形成與殖民者、當地人民的特殊關係，因此當殖民者戰敗，殖民統治結束，臺灣人面對的是歸化為當地人還是回到日本，或是臺灣。而回來臺灣者，不只是第一代移民，還包括在當地出生、長大的所謂第二代，他們從未見過臺灣，對臺灣的認同和其父母是否有所差別？亦即我透過擴張的離散理論，作為觀察在滿洲的臺灣人的各種表現，希望能發現一些較特殊的現象，作為補充理論實質內容的根據。

二、日治時期臺灣人海外活動之研究回顧

在滿洲的臺灣人屬於海外移民研究的範疇，因此有必要了解日治時期在不同地區的海外籍民研究，這其中包括中國的華南及其他地區，以及南洋一帶（東南亞）。

（一）在不同地區的海外籍民

1. 華南、廈門一帶

（1）臺灣籍民的集中地華南一帶

華南地區，尤其是廈門一帶，為日治前期臺灣籍民人數分布最多之地區。[24] 依據鍾淑敏的研究，「前往福建者約占臺灣人出國總數的七成左右」，[25] 有關日治時期臺灣籍民於海外的相關研究，華南地區尤其是廈門一帶之相關研究為多。以下回顧有關華南一帶的臺灣籍民研究，約略分為假冒籍民問題、籍民的職業及圖像、籍

---

[24] 鍾淑敏，〈日治時期臺灣人在廈門的活動及其相關問題，1895-1938〉，收入走向近代編輯小組主編，《走向近代》（臺北：東華書局，2004），頁 408-414；林滿紅，〈「大中華經濟圈」概念之一省思：日治時期臺商之島外經貿經驗〉，《中央研究院近代史研究所集刊》29（1998.6），頁 47-101。

[25] 鍾淑敏，〈日治時期臺灣人在廈門的活動及其相關問題，1895-1938〉，頁 410。

民圖像所反映出來的日本南進政策三大子題,並試著指出三者之間的密切關連。

①假冒籍民問題

有關於華南一帶的籍民問題,包含中村孝志,梁華璜、戴國煇、若林正丈、栗原純、鍾淑敏、林滿紅、許雪姬等學者,已累積相當豐富的討論。1895年臺灣成為日本殖民地,在1897年5月8日「臺灣住民去就決定日」後,臺灣人民擁有日本國籍,從而有所謂「臺灣籍民」的說法:「所謂的『臺灣籍民』是指如前述因身為臺灣居民而擁有日本國籍,當他們住居國外,特別是住在對岸的福建省或東南亞等地時的稱呼。」[26]因福建一帶許多原本已和臺灣有商業往來之中國人民或是當地居民,趁日本政府統治初期制定臺灣人口戶籍之時機,以賄賂、委託臺灣人代辦、假造姓名出生年月日等途徑,或以遺漏申報因此補辦入籍的方式取得臺灣籍民的身分,或透過他人變賣及轉讓的途徑取得日本核發給在境外之臺灣籍民證明身分之旅券者。[27]上述假冒籍民的現象,成為以後日本政府相當關注之重要議題。中村孝志指出,臺灣籍民因擁有日本國籍,從而擁有免除釐金、享有治外法權、並處於日本領事館之保護的優勢。因著上述的利益,致使假冒籍民急速增加,依據領事館之報告,1909年福州三百位籍民中臺灣人僅占三分之一,1907年廈門真正籍民不到1%。針對此問題,外務省與臺灣總督府達成協議,要求各領事館徹查當地臺灣籍民,並且依據其行為品行等因素決定是否給予籍民身分,換言之,若經徹查在臺灣無戶籍但評估其「品行、技能、資產及其他各種條件,擁有日本籍並無大礙時」,准許給予戶籍,而若在臺灣擁有戶籍但「本人之品行、技能、資產及其他諸條件都不適合擁有日本國籍者」則撤銷其登記。各領事館依此著手進行調查,於1912年之後華南一帶的假冒籍民數從而減少。[28]

②廈門籍民的職業及圖像:殷實商人及黑幫

廈門的臺灣籍民的職業及黑幫,為研究者關注的另一重要議題。中村孝志於〈廈門之臺灣籍民和三大姓〉[29]一文中,抄錄了三份廈門領事報告,戴國煇於〈殖民地的傷痕〉[30]一文中則附錄了一份1926年的廈門領事報告。這些領事報告揭示

---

26 栗原純著、鍾淑敏譯,〈臺灣籍民與國籍問題〉,收入《臺灣文獻史料整理研究學術研討會論文集》(南投:臺灣省文獻委員會,2000),頁424。另若林正丈曾於〈廈門的臺灣人〉一文中討論臺灣籍民的定義,見吳密察、若林正丈著,《臺灣對話錄》(臺北:自立晚報文化出版部,1989),頁72-76。

27 有關旅券制度的沿革可參考梁華璜,〈日據時代臺民赴華之旅券制度〉,《臺灣總督府的「對岸」政策研究》(臺北:稻鄉出版社,2001),頁131-182。

28 中村孝志著,卞鳳奎譯,〈臺灣籍民諸問題〉,收入中村孝志著、卞鳳奎譯,《中村孝志教授論文集:日本南進政策與臺灣》(臺北:遠流出版事業股份有限公司,1994),頁75-126。

29 中村孝志著,卞鳳奎譯,〈廈門之臺灣籍民和三大姓〉,收入中村孝志著、卞鳳奎譯,《中村孝志教授論文集:日本南進政策與臺灣》,頁171-204。

30 戴國煇,〈殖民地的傷痕〉,收入戴國煇,《臺灣結與中國結:睪丸理論與自立‧共生的構圖》(臺

了廈門當地臺灣籍民的基本人口資料、職業及社會圖像，依此，當地臺灣籍民約略可分為擁有正當職業之籍民（以貿易商人、實業家居大多數），以及所謂的武力派／無賴漢／黑幫團體。鍾淑敏〈日治時期臺灣人在廈門的活動及其相關問題（1895-1938）〉清晰地描繪了這些生活於廈門一帶的臺灣籍民的圖像。其依據歷年來的領事報告，指出「從事商業活動者占絕對多數」，於當地社會中位居中上流階層之臺灣籍民包含貿易商人、實產企業家，或是受過醫藥訓練的醫療人員，也有當地開墾自成聚落的籍民。[31] 作者個人於〈日治時期赴華南發展的高雄人〉一文中也整理、刻畫了日治時期赴華南發展之高雄人其個人或家族際遇。[32] 於此之外，另一群臺灣籍民則位居於當地中下階層，從事煙賭、娼、走私、幫派等「遊走於法律邊緣」之活動藉以謀生。關於臺灣籍民與鴉片的關係，與臺灣人因擁有日本國籍所享有的治外法權有密切的關係。當時各國租界多成為鴉片貿易之大本營，而臺灣籍民則「利用治外法權，或開設鴉片吸食所，或將名義借貸給當地人」[33]，「每月收取數十元的名義貸用費」，[34] 藉以牟利。而當地臺灣黑幫「武力派」的發展，則與中國當地清末民初政治動亂的背景息息相關。中村孝志所抄錄之1931年領事館資料〈廈門三大姓氏〉鉅細靡遺地描繪了廈門當地各股幫派團體之勢力，當時與廈門當地三大姓氏抗衡的臺灣武力派大致可分為大稻埕派及萬華派。這些派系衝突事件反映了各幫派團體與當地政治勢力、軍閥、社會團體之間的複雜關係，易言之，其發展生存與當地本身政局動盪、各勢力彼此制衡及日本領事館一定程度的默許有相當大的關聯。[35]

③籍民圖像所反應出來的日本南進政策

華南地區的臺灣籍民社會與日本政府的南進政策有相當密切的關聯，可謂不言而喻。中村孝志在其一系列的研究中指出，總督府為執行南進政策而進行諸多措施，其經營新聞報紙、建設醫院、創辦學校，希望藉此發展當地影響力、營造良好形象。諸如〈廈門及福州博愛會醫院的成立：臺灣總督府的文化工作〉一文，以詳細的資料重建當時評估及逐步建設廈門及福州一帶日本醫院的過程。由於當地英、法傳教士以提供醫療服務而在當地建立起良好的名聲及形象，總督府因此欲仿效之。但其作為官方單位參與甚深，反而引起當地人民的疑慮及反感。當時駐廈門領事即以私函稟請總督府務必低調行事：「敝官希望總督府能稍減外露的鋒芒，倘若

北：遠流出版事業股份有限公司，1994），頁223-288。

31　鍾淑敏，〈日治時期臺灣人在廈門的活動及其相關問題，1895-1938〉，頁399-452。

32　許雪姬，〈日治時期赴華南發展的高雄人〉，收入鄭水萍編，《高雄研究學報：(2000)高雄研究研討會論文集》（高雄：春暉出版社，2001），頁369-403。

33　鍾淑敏，〈臺灣總督府對岸政策與鴉片問題〉，收入臺灣省文獻會主編，《臺灣文獻史料整理研究學術研討會論文集》（南投：臺灣省文獻委員會，2000），頁245。

34　戴國煇，〈殖民地的傷痕〉，頁267。

35　中村孝志著、卞鳳奎譯，〈廈門之臺灣籍民和三大姓〉，頁179-201。

再大唱所謂華南經營，恐會令地方人民背叛心離。……倘若總督府能以淡泊的態度來處理，並表現出沒有任何企圖，只求當地人民的幸福為最大的滿足的話，對於將來募款方面，還有向中國官方申請土地上，都變得非常容易。而現在卻似以慈善事業為藉口，心懷不軌，這反會引起猜忌及警戒，恐怕這工作會達不到成效而告結束。」[36] 醫院的興建過程雖引起了反感及疑慮，但因其提供醫療服務，在當地仍受到肯定與尊重。因親和政策而引發的疑慮也在報紙的創辦過程及引發的反應中看見。中村孝志之〈臺灣總督府華南報紙事業的展開〉即指出，臺灣總督府不論是補助、收買或是創辦報紙，其影響力皆與當地當時之日華關係、排日氛圍與時局變化息息相關。[37] 以中村孝志的研究為基礎，王學新提出了三本柱表策、裡策的解釋理論。三本柱表策延續中村孝志的觀點，指的是總督府表面上之親善政策：籍民教育、博愛醫院、報紙；而裡策則指的是隱藏的浪人謀略、鴉片謀略，以執行南進政策之裡面目的「扶植潛在勢力」為主。[38] 鍾淑敏也提出了類似的觀察及論述。其引述臺灣總督府給日本外務省的報告，指出「由於籍民敢於對抗廈門的『三大姓』，間接保護了日本人」，並陳述日本人如何「以籍民的武力對抗抵制日貨等反日運動。」[39] 簡言之，臺灣籍民遊走於法律邊緣之活動及武裝團體反而是日本政府得以於當地執行維護南進政策的重要籌碼。

2. 南洋
（1）在南洋的華僑圈網絡

依據日治時期的資料，南洋為日治時期臺灣移民人數第二高的地區，次於上述的華南。林滿紅於〈中華經濟圈概念之一省思：日治時期臺商之島外經貿經驗〉一文中，提出「臺灣人外移最多之華南及東南亞華僑分布區，均乃閩粵文化區。」[40] 易言之，日治時期臺灣籍民的分布乃深受其原鄉商業網絡文化的影響。林滿紅於〈日本政府與臺灣籍民的東南亞投資（1895-1945）〉中指出，早期赴東南亞的臺灣籍民多自行前往，相同的語言文化及原鄉的人際網絡使其擁有優勢，能充分運用並整合進當地的華僑圈，致使臺灣籍民於東南亞的活動以從事商業貿易及投資居多。[41]

36　中村孝志著、卞鳳奎譯，〈廈門及福州博愛會醫院的成立：臺灣總督府的文化工作〉，收入中村孝志著、卞鳳奎譯，《中村孝志教授論文集：日本南進政策與臺灣》，頁223-308。
37　中村孝志著、卞鳳奎譯，〈臺灣總督府華南報紙事業的展開〉，收入中村孝志著、卞鳳奎譯，《中村孝志教授論文集：日本南進政策與臺灣》，頁309-328。
38　王學新，《日本對華南進政策與臺灣黑幫籍民之研究（1895-1945）》（南投：國史館臺灣文獻館，2009），頁209-210。
39　鍾淑敏，〈日治時期臺灣人在廈門的活動及其相關問題，1895-1938〉，頁442-443。
40　林滿紅，〈「大中華經濟圈」概念之一省思：日治時期臺商之島外經貿經驗〉，頁47-101。
41　林滿紅，〈日本政府與臺灣籍民的東南亞投資（1895-1945）〉，《中央研究院近代史研究所集刊》32（1999.12），頁1-56。

此現象促使「以臺灣籍民為媒介從事東南亞擴張之言論」開始出現，林滿紅所引述的一段 1922 年言論曾明白指出「如何能與這些掌握商業、殖產、海運、勞動的華僑相結合、相提攜呢？當非在國家大方針下實行中日親善的政策不可，今有一個便捷直接的方法，那就是必須記得利用臺灣籍民。」[42]

（2）日本政府的南進政策與臺灣籍民

1936 年，日本將南進政策確立為「國策」，自此之後對南洋的投資移民更帶有政策激勵之影響。[43] 林滿紅指出約於 1935 年過後，臺灣總督府因強調臺灣為華南及南洋發展根據地，而於學校教育中設置科目培育相關的人才，東南亞各地移民及投資人數開始增加，而臺灣籍民也在華僑的抗日活動中於日本商社、華僑與泰國商人之間周旋，扮演重要角色。[44] 因著臺灣籍民的華人文化及日本國籍，臺灣籍民對於日本政府的態度、當地人民對於臺灣籍民兩重身分的態度，成為一重要的課題。林滿紅於前文中分述東南亞各地臺灣籍民的日本認同，指出泰國臺灣籍民於 1919 年前後和日本領事館較無往來，但在 1930、40 年代因日本人的倚重而與日本保有密切連結；菲律賓臺灣籍民扮演著日華之間的橋樑角色；印尼因當地抗日氛圍使其臺灣籍民對日本籍身分仍多曖昧；馬來地區則是抗日氣氛最劇烈之地區，因此臺灣籍民不敢表明其日籍身分。[45] 戰爭中臺灣人或擔任通譯、巡查補、俘虜營看守的角色，配合日本的政策執行業務，因而引起當地人及華僑對臺灣人的側目。[46] 2020 年鍾淑敏《日治時期在南洋的臺灣人》一書，詳細說明臺灣總督的南洋政策，與南洋各殖民國的旅券規則與入境規定，以及臺人赴南洋可以利用的各種網絡。以上述背景探討在荷屬東印度、英屬馬來亞、英屬北婆羅洲、法屬印度支那、美屬菲律賓的臺灣籍民的活動以及戰後所面對抑留與遣返，[47] 可說是集研究南洋的臺灣籍民之大成。簡言之，東南亞的臺灣籍民既因其文化身分及國籍的雙重性而擁有其優勢與空間，卻也於戰時承擔著因其身分而產生的風險及壓力，並在戰後因對日協力而被殺身亡。

（3）東北／滿洲國

臺灣人於滿洲國之職業及圖像：醫師、行政官僚。

42　林滿紅，〈日本政府與臺灣籍民的東南亞投資（1895-1945）〉，頁 18-19。

43　鍾淑敏，〈臺灣總督府的「南支南洋」政策：以事業補助為中心〉，《臺大歷史學報》34（2004.12），頁 150；林滿紅，〈日本政府與臺灣籍民的東南亞投資（1895-1945）〉，頁 11。

44　林滿紅，〈日本政府與臺灣籍民的東南亞投資（1895-1945）〉，頁 20-21、49。

45　林滿紅，〈日本政府與臺灣籍民的東南亞投資（1895-1945）〉，頁 44-47。

46　李盈慧，〈戰爭與族群互動：太平洋戰爭中的華僑、臺灣人和東南亞原住民〉，《國史研究通訊》10（2016.6），頁 65-67；鍾淑敏，〈南方進行曲：日治時期臺灣總督府的南進政策〉，收入蔡美蒨總編輯，《臺灣學系列講座專輯第五集》（臺北：國立中央圖書館臺灣分館，2012），頁 87-90。

47　鍾淑敏，《日治時期在南洋的臺灣人》（臺北：中央研究院台灣史研究所，2020），全書共 610 頁。

相較於上述華南及南洋之臺灣籍民多為閩粵文化圈之影響，日治時期東北地區滿洲國的臺灣籍民體現的則是因日本帝國版圖擴張及其政策影響下的移民遷徙。有關於因同屬帝國所促成的境內流動及政策影響，在「貿易值」上最為顯著。依據林滿紅的研究，「在日本佔領臺灣的後期，以有資料的 1932 年至 1939 年為例，臺灣與滿洲國之間的貿易值為臺灣與福建貿易值的六倍，臺灣與東南亞貿易值的八倍。」[48] 林滿紅將此現象視之為在日本帝國的框架下臺灣與滿洲國進行區域分工的結果（「寒冷的滿洲國則迫切需要臺灣盛產的蔬菜水果，滿洲國所產的豆餅又可供臺灣肥田之用。」）[49]

而在關於人之流動的部分，臺灣人在滿洲國成為日本勢力版圖後，前往該地求學並多從事醫師及行政官僚的工作。我對於日治時期在滿洲國的臺灣籍醫師有〈日治時期臺灣人的海外活動：在「滿洲」的臺灣醫生〉一文，以大量的醫師群像呈現了臺灣醫師或因就業機會，或因人際及家庭網絡輾轉至滿洲就學及開業，他們在滿洲當地以其醫術仁心贏得當地社會的敬重，並形成一穩固的臺灣醫師群網絡。[50] 我的另一研究〈在「滿洲國」的臺灣人高等官：以大同學院的畢業生為例〉、[51]〈滿洲國政府中的臺籍公務人員（1932-1945）〉[52] 則特別爬梳了臺灣人遠赴滿洲畢業於大同學院或高等考試及格，因而進入滿洲文官體系擔任行政官僚的背景與經驗。和因滿洲地區極缺醫師從而讓臺灣人醫生得以在當地有發揮空間相似，在日本建立滿洲國之際，當地培養文職官吏的需求也讓臺灣人在當時經濟不景氣、畢業生渴求就業機會、且在臺灣臺、日同職不同薪的情境下，因追求新天地與機會而遠赴滿洲以謀求官職。大同學院本質即為高級公職人員訓練所，受訓完後為「高等官試補」，不久後再升為高等官，是在官場上晉升的最直接路徑。從而這些遠赴大同學院就學的畢業生與通過滿洲國文官高等考試者皆為菁英，在臺灣機會有限的情況下試圖在新興的日本帝國控制區域追求更好的發展機會。當時在滿洲國位居高官要職的臺灣人謝介石，無疑是吸引臺人前往滿洲國追求更好仕途的標竿，而謝介石也對來滿洲發展的臺灣人予以協助。[53] 相較於華南及南洋的臺灣籍民，在滿洲之臺灣醫師與行政官僚，其職涯自養成至發揮所長，皆為日本帝國政策下的貫串。臺灣學生或於臺灣或於異地接受學業訓練、畢業後或在外地或回臺就業，其所擁有的選擇、所走的路

48　林滿紅，〈「大中華經濟圈」概念之省思：日治時期臺商之島外經貿經驗〉，頁 80。

49　林滿紅，〈「大中華經濟圈」概念之省思：日治時期臺商之島外經貿經驗〉，頁 80。

50　許雪姬，〈日治時期臺灣人的海外活動：在「滿洲」的臺灣醫生〉，《臺灣史研究》11：2（2004.12），頁 1-75。

51　許雪姬，〈在「滿洲國」的臺灣人高等官：以大同學院的畢業生為例〉，《臺灣史研究》19：3（2012.9），頁 95-150。

52　許雪姬，〈滿洲國政府中的臺籍公務人員（1932-1945）〉，收入許雪姬主編，《臺灣歷史的多元傳承與鑲嵌》（臺北：中央研究院臺灣史研究所，2014），頁 15-67。

53　許雪姬，〈是勤王還是叛國：「滿洲國」外交部總長謝介石的一生及其認同〉，《中央研究院近代史研究所集刊》57（2007.9），頁 57-117。

徑、所造成的影響皆為日本帝國擴張後境內整合及流動的體現。

（4）中國其他地區

在中國的臺灣人，都於 1937-1945 中國對日抗戰時期、1945 年戰後初期面臨其身分雙重性所帶來的優勢與困境。我在〈1937 至 1947 年在北京的臺灣人〉、[54]〈1937-1947 年在上海的臺灣人〉、[55]〈二戰前後在漢口的臺灣人〉[56] 三篇研究中，分別探究了擁有日本籍的臺灣人在北京、在上海、在漢口和日本戰時政權的關聯，及在戰後需面臨被指控為漢奸爭議時的處境。在北京，臺灣人在 1938 年後人數漸增，其原因除了是其對中國文化古都的嚮往，師友親朋的引薦，臺灣人具有日本國籍並擁有雙語能力而能在北京獲得好的待遇職位也是重要原因。在戰時的北京，臺灣人以任教職居多，也有進入日本所控制之北京政府（華北政務委員會）體制任官者，而這些經歷皆在戰爭結束後使臺灣人面臨漢奸、戰犯罪的審判。在上海，戰時的臺灣人除了原有占多數的商人外，尚有從事情報工作者、共產黨人、在汪政權或日本軍部工作者、通譯及醫療人員。在漢口的臺灣人，要到 1938 年 10 月武漢被日軍攻陷才增多，以從商的為多，也有少數武漢政府的官員和醫師。和北京相同，這些在上海、漢口的臺灣人在戰後同時也面臨了漢奸及戰犯的審判威脅。為了改善戰後臺人的處境、營救被捕的臺灣人，並試圖協助滯留在上海無法回臺者，相關的團體如上海臺灣同鄉會、臺灣重建協會上海分會、漢口臺灣同鄉會、北京臺灣同鄉會等陸續成立。這些團體不僅在戰後與政府進行交涉，於臺灣發生二二八事件發生前後也試圖發聲，以聯合發表報告書的方式影響國民政府在二二八事件的善後處置。[57]

相較於上述位於日本控制地區的臺灣人，另有一批臺灣人於中日戰爭時期選擇以對日抗戰之姿態發聲，並參與相關的抗日活動。林德政〈抗戰期間臺籍人士在重慶的活動〉、[58]〈戰時旅居重慶的臺籍人士：以《東南海雜誌》的言論與影響為中心〉[59] 即關注戰時國民政府所在地重慶的臺灣人的言論行動，《在中國革命的道路上：歷史巨變下的臺灣人》一書，詳細探討民國建立後，臺灣人到中國升學或是學

54　許雪姬，〈1937 年至 1947 年在北京的臺灣人〉，《長庚人文社會學報》1：1（2008.4），頁 33-84。

55　許雪姬，〈1937-1947 年在上海的臺灣人〉，《臺灣學研究》13（2012.6），頁 1-32。

56　許雪姬，〈二戰前後在漢口的臺灣人〉，《臺灣史研究》26:1（2019.3），頁 113-164。

57　許雪姬，〈戰後京滬、平津、東北等地臺灣人團體的成立及在二二八事件中的對臺聲援〉，收入許雪姬主編，《七十年後的回憶：紀念二二八事件七十週年學術論文集》（臺北：中央研究院臺灣史研究所、財團法人二二八事件紀念基金會，2017），頁 91-141。

58　林德政，〈抗戰期間臺籍人士在重慶的活動〉，收入中華民國史料研究中心編，《中國現代史專題研究報告（二十二）：臺灣與中國大陸關係史討論會論文集》（臺北：中華民國史料研究中心，2001），頁 765-820。

59　林德政，〈戰時旅居重慶的臺籍人士：以《東南海雜誌》的言論與影響為中心〉，《臺灣文獻》53：4（2002.12），頁 49-64。

國、共兩黨從事政治運動的經過，值得參考，[60]而當時臺灣的抗日團體「臺灣義勇隊」也是諸多研究關注的主題。[61]

（二）日本帝國擴張下的醫學生及醫師

成為醫師是臺灣人在有限的制度管道下致力向上爬升的機會，因此臺灣留學生為尋找學醫之可能性，不僅遠赴殖民母國日本，其足跡更擴及整個帝國版圖下之殖民地。由於在滿洲的臺灣醫師不少，因此就有關於臺灣醫師重要的研究進行評介。

依據吳文星的研究，為習得醫師資格，醫學為臺灣學生前往日本留學最熱門的科系，所占比例居所有留日學生之五分之二以上，自1931年過後，每年留日學生有近半是醫學生。[62]陳姃湲根據「臺灣省醫師公會」1966年所印製之會員名簿資料，指出「出生年代介於1911年至1920年間——亦即日治後期受醫學教育的世代，到日本學醫的人數，相較於在臺灣學醫者，將近兩倍之多，可見這段期間為臺灣人留學學醫的巔峰期。」[63]卞鳳奎利用這些留日醫師們的回憶錄和口述歷史，描繪了這些留日醫學生們的生活及人際網絡。值得注意的是當時日本國內正值西方思潮大量引進流行的年代，許多留日學生們因閱讀書籍、課堂、演講、與師長朋友間社交活動而受到當時思潮的刺激及影響，[64]從而在歸臺後成為社會上的菁英階層，投注心力於民族自治運動、社會運動及地方建設中。[65]易言之，這些留日醫學生們不僅是赴日學習醫術，更成為當時走在前端的頂尖知識分子，將當時日本流行之思潮引進臺灣，並在政治及社會活動上承擔並扮演重要的角色。

臺灣學生前往滿洲國習醫、或輾轉於當地開業的研究已如前述，而陳姃湲〈放眼帝國、伺機而動：在朝鮮學醫的臺灣人〉一文則刻畫另一群至朝鮮學醫學生之圖

60　林德政，《在中國革命的道路上：歷史巨變下的臺灣人》（臺北：五南圖書出版股份有限公司，2014），本書共473頁。

61　如卞鳳奎，〈臺灣義勇隊在華南地區的抗日活動〉，《臺灣文獻》53：4（2002.12），頁183-224；王政文，〈臺灣抗日團隊在大陸地區之活動（1937-1945）：以臺灣義勇隊為個案研究〉（嘉義：國立中正大學歷史研究所碩士論文，2000）。

62　吳文星，《日據時期臺灣社會領導階層之研究》（臺北：五南出版社，2008），頁108。1931年共229人（444），占51.6%；1932年共261人（514），占50.8%；1933-1935年在41-48%間；1936年507人（952），占50.7%；1937年619人（1,091），占56.7%。

63　陳姃湲，〈放眼帝國、伺機而動：在朝鮮學醫的臺灣人〉，《臺灣史研究》19：1（2012.3），頁90。

64　卞鳳奎，〈留學日本之醫師在日本的動態〉，《日治時期臺灣留學日本醫師之探討》（臺北：博揚文化，2011），頁135-182。

65　有關於臺灣留日學生在歸國後於社會上所扮演之角色及促成之影響，相關研究如吳文星，《日據時期臺灣社會領導階層之研究》（Ming-Cheng M. Lo, *Doctors within Borders: Profession, Ethnicity, and Modernity in Colonial Taiwan*. Berkeley, California: University of California Press, c2002.

像。此研究透過爬梳當時臺灣總督府相關的醫師制度，呈現臺灣學生的赴朝鮮學醫事實上是臺灣人在面對極有限的醫師資格規定下的因應之道。值得注意的是，她指出朝鮮醫專大學招生動態訊息，是透過當時流行於日本帝國學生之間的函授雜誌《受驗旬報》而傳遞至臺灣學生群體，1936年史無前例的三名臺灣學生被朝鮮京城帝大醫學部錄取，更是臺灣學生因應臺北帝大及朝鮮京城帝大當年度考試制度變更下的結果。這些現象突顯臺灣人面對制度之限制「並非逆來順受，而是善加利用日本帝國所提供的制度平台，藉此將自身的人生舞台擴大至整個帝國版圖，積極尋找並把握機會的所在。」[66] 易言之，其呈現的是臺灣人因應制度的能動性，因回應運用制度而創造了遠赴異地求學求職的現象。但陳姃湲同時也透過這些學生日後與朝鮮疏遠、甚或於戰後選擇走向日本的選擇，論證了這些留學生在朝鮮的經驗事實上是作為一個帝國的臣民，因不懂朝鮮文，臺灣學生在朝鮮境內的就學及日常生活仍須以日語溝通，因而他們在朝鮮的經驗，與其說是實質直接認識朝鮮，更毋寧說是「處於日本帝國內身為帝國臣民」。[67]

關於臺灣醫師遠赴海外的習醫就業事實上與日本殖民帝國的擴張政策緊密關聯，此在陳力航的碩士論文〈日治時期在中國的臺灣醫師（1895-1945）〉[68] 也提出了類似的結論。本文考察了日治時期在華南、華中、華北、滿洲地區的臺灣醫師，討論赴華南地區的醫師除了同屬華南區域文化語言相近的因素外，也與日本為拓展其當地勢力所發展的博愛會及其所支助的博愛醫院有所關聯；赴華中、華北習醫就職的臺灣醫師則與日本早已在此區域發展的同仁會組織密切相關；隨著滿洲國成立而抓緊機會赴滿的臺灣醫師已如上述。易言之，日治時期在中國大陸發展之臺灣醫師，事實上是臺灣人以其特殊身分於帝國擴張政策下，掌握機會因應局勢與之互動的結果。

（三）進入1930年代的戰爭動員期：軍夫、臺籍日本兵、高砂義勇隊

日治時期末期，許多臺灣人以軍屬軍夫、臺籍日本兵、高砂義勇隊的身分進入海外戰場。研究者多將戰爭動員期分為前後兩期。在戰爭前期，戰場主要在中國，對於臺灣人的徵調以軍夫為主。近藤正己〈對異民族的軍事動員與皇民化政策：以臺灣軍夫為中心〉之研究即勾勒了在1937年盧溝橋事件爆發後，被徵召之臺灣軍

66　陳姃湲，〈放眼帝國、伺機而動：在朝鮮學醫的臺灣人〉，頁129。
67　陳姃湲，〈放眼帝國、伺機而動：在朝鮮學醫的臺灣人〉，頁128。
68　陳力航，〈日治時期在中國的臺灣醫師（1895-1945）〉（臺北：國立政治大學臺灣史研究所碩士論文，2012）。

夫「白襷隊」隨軍隊至中國戰場擔任輸送搬運軍需品的工作。[69] 鄭麗玲的研究則指出由總督府組織徵募的臺灣軍夫團體尚包含「農業義勇團」、「農業指導挺身團」、「臺灣特設勞務奉公團」、「臺灣特設勤勞團」、「臺灣特設農業團」、「臺灣特設建設團」等。[70] 臺灣人也有投入滿洲國建國軍。甚至關東軍者，在日本戰敗後被俘至蘇聯的情形，但這方面尚少人進行有系統的研究。

在戰爭後期，因 1941 年 12 月日本偷襲珍珠港，太平洋戰爭爆發，戰場因而擴及到南洋一帶。臺灣總督府於 1942 年開始實施志願兵制度，於此前後引發了臺灣青年寫血書志願從軍的熱潮，[71] 因臺灣人以志願兵進入南洋戰場的時期已進入日本與盟軍於南洋激烈交戰階段，許多臺灣志願兵於南洋戰場經歷了大量空襲、戰鬥、受到圍困、及最後的退守山區，此階段可謂傷亡慘重。周婉窈〈日本在臺軍事總動員與臺灣人的海外參戰經驗〉、陳柏棕〈若櫻的戰爭足跡：臺灣海軍特別志願兵之部署與戰後復員（1944-1946）〉[72] 以整體戰爭的圖像呈現了臺灣志願兵於當中的參戰梗概。近年來，臺籍日本兵和臺灣軍夫在中國戰場及太平洋南洋戰場的經歷日漸受到重視，諸多口述訪談陸續進行並出版，諸如周婉窈主編之《臺籍日本兵座談會紀錄并相關資料》、[73] 蔡慧玉編輯訪問《走過兩個時代的人：臺籍日本兵》、[74] 鄭麗玲採訪撰述之《臺灣人日本兵的「戰爭經驗」》[75] 皆收錄了至中國華中、華南、海南島及南洋一帶參戰之軍夫及志願兵的口述歷史，以個別生命史的方式，呈現他們於戰場上的經歷、感受、及這些經歷對於往後人生的影響。

近藤正己於《總力戰與臺灣：日本殖民地的崩潰》[76] 一書中，以整體總動員的角度，敘述臺灣總督府於戰爭期間如何對當時的臺灣社會從人心（文化層面）、人力人命（戰力徵募）上進行戰爭的動員。因此當時在「男志願兵、女特志護士」的口號及潮流下，有許多女性投入海外戰場擔任護士的工作，[77] 也有少年遠赴日本本土在

69　近藤正己著、許佩賢譯，〈對異民族的軍事動員與皇民化政策：以臺灣軍夫為中心〉，《臺灣文獻》46：2（1995.6），頁 189-223。

70　鄭麗玲，〈不沉的航空母艦：臺灣的軍事動員〉，《臺灣風物》44：3（1994.9），頁 51-89。

71　周婉窈，〈日本在臺軍事動員與臺灣人的海外參戰經驗〉，收入周婉窈，《海行兮的年代：日本殖民統治末期臺灣史論集》（臺北：允晨出版有限公司，2003），頁 142-150。

72　陳柏棕，〈若櫻的戰爭足跡：臺灣海軍特別志願兵之部署與戰後復員（1944-1946）〉，《臺灣國際研究季刊》8：2（2012.6），頁 35-67。

73　周婉窈編，《臺籍日本兵座談會紀錄并相關資料》（臺北：中央研究院臺灣史研究所籌備處，1997）。

74　蔡慧玉編輯訪問、吳玲青整理，《走過兩個時代的人：臺籍日本兵》（臺北：中央研究院臺灣史研究所籌備處，1997）。

75　鄭麗玲採訪撰述，《臺灣人日本兵的「戰爭經驗」》（臺北：臺北縣立文化中心，1995）。

76　近藤正己著、林詩庭譯，《總力戰與臺灣：日本殖民地的崩潰》（臺北：國立臺灣大學出版中心，2014）。

77　近藤正己著、林詩庭譯，《總力戰與臺灣：日本殖民地的崩潰》，頁 371-388；蔡慧玉編輯訪問、

軍用飛機廠擔任少年工,[78]而當時總督府更徵募臺灣原住民組織成「高砂義勇隊」,因「原住民在熱帶叢林中的適應性和高忠誠度,被列舉為採用他們作為山地戰勞動力的理由」,而讓臺灣原住民以擔任軍夫及被培養成游擊戰士的方式投入南洋戰場。[79] 簡言之,這段臺灣人於戰爭期的海外經驗,事實上是當時臺灣社會作為日本帝國的殖民地,在當時殖民母國戰爭所需而進行的社會動員下,其整體時代氛圍與世代記憶的集體反映。

三、滿洲國研究文獻回顧

(一) 滿洲國研究概論

滿洲國的研究,於中國、日本學界已累積眾多。然而因涉及過往殖民者與被殖民者之關係,致使中、日之研究者及著作幾乎無法自外於所處位置對其論述影響的爭議。易言之,對於滿洲國,日本之研究不論是傾向辯護抑或批判的角度,或中國學者不斷強調被壓迫及人民反抗的層面,都呈現了其議題之爭議及敏感性,及因研究者身為殖民者、被殖民之族群所涉及之位置及視角的問題。

1. 日本:辯護或批判的史觀

日本早期有關滿洲之著作往往被中國學者批評為為過往殖民政策辯護。約於1970年代,與滿洲國相關的回憶錄、相關研究陸續於日本出版,以最著名但也極具爭議性、由滿洲國史編纂刊行會所編《滿洲國史》[80]為例,中國學者在此書中譯本序言中指出,《滿洲國史》的著作群有許多曾於滿洲國身處要職,因而以此為基礎的論述著重於為日本帝國主義政策辯護、強調當時日本統治集團及軍隊內部的矛盾,及論證在日本統治下各層面的高度發展及進步。[81] 簡言之,其站在殖民者的角度,致使其著重層面多著墨於政策產生背景、推動過程及成效,是以統治階層為視角所發展而成的論述,並對此採取正面肯定的態度。

對於認為滿洲國為五族協和、實行王道仁政之國度,並強調於短期間內所投入

吳玲青整理,《走過兩個時代的人:臺籍日本兵》則收錄了兩名當時擔任看護助手的口述歷史。

78 近藤正己著、林詩庭譯,《總力戰與臺灣:日本殖民地的崩潰》,頁384;鍾淑敏,〈望鄉的鐵鎚:造飛機的臺灣少年工〉,《臺灣史料研究》10(1997.12),頁117-131。
79 近藤正己著、林詩庭譯,《總力戰與臺灣:日本殖民地的崩潰》,頁389-400。
80 滿洲國史編纂刊行會,《滿洲國史》(東京:財團法人滿蒙同胞援護會,1970-1971)。
81 滿洲國史編纂刊行會編、東北淪陷十四年史吉林編寫組譯、趙連泰校譯,《滿洲國史 分論》(長春:東北淪陷十四年史吉林編寫組,1990),頁1-5,〈《滿洲國史》分論中譯本序言〉。

之無私人力及所促成的飛越發展，有日本學者對此以殖民者為中心的史觀論述有所批判。山室信一於《キメラ―満洲国の肖像》中以嚴謹的研究嘗試處理日本國內對於滿洲國的定位問題：滿洲國是「理想國家」或者是「傀儡國家」？其指出「主觀的善意」並不必然導致良善正面的結果，於當時相關人等或抱持相信滿洲國為理想國度的實踐並無私投入進而促成進展的動機，仍可能促成對於他者而言是壓迫或侵略的事實。[82] 其一方面帶領讀者理解滿洲國成立時日本提倡民族協和、王道樂土之理念，一方面也以其過程及結果論證其「民族差別、強制收奪、兵營國家」的災難性後果。

2. 中國大陸：反帝國主義的論述

強調滿洲國的建立與統治為日本帝國主義下的殖民統治、經濟剝削，並著重於人民對此的反抗，為中國學者對此段歷史的論述基調。姜念東等著的《偽滿洲國史》之章節即為「法西斯殖民統治與軍事鎮壓」、「經濟『統制』與掠奪」、「對人民的剝奪與奴役」、「殖民地文化統治與教育」、「東北人民的抗日鬥爭」，其對於史實的呈現與陳述偏向被殖民之立場，並以政治上被壓迫、經濟上被剝削為其論述主軸。[83] 解學詩所著《偽滿洲國史新編》除呈現相似論點及架構，其在緒章中也批判了1960-1970年代日本在懷舊氛圍下為滿洲國辯護及強調其開拓精神及成績的諸多著作。[84] 簡言之，中國學界對於滿洲國的相關研究，可視為對抗日本殖民史觀所形塑的另一以反抗殖民壓迫為主軸的歷史陳述。

3. 中日共同研究：和解對話的可能性

中日雙方對於滿洲國歷史的分歧觀點，約於近十多年來開始出現對話和解的新契機。由日本植民地文化学会、中國東北淪陷一四年史總編室共同研究出版的滿洲史論著《〈日中共同研究〉満洲国とは何だったのか》[85]（中文版為《偽滿洲國的真相：中日學者共同研究》[86]），為中日雙方學界多年共同研究下的成果。依據中日雙方研究者代表於本書所撰寫的序言，此計畫緣起於一次雙方共同舉辦研討會後的共識，其

82　山室信一，《キメラ―満洲国の肖像》（東京：中央公論社，1997）。本書曾再版，並於2016年由林琪禎、沈玉慧、黃躍進、徐浤馨譯成中文《滿洲國的實相與幻象》，由八旗文化、遠足文化事業股份有限公司出版。

83　姜念東等，《偽滿洲國史》（長春：吉林人民出版社，1980）。

84　解學詩，《偽滿洲國史新編》（北京：人民出版社，1995）。

85　植民地文化学会、中国東北淪陷一四年史総編室編，《〈日中共同研究〉満洲国とは何だったのか》（東京：小學館，2008）。

86　東北淪陷十四年史總編室、日本殖民地文化研究會編，《偽滿洲國的真相：中日學者共同研究》（北京：社會科學文獻出版社，2010）。

目的在於「加害方和被害方，發揮其長處，補其所短，對『滿洲國』的歷史要有一個共同的認識；由於本書的出版，可以填平中日中間的橫溝，為兩國的友好與和平，進而為東亞的和平與未來盡微薄之力。」[87] 本書內容整合了中日過往研究各自著重的層面，包含由日本學者撰寫統治理念與行政、經濟產業開發、移民等政策，及中國學者撰寫軍事鎮壓、人民反抗運動；雙方也試著於各層面涵納兩方的觀點，如不僅闡述協和會的成立背景，也陳述在「五族協和」理念下的實質悲慘結果。易言之，此為中日雙方嘗試為此一殖民與被殖民者因所處位置而存在的記憶鴻溝與對立作一和解對話的成果。

《超越國境的歷史認識：來自日本學者及海外中國學者的視角》則為中日學者試就爭議性歷史議題展開對話的結果，其書序言指出書名是為了「表示一方面冷靜地接受兩國在『歷史認識』方面存在的隔閡，一方面展開了解各自『歷史認識』的對話。」[88] 而其中收錄樋口秀實〈「滿洲國史」的爭論點：同時代與後世的觀點〉，則討論了傀儡國家及理想國家以外的第三種觀點：應「試圖研究制定政策的『滿洲國』政府與承受政策的中國東北社會間的相互關係」。[89] 其以塚瀨進《滿洲國：「民族和諧」的真實形象》一書所提出的呼籲，指出理想國家或傀儡國家的爭議說明「傳統的歷史認識注重『日本到底對滿洲國做了什麼』。所以『雖然以滿洲國作為了研究對象，但是它到底在什麼樣的地域上存在，什麼樣的人過著怎樣的生活，對這些問題都沒有做出解答。』」[90]

2014年出版之《日中両国から見た「滿洲開拓」―体験・記憶・証言》，[91] 則是中日學者共同研究的另一進展。本書除了中日雙方學者發表的論文，更收錄了中日學者所採集之口述史、進行田野調查的第一手史料，其不僅標示著雙方的研究從相互對話走向實質合作並將調查結果共同出版，而且本書著重於探討曾於當時滿洲國境內之人們其實際生活與記憶，包含北海道人民參與「滿洲開拓」之經驗，及在戰後留在中國由中國養父母撫育長大的日本「殘留孤兒」，顯示近年來滿洲國研究從體制及文獻層面的探討已轉向更深入以身處之人為中心的研究視角。

87　東北淪陷十四年史總編室、日本殖民地文化研究會編，《偽滿洲國的真相：中日學者共同研究》，頁5。

88　劉杰，〈序言〉，收入劉杰等，《超越國境的歷史認識：來自日本學者及海外中國學者的視角》（北京：社會科學文獻出版社，2006），頁4。

89　樋口秀實，〈「滿洲國史」的爭論點：同時代與後世的觀點〉，收入劉杰等，《超越國境的歷史認識：來自日本學者及海外中國學者的視角》，頁133。

90　樋口秀實，〈「滿洲國史」的爭論點：同時代與後世的觀點〉，頁134。

91　寺林伸明、劉含發、白木沢旭児編，《日中両国から見た「滿洲開拓」―体験・記憶・証言》（東京：御茶の水書房，2014）。

4. 西方研究者：多元的角度

有別於早期學者們多關注於高層的運作及政治經濟政策執行的層面，Louise Young 的 *Japan's Total Empire: Manchuria and the Culture of Wartime Imperialism*[92] 深刻地探討日本於東北建立滿洲國如何產生、並同時回頭影響其日本本土的社會。作者論證，滿洲國的成立及發展不僅是日本高層運作於其間的產物，諸如當時倡導軍事擴張的大眾媒體言論、軍方於基層的青年、婦女、勞工團體組織中建立影響力以營造贊成占領的「公眾意見」；滿洲國的建設不僅被日本社會視為解決當時困頓經濟的希望，而且同時成為當時政治及社會實驗性想法及計畫的試驗場；以及「滿洲開拓」如何成為釋放日本本土農村經濟危機壓力的一個途徑，致使日本農村人口移往滿洲，建立起一個又一個的日本移民村及拓殖社會。作者將攻占東北及滿洲國的成立置放於日本本身正走在現代化國家的脈絡之中，更細膩地看見國家與社會、殖民國與殖民地的多向互動，從而對於當時影響滿洲國甚深的日本本國如何本身也於其中同步產生相關聯的互動與影響，呈現了生動且深刻的圖像。

學者 Rana Mitter 的著作 *The Manchurian Myth: Nationalism, Resistance and Collaboration in Modern China*[93] 則對滿洲國爭議提出了具說服力的見解。Mitter 回歸到滿洲國最初建立的 1931-1933 年期間，試著重新檢視並呈現於九一八事變後，三方行動者的選擇：與日本合作的當地各階層精英領導者、離開東北大力倡導鼓吹收復東北的流亡抵抗者、選擇留在當地進行反抗運動的行動者。Mitter 指出，對於已被占領的滿洲國當地軍閥及菁英分子而言，影響其決定合作或反抗與否的關鍵在於與日方的合作是否能延續或維持其本身的統治利益與地位。日本研究者較關注的日本軍方及政府領導階層內部的衝突等，事實上對被占領方滿洲國地區而言，並無太大的感受與影響。在南京政府宣布不抵抗方針，從而大多數領導階層在衡量當時情境而選擇與日本合作的情況下，1931 年東北的占領事實上並未如後來的人們所想像的帶有濃厚的普遍抵抗色彩。相反的，當代對於東北淪陷時人們英勇抗日的印象，是來自於流亡於外的反抗者於各地四處演講鼓吹、撰寫文章、說服拉攏國內國外政治勢力的結果。Mitter 透過檢視當時流亡在外之反抗團體的各式活動及其論述，說明其如何在滿洲以外逐步建立一個淪陷區之滿洲人民奮勇抵抗日本帝國主義者的圖像，藉以施壓南京政府將收復滿洲列為優先順位。其將滿洲淪陷拉到中國民族主義的層次，因此成為之後對日抗戰民族主義的重要底蘊，並直到今日仍影響了中方對於此事件的認識與想像。

---

92 Louise Young, *Japan's Total Empire: Manchuria and the Culture of Wartime Imperialism.* Berkeley, Calif. : University of California Press, 1998.

93 Rana Mitter, *The Manchurian Myth: Nationalism, Resistance and Collaboration in Modern China.* Berkeley : University of California Press, c2000.

關於滿洲國是傀儡政權或是理想國實踐的爭議，Prasenjit Duara 於 *Sovereignty and Authenticity : Manchukuo and the East Asian Modern* 一書中提出其論述：此政體的建立源於當時第一次世界大戰後民族自決、反殖民主義之風潮盛行下，日本須透過倡導一東亞民族共榮協和、對抗西方殖民主義的觀念，並以中日共同合作、與當地領導階層合作的方式，建立一個不同於過往西方殖民的占領方式。相對於視此理想或論述為一藉口或空泛論述，作者透過檢視其論述形構的過程，重新將其置放於帝國主義與民族主義、主權及真實性、全球及東亞地區之現代化潮流中的脈絡中加以檢視，並提出滿洲國的意義更在於其作為「東亞現代性」之概念。[94]有諸多學者提出對於本書論述的討論。如 Louise Young 即指出，滿洲國試著以整合東亞文明、多元文化民族協和的方式論述其國家的主權性，但這是否可以視之為「東亞現代性」？抑或者只能是滿洲國的單一個案？[95]陳永發、沙培德的評論文章〈關於滿洲國之建構〉則指出，此書論述僅關注於「滿洲國內日本籍官員的主張」，滿洲國內的人民、當地社會如何看待這樣的論述卻付諸闕如，過於強化理念本身形構，卻「脫離現實政治的脈絡」。[96]

2017 年 Thomas David DuBois（杜博斯）出版 *Empire and the Meaning of Religion in Northeast Asia：Manchuria 1900-1945*（《帝國與東北亞宗教的意涵：1900-1945 的滿洲》），除導論和結語外共有八章，以廣義的宗教概念作為觀察滿洲／滿洲帝國的角度，並希望能重視當代在當地所創設的制度，企圖將過去研究滿洲國時，往往以中、日矛盾衝突作為研究滿洲國的框架打破。他認為宗教的形成是確立自我認同的實體，特別是宗教的形塑，必須肆應當時各種不同的國家建設、社會變革思想，在激烈的競爭時代能存在，又能在軍隊、法律、商業、社會中有非常具體的作用，故值得研究。書中不只談清末以來滿洲地區的傳統和民間宗教，也觸及外來的基督教，以及日本人試著在之間灌輸其帝國精神、忠義觀念、慈善行為及孝道，不僅使其教義和活動成為共同體和認同的鮮活標誌，也呼應了當時重新定位宗教的全球性現象。由對滿洲宗教的觀察，杜博斯認為當時的滿洲，可說是充滿活力、進步、具有全球性的地區。[97]本書的觀點、研究方法雖具有挑戰性、創新性，但若由實證的角度以及對史料和二手研究的不足來看，還有進一步發揮的空間。

94　Prasenjit Duara, *Sovereignty and Authenticity : Manchukuo and the East Asian modern,* Lanham; Oxford: Rowman & Littlefield Publishers, c2003.

95　Louise Young, Book review, *The Journal of Asian Studies*, 63:2（2004.5），pp. 473-475.

96　陳永發、沙培德，〈關於滿洲國之建構〉，《中央研究院近代史研究所集刊》44（2004.6），頁177-194。

97　Thomas David DuBois, *Empire and the Meaning of Religion in Northeast Asia: Manchuria 1900-1945,* London: Cambridge University Press, 2017.

（二）臺灣的滿洲國研究

臺灣早期滿洲國研究，和上述中國學者論點相似，多著墨於日本侵略東北之帝國主義行徑、經濟剝削及人民抗日之層面。林明德〈偽滿洲國與反滿抗日運動〉[98]及李恩涵〈九一八事變前後日本對東北（偽滿洲國）的毒化政策〉[99]皆是以帝國主義侵略及民族主義對抗史觀下的研究。而丘樹屏所撰寫之《偽滿洲國十四年史話》陳述滿洲國興衰，[100]也有學者注意到日本對滿洲的殖民政策，如黃福慶，〈論後藤新平的滿洲殖民政策〉；[101]陳豐祥，〈日俄戰後日本對「滿」政策〉。[102]

晚近臺灣學界的滿洲國研究日趨多元。於文學評論領域，朱惠足〈帝國下的漢人家族再現：滿洲國與殖民地臺灣〉[103]以解讀在臺日人、在臺漢人、在滿日人、在滿漢人作家於小說中所描繪的漢人家族圖像，試著分析其所刻畫的漢人家族故事之差異及其所反映的豐富訊息。此文指出，相對於日本作家大瀧重直筆下《劉家的人們》視日本及滿洲國國度的來臨為保護其漢人家族免於「胡子」（馬賊）威脅的轉捩點，漢人作家梁丁山《綠色的谷》則以火車的出現、其所載走的資源呈現了對於日本勢力及滿洲國建立所帶來的經濟及社會層面的衝擊。於漢學領域，劉恆興以〈大道之行也：「滿洲國」大同時期王道思想及文化論述（1932-1934）〉[104]及〈王道之行，始於齊家：「滿洲國」大同時期家庭倫理思想論述〉[105]剖析了作為滿洲國立論基礎的「王道」思想、家庭倫理思想及文化論述。與前述西方學者及日本學者的相關討論類似，作者希望能跳脫過往視滿洲國東亞文明及王道王化為空泛言論的簡化批判，而對論述背後的漢學基礎及如何被運用援引作一分析。

於史學領域，林志宏〈王道樂土：情感的抵制和參與「滿洲國」〉一文關注清

---

[98] 林明德，〈偽滿洲國與反滿抗日運動〉，《中央研究院近代史研究所集刊》17下（1988.12），頁195-210。

[99] 李恩涵，〈九一八事變前後日本對東北（偽滿洲國）的毒化政策〉，《中央研究院近代史研究所集刊》25（1996），頁269、271-310。

[100] 丘樹屏，《偽滿洲國十四年史話》（長春：長春市政協文史和學習委員會，1998）。但此書並非有註釋的學術性論著。

[101] 黃福慶，〈論後藤新平的滿洲殖民政策〉，《中央研究院近代史研究所集刊》15上（1986.6），頁371-402。

[102] 陳豐祥，〈日俄戰後日本的對「滿」政策〉，《國立臺灣師範大學歷史學報》，16（1988.6），頁155-402。

[103] 朱惠足，〈帝國下的漢人家族再現：滿洲國與殖民地臺灣〉，《中外文學》37：1（2008.3），頁153-194。

[104] 劉恆興，〈大道之行也：「滿洲國」大同時期王道思想及文化論述（1932-1934）〉，《漢學研究》30：3（2012.9），頁297-329。

[105] 劉恆興，〈王道之行，始於齊家：「滿洲國」大同時期家庭倫理思想論述〉，《漢學研究》32：2（2014.6），頁231-364。

代遺民於滿洲國建立過程前後之角色及其背後的心態變化。[106] 作者透過追索當時擁護或懷念帝制的知識分子們其言行著述，試著呈現其當面對共產思想席捲而來的憂心，面對滿洲建國時於效忠朝廷及民族反日的兩難，及選擇參與者試圖維護滿洲國自主權的立場及努力。作者並以鄭孝胥為例，探討其如何「尋求國內外的『思想資源』」，打造滿洲國為實踐「王道」烏托邦之論述，並指出王道對於清遺民而言，不僅是援引傳統捍衛滿洲國之正統性，其更作為應對時勢抵抗西方列強及其文明價值體系的「盾牌」。蔡雅祺《製造戰爭陰影：論滿洲國的婦女動員1932-1945》則以戰爭時期滿洲國婦女如何被教化、動員以投入戰爭為主題，探討當時成立之相關團體組織、婦女教化之形象及內容、在動員政策下婦女參與之日常生活及特定運動，並試著分析這些動員對婦女的影響及其意義。[107]

（三）滿洲國境內的多族群移民

1. 朝鮮移民滿洲開拓團

在滿洲國研究中，朝鮮的農業移民政策一直是相當重要的課題，於日本、中國、朝鮮皆已累積相當豐富的研究。金永哲《「滿洲国」期における朝鮮人滿洲移民政策》將朝鮮人移民滿洲之政策分為幾期，日本於九一八事變後為保護在滿洲的朝鮮人而建立「安全農村」和「集團部落」，自1932年起為紓解朝鮮農村因蕭條經濟所造成的過剩人力而進入成立期，並於1936年確立移民政策並成立拓殖會社以作為協助朝鮮移民之經營機構，此顛峰期於1940年因日本國內勞力短缺而徵召朝鮮勞力進入日本國內，致使移入滿洲的朝鮮移民大幅滑落。[108] 尹輝鐸則指出，在滿洲的朝鮮人大半是為了擺脫貧窮才進入滿洲，但又對滿洲國沒有認同感，但也有被視為「鮮系」，依違在日本統治者身邊的人。雖然他們也算是「日本臣民」，形式上被看做二等公民，但朝鮮人在日本人眼中是一種在日本人面前顯得很卑屈，到滿洲人面前卻會像日本人一樣擺排場的狡猾的奴隸。這種自己覺得比滿洲人優越的想

---

106 林志宏，〈王道樂土：情感的抵制和參與「滿洲國」〉，收入林志宏，《民國乃敵國也：政治文化轉型下的清遺民》（臺北：聯經出版文化事業公司，2009），頁307-360。林氏近來尚有多篇論文發表，如〈帝國的探險1933年「滿蒙學術調查研究團」在熱河〉，《暨南史學》17（2014.7），頁11-41；〈殖民知識的生產與再建構：「滿洲國」時期的古物調查工作〉，《中央研究院近代史研究所集刊》87（2015.3），頁1-50；〈地方分權與「自治」：滿洲國的建立及日本支配〉，收入黃自進、潘光哲主編，《近代中日關係史新論》（新北：稻鄉，2017），頁643-683。上述論文及氏相關著作中，指出日本帝國並非以殖民地治理型式來治理滿洲國，而是以「非正式帝國」來以控制，日本利用學科知識強調對滿洲的統治，尋找開發各項經濟、自然資源，肅清各地抗日勢力，此外也吸引中日的協力者，以地方意識為訴求，繼續發展有關「滿洲」的學術與知識，頗值得參考。但滿洲國也試圖建立自我主權，確立自己承襲清帝國的淵源，以求得立國的基礎。

107 蔡雅祺，《製造戰爭陰影：論滿洲國的婦女動員1932-1945》（臺北：國史館，2010）。

108 金永哲，《「滿洲国」期における朝鮮人滿洲移民政策》（京都：昭和堂，2012）。

法，引發了與滿洲人之間的矛盾，朝鮮人被當地人視為「日帝的走狗」。[109]

2. 官吏人才流入：朝鮮人、臺灣人

除了民間以農業為主的開拓團，因統治需求而至滿洲國的官吏人才也從日本、朝鮮、臺灣流入。山室信一於〈植民帝国、日本の構成と満州国―統治様式的遷移と統治人材の周流〉一文中指出，於滿洲國成立後日本政府引入在日本其他殖民地區有任職經驗的統治官吏，包含曾在關東租借地之日本人及中國人官吏（被滿洲人稱為金大哥）、曾於臺灣任職或有一定淵源的日本官吏及臺灣人、以及在朝鮮任職之日本官員及朝鮮官吏。山室信一以「統治樣式的遷移和統治人才的周流」的概念，描述各區域之人才因同屬日本統治勢力範圍而於各地區間流動移轉的現象。[110] 對於山室所提之人才周流論述，蔡慧玉〈日治時期臺灣行政官僚的形塑：日本帝國的文官考試制度、人才流動和殖民行政〉一文以日本高等文官考試及格者之統計資料分析，肯定山室信一所提之日本統治人才的確隨殖民地擴張而異動日趨活化頻繁，但他也提出人才交流「多半只限在派任地和日本內地之間流動，只有相當少數決策幹部和技術人才在帝國擴充之初充當地域性交流的開路先鋒」，因而多數的「殖民官僚並沒有像山室所主張的那樣具有區域循環（從臺灣到朝鮮，從朝鮮到滿洲國，再從滿洲國到東南亞占領地）的人才流動現象。」[111]

3. 沖繩人

在日本的滿洲國移民政策下，沖繩人也於其間組成集團移民前往滿洲開拓。在此移民政策前期，沖繩是被排除在日本移民政策之外的，直到 1938 年「第七次滿洲農業移民本隊募集要綱」，募集區域才包含了沖繩縣，而這與 1937 年爆發中日戰爭，當時勞動力大量流向軍需產業等時代因素相關。[112]《沖縄と「満洲」：「満洲一般開拓団」の記録》以開拓團為單位，呈現此期間不同開拓團的詳細資料。其提出「沖繩縣立農林學校」與農業移民政策及開拓團的緊密關係。自沖繩納入移民招募區域後，沖繩縣立農林學校即增加與殖民教育相關的內容及入學學生人數，農林學校學生畢業後或擔任開拓團的幹部及指導員，也有前往滿洲任職相關機構或就

109　尹輝鐸著、金蘭譯，〈滿洲國的「流浪者（nomad）」在滿朝鮮人的生活和認同〉，《臺灣史研究》22：1（2015.3），頁 81-112。

110　山室信一，〈第五章　植民帝国、日本の構成と満州国―統治様式的遷移と統治人材の周流〉，收入ピーター・ドウス、小林英夫編，《帝国という幻想―「大東亜共栄圏」の思想と現実》（東京：青木書店，1998），頁 155-202。

111　蔡慧玉，〈日治時期臺灣行政官僚的形塑：日本帝國的文官考試制度、人才流動和殖民行政〉，《臺灣史研究》14：4（2007.12），頁 2、50。

112　沖縄女性史を考える会編，《沖縄と「満洲」：「満洲一般開拓団」の記録》（東京：明石書店，2013），頁 6、18。

學者，而在校生也在動員之下以組成「奉仕隊」的方式前往滿洲。[113]

4. 俄國人及猶太人

相較於上述多因同屬日本殖民體系而前往滿洲之族群，在滿洲的俄國人則是早於滿洲國成立以前即已活躍於此區域。在十九世紀末俄國基於「中俄密約」取得中東鐵路修築權及政府鼓勵移民下，俄國人陸續進入中國東北地區。[114] 1917 年因俄國歷經二月革命、十月革命，蘇維埃政權取代了沙皇政權，致使大批舊俄貴族、資產階級、文武官員、知識分子以及反對蘇聯政權者流亡海外，滿洲為過往舊俄的勢力區域，因而於此時湧入了大量的俄國人，而且因其多為有產者，致使當地的俄人商業勢力復甦興盛。1922 年，反抗蘇俄的白俄軍及大批難民撤退，致使 1923 年定居哈爾濱的俄僑一度多達 20 萬人，甚至超過了當地中國居民的人數。九一八事變後，在日本勢力影響下的滿洲國期間，俄國人（包括蘇聯或白俄人）在哈爾濱的數量降到了最低點，大批俄人或回國，或至中國其他地區，或流亡至其他國家。留在當地的俄國人，有些為日本當局服務（俄籍日本特工或「白俄部隊」），也有許多因失業而位居社會底層者。[115] 俄國籍猶太人也隨著俄國人移居東北的浪潮而定居於哈爾濱，當時俄國國內的反猶風潮無疑是重要的推力。[116] 值得注意的是，與其他俄羅斯人在哈爾濱的職業、就業情況相比，「哈爾濱猶太人在房地產業和工商業中具有明顯的優勢，在業人口比例比俄羅斯人高出 7 倍。」[117] 顯見其於當地社會為屬高社經階層的群體。

（四）戰後「回歸」

1945 年日本戰敗，於滿洲國境內的人們各自面臨了什麼樣的處境？《滿洲：記憶と歷史》[118] 為山本有造編著之京都大學人文科學研究所共同研究成果報告書，本書以「記憶歷史化」為核心概念，帶領讀者重新檢視過往被壓抑忽略的身處其間之人的記憶與話語。其所收錄的論文，包含在鄉村之開拓團、在都市的勞工及各行各業人們的「滿洲經驗」，不僅包括他們在滿洲的日常生活，更多的論述重點更放

113　沖縄女性史を考える会編，《沖縄と「滿洲」：「滿洲一般開拓団」の記錄》，頁 23-32。
114　石方、高凌、劉爽著，《哈爾濱俄僑史》（哈爾濱：黑龍江人民出版社，2003），頁 161-164。
115　石方、高凌、劉爽著，《哈爾濱俄僑史》，頁 566-567。
116　劉爽，〈哈爾濱猶太人探源〉，收入曲尾、李述笑主編，《哈爾濱猶太人》（北京：社會科學文獻出版社，2004），頁 14-27。
117　李述笑、傅明靜，〈哈爾濱猶太人人口、國籍和職業構成問題探討〉，收入曲尾、李述笑主編，《哈爾濱猶太人》，頁 48-49。
118　山本有造編著，《滿洲：記憶と歷史》（京都：京都大学学術出版会，2007）。

在戰爭終止，其成為戰敗國人民後的混亂及悲慘境遇，及等待被集體遣返的經過及所見所聞。在這些口述訪談紀錄中，呈現了滿洲國戰敗崩潰的結果，如何成為身處其間的個人之沉痛傷痕性的記憶存在。

Lori Watt 的專書 When Empire Comes Home: Repatriation and Reintegration in Postwar Japan 刻畫了在殖民地及戰場上的日本人，在日本戰敗後被集體遣返，及歸國後被本國社會視為「他者」而需努力融入日本社會的境遇。[119] 從過往的殖民者成為戰敗國人民，「引揚者」往往陳述著相當類似的故事，作者透過重現此過程，論述「引揚」如何從一個動作變成一種身分，引揚者從而是一種日本戰後社會的集體創造，戰後的社會透過疏離或獨立化「引揚者」，藉以將自身與失敗的帝國計畫加以隔離、保持距離。作者更透過探究戰後日本歌曲、文學、電影中對於引揚者的呈現與描述，探討從滿洲國歸來的日本女子如何成為戰後日本社會中的邊緣者。於戰敗前夕，大量蘇聯軍隊進入滿洲地區，許多日本女子或在此期間或於戰後遭受蘇聯士兵的性暴力，致使引揚回國後其所接受的健康檢查往往包含了協助墮胎的過程，及於日後所引發不小的爭議。對於這些女子而言，她們在滿洲國的經歷成為其聲名低落的根源，社會給予特異的眼光及身分歸類，致使從滿洲回來的女子擔負了一定的影射與社會想像。被蘇聯接收的戰敗日本士兵，則是另一段故事。被俘的日本士兵被送到了蘇聯的勞改營，在那裡勞動並接受共產思想，於是 1949 年歸國的日本士兵，成為了對日本社會而言——共產思想散播者的潛在威脅。同樣的，他們成為了另一個特殊的分類：從西伯利亞歸來的紅色引揚者。作者以一句這樣的台詞濃縮成為其章節的標題，以作為這些引揚者的心境：「我們成功地逃離了俄羅斯人、滿洲人及朝鮮人，最後，是日本人捉住了我們。」[120]

在滿洲國境內的臺灣人，於戰前為非日本人卻也非中國人的特別存在，於戰後，其身分更充滿曖昧性。如前述，我過去的研究顯示，在北京、上海、滿洲等日本勢力範圍內的臺灣人；或辛苦地藉由 UNRRA（聯合國善後救濟總署）的協助下，而走向歸鄉之路；於戰後因過往在日本政府體制下的經歷而多遭受漢奸質疑及審判，為因應此局勢，臺灣同胞救濟團體紛紛成立，以營救、協助臺灣人民返臺。張建俅的研究〈田園將蕪胡不歸？戰後廣州地區臺胞處境及返籍問題之研究〉[121] 也指出，

---

119 Lori Watt, *When Empire Comes Home: Repatriation and Reintegration in Postwar Japan.* Cambridge, Mass.：Harvard University Asia Center：Distributed by Harvard University Press, 2009. 本書於 2018 年由黃煜文中譯為《當帝國回到家：戰後日本的遣返與重整》，遠足文化出版。

120 "We managed to escape from the Russia, the Manchurians, and the Koreans without any problem. In the end, it was the Japanese who got us." Lori Watt, *When Empire Comes Home: Repatriation and Reintegration in Postwar Japan.* p.166.

121 張建俅，〈田園將蕪胡不歸？戰後廣州地區臺胞處境及返籍問題之研究〉，《臺灣史研究》6：1（2000.9），頁 133-167。相關的研究包含簡笙簧，〈光復前後政府接運旅日臺胞返籍之探討〉，《中華民國史專題第三屆討論會論文集》（臺北：國史館，1996），頁 1171-1190。張建俅，〈迢迢歸鄉路：戰後港澳地區臺胞返籍始末〉，收入港澳與近代中國學術研討會論文集編輯委員會編，《港

在廣州地區臺胞的處境其癥結點在於身分之不確定，究竟應視之為中國同胞，抑或是臺籍漢奸，因主政單位未達共識或處置方式有相當大的解釋空間，致使各地區情況不定，因此同樣出現組織臺灣同胞援助團體以展開救援行動的現象。臺灣人因戰前屬於日本國民，在戰後被其他國家視為戰敗敵國人民送入集中營的境遇，並非局限於中國。湯熙勇〈烽火後的同鄉情：戰後東亞臺灣同鄉會的成立、轉變與角色（1945-1948）〉[122] 即探討東南亞地區的臺灣人有著類似的困境，在香港、泰國、新加坡、印尼、越南等地，臺灣同鄉會扮演著相當關鍵的角色，除了營救臺灣人民、給予生活物資、協助返臺、辦理復籍及爭取被盟軍沒收財產，也同時舉辦「國父遺囑課程」、國語文訓練班等課程，並印製通訊，以傳遞重要訊息。在滿洲國的臺灣人於戰後的回歸，是什麼樣的過程及故事？其滿洲國經歷，又如何影響其往後的人生？這些主題，都是值得再更深入探索的研究議題。

四、在滿洲國之臺灣人的相關研究材料

1. 檔案：本研究最重要的檔案有以下四種

（1）日本外務省外交史料館所藏的相關檔案（1897-1942）：其中最重要的是旅券發放紀錄（旅券下付返納表），川島真曾發表〈日本外務省外交史料館館藏臺灣人出國護照相關資料之介紹（1897-1934）〉一文，指出這批由各地彙整至中央的旅券發行簿記載「護照號碼、交付的年月日、旅行目的、目的地、本籍地、住所、種族、身分、姓名、年齡等項目」，此一資料可用來做研究的方向。日本學者早瀨晉三，即利用此名簿研究在1901-1939年間往菲律賓的日本國民。本文則利用臺人旅券中申請到「滿洲國」、滿洲各都市，如牛莊（營口）、奉天、新京、吉林、哈爾濱等的資料來建立到過滿洲國臺灣人名單。但因部分人士只是去旅行或作商業考察，因此在進一步分析時必須排除。

旅券資料也有其不足，亦即臺人自1908年起，赴日不再需要「內地渡航證」；也可自日本再轉赴香港、中國；或者先渡航到華南、華中一帶，再進入滿洲；再者，先乘船到日本，再轉往日本領土的關東州─大連，再進入其他城市。這些人並沒有詳細的資料留下來。此外，日本駐各國的大使館、領事館也可發出旅券，如「J.2.2.0、J13-3　外國旅券下付表 中國ノ部　在上海日本總領事館」即為一例，因此只憑臺灣總督府核發的旅券，不夠全面。

　　澳與近代中國學術研討會論文集》（臺北：國史館，2000），頁548-580。
122　湯熙勇，〈烽火後的同鄉情：戰後東亞臺灣同鄉會的成立、轉變與角色（1945-1948）〉，《人文及社會科學集刊》19：1（2007.3），頁1-49。

「外務省紀錄」中還有「外國元首並皇族本邦訪問關係雜件滿洲國ノ部 溥儀皇帝御來朝ノ件」，這份資料可瞭解跟隨溥儀赴日人員中的臺灣人，如謝介石等。「各國特派使命本邦へ派遣關係雜件 滿洲國ノ部」，這份資料中有「滿洲國答禮使節謝介石」，是滿洲國建國後溥儀派答禮使謝介石前往日本的答謝的經過。此檔中另有關於滿洲國駐日大使謝介石履任後的動靜以及他回臺的種種情況。

(2) 滿洲醫科大學檔案：其中南滿醫學堂時期、滿洲醫科大學（包括專門部）的學籍簿、成績原簿、生徒身上調書、卒業名簿，是瞭解臺籍生有多少？有沒有冒籍進入專門部？最原手的資料。若再參照《滿洲醫科大學一覽》(1941)則可以建立一份完整的名單。

(3) 判決書及相關文書：由於處理戰後有滿洲經驗者涉入漢奸／戰犯案、二二八、白色恐怖，因而引用陳卓乾、彭華英等戰犯審理案檔案（藏國家檔案管理局）、〈臺灣高等法院刑事判決〉書，以及臺灣保安司令部判決書。也有已出版的檔案如中央研究院近代史研究所（許雪姬）編，《二二八事件資料選輯》(一-六)。

2. 日記：日記資料中以徐水德〈光復日記〉（民國34年8月9日立）最重要，這是當事人在新京遇到蘇聯軍進攻滿洲，他和一群臺灣人肆應的經過，迄是年12月31日。此外日記的資料雖片斷，但能提供家族成員、親友赴滿洲國的時間及相關情況，如張麗俊《水竹居主人日記》，有其女婿袁錦昌醫師到滿洲開業的記載；林獻堂，《灌園先生日記》，有林建寅到滿洲的相關記載，如他稱去滿洲是「牛不食險草不肥」；黃旺成，《黃旺成先生日記》，載其友張忠、彭華英到滿洲。張星賢，《我的體育生活：張星賢日記及書信》中描寫他在1933年6月底隨早稻田大學的田徑隊7月15日到朝鮮、滿洲去參加在京城、大連體育場的比賽。杜聰明，〈杜聰明先生日記〉，描寫其1937年8月16日到8月31日前往滿洲旅順工科大學參加日本學術協會第十三回大會，及在滿洲醫科大學的部會進行演講的經過。鄭孝胥，《鄭孝胥日記》，日記中有謝介石、林景仁及他所會見的臺灣人名單。

3. 回憶錄：有滿洲經驗的臺灣人留下的回憶錄不多，最重要的是畢業於哈爾濱醫科大學的盧昆山，他在70歲時寫的回憶錄，自14.〈關東去〉至48.〈離合〉，都在敘述何以到大連姊夫簡仁南開設的醫院當X光見習生，然後考上哈爾濱醫科大學、開業，戰後夫妻分別逃離，到前後回臺的經過。他之所以寫此回憶錄，是受到「陳章哲老醫師的回憶錄——有感」而寫。陳章哲醫師的回憶錄，即《養生之道：八十多年來經驗談》，全書共44節，只有兩節談到滿洲經驗，即22.〈我對金錢的看法　幸虧沒賺六億元〉，與25.〈為什麼能從東北回來〉，藉著敘述他在東北累積了不少財富，在大連有17甲大蘋果園、51戶房子出租，還在錦州附近有700餘甲農園，他如何在錦州觀望局勢兩年後，放棄前述財產回到臺灣，再從衛生所任職開始。第三本回憶錄是澎湖人黃清舜寫的《一生的回憶》，書中「肆：奔波與就職

時代」裡的〈十、東北時期約三年〉（1944-1946），回憶他如何到牡丹江市投靠臺南師專同班同學吳深池；吳在當地從事建築業，他協助報帳，並在翌年與滿洲人郝錫增合作組成「連增林業公司」，負責伐工現地視察，向滿洲林業公司申請經費的工作。黃正想自立門戶組織林業公司時，不料蘇軍入侵滿洲，此後就記載他如何回到臺灣。本書作者觀察力強，敘述當地風情民俗、生活方式絲絲入扣，對本研究有相當的助益。雖只有兩本回憶錄（《養生之道》不計），但史料價值連城。另外，廖泉生的《乘願藥師如來：廖泉生回憶錄》，詳細記載在滿洲醫科大學受教育、在奉天開設「仁愛醫院」及回臺的情形。吳昌禮的《吳醫師手記》自四、大學時代（1930-1934）到八、返臺以後（1946-1973），都有講述其就讀滿洲醫科大學求學、在滿洲從事的防疫工作、到日本留學兩年、戰後返臺的經過，他在滿洲前後待了十多年，其經驗相當珍貴。

4. 人名錄：此為研究本題目的基礎，其中最重要的一份檔案是藏在中國第二歷史檔案館的〈居住長春台灣省民名簿〉（1946年1月28日），長春臺灣同鄉會向臺灣省行政長官公署求援的文件，包括戰後在長春所有臺灣人的名單，最為珍貴，其次為戰後回臺有滿洲經驗者組成的「東北會」名單；有滿洲醫科大學畢業在臺者的「通訊錄」，加上臺灣出版的《臺灣人士鑑》（1934、1937、1943年版），中西利八，《滿華職員錄》（1942）、《中國紳士錄》（2007年復刻）；吳銅，《臺灣醫師名鑑》、陳國柱，《臺灣省醫師名鑑》；臺灣省醫師公會印，《臺灣醫師公會所屬各縣市暨臺北市醫師公會會員名冊》（1966），由上整理出一份可用的名單。

5. 公報與報紙：最重要的公報、報紙如下

（1）《政府公報》，滿洲國政府公報，中國重新出版後稱《偽滿洲國政府公報》，本書則稱之為《滿洲國政府公報》。此公報是瞭解臺灣人在滿洲國政府任官經歷、醫師登記最重要的資料來源，糾正、補充了不少人名錄中錯誤的履歷。

（2）《府報》，臺灣總督府府報有相關法律規章，其中有發給旅券的相關規定與資料、滿洲建國大學招生簡章。

（3）《臺灣日日新報》（包括夕刊）、《漢文版臺灣日日新報》、《臺灣新報》。

（4）《臺灣民報／新民報》、《興南新聞》，尤其在《臺灣民報》、《臺灣新民報》中刊載謝春木、陳逢源參訪滿洲的相關報導。

（5）《盛京日報》（日刊、晚刊）

（6）《民報》（戰後）

（7）《國聲報》（戰後）

6. 校友會通訊、同窗會名簿

這是了解個人戰前去滿洲、戰後回臺灣最重要的資訊之一

（1）在滿洲國學校的同窗會名簿，如《滿洲醫科大學輔仁会 会員名簿》（1978）、

《建国大学同窓会名簿》（1988）、《大陸科学院の會會報と名簿》（1995）、《長春工業大學中國校友紀事》（1996）、《大同学院同窓会名簿》（1998）、《新京醫科大學圭泉会名簿》（1991）。還有當時出版的會員名錄，如滿洲聯合齒科醫學會的《本會所屬各齒科醫師會會員名簿》（1943），與《昭和十三年（1938）奉天南滿中學堂歷屆畢業生名錄》。

（2）在臺灣初、高等中學校、大學等通訊錄，如《國立臺灣大學景福校友會通訊錄》（1992）、《臺北師範學校卒業及修了者名簿》（1926）、《臺北商業學校同窓會會員名簿》（1937）、《臺中師範學院同窓會會員名簿》（1939）、臺北州立臺北工業學校會員名簿》（1941）、《臺北第一高等女學校同窓會誌第十六號》（1938）、《鹿港第一公學校創立四十週年紀會誌》（1938）等。這其中嘉義中學、臺北第二中學校、彰化高等女學校畢業生去滿洲的較多，後者大半是人妻，有些可以判別其丈夫為誰，但大半分辨不出，誠遺憾萬千。

7. 當時與戰後有關臺灣與滿洲國相關的書：如黃竹堂（黃朝君），《新興滿洲國見聞錄》（1933），書中為作者在1933年5月訪問滿洲的報導，其中報導在當地臺灣人的情形，尤其是對謝介石外交部總長所領導的滿洲國外交部；加納久夫，《臺灣から滿洲へ》（1932）介紹滿洲建國的經過及其親見的情形，特別有一小部分討論到滿洲與臺灣人之關係，指出兒玉、佐久間臺灣總督的治臺，可以為滿洲國所取範，特別在統治方法和制度上、「土匪」討伐上，這和山室提出的概念有類似之處。赤木猛市，《滿洲國と臺灣》（1933）本書由臺北市役所所出版，旨在記述1933年8月9日由臺北坐大連汽船的山東丸直航大連，在大連、奉天（瀋陽）、新京（長春）進行物產展示會的情形，此外也在第一章介紹滿洲國的制度、產業及經濟、貿易、都市概觀與日本人的生活。以上三本都在臺灣出版，是除了報紙以外一般人所能讀到介紹滿洲的書。此外滿洲國出版的《滿洲國現勢》（1941）、《滿洲帝國概覽》（1942）是重要的參考書。

除了上述七類參考資料以外，還有許多專著和論文值得參考，不一一介紹。

8. 口述歷史：口述訪問紀錄是在上述直接史料中個人資料有限下，不能不進行的工作。我自進行二二八相關研究中發現有「滿洲經驗」的臺灣人，在二二八事件中扮演一些角色後，開始進行相關人物的訪談，最早的訪問是1992年8月訪問梁許春菊女士，最晚的一篇是2016年3月，訪問林省三，其中張琁、林江素女、楊正昭三人則在美國、加拿大訪問，共訪問52人，其中有三個第二代，如今第一代受訪者大半已逝世，有這些口述歷史可以充分理解其生命史、戰後回到臺灣以及之後的情形，並能由受訪者談到已死亡或沒有資料的滿洲經驗者，上述這些訪談紀錄除一篇沒有出版外，分別收錄在《口述歷史》（五）（1994）、（六）（1995）、《日治時期在「滿洲」的臺灣人》（2002、2004）、《日治時期臺灣人在滿洲的生活經驗》

圖 1-1　在奉天李爐己公館前
黃竹堂（中）、右為黃春成、左為蘇潭（曾任滿洲建國第二軍少將）
資料來源：黃竹堂，《新興滿洲國見聞錄》，〈序〉。

圖 1-2　黃竹堂（左）與臺灣物產洋行主劉名圖合影於奉天北陵
資料來源：黃竹堂，《新興滿洲國見聞錄》，頁 98。

（2014、2015），以及臺灣口述歷史學會出版的《記錄聲音的歷史》（2019）。[123] 吳文星有關葉蘊玉（花蓮張宗仁醫師之妻）的訪問紀錄。林德政的有關滿洲的臺灣人的口述歷史亦為參考的對象，或如吳深池、張丁誥、楊從貞、楊從善（姊妹）的訪問紀錄、林志宏訪問張喜榮的紀錄。口述歷史最大的弱點，在個人或家屬對自己的生命時間表，除非留下相關證書，否則常有錯誤。如我訪問陳許碧梧，談他先生陳錫卿在滿洲國及往後到上海、回臺灣的情形，她提供一紙「陳錫卿先生簡歷」，發現在滿洲國政府時期的一些年代和《滿洲國政府公報》所載不同。因此使用口述歷史非得考訂不可。林志宏也特別強調口述或回憶錄所提出的「滿洲記憶」，是特定時空下的產物，必須加以驗證。[124]

9. 文學作品：鍾理和在1938年前往奉天，並在兩年後回臺帶鍾平妹前往，而後移居北京，在他的文學作品中有以奉天為背景的，諸如〈奔逃〉、〈柳陰〉、〈同姓之婚〉。[125]

五、本書的章節架構

本書利用上述多元的資料，企圖理解在特定的時空下有滿洲國經驗的臺灣人之生命史兼及滿洲國的部分制度史。第一章概論，旨在介紹使用離散概念的擴張性解釋，作為分析的概念，也特別注意移民第二代的認同問題。至於離散後回歸之後的再度離散，這一出現在滿洲經驗者再度尋求新天地的情況，是向來離散概念所沒有探討的。另則要介紹山室信一「統治樣式的遷移、統治人才的周流」這一概念。至於使用的資料除了專著和論文外，分成七大部分介紹。包括檔案、日記、公報、報紙、人名錄、校友通訊錄，也包括在滿洲經驗者第一代、第二代的口述歷史，及少數的回憶錄。在官方資料和個人資料（包括口述歷史）間會有些年代、事實內容的落差，因此使用的資料必須經過考訂。

第二章將做背景探討，先簡述滿洲國建立的背景及經過，次探討滿洲國與臺灣間的關係，如臺灣總督府和關東州、滿洲國間官吏的流動，兩者間的商業關係，臺灣人到滿洲的原因以及滿洲對臺灣人的吸引力。利用〈臺灣總督府旅券下付返納表〉的資料，探討去過滿洲的臺灣人有多少，他們的目的何在？

---

123 這本書中有兩篇口述訪談記錄，一、許雪姬訪問、劉芳瑜紀錄，〈何處是鄉關？：流轉的臺灣認同〉（頁185-231）。二、許雪姬訪問、林建廷、劉芳瑜紀錄，〈滿洲、臺灣、日本，伴夫行醫半世紀：林江金素女士訪問紀錄〉（頁133-183）。
124 林志宏，〈口述歷史及其侷限：以戰後接收東北的回憶為例〉，《東吳歷史學報》（臺北）36（2016.12），頁71-105。
125 鍾鐵民，《鍾理和全集1》，頁79-105；《鍾理和全集2》，頁15-32。

第三章則針對到滿洲國學醫、學工、學法、學商的臺灣學生，亦即介紹滿洲國境內的學校及入學的臺灣學生。可知求學是臺灣人到滿洲的原因之一。

第四章則針對在滿洲國的臺灣人官公吏進行研究，首先任官資格的取得，培養官吏的搖籃大同學院，以及滿洲高等文官考試。其次介紹滿洲國期間臺灣人的高等官，具有和華北（以華北政務委員會為中心）、華中（以南京汪政權為中心）、華南（以福建省政府為中心）相比，在人數上、職位上都遠超過的特色。另外進行在中央部會和地方政府任職的薦任、判任官以及滿洲建國軍、關東軍中的臺灣人。

第五章則進行在國策會社、準國策會社、特殊會社工作的臺灣人，大半是技術人員；此外有經商（茶商、青果商、大甲帽蓆商）、開工廠者、開計程車者、在建築公司服務者、擔任記者者。滿洲風土大異於臺灣，臺灣人到滿洲後如何適應如此寒冷、缺少蔬菜的生活？在食、衣、住、行、娛樂方面，有哪些生活經驗可以敘述？女性在滿洲大地的角色如何，是如旅券資料所顯示，他們是去「與夫卜同棲」，她們在職場上有什麼表現？另外要處理的是臺灣同鄉會的成立，以及他們平日的交誼，有了這些交情，當日本戰敗要返鄉時，他們又是如何團結起來共度難關。

第六章則特別介紹臺灣人醫師，在時間上可分成前後期，在範疇上有的從事研究（公衛、法醫）與進入醫療體系（開業醫、在公立醫院任職者），臺灣人在大都市中各有頗有名的開業醫。由醫師群中的牽親引戚，可以觀察到幾個醫師世家，以及開業醫如何由故鄉補完其醫院所需各類的人員，如引進同鄉醫師、藥劑師、醫技人員、護士，甚至有由故鄉帶來的查某嫺。醫師人數之多，以及黃子正當溥儀的私人醫師、並「陪」溥儀坐牢，而在鐵嶺過世，這些膾炙人口的軼事，都足以形成專章。

第七章則探討滿洲國滅亡後臺灣人的因應與走向歸鄉之路。本章旨在說明臺灣人面對蘇聯兵分四路攻入東北、國共一進一退打內戰，在長春的臺灣人如何在郭松根會長的領銜下向長官公署及 UNRRA 求助，雖千里迢迢，卻一步步地邁向回到故鄉的路，可惜，也有人做了異鄉的「不歸客」。

第八章也是相當重要的一章，旨在描述回臺或留在東北者往後的遭遇。由於留在東北的臺人，難以交代在中華人民共和國統治下歷次政治運動中他們的遭遇，因而所得的資料大半是在臺的親戚提供，故並不完整。在臺的則部分人雖經歷二二八、白恐，但畢竟大部分回臺的都可稱得上菁英，慢慢地都成為社會的中堅分子。他們在臺灣，如何再度通過歷經 1970 年代後退出聯合國、臺美斷交、中國日益強大的威脅，他們雖回歸，卻又選擇再度離散，尤其是第二代，奔向過去的殖民母國日本，或者選擇第一流的國家如美、加、澳、紐移民，從此不再回歸，大部分成為關心臺灣的「望鄉客」。

第九章為結論，擬指出日治時期臺灣人的海外活動，在滿洲和在中國各地、東南亞相比，所顯示的特質。其次則就歐美學者對離散和山室信一提出的分析概念加

以對話,看是否能經由對話而修正或擴張其內涵。最後談臺灣人的滿洲經驗,對往後臺灣史的發展有何影響。

又,本書第一、二、三、五、八、九章為新作,第四、六章為新修訂的舊作,第七章則一半為新作。

第二章
臺灣人「滿洲經驗」的形成

一、清代臺人對遼東、遼西的認識
二、「滿洲國」的建立
三、臺灣人跨境的原因
四、前往滿洲的分期與分布
五、到滿洲的交通與人數
六、由旅券中看臺灣人的「旅行目的」
小結

臺灣人何時開始認識滿洲？不妨由清代的方志和相關記載來尋找。作為本書最重要場域的滿洲何時、如何建成滿洲國？臺灣人如何認識滿洲？到滿洲的航線建立的經過，也必須說明。除這些問題必須回答外，本章首先要解答的是，「臺灣人」到底是誰？本書指的是1897年5月8日「臺灣住民去就決定日」後成為日本籍的臺灣人及其後代。至於臺灣人到滿洲的原因及滿洲本身具有的吸引力，如何建立此研究最重要基礎的「在滿洲的臺灣人名單」？也必須交代臺灣人在滿洲的人數及其分布、分期。最後利用旅券資料觀察臺灣人到滿洲的目的何在，並指出旅券資料使用的有限性。

一、清代臺人對遼東、遼西的認識

清朝是滿洲人建立的國家，清朝皇帝是滿洲人，因此在清朝統治下的臺灣人，對滿洲地理應有些認識，而當時臺灣的貿易船已到達滿洲海口。

郁永和為浙江仁和人，於1697（康熙36）年來臺，1700（康熙39）年時出版《裨海紀遊》一書，在「宇內形勢」中，曾記載「自遼陽為中國東北極際，緣海而南，為天津；次山東之登、萊、青三郡，有沙門等五島，與遼陽、朝鮮相望。」[1] 似可說明當時人對滿洲的認識已到遼陽。記載臺灣對遼東、遼西的認識，首推康、雍之際黃叔璥《臺海使槎錄》「水程」中引用《裨海紀遊》，指出在臺灣往遼東一帶的航線，到浙江舟山後：「自登厝澳從西北放小洋，四更（更：一日夜定為十更）至乍浦；海邊俱石岸，北風可泊於洋山嶴。向北過崇明外五條沙轉西，三十四更入膠州口；過崇明外五條沙對北，三十二更至童子溝島，向東沿山七更至蓋州、向北放洋七更至錦州府。」[2] 至於藍鼎元則在《東征集》〈覆制軍臺疆經理書〉中指出：「臺灣海外天險，治亂安危，關係國家東南甚鉅。其地高山百重，平原萬頃，舟楫往來，四通八達。外則日本、琉球、呂宋、噶囉吧、暹羅、安南、西洋、荷蘭諸番，一葦可杭；內則福建、浙江、江南、山東、遼陽，不啻同堂而居，比鄰而處，門戶相通，曾無藩籬之限，非若尋常島嶼郡邑介在可有可無間。」[3] 1752（乾隆17）年，王必昌的《重修臺灣縣志》，其中〈海道〉載：「向北過崇明外五條沙。轉西，三十四更入膠州口。過崇明外五條沙對北，三十二更至成山頭。向東北放洋，十一更至旅順

---

1. 郁永和，《裨海紀遊》，（臺北：成文出版社，1983），頁275，〈宇內形勢〉。
2. 黃叔璥，《臺海使槎錄》，臺灣文獻叢刊第4種，（臺北：臺灣銀行經濟研究室，1957），頁15，〈赤嵌筆談水程〉。
3. 藍鼎元，《東征集》，臺灣文獻叢刊第12種，（臺北：臺灣銀行經濟研究室，1958），頁32，〈覆制軍臺疆經理書〉。

口。由山邊至童子溝島,向東沿山,七更至蓋州。向北于洋,七更至錦州府。」[4]由上三則記載知臺灣人位在清朝自東北到南洋的航線上,由臺灣北上可達蓋州、錦州、旅順、遼陽等地。如果以臺灣府城三郊的貿易範圍,以北郊／糖郊蘇萬利的貿易地來看,其交易地點有天津、寧波、上海、煙台、牛莊。郊中有 20 餘號營商,[5]牛莊即營口,位在東北。連橫在《臺灣通史》也說臺灣的商務在清雍正、乾隆年間大盛,「帆檣相接,北至天津、牛莊,南至暹羅、呂宋,皆以澎湖為門戶。」[6]陳輝的〈臺灣賦〉載:「東寧啟宇,鄒魯成風,憑一葦之所居,乃無遠而弗通:南連廣、粵,北接齊、吳;歷錦、蓋,涉遼都,藉片帆以利濟,取水道為便途,……」[7]可為旁證。當時船主皆漳、泉富人,有糖船和橫洋船,大船可載六、七千石,來臺載糖,向北販售,最遠到牛莊,「郡中商務一時稱盛」。但往後因蔡牽之亂前後十多年,商船多毀,以至來臺者日少。[8]然據修於 1832 年的《噶瑪蘭廳志》所載,當時臺灣府城(今臺南)尚有航向旅順口,再轉蓋州(奉天府屬,古遼東地),再到錦州府(古遼西地)者,稱之為「天津船」。[9]往後臺灣開港,英國海輪始定臺灣航路,航運為所攬,不見有經臺到遼東等地航線。即使臺灣巡撫劉銘傳時期購買駕時(Cass)、斯美(Smith)兩輪,只有往南洋、上海航線,未及東北。[10]

二、「滿洲國」的建立

要瞭解日本如何控制滿洲,可由以下幾點加以討論,先談關東租借地的取得,次及張作霖之死及九一八事件前的東北,再談滿洲國的建立。

4　王必昌,《重修臺灣縣志》,臺灣文獻叢刊第 113 種,(臺北:臺灣銀行經濟研究室,1961),頁 61-62。

5　不著編人,《臺灣私法商事編》,臺灣文獻叢刊第 91 種,(臺北:臺灣銀行經濟研究室,1961),頁 11、13,第一章 商事總論／第二節 郊／第一 臺南三郊之組織、事業及沿革。

6　連橫,《臺灣通史》,臺灣文獻叢刊第 128 種,(臺北:臺灣銀行經濟研究室,1962),頁 565,卷 19 郵傳志／燈臺。

7　余文儀,《續修臺灣府志》,臺灣文獻叢刊本第 121 種,(臺北:臺灣銀行經濟研究室,1962),頁 843,卷 23 藝文(四)賦,陳輝,〈臺灣賦〉。

8　連橫,《臺灣通史》,頁 529,卷 19 郵船志／航運。

9　陳淑均,《噶瑪蘭廳志》,臺灣文獻叢刊第 160 種,(臺北:臺灣銀行經濟研究室,1963),頁 218,卷 5(上)風俗(上)／海船／附考。

10　連橫,《臺灣通史》,頁 628-629,卷 25 商務志。

圖 2-1　滿洲國皇帝溥儀與帝后婉容
資料來源：舉國社編，《大滿洲帝國名鑑・昭和九年版（康德元年版）》（東京：舉國社，1934），頁前。

圖 2-2　滿洲國國旗與國歌

滿洲國國旗又稱為新五色旗，於 1932 年 2 月 23 日東北行政會議中決定，為黃底，右上方有藍色表東方、紅是南方、白是西方、黑為北方。2 月 24 日發表「大滿洲帝國國歌」為國務院總理鄭孝胥所做的詞。1941 年 9 月 5 日，制定新國歌，歌詞為：神光開宇宙，表裏山河壯皇猷，帝德之隆，巍巍蕩蕩莫與儔；永受天祐兮，萬壽無疆薄海謳，仰贊天業兮，輝煌日日侔。除了中文歌詞，也有日文歌詞，唱時同時用兩種歌辭齊唱。

資料來源：和田日出吉編，《年刊滿洲》（新京：滿洲新國一萬號記念出版，1943）；須古清編，《昭和十八年每日年鑑》（大阪：每日東京日日新聞社，1941），頁 469；不著編人，《大滿洲帝國年鑑》（奉天：滿洲帝國通信社，1944），頁 72；舉國社編，《大滿洲帝國名鑑・昭和九年版（康德元年版）》，頁前，〈國旗及國歌〉。

（一）關東州租借地的取得

滿洲一向被日本認為是其「生命線」，因此在1895年甲午戰爭打敗清朝後，欲取得臺灣、遼東半島，後者卻因俄、德、法三國干涉而未遂，使日本一時無法取得侵略滿洲的橋頭堡。1905年日俄戰爭日本打敗帝俄，俄國將滿蒙的權利轉由日本繼承，其中包括關東州，同年12月迫使清廷接受。1915年日本趁中華民國剛建國，國內局勢不穩之際，向袁世凱政府提出二十一條要求，其中將關東州的租借期，由原25年（1898-1923年）展延為99年。[11] 關東州面積220平方公里，面積約等於日本鳥取縣，即自奉天西南198哩的普蘭店以南的遼東半島，另在南滿、安奉線兩側鐵道、市街用地面積17公里內範圍稱為附屬地，歸日本管理；又為了保護鐵路，每一公里可駐15人以內的兵，共得配置16,500名軍隊，此即日本置關東州的張本。至於與日本租借地接壤的地方，中國既不能割讓給他國，也不能開放給外人通商，中國軍隊在此地區不得駐兵二營以上。[12] 日本在關東州設關東州總督府，1906年8月1日改稱關東都督府，設關東都督，到1919年4月12日起改州為廳，長官改稱關東長官。自1934年12月以降關東長官由關東軍司令官兼任。[13] 關東州於1906年還設有南滿洲鐵道株式會社，是半官半民的國策會社，為仿自荷蘭、英國的東印度公司而設。[14] 創立委員長為兒玉源太郎大將、第一任總裁為後藤新平，這兩人擔任過臺灣總督、民政局長。滿鐵總裁擁有附屬地的行政權，以及鐵路採礦、漁業等附帶事業之權。[15] 日本駐奉天（瀋陽）領事館設於1906年6月1日，處理日本在滿洲的對外事務，擁有領事裁判權的警察權，[16] 奉天總領事、關東軍司令官、滿鐵總裁可說是日本在滿洲政治的三巨頭。

（二）張作霖之死

張作霖出身綠林，在1919年掌握東北三省的軍政大權，1920年7月率兵入關，與直系合掌北京政權，1925年各地反奉之聲起，年底其部下郭松齡倒戈，關東軍卻以援助張以迫張作霖簽訂密約，企圖取得日本在東北更大的權益。而後張打敗了

11　南滿洲教育會，《滿洲新史》（大連：大連社團法人滿洲文化協會，1934），頁108。
12　所謂關東係指中國的山海關之東方，即奉天、吉林、黑龍江三省的總稱，亦即滿洲全體的別稱。以小小的遼東半島即稱關東州，日本侵略全滿的企圖昭然若揭。南滿洲教育會，《滿洲新史》，頁108-111；太平洋戰爭研究會，《図説滿洲帝國》（東京：河出書房新社，1996），頁35。
13　秦郁彥，《戰前期日本官僚制の制度・組織・人事》（東京：東京大学出版会，1981），頁401。
14　高橋那周，《朝鮮實狀要覽（附：滿洲臺灣）》（東京：東洋時報社，1924），頁545。
15　柏崎才吉編，《滿洲國現勢：康德八年版》（新京：滿洲國通信社，1941），頁413。
16　林聲，《九一八事變圖志》（遼寧：遼寧人民出版社，1991），頁41。

郭,再率兵入關,重新控制北京政權。另方面日本在田中義一首相組閣下,積極作侵華準備,唯恐在美國協助下蔣介石所率的北伐軍北伐成功,因而積極控制張,希望將東北變成日本的殖民地,但張因日本的條件過苛,無法滿足日本的要求,當北伐軍已近北京,日本政府甚至勸張回東北。1928年6月,張見大勢已去,欲回東北,車到離瀋陽車站一公里的皇姑屯車站,被日本陸軍設計炸傷(後死),[17] 其子張學良繼之,這也延緩日本對滿洲的侵略,也使田中內閣在1929年7月辭職。

(三)九一八事變前的東北

張學良在東北,反日的傾向日強,甚至與國民政府聯手,改掛青天白日旗,即所謂「東北易幟」,達成全中國統一的外部形勢。但中國無法廢除列強的治外法權、關稅自主,以保護國家權益,畢竟不是個主權獨立的國家。早在張作霖及往後國民政府時代,即決定在東北修鐵路包圍滿鐵線,[18] 並以低運費吸引顧客。1927年築打通線(打虎山到通遼)、1929年築吉海線(吉林到海龍),1928年成立東北交通委員會,並計劃興建葫蘆島港。這一來滿鐵受到打擊,不僅大豆跌價,運量減低,也使滿鐵營運陷入窘境。

除經濟原因外,國民黨在東三省成立黨部後,東北對日興論逐漸惡化,而東北的要角如張學良、張作相、熙洽、萬福麟等都成立了指導委員,各地也陸續成立地方黨部,常在集會中發表反日宣傳,並支持國民政府和日本展開鐵道交涉,這成為張學良牽制日本背後的力量。

面對此局面,又值世界經濟大恐慌,日本遂加速侵略滿蒙,以解開其自身的困局。先是嗾使在滿洲日本人結成「全滿日本人自主同盟」,宣稱將不依賴日本,獨立死守滿蒙和擁護國權,並編有《滿蒙問題及其真相》之小冊,發給各界。但真正提出日本侵略滿蒙的理由的是石原莞爾和板垣征四郎這兩人。石原提出「滿蒙領有論」、世界最終戰爭是美日競爭的概念;兩人為關東軍參謀,編有「有關滿蒙占領地的研究」。其理念發展到1930年代,用武力占領滿蒙已是日本陸軍共同的想法,其重點是日本將蘇聯視為最大的假想敵,而對作戰一定要保有南滿,而且要有東北產的煤、鐵才能打消耗戰。當時日本陸軍最高的指導者宇垣一成也認為最少滿蒙得和日本同屬一個經濟單位,而這是日本存在的最低限度。[19]

17　姜念東等,《偽滿洲國史》(大連:大連出版社,1991),頁20-25。

18　此一包圍的鐵道網稱東四路,即北寧(北平、瀋陽)、瀋海(瀋陽、海龍)、吉海(吉林、海龍)、吉敦(吉林、敦化);西四路為:北寧、四洮(四平街、洮南)、洮昂(洮南、昂昂溪)、齊克(齊齊哈爾、克山)。另外還預定修鄭家屯到長春、鄭家屯到彰武、洮南到哈爾濱、洮南到通遼等鐵路。相對的,日本和奉張協定五鐵道之中,日本卻無法有效敷設。

19　江口圭一,《昭和歷史:十五年戰爭的開幕》(四)(東京:小學社,1988),頁24-30;林聲,

基於上述原因，日本非找藉口占領滿洲不可，而1931年發生了萬寶山事件、中村大尉事件這兩件偶發的事件，[20] 接著1932年日本一手籌劃的「柳條湖事件」爆發，日軍攻擊張學良軍的北大營，以此為始，日本開始侵略滿洲的行動。此次的軍事行動以1932年2月5日占領哈爾濱而暫告一段落。有別於軍事行動，日本既已視滿洲為囊中物，就不顧國際聯盟與英、美的抗議，在關東軍的策動下，以「滿蒙問題解決方策大綱」為依據，實現第一階段的目標——樹立親日政權。[21] 接著迎接想復辟的溥儀至東北，1932年2月18日成立東北行政委員會、發布滿洲獨立宣言，翌日以溥儀為滿洲國執政，而後宣布國號（大同）、國旗（五色旗）、首都（長春，2月16日改名新京），3月1日滿洲「獨立」建國。[22] 面對此變局，中國向國際聯盟抗議，國聯派李頓調查團到滿洲進行調查，10月2日正式發表調查結果，認為滿洲國是日本人建立的，英美等國均不予承認。[23]

日本為了鞏固滿洲「獨立國」的地位，在其運作下，先是接收中東鐵路、郵政，並編練滿洲國軍，6月27日宣布接收全滿的海關，[24] 9月日本承認滿洲國，兩國簽署「日滿議訂書」，甚至在10月15日由日本拓務省主導的第一次武裝移民團500人已入佳木斯；10月30日將關東軍司令部自奉天遷到新京。11月30日命武藤信義為日本駐滿洲全權大使，正式承認滿洲國；同時為了抗議國際聯盟在1933年2月24日召開特別大會，決定通過有關滿洲國的最終報告書時，日本退出國聯。[25] 日本這一系列的動作，無非是將滿洲視為日本帝國的禁臠。

1934年3月1日滿洲國實施帝政，改國號為康德，而後有薩爾瓦多（1934年3月3日）、梵蒂岡（1934年9月2日）、義大利（1937年11月29日）、西班牙（1937年12月2日）、德國（1938年5月3日）、波蘭（1938年10月19日）、匈牙利（1939年1月10日）、斯洛伐克（1939年6月1日）、羅馬尼亞（1940年12月1日）、保加利亞（1941年5月14日）、芬蘭（1941年7月18日）、克羅埃西亞（1941年8月2日）、丹麥（1941年8月13日）、泰國（1941年8月13日）、汪記中華民國（1940年11月30日，汪政權於同年3月30日「還都」）

《九‧一八事變圖志》，頁58-60。

20　臼井勝美，《滿洲事變戰爭と外交》（東京：中公新書，1986年7版），頁25-26、31；林聲，《九一八事變圖志》，頁66。

21　太平洋戰爭研究会，《図説滿洲帝国》，頁64-65。

22　滿洲國史編纂刊行會，《滿洲國史 總論》（東京：財團法人滿蒙同胞援護会，1970），頁202-208。

23　大連滿洲書院，《滿洲國年鑑 一九三三》（大連：大連滿洲書院，1933），頁26。

24　豐田要三、滿洲事情案內所編纂，《滿洲帝國概覽》（新京：滿洲事情案內所，1942），頁95-96。

25　金丸精哉，《滿洲風雲錄》（東京：六人社，1941），頁389。

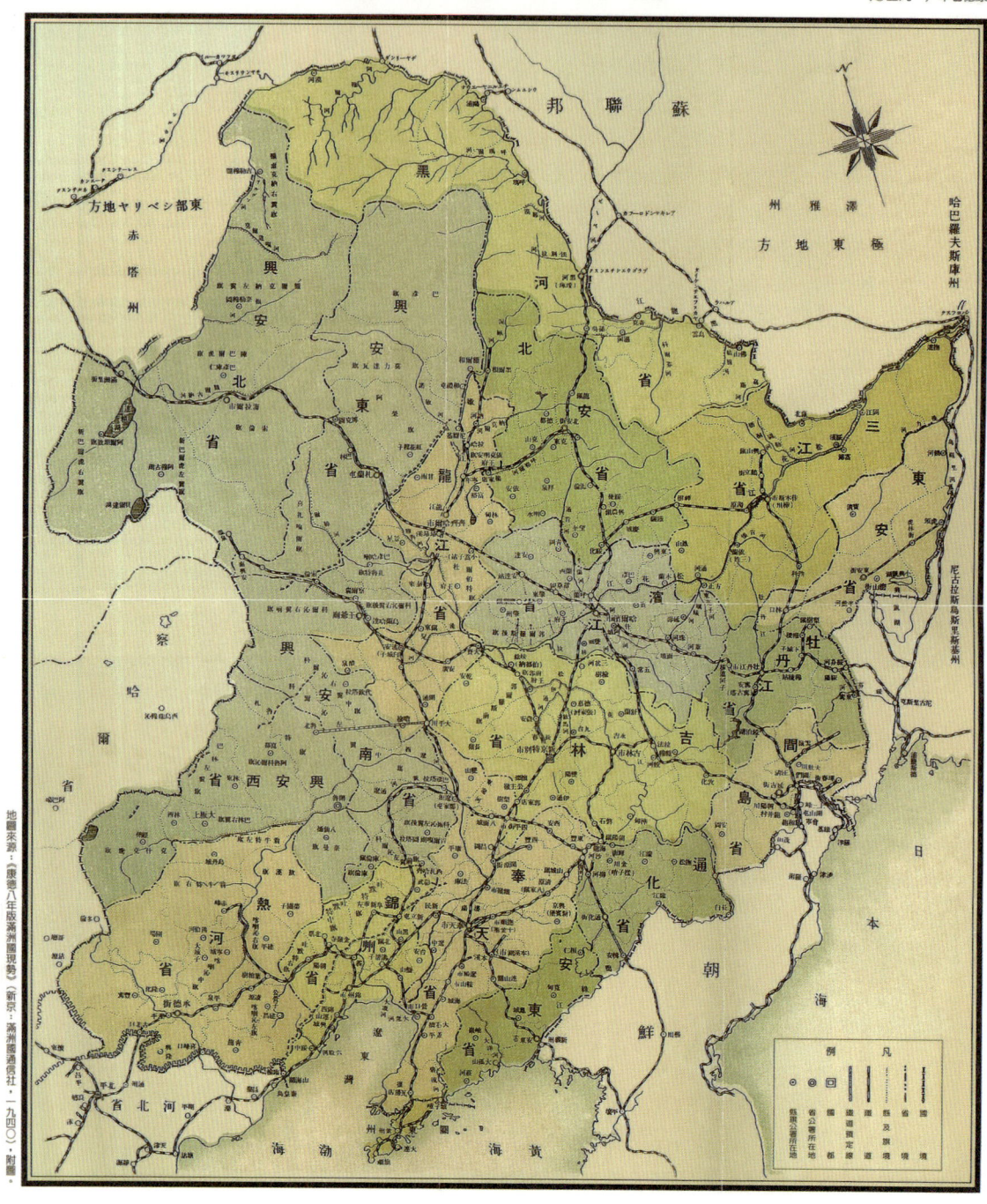

圖 2-3　滿洲帝國略圖
資料來源：《康德八年（1941）版滿洲國現勢》，附圖。

等國承認滿洲國。[26] 這些都是隨著日本勢力的滲透及對外結盟所造成的結果。[27]

　　日本所炮製的滿洲國究竟給東北人帶來什麼後果？以溥儀在撫順戰犯管理所所做的供述，可歸結為三大項。一是日本所謂的產業開發，實際上是進行全面的經濟統制，不僅生產、消費方面，還包括農產品的掠奪和金融財政的統制；二是所制定的北邊國境建設三年計畫（後改為北邊振興計畫），為進行此計畫動用多數勞工，修築攻防蘇軍的軍事基地，而過度徵用勞工，使勞工陷入空前的慘況；三是在開拓移民的政策下自日本移民數十萬，使東北農民因土地被奪走而難以為生。[28] 但有些日本人主張，當時確有一批日本人將滿洲視為民族協和的新天地，想要在中國東北建立一個理想的國家，為了此一抱負而前往滿洲，對滿洲國有一定的情感，也指出日本統治滿洲的業績為證，如滿洲人口在日本統治不到十年，即由原來的三千萬人增加為四千三百萬人。[29] 但日本人似乎忘了，就滿洲國的官員而言，雖訂有一定的比例任用日系，但其升遷任免權，全歸於日本人；就軍隊而言，雖有滿洲國的軍隊點綴，但掌握政局的卻是關東軍；當國際情勢對日本越不利時，日本更擴大戰爭範圍，並漸次增加滿洲國對日本之物資援助。換言之，滿洲國是為日本而生，不具獨立國的容相。

　　1945 年 8 月美軍在日本廣島、長崎投下原子彈，二次大戰進入尾聲，蘇聯搶在日本無條件投降前的 8 月 9 日對日宣戰，侵攻滿洲；10 日滿洲國發表防衛令，12 日關東軍司令部移轉通化、政府則遷至大栗子溝，18 日溥儀退位，滿洲國正式滅亡。19 日溥儀擬搭機赴日亡命前，在瀋陽機場為蘇軍逮捕。蘇軍在 8 月 23 日占領全滿洲。9 月 2 日日本在美國密蘇里艦上簽訂降書，接受波茨坦宣言無條件投降。[30] 總計滿洲國於 1932 年 3 月 1 日成立，1945 年 8 月 18 日滅亡，前後有 14 年。

　　臺灣人就在如上的背景下，進入滿洲。他們為何而去？

三、臺灣人跨境的原因

　　滿洲國自建國到滅亡從未頒布國籍法，只以暫行民籍法（等同日本的戶籍法）來建立滿洲國內的戶口資料並從而統治。在滿洲國臺灣人是屬於日本內地人、朝鮮人、

26　須古清，《昭和 18 年每日年鑑》（大阪：每日東京日日新聞社，1942），頁 471-472。
27　豐田要三、滿洲事情案內所編纂，《滿洲帝國概覽》，頁 93-102。
28　戴朋久，《皇帝出獄》（北京：新華書店，1992），頁 341-342。
29　滿洲國史編纂刊行會，《滿洲國史 各論》（東京：財團法人滿蒙同胞援護會，1971），頁 5，古海忠之，〈あとがき〉。
30　太平洋戰爭研究会，《図説滿洲国》，頁 157。

其他日本人中的「其他日本人」,[31] 若擁有日籍的臺人要入滿洲籍必須要經區法院的認可才行,但臺人入籍的數目不多,主要是不要入滿洲籍反而能以日本籍、滿洲籍的雙重國籍身分接受滿洲國所有公法、私法的權利。換言之,受殖民的臺人一旦到了滿洲國就變成殖民者,成為宗主國民、特權階級者。[32] 表面上這是吸引臺灣人到滿洲的大背景之一。

其次是對「滿洲」有故國之思。亦即,臺灣在1895年才被清廷割讓給日本,而滿洲國的執政、皇帝是溥儀、是前清光緒帝的繼承者,去滿洲國多少有「故國」之思。以謝汝銓的詩或可作為例子,在〈滿洲國創立有賦〉詩中,稱滿洲建國是「漢人無憤滿人愉」,稱滿洲國的執政為「匈奴今有大單于」;另一詩〈滿洲國頒帝制溥儀執政即位謹賦〉,提到「縱說新邦仍舊國,翻欣執政作興王」;在〈寄滿洲國外交總長同宗介石君〉一詩中,稱讚謝是輔佐晉室的謝安。[33] 而滿洲國成立時當特任官的外交部總長謝介石,曾參與1917年7月1日張勳等擁立溥儀的復辟行動,還被任為前敵司令,並當了12天外交部官員。此後溥儀遷出紫禁城,謝介石與一些臺人如陳文山,仍與之保持密切聯繫,所以筆者將之視為「勤王」的舉動。[34] 臺灣人和溥儀的關係也與陳寶琛、鄭孝胥此等和溥儀關係密切的福建人引薦有關。陳寶琛在溥儀入滿洲時,以85歲高齡伴隨;[35] 鄭孝胥則當了滿洲國第一任國務院總理。[36]

第三個背景是滿洲國的宣傳以及新聞記者對滿洲相關報導吸引臺灣人。臺灣人到滿洲的另一個背景是滿洲國成立後,透過國務院直轄總務廳中的弘報部(宣傳部),不斷地宣稱滿洲是一個五族協和的王道樂土,將實行王道政治,因此當時去

31　滿洲國史編纂刊行會,《滿洲國史 各論》,頁42-43。暫時民籍法於1940年8月1日公布,同年10月1日實行。

32　滿洲國史編纂刊行會,《滿洲國史 各論》,頁43。

33　謝汝銓,《雪漁詩集》(臺北:龍文出版社,1992),頁112、88、82。

34　許雪姬,〈是勤王還是叛國:「滿洲國」外交部總長謝介石的一生及其認同〉,《中央研究院近代史研究所集刊》57(2007.9),頁110。

35　陳寶琛(1848-1935),福建人,又稱弢庵,為清朝進士,曾代理南洋大臣,後返鄉創辦福建師範學堂,曾被選為福建鐵道會社經理。1909年北上就任禮學館總纂,而後任弼德院顧問、宣統皇帝的侍講。民國建立後仍教導幼帝,隨侍在側。張勳復辟後,任內閣議政大臣。1931年溥儀到滿洲,仍隨侍在側。見內尾直昌編,《滿洲國名士錄:康德元年版》(東京:株式會社人士興信所,1934),頁135。

36　鄭孝胥(1860-1938),福建人,字蘇戡、蘇龕、海藏樓主人。舉人。1891年任駐日本公使李經方之隨員赴日,而後任筑地副領事、駐神戶兼大阪領事,甲午戰爭回中國,之後歷辦不同事務。民國成立後,留在上海,仍忠於清,被溥儀任命為總理內務府大臣。追隨溥儀,任為侍講,為復辟而與日本關係密切,1928年赴日尋求援助。1931年隨溥儀到達旅順,滿洲國成立時任國務總理,1935年退任,創立王道書院於新京。1938年死亡。見貴志俊彥等,《二〇世紀滿洲歷史事典》,頁359-360。

滿洲似為日本本土的流行，滿洲成了文人、報界謳歌的新天地，令人憧憬、嚮往。[37] 臺灣人自己的《臺灣民報》在滿洲國成立前的1930年1月開始報導由謝春木執筆〈馬賊と大豆粕及び張作霖で有名な滿洲〉（上）、（中）、（下），報導在滿洲的臺灣醫師開業成功的例子。[38] 而滿洲建國，日本對滿洲國的承認後，有關滿洲的相關事情，臺灣就有配合的活動進行，如「滿洲事變」後，臺灣各地就舉行慰靈祭，對北滿的水災也做捐助，[39] 這些行事的不斷出現，就給了臺灣人多認識滿洲的機會。臺灣人親自到滿洲採訪、報導集結成書，以現身說法的方式來介紹滿洲以及在滿洲的臺灣人，可謂收效更大。黃竹堂的《新興滿洲國見聞記》，記載他不僅去拜訪謝介石、蔡法平等人，還特別有〈新京在任臺灣關係者現勢〉一節，報導與臺灣有關的臺灣人（19人）和日本人。[40] 他因兒子急病而立刻踏上歸途，所以只到新京。這本書於1933年出版時，有商家在其上登廣告，如稻江信用組合的郭廷俊，[41] 可見商家看好這本書的發行。第三篇遊記為陳逢源（《臺灣新民報》記者），他在1938年曾到滿洲，並在1938年11月22日起1939年2月15日止，在該報連載其報導，分成幾部，即「大陸經營の道：中北支に旅して1-9」、「上海萬華鏡：國際都市の明暗相1-6」、「敗殘の南京：國民政府建設の跡1-6）」、「北京の交響樂：東洋文化の大殿堂1-10」，「北京遊覽誌：旅行者のために（完）」，最後是「蒙疆の秘境：大同と承德の藝術1-8」、「北支の玄關と滿鮮印象記1-12」。其中滿鮮印象記中先報導青島（1）、天津（2）、滿鐵（3）、滿洲國の人口と農業移民（4）、工鑛業の飛躍と農民の生計困難（5）、滿洲との貿易關係（6）、大連と新京（7）、ハルピン、奉天、撫順（8）、滿洲の風物（9）、平壤と妓生學校（10）、（11）缺、美しき京城（12）。[42] 由3-9都在報導滿洲，值得參考。他指出日本在新京的建設超過南京，以及臺灣人醫師在大連開業的成功。陳逢源另有詩作5首，描寫滿洲之行。[43]

---

37 許雪姬訪問，王美雪、鄭鳳凰紀錄，〈洪在明先生訪問紀錄〉，《日治時期在「滿洲」的臺灣人》（臺北：中央研究院近代史研究所，2004年初版2刷），頁320。

38 《臺灣民報》，第294-296號，昭和5(1930)年1月1日、11日、18日，第23版、第11版、第10版，〈馬賊と大豆粕及び張作霖で有名な滿洲〉（上）、（中）、（下）。

39 緒方武歲，《臺灣大年表》（臺北：臺灣經世新報社，1938），頁214，9月18日；頁215，10月11日、10月14日。

40 黃竹堂，《新興滿洲國見聞記》（臺北：「新興滿洲國見聞記」發行所，1933），頁104-107。其中黃瀛澤誤為「黃瀛酢」，而陳鎔家不在大同學院同窗會名冊中，歐陽公廷可能是歐陽餘慶，謝百川為謝秋涫醫師。

41 黃竹堂，《新興滿洲國見聞記》，頁317之後為廣告頁。黃竹堂，名朝君，日本東京明治學院畢業，曾擔任臺灣經濟タイムス的記者。見興南新聞社，《臺灣人士鑑》（臺北：興南新聞社，1943），頁156。

42 《臺灣新民報》，2804號，1938年11月22日，（二）起，迄2888號，1939年2月15日，（七）。

43 陳逢源，《溪山煙雨樓詩存》（臺北：龍文出版社股份有限公司，1992），頁29-30。1.自申江乘

第四看板人物謝介石、蔡法平,還有成功的醫師,給了臺灣人到滿洲的信心,並能介紹工作。尤其是 1935 年是日本治臺四十年,開辦始政四十周年臺灣記念博覽會,謝以滿洲國第一任駐日大使的身分回臺,接受臺灣總督府的歡迎規格,讓臺灣人看了興起「有為者亦若是」之感,之後赴滿洲者絡繹不絕,謝報就是一個重要的例子。[44] 而這年的 10 月 27 日是「滿洲日」,是博覽會場「滿洲館」的重頭戲。而自 10 月 10 日博覽會開幕起,滿洲館就由滿洲國、關東州廳、滿鐵三個單位負責介紹新興滿洲的文化及主要特產,滿洲當地的日滿實業協會也招攬了幾梯次的觀光團來臺參觀,甚至滿洲國棒球隊也獲邀來參加與臺灣、朝鮮的棒球邀請賽。謝介石等人與曾在日本／滿洲的日本官員,對臺人前往滿洲有介紹之功。如謝介石以朱叔河為秘書,並推薦黃子正、黃樹奎這對堂兄弟,前者開業的大同醫院成為外交部特約醫院,後者以外交部顧問身分伴隨謝介石返臺。[45] 至於日本人的推薦實例,如原臺灣總督府交通局遞信部理事官三宅福馬,在滿洲國任法制局長,[46] 任用楊蘭洲;原臺灣銀行理事、滿洲中央銀行總裁山成喬六、[47] 理事鈴木謙則、竹本節藏、[48] 重用吳金川、高湯盤、許建裕等人在滿洲國銀行界工作。[49] 陳亭卿則受滿洲國民生部

船路經青島中秋前一日海上遙望崂山翌朝抵大連晤簡仁南楊燧人,2. 大連灣遠眺,3. 奉天詣清太宗北陵,4. 滿洲國改長春為新京日人營建新市區規模宏大,5. 過哈爾濱。

44　許雪姬訪問、吳美慧、丘慧君紀錄,〈謝報先生訪問紀錄〉,《口述歷史》5(1994.6),頁 196。

45　許雪姬,〈是勤王還是叛國:「滿洲國」外交部總長謝介石的一生及其認同〉,頁 88、97-98。

46　三宅福馬,於 1930 年 12 月任臺灣總督府交通局理事,在臺任職期間迄 1932 年。見《臺灣總督府公文類纂》,文件號:10062-65,1930 年,〈三宅福馬一級俸下賜〉;文件號:10068-94,甲種永久保存,1932 年,〈三宅福馬賞與〉。

47　山成喬六,1872 年生,1891 年東京高等商業學校計科畢業,先入三十四銀行臺灣支行任行長,後任東京支行總支配人,兼總理事。再歷任東京海上火災保險會社取締役、東洋會社製糖場長、大日本製糖會社社長及南米土地會社監查役。1931 年滿洲國建立後任職中央銀行副總裁。見川北幸壽,《株式會社臺灣銀行》(臺北:川北幸壽發行,1919),頁 449;田健治郎著、吳文星等主編,《臺灣總督田健治郎日記》(下)(臺北:中央研究院臺灣史研究所,2009),頁 39,1922 年 7 月 28 日。舉國社編,《大滿洲帝國名鑑・昭和九年版(康德元年版)》(東京:該社,1934),頁 14,〈國都〉。

48　竹本節藏,1886 年生,廣島人,東京高等商業學校附設商業教員養成所畢業。1912 年入臺灣銀行,1913 年擔任臺灣總督府國語學校囑託,1915 年解任。1916 年歷任廈門支店支配人代理、1919 年支配人,1921 年新加坡支店支配人,1922 年臺中支店支配人,1923 年任臺灣銀行本店發行課長兼計算課長,1926 年廣東支店支配人,1930 年本店發行課長。見《臺灣總督府公文類纂》,文件號:10227-45,甲種永久保存,1930 年,〈竹本節藏(囑託;勤務)〉。

49　許雪姬訪問、吳美慧紀錄,〈吳金川先生訪問紀錄〉,《口述歷史》5(1994.6),頁 123-124;山室信一,〈第五章　植民帝国、日本の構成と満州国一統治様式の遷移と統治人材の周流〉,收入ピーター・ドウス、小林英夫編,《帝国という幻想—「大東亜共栄圏」の思想と現実》(東京:青木書店,1998),頁 183。

文教司長神尾弍春[50]的推薦進入文教部，因其師佐藤佐為神尾的同學。[51]

到了1940年代後，在電影中呈現滿洲更是一種重要的宣傳手段，如1940年在臺北放映久米正雄原作的《白蘭の歌》。[52]這部電影由李香蘭、長谷川一夫主演，是日本東寶映畫協會與滿洲映畫協會所共同製作的國策電影，描寫一位滿鐵少壯技師與滿洲富豪之女間賺人熱淚的愛情劇。當時在臺南觀賞此部電影的吳新榮，有如下的「影評」：

「……雖然是一部國策電影，但以滿洲作為背景的這一點來看，拍得相當成功。畫面呈現出大陸壯觀遼闊的景色，使人感動。……」[53]

除了上述大背景外，個人到滿洲的原因不外四個，即求學、求職、經商，以及脫離在臺灣日本的統治，[54]此外還有親人的召喚與到滿洲避難。只有到滿洲避難可稍做解釋。亦即二戰結束前日本戰況惡化，臺灣人要回臺灣因海上不安全而不可能；而在東京又遭轟炸以及食糧不足，因而以滿洲為避難所，投奔親朋或同學。如日本東洋醫學院畢業的翁通逢，就是因上述原因而於1944年在朋友的勸告下前往滿洲。[55]

四、前往滿洲的分期與分布

臺灣人何時前往滿洲？前往滿洲需要辦理什麼手續？要討論此問題，首先要提到滿洲國的入境管理。按九一八事變日本占領東北後，在翌年創立了滿洲國，隨著外交部的建立，乃以外字第一號通知日本駐奉天總領事，有關外國人取得的簽證只需「蓋戳記附加簽字」即可。[56] 1933年4月滿洲國外交部通商司發布「外國旅券及

---

50 神尾弍春，日本廣島人，1893年生，1917年高等文官考試司法科及格，1918年東京帝大法科大學獨法科畢業。曾在日本、朝鮮任職，1932年任滿洲國國務院總務廳祕書官，1934年7月任祕書處長兼法制局參事官。見內尾直昌編，《滿洲國名士錄：康德元年版》，頁51。

51 許雪姬訪問、王美雪紀錄，〈陳亭卿先生夫人訪問紀錄〉，《日治時期在「滿洲」的臺灣人》，頁292-293。

52 〈白蘭の歌 十日から國際館〉，《臺灣日日新報》，1940年1月10日，夕刊4版。

53 吳新榮著、張良澤總編輯，《吳新榮日記全集4》（1940）（臺南：國立台灣文學館，2008），頁38。

54 許雪姬、杉本史子譯，〈日本統治期における台湾人の中国での活動—滿洲國と汪精衛政權にいた人々を例として〉，愛知大學現代中国学会編，《中国21》36（2012.7），頁98-100。

55 許雪姬訪問、鄭鳳凰紀錄，〈翁通逢先生訪問紀錄〉，《日治時期在「滿洲」的臺灣人》，頁101-102。

56 J,2,0,0，外國ニ於ケル旅券及查證法規並同取扱事件雜件 滿洲國ノ部 第一卷，昭和9年12月，外

外國人入境旅券查證規則及同施行細則」，[57] 以規範持有外國旅券者的入境。同年6月民政部部長臧士毅以民政部令第七號制定「取締外國人入國規則」共六條：

> 第一條　凡外國人欲入滿洲國境，如有該當左列各項之一者得由指定官署禁止其入國，但依從前之條約或慣例於入國時無需護照簽證者如未持護照或國籍證明，則不在此內。
> 　　一、未持護照或國籍證明書者
> 　　二、有害及本國利益妨害公安或紊亂風紀之虞者
> 　　三、對於公眾衛生上有危險之病患者
> 　　四、應需公私救助者
> 　　前項第一款之護照及國籍證明書均須粘貼本人照片，但其護照須經本國管轄官之簽證。
> 第二條　前條第一項之指定官署對欲入本國之外國人得要求呈驗百元以上之攜款。
> 第三條　欲入本國之外國人須應警署官吏之要求提示護照或國籍證明書，並對於第一條第一項各款或其他必要事項之調查詢問，須確實陳述之。
> 第四條　不應前條所定之警察官吏之要求，或對於詢問不為確實陳述者，得禁止其入國或命退出國境。
> 第五條　於本規則施行之日已在於入國途中之外國人，如認為有正當事由時，得免適用本規則第一條第一項第一款之規定。
> 第六條　本規則自大同二年六月十七日施行之。[58]

緊接著又發布民政部令第八號，說明上述條文中所指定的官署如下：
— 各省長 奉天、吉林、黑龍江、熱河 東省特別區長官
— 首都警察總監 哈爾濱警察廳長
— 各國境警察隊長 安東、山海關、滿洲里、綏芬河、瓦房店、營口海邊警察隊長。[59]

由上可知進入滿洲國的相關規定。

　　字第一四號，致大日本總領事，大同元年11月1日。
57　J,2,0,0，滿洲國外交部通商局「外國旅券查證規則及同施行細則」大同2年4月12日，外交部令第一號 外國旅券及外國人入境旅券查證規則、發給外國旅券及外國人入境旅券查證實行細則。
58　國務院總務廳編，《滿洲國政府公報》，第148號，大同2（1933）年6月21日，頁5-6。
59　國務院總務廳編，《滿洲國政府公報》，第148號，大同2（1933）年6月21日，頁6。

至於臺灣人要前往滿洲,首先必須取得「渡華旅券」,又可分三期來加以說明,其次談到依旅券資料,最早到滿洲國的臺灣人是誰?臺灣人到滿洲的交通狀況如何。

(一)三個分期與申請渡華旅券

臺灣人到滿洲,在時間上的三個分期:

1. 1895-1905:日本領臺到日俄戰爭結束訂立《樸資茅斯條約》日本取得關東州為止。

日本治臺伊始,以切斷中臺關係、加緊臺日間的關係為主要措施之一,因此不論臺人渡華的理由為何,都要經嚴密的審查,雖當時臺灣社會秩序未復,尚未實行戶口調查,然對臺人赴華的申請案,比日本人的審核來得嚴格。[60] 依 1896 年 10 月 29 日中日通商航海條約規定,日本人赴華遊歷必須帶旅券,[61] 自發之日起三個月內有效,但赴華時不得攜帶超過三百兩的錢,否則將處罰金。若無旅券則只能在離通商口岸一百清里內活動五天,但對臺人/臺灣籍民而言,即使只到通商口岸也需要特種海外旅行券,[62] 即渡華旅券。1897 年 1 月 15 日臺灣總督府以府令頒布「外國旅行券規則」九條,令臺人凡欲赴中國者,若需申請旅券,手續費 40 錢,一人持旅券 1 張,五歲以下幼兒得附於父母之旅券上,使用過後 30 天必須將旅券交還原申請單位。[63] 5 月 8 日臺灣人去就決定後,留在臺灣者即取得日本籍。臺灣總督府依日本國內的「外國旅券規則」制定 2 條「外國旅行券規則」,[64] 以府令第二號發布。由於局勢已漸穩定,申請赴華人數漸增,各地方縣廳紛紛向總督府民政局申請海外旅行券用紙。[65]

以後因旅券有被兜售、轉讓或被惡用之虞,且赴廈門有經營不當行業者,故在

---

60 梁華璜,〈日據時代臺民赴華之旅券制度〉,《臺灣風物》39:3(1989.9),頁 3。
61 日本開始有護照始於 1866 年(慶應 2 年),到 1888 年才將護照冠以「旅券」之名,也制訂「海外旅券規則」。1893 年改其形態,已接近目前日本護照的規格,封面上附加英、法、中三種譯文。護照通常只限用一次,但對前往清國/中華民國等一些國家,規定可申請 3 年內來回有效的護照。申請護照的手續,最初只限定於通商口岸辦理,1897 年以後可在各地方政府辦理。見川島真著、鍾淑敏譯,〈日本外務省外交史料館館藏臺灣人出國護照相關資料之介紹(1897-1934)〉,《臺灣史研究》4:2(1999.6),頁 136-137。
62 《臺灣總督府公文類纂》,文件號:00132-18,甲種永久保存,第五門外交門,海外旅行,12 卷,1897 年,〈海外行旅券面清國地名記載方 通達〉。
63 《臺灣總督府報》,第 9 號,1898 年 1 月 15 日,頁 12。有關幼兒的年紀,1903 年改為 12 歲以下。見臺灣總督府,《臺灣總督府事務成績提要》(臺北:臺灣總督府,1902),頁 129。
64 臺灣總督府,《臺灣總督府事務成績提要》(臺北:臺灣總督府,1897),頁 26-27。
65 《臺灣總督府公文類纂》,文件號:00132-14,甲種永久保存,第五門外交門,海外旅行,12 卷,1897 年,〈旅券發給及現在數報告〉。

1900年10月6日公布「外國旅行券規則」共十條，以規範赴華臺人。[66] 依規定凡申報不實者要處以25圓以下罰鍰及禁錮25天。[67] 1903年11月1日，自日本外務省來電予臺灣總督府，謂到清國滿洲地方旅行者，官方給的旅券要附上英或法文，使俄國警察容易判明，以便保護旅行者。[68] 同年旅券的發行也由原總督府總務課外事係處理，改由警察課來加強管理，[69] 各廳則由警務處負責。[70] 以後也訓令在旅券上注明旅行目的地，若有餘白之處，要寫「以下餘白」四字，以避免變造。[71]

　　如果臺人自日本內地申請渡外國旅券，則依據「外國旅券規則」第二條第二、第三、第四號並附戶籍謄本。[72]

　　在這段時間最先前往滿洲的是當年31歲的林子生，他是臺北縣大稻埕人林冠英[73]的雇人，因商業的緣故，在1897年6月19日取得到清國上海、營口的旅券。[74] 林冠英（當年56歲）亦在同年5月22日取得前往廈門的旅券。[75] 日本人則到1900年以後才陸續向總督府申請前往牛莊、金州、旅順的旅券，[76] 以前往牛莊居多。第二位到滿洲的臺灣人為臺北大稻埕人許論潭，和親戚許尹堂，1902年為了經商除了到廈門、福州、天津、上海、煙台外，也到了牛莊。[77] 第四位到滿洲的是彰化北斗人謝傳泰，為了省親而到營口，[78] 料想其親戚在1902年以前已在營口。苗栗人黃獅，

66　《府報》，第830號，1900年10月6日，頁8。

67　《府報》，第830號，1900年10月6日，頁9。

68　《臺灣總督府公文類纂》，文件號：00818-09，永久保存，第一門皇室儀典，旅券，17卷，1903年，〈滿洲旅行者ニ發給スル旅券面記入事項ニ關シタル各廳長ノ通牒〉。

69　《臺灣總督府公文類纂》，文件號：00818-09，永久保存，第五門外交，旅券，17卷，1903年，〈海外旅券事務取扱方ノ義稟申〉。

70　《臺灣總督府公文類纂》，文件號：01048-07，永久保存（追加），第五門外交，旅券，16卷，1904年，〈宜蘭廳訓令第三號發布ニ關スル照會〉。

71　《臺灣總督府公文類纂》，文件號：00969-01，永久保存，第五門外交，旅券，42卷，1904年，〈外國旅行券面旅行地記入ニ關スル件〉。

72　《臺灣總督府公文類纂》，文件號：00532-04，永久保存（追加），第五門外交，旅券，8卷，1900年，〈臺灣住民海外旅券發給 內務省通牒〉。

73　林冠英，清代在鐵道商務局充當苦力頭，人又稱林英或林九英，曾任林本源管事，且主持建祥號（錢莊）。常往來廈門、上海、福州與香港。1903年過世。《臺灣日日新報》，明治36（1903）年7月30日，第3版，〈最近之建祥〉；《臺灣日日新報》，明治36（1903）年6月19日，第3版，〈死亡續報〉；《臺灣日日新報》，明治32（1899）年1月21日，第3版，〈特駁遠澤堂董事一條來稿〉。

74　〈1897年4-6月外國旅行券下付及返納表〉，識別號：T1011_01_001，中央研究院臺灣史研究所檔案館「臺灣史檔案資源系統」，http://tais.ith.sinica.edu.tw/sinicafrsFront/index.jsp。

75　〈1897年4-6月外國旅行券下付及返納表〉，識別號：T1011_01_001。

76　〈1900年4-6月外國行旅券下付表及返納表〉，識別號：T1011_01_013，牟田口清吉，為了「技術研究」到牛莊；〈1901年4-6月外國旅行券下付表及返納表〉，識別號：T1011_02_002，米倉忠一，被雇前往旅順；〈1901年7-9月外國旅行券下付表及返納表〉，識別號：T1011_02_003，堀川儀一郎，為了實業視察而到牛莊、金州。

77　〈1902年7-9月外國旅行券下付表及返納表〉，識別號：T1011_02_007。

78　〈1905年4-6月外國旅行券下付表及返納表〉，識別號：T1011_02_018。

29歲，1905年受雇到營口為「印章雕刻工」。[79] 反觀日本人，前往滿洲的人漸增，除了到牛莊、營口、旅順外還到青泥窪（即大連）。[80] 參見表2-1。

表2-1 日治時期臺灣人往東北及滿洲國的旅券登記人數（1897.1-1942.12）

年份 \ 月份	共計	1-3月	4-6月	7-9月	10-12月
1897年	1	-	1	-	-
1898年	-	-	-	-	-
1899年	-	-	-	-	-
1900年	-	-	-	-	-
1901年	-	-	-	-	-
1902年	2	-	-	2	-
1903年	-	-	-	-	-
1904年	-	-	-	-	-
1905年	2	-	1	-	1
1906年	1	1	-	-	-
1907年	4	1	1	1	1
1908年	1	-	1	-	-
1909年	-	-	-	-	-
1910年	2	1	-	1	-
1911年	1	1	-	-	-
1912年	2	-	-	2	-
1913年	-	-	-	-	-
1914年	-	-	-	-	-
1915年	-	-	-	-	-
1916年	3	-	1	1	1
1917年	3	2	-	-	1
1918年	10	-	2	8	-
1919年	-	-	-	-	-
1920年	3	-	1	1	1
1921年	1	-	-	-	1
1922年	1	-	1	-	-
1923年	3	1	-	-	2

79　〈1905年10-12月外國旅行券下付表及返納表〉，識別號：T1011_02_020。
80　最早到清〔青〕泥窪的為近藤棟四郎，1904年為了商業視察到營口、牛莊、清〔青〕泥窪、天津。
　　〈1904年10-12月外國旅行券下付表及返納表〉，識別號：T1011_02_016。

年份＼月份	共計	1-3月	4-6月	7-9月	10-12月
1924年	4	2	-	2	-
1925年	2	1	-	1	-
1926年	4	-	-	4	-
1927年	3	2	-	1	-
1928年	6	1	1	4	-
1929年	4	1	2	1	-
1930年	33	8	-	21	4
1931年	9	1	3	4	1
1932年	44	-	11	9	24
1933年	280	30	70	137	43
1934年	340	84	85	131	40
1935年	288	66	87	90	45
1936年	345	59	110	120	56
1937年	414	84	169	131	30
1938年	512	107	193	209	3
1939年	10	2	7	-	1
1940年	-	-	-	-	-
1941年	-	-	-	-	-
1942年	-	-	-	-	-
總計人次	2,338	455	747	881	255

資料來源：《臺灣總督府旅券下付及返納表》，中研院臺史所檔案館「臺灣史檔案資料系統」。

製表：陳雅苓（2019）

　　在此有必要就牛莊、營口、青泥窪三個滿洲地名做一說明。牛莊位在遼寧省海城縣營口東北90公里處，是東北境內最古老的海運碼頭，清康熙年間廢除海禁後，牛莊很快成為南方海船貿易的重要碼頭。海船自閩航行十餘日即可到牛莊，而當時該地未設關，故不必納稅，因此百貨雲集，甚至所運來之貨價格比江浙便宜，由康熙中葉到乾隆中葉是牛莊貿易最盛期。清中葉以後，由於遼河（西方地圖上稱之為Shara-Muren河）[81]河道淤淺，海船不能進入，於是碼頭遂往遼河下游的營口移轉。1858年中英天津條約簽訂，開牛莊為商埠，1860年改移到營口，但一直到民國時

---

[81] 吳乃華摘譯，〈英國駐華公使館武官布朗上校有關滿洲的筆記〉，收入國家清史編纂委員會編譯組，《清史譯叢》（第5輯）（北京：中國人民大學出版社，2006），頁187。

期,牛莊仍為海城縣第一巨鎮。[82] 營口本名「沒溝」,舊有鎮海營駐此,故名沒溝營;又因位在遼河注入遼東灣之口,故名營子口,簡稱營口,至晚到嘉慶初年,已成遼河海口的碼頭。條約港雖已遷至營口,但條約所載之地名未能更改,故雖在營口交易,仍用「牛莊」之名,積習相沿,遂逕以營口為牛莊。[83] 營口有南滿鐵路、北寧鐵路之支線交會於此,市街分東營子(外國租界)、西營子,後者為華商薈萃之地,一向是滿洲著名之大豆、豆油、豆餅輸出之處,但冬季結冰、海口不深,影響商務進行。[84]

至於青泥窪,則是帝俄在清日戰爭後租借遼東半島,想取得不凍港,乃著力建設當時不過是一寒村的青泥窪,1898 年帝俄給他取個ダーリニー(大連)的名字,意思是「遠方」,但日本仍稱之青泥窪,對其所臨海灣的名字則稱大連灣。俄名轉為英文後即稱 Darlian。此地正式命名為大連,是在 1905 年 2 月日俄戰爭日本占領此地以後。[85] 上述說法在旅券資料上可以證明,亦即由 1905 年 1 月至 3 月的海外旅券下付表可以看出山村章與妻到韓國、清國做商業視察時,所到清國的港口包括了青泥窪,[86] 但到 1905 年 4-6 月的旅券下付表,牧千代吉到了「大連」做商業視察。[87]

2. 1906-1931 年:日俄戰爭後於 1905 年 5 月訂定《樸資茅斯條約》,迄該年 12 月清朝同意俄國此一轉讓旅大租借地給日本。此後日本取得俄國關東州租借地,視為日本領土的一部分來管理,因此有日本國籍者赴遼東半島大連、旅順一帶,不需旅券,唯到遼東半島以外的滿洲地區仍需旅券。

1907 年 10 月 30 日,臺灣總督府頒布「外國旅券規則」14 條,主要規定凡申請旅券者,必須加「戶口調查簿之抄本」,同時臺人需附兩張半身照片,[88] 到 1911 年 2 月 28 日再修正旅券規則,增列第十條「*臺灣人前往中國者,抵達後應即時往所轄之帝國領事館,而在旅券背面加蓋驗章。*」[89] 亦即若上岸後未赴最近的帝國領事館報到,則將受嚴格調查。事實上早在 1910 年廈門領事館已規定該年 7 月以後

82　張利民等編,《近代環渤海地區經濟與社會研究》(天津:天津社會科學院出版社,2003),頁 58-59。《辭海》(中冊),頁 2908。
83　段木幹主編,《中外地名大辭典》(臺北:人文出版社,1981),頁 607。
84　《辭海》(中冊),頁 2886-2887。
85　西澤泰彥,《図説「滿洲」都市物語 ハルピン・大連・瀋陽・長春》(東京:河出書房新社,2006 增補改訂版),頁 46-47。
86　〈1905 年 1-3 月外國旅行券下付及返納表〉,識別號:T1011_02_017。
87　〈1905 年 4-6 月外國旅行券下付及返納表〉,識別號:T1011_02_018。
88　照片上還需蓋卜騎縫章。早在此之前,日本駐上海領事水野遵已建議在旅券上貼照片,但因臺人忌諱照相,且當時臺灣沒有太多照相業者。見臺灣總督府,《臺灣總督府事務成績提要》(臺北:臺灣總督府,1897),頁 133。1900 年的「外國旅行券規則」,在第一條即已規定,申請旅券時要交本人的照片一張,但若有困難,可以省略。見《府報》,第 833 號,1900 年 10 月 6 日,頁 8。
89　《府報》,第 3323 號,1911 年 9 月 10 日,頁 29。

抵廈的臺人向領事館報到時，需將旅券交予領事館，直到本人離境時才交還。後來更進一步由領事館的館員上船將旅券收回保管，更有甚者是由船上收齊旅券再交給領事館館員。[90]

由於旅券最重要的用途是證明身分，故需隨身攜帶，因此領事館的作為被日本外務省反對，往後才修正為赴廈七天內向廈門領事館登記，不需交回旅券。另一臺人上岸較多的上海領事館，也做同樣要求，還要報明在華住址。[91] 此時臺人赴滿洲的還少，故尚未見日本駐奉天總領事館對到清國滿洲城市的臺人有何特別的限制。但 1938 年張喜榮到奉天時，第一件要辦的是到日本駐奉天領事館報到。依規定抵達後三個月內要找到工作否則會被遣送回臺。[92] 可見到滿洲亦必須向日本領事館報到。

1921 年臺灣總督府將非移民而出外旅行者，其辦理旅券時手續費由三円增加到十円，[93] 手續費貴固然是臺人反對渡華旅券的原因，[94] 但最主要的原因在於在臺日人自 1907 年 7 月後渡華，可自行決定是否申請旅券，亦即不需旅券，此一差別待遇最令人反感，常要求日本當局取消旅券。臺灣總督府的看法自是和臺人大相逕庭，認為渡華旅券制是為治安及防治犯罪脫逃而設，故臺人的要求，都不為當局所接受。[95] 即使到了文官總督時期，蔡惠如向田健治郎總督當面要求廢止，當局亦無善意回應。[96] 1929 年 1 月起，臺灣民眾黨要各支部調查旅券申請及官廳辦理情形，除在 4 月《臺灣民報》刊登〈渡華旅券制度撤廢論外〉，一直到 6 月止在各地進行一系列的渡華旅券撤廢制度活動，[97] 終究沒有任何成效。1938 年 9 月 16 日臺灣總

90　臺灣總督府，《臺灣總督府事務成績提要》（臺北：臺灣總督府，1912），頁 59。所搭之船若為大阪商船株式會社的船，1910 年起自安平、淡水出國的臺人，一上船即將旅券交給船長。1912 年起大阪商船株式會社之航線延至打狗，故自該年 7 月起，自打狗搭船的旅客亦如是辦理。

91　梁華璜，〈日據時代臺民赴華之旅券制度〉《臺灣總督府的「對岸」政策研究》（臺北：稻鄉出版社，2001），頁 9-11。

92　林志宏、何思瑩，〈屏東運將的滿洲青春紀事：張喜榮先生訪問紀錄〉，《口述歷史》第 15 期（臺北：中央研究院近代史研究所，2020），頁 63-64。

93　臺灣總督府，《臺灣總督府事務成績提要》（臺北：臺灣總督府，1921），頁 123-124。自 1921 年 3 月 1 日起，外國旅券申請手續進一步簡化，其中可申請三年期的往復旅券，亦即到廈門、福州、汕頭、廣東、香港、上海等六處進行商業活動、漁業或其他工作者，或是定期掃墓、探親等特殊情況，可以申請。〈旅券の改正〉，《臺法月報》15：2（1921.2），頁 46-47。

94　《臺灣民報》2：21，大正 12（1923）年 4 月 11 日，第 1 版，社論〈希望撤廢渡航中國的旅券制度〉。

95　1907 年 7 月，臺灣總督府表示：今後內地人（日本人）往中國或香港，應否申請旅券可由本人任意選擇。見《臺灣總督府公文類纂》，明治四十年永久保存第十二卷，「文件號：01282-11，永久保存，第四門外事，通商及海外渡航，12 卷，1907 年，〈內地人ノ清國及香港旅行者旅券攜帶隨意ニ關シ照會及通知ノ件（在福州領事外二十七箇所）〉（1907 年 6 月 19 日）」，國史館臺灣文獻館，典藏號 00001282011。〕〉。

96　田健治郎著、吳文星等主編，《臺灣總督田健治郎日記》（下）》（臺北：中央研究院臺灣史研究所，2009），頁 298。蔡惠如「還述臺灣外國旅券規則廢止之希望，予告南支臺灣籍〔籍〕民匪行之事情，為排日之一原因之事實，答不可廢止之意。彼等屈服，尚希望他方法之講究而去」。

97　葉榮鐘等，《臺灣民族運動史》（臺北：自立晚報出版社，1971），頁 390-391。

督小林躋造輔以府令118號公布「滿洲國及中華民國渡航證明規則」,此舉有雙重意義,一是到汪政權所轄的「中華民國」及「滿洲國」不必申請旅券,只需申請「渡航證明」,即視為日本帝國內的來往;二是前往上述地區的公差、學生或兒童團體,不必特別申請渡航證明。[98]

臺灣人出國,除了上述旅券的使用過程遭受差別待遇外,臺人向地方警察申請渡華旅券時,地方官吏會加以勸說、阻止,終不發給。以櫟社詩人張麗俊為例,他和朋友一共11人,到豐原支廳去申請旅行券,支廳長城與熊卻以他等人均非商人,未便承諾發給旅券,張等立即承諾撤回。[99]阻撓申請旅券,誠如吳濁流在《無花果》一書中寫道:「一個取得護照以前的本島人,猶如一個纏足的婦女,沒有它就無法到祖國。請護照總要被東挑西剔,不容易到手的。」[100]即使願意發給,也再三遷延。[101]上述臺灣總督府的作法,無非要消極地減少臺人渡華。張喜榮也表示,他申請旅券花了一年時間,地方派出所經常派日本警察叫他去配合調查,反覆多次,直到旅券核發下來。[102]

1905年之後,赴滿洲的臺人數目仍不多,1906年住在臺北大稻埕的榮定安,為了商用目的前往上海、蘇州、牛莊、大連。[103]1907年3月14日往後曾任滿洲國第一任外交部總長謝介石,取得前往「清國吉林府」的旅券,主要目的是「清國吉林將軍招聘」。[104]按謝介石1879年生,新竹人,幼年曾在明志書院接受傳統教育三年。日本領臺時進入竹城學館(後改名新竹國語傳習所)學日語,六個月畢業後,被任命為通譯。再入新竹公學校就讀,畢業後為新竹廳長里見正義任命為通譯,同時任教新竹公學校。1904年里見廳長推薦其至東洋協會專門學校(日本拓殖大學前身)當臺灣語講師,專門教導即將來臺任職的官吏學臺灣話。[105]旅券資料有其1907年

---

98 《府報》,第3388號,1938年9月16日,頁58,府令第百十八號,〈滿洲國及中華民國渡航證明規則〉第一條。

99 張麗俊著,許雪姬、洪秋芬、李毓嵐編纂‧解讀,《水竹居主人日記(三)一九一一至一九一四》(臺北:中央研究院近代史研究所、臺中縣文化局,2001),頁44,1911年4月14日:「九時餘全德全……等十一人入廳,因皆入稟請旅行券故也。支廳長城與熊氏傳云:汝等多人欲請旅行券,我知汝等係名譽之人,斷無妄為,但人有言,汝等多非商人,欲往清國殊多未便,我不報告,恐臺中廳查知,欲據人言報告,旅行券斷不肯下付。自吾思之,汝等之稟各持回莫請,候他日有確實理由再請可也。」

100 吳濁流,《無花果》(臺北:前衛出版社,1993),頁119。

101 神田正雄,《動きゆく臺灣》(東京:海外社,1930),頁228,依法十天內即可辦妥。

102 林志宏、何思瑩訪問、黃琬柔紀錄,〈屏東運將的滿洲青春紀事:張喜榮先生訪問紀錄〉,《口述歷史》第15期,頁63。

103 〈1907年1-3月外國旅行券下付表〉,識別號:T1011_02_025。

104 〈1907年1-3月外國旅行券下付表〉,識別號:T1011_02_025。

105 許雪姬,〈是勤王還是叛國:「滿洲國」外交部總長謝介石的一生及其認同〉,頁60-61。

欲赴吉林的記載，然究其後就讀明治法律學校（日本明治大學前身）且自該校畢業，[106] 此次可能只是短暫的求職之旅，或甚至未去，不過這已為他結下了與滿洲之緣。第三個申請的為前已述及被雇雕刻印章的黃獅，第四個為苗栗同鄉吳石頭，也是受雇而往。本年第二個申請到滿洲的是臺南人王葆青，他因商用，在本年底申請到赴廈門、香港、上海、牛莊的旅券。[107] 1908 年新竹廳人鄭邦吉醫師申請前往「清國吉林省」進行「醫業」。[108] 他有可能是最早到滿洲的臺灣人醫師。目前所見在清末就已到滿洲的醫師，是 1908 年應關東州等地日本官衙及團體之招聘到營口同仁醫院服務的謝唐山，他在同仁醫院服務一年九個月。接著是 1909 年到大連醫院就職的謝秋涫，從此他一生就在滿洲行醫，後卒於北京。[109] 但謝唐山、謝秋涫在旅券下付表中未見紀錄。以後還有不少醫師陸續前往醫療資源不足的滿洲行醫（參見第六章）。謝秋涫及其家族之後就陸續往滿洲，如 1918 年 8 月其兄嫂謝春池、謝劉氏雪，子謝文垣、謝文燦、謝文炫、謝氏桂娘，以及其妻謝傅氏謙，並其姪女謝青蓮（弟謝秋濤之女），都申請到牛莊。[110] 但也有申請旅券前往考試，卻落第而歸，如 1930 年 2-3 月間豐原的蘇洪松、梧棲的王瑞琪。[111]

　　除了行醫以外到滿洲去就讀醫學校，也是臺人到滿洲的原因之一，1911 年創立於奉天的南滿醫學堂（1922 年改為滿洲醫科大學），為想讀醫科的臺灣學子打開一條讀醫的路，1925 年時呂耀唐（澎湖人）是第一位畢業於滿洲醫學堂（後改稱醫科大學）的臺灣人，之後其親戚戴神庇、戴耀閭陸續於 1926、1927 年先後畢業於同校。[112]

　　前曾提及的謝介石，在清朝滅亡後，被聘赴吉林任吉林法政學堂教習、兼吉林都督府政治顧問，在離臺前曾賦「將赴吉林留別臺陽諸友」一詩贈別。[113] 在吉林期間，他共同發起成立中、日國民協會並加入；[114] 也介紹連雅堂於 1913 年加入《吉林時報》編務。[115] 1914 年 8 月謝介石放棄日籍，12 月取得中華民國籍。1917 年參與張勳的復辟工作，1927 年 12 月受溥儀召見，被任命為「外務部右丞天津行在御

106　內尾直昌編，《滿洲國名士錄：康德元年版》，頁 88。
107　〈1907 年 10-12 月外國旅行券下付表〉，識別號：T1011_02_028。
108　〈1908 年 4-6 月外國旅券下付表〉，識別號：T1011_03_004。
109　許雪姬，〈日治時期臺灣人的海外活動：在「滿洲」的臺灣醫生〉，《臺灣史研究》11:2（2004.12），頁 16-17。謝唐山、謝秋涫都未出現在臺灣總督府的旅券下付表中。
110　〈1918 年 7-9 月外國旅券下付表〉，識別號：T1011_03_078。
111　〈1930 年 1-3 月外國旅券下付表〉，識別號：T1011_03_124。
112　許雪姬，〈日治時期澎湖瓦硐籍的醫生〉，收入紀麗美編，《澎湖研究第一屆學術研討會論文輯》（馬公：澎湖縣文化局，2002），頁 409-410。
113　賴子清，《臺灣詩醇》（嘉義：蘭記書局，1935），頁 10、141-142。
114　《盛京時報》，第 1953 號，大正 2（1913）年 5 月 16 日，第 7 版。
115　許雪姬總策畫，《臺灣歷史辭典》（臺北：行政院文化建設委員會、中央研究院近代史研究所、遠流出版事業出版股份有限公司，2005 年 3 版 1 刷），頁 812，黃美娥，〈連橫〉。

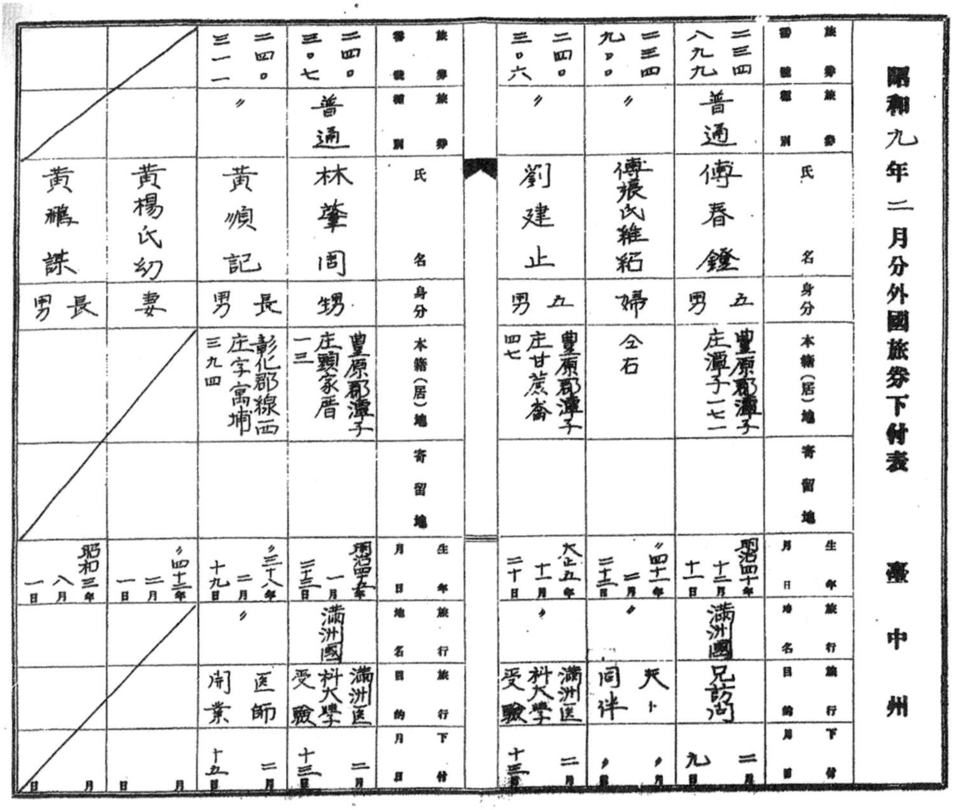

昭和九年二月分外國旅券下付表　臺中州

旅券番號	旅券種別	氏名	身分	本籍（居）地	寄留地	生年月日	旅行地名	旅行目的	旅行下付月日
二三四八九九	普通	傅春鐙	男　五	豐原郡潭子庄潭子一七一		明治四十年十二月十一日	滿洲國	兄訪問	二月九日
二三四九〇〇	〃	傅張氏維紹	婦	仝右		〃四十一年二月十三日	〃	夫ト同伴	〃月〃日
二四〇三〇六	〃	劉建止	男　五	豐原郡潭子庄甘蔗崙四七		大正五年十一月二十日	〃	滿洲医科大學受驗	二月十三日
二四〇三〇七	普通	林肇周	甥	豐原郡潭子庄頭家厝一三		明治四五年一月二十三日	滿洲國	滿洲医科大學受驗	二月十三日
二四〇三一一	〃	黃順記	男　長	彰化郡線西庄字富埔三九四		〃三十八年二月十九日	〃	医師開業	二月十五日
		黃楊氏幼	妻			〃四十二年二月一日			
		黃穖謀	男　長			昭和三年八月一日			

圖 2-4　1934 年，傅春鐙夫妻、劉建止、林肇周與黃順記妻小等人申請赴滿洲國訪親、至滿洲醫科大學應試或行醫之旅券下付表。

資料來源：〈1934 年 1-3 月外國旅券下付表〉，識別號：T1011_03_140
（中央研究院臺灣史研究所檔案館提供）

前顧問」,[116] 此後和溥儀以及滿洲國關係密切,並陸續介紹臺灣人到東北、進入滿洲國政府工作。

3. 1932-1945:1932 年 3 月 1 日溥儀在日本卵翼下成為滿洲國的執政,年號大同,1934 年即帝位,改元康德,滿洲帝國於焉誕生。由於國家初設,需要中低級的官僚;且文教部逐漸在滿洲建立不少學院、大學,因此吸引不少臺灣人前往,誠如川島真觀察到,1934 年海外旅券最顯著的特徵是該年前往滿洲國、牛莊的旅人大為增加,前往的目的自官吏到開業醫,最值得囑目的是預備參加醫科大學考試者。[117]

滿洲國成立後,凡欲赴滿洲的外國人,必須向其外交部及駐外單位申請。滿洲國原有意在臺北設總領事館,因故未成,[118] 1936 年 7 月日本撤廢在滿洲國部分的治外法權,訂定「有關在滿洲國日本臣民的居住及課稅的日本、滿洲國間條約」,翌年 11 月 5 日,再簽「滿洲國治外法權的撤廢及轉移南滿洲鐵道附屬地行政權」,全滿洲除了關東州外,都歸滿洲國,而全面廢止領事裁判權則在 1937 年 12 月 1 日。[119] 如上述 1938 年後臺灣人到滿洲國可不申請旅券,但仍要申請渡航證明。不過 1939 年畢業於彰化高等女學校的詹春秧,本要與日本同學山本妙子一起到奉天找工作,因未申請「旅券」(渡航證明)而遲延了 20 天方克踏上旅途。[120] 因為她到大連非公差,也非學生身分,更不是參加學生團體,因此必須申請。又如 1940 年文學家鍾理和由奉天回臺灣帶妻子前往滿洲時,就是幫妻子申請「渡航證明書」才能前往。[121] 由旅券相關資料的觀察,自 1940 年後申請前往滿洲者急遽下降,到 1942 年起即無相關資料。

(二) 臺灣總督府的管理與保護

---

116 中國歷史博物館編、勞祖德整理,《鄭孝胥日記》(第 4 冊)(北京:中華書局,1993),頁 2168,1927 年 12 月 26 日。

117 川島真著、鍾淑敏譯,〈日本外務省外交史料館館藏臺灣人出國護照相關資料之介紹(1897-1934)〉,頁 135。

118 《臺灣日日新報》,昭和 9(1934)年 6 月 3 日,夕刊第 4 版,〈滿洲帝國總領事館欲設於臺北〉。原本滿洲國要在大阪、臺北、京城設總領事館,在名古屋、敦賀、門司、清津設領事館,其結果是在日本(包括韓國)東京設大使館(東京),在新義州設領事館,在京城、門司、大阪、新潟設名譽領事館。見豐田要三、滿洲事情案內所編纂,《滿洲帝國概覽》,頁 101。

119 滿洲國史編纂刊行會,《滿洲國史 各論》,頁 345-346,外交(對日外交),第四節治外法權撤廢問題。

120 許雪姬訪問,何金生、鄭鳳凰紀錄,〈何金生先生訪問紀錄〉,《日治時期在「滿洲」的臺灣人》,頁 175-176。文中所謂的「旅券」應是「渡航證明」。

121 鍾理和,〈奔逃〉,收入鍾鐵民編,《鍾理和全集 1》(岡山鎮:高雄縣立文化中心,1997),頁 82。鍾理和說:「如果我不獻出我運用了點小智慧獲取到手的日本外務省(外交部)發給的『渡航證明書』,誰會知道我們是一對夫妻」。

1. 管理：凡是臺人赴日或赴中國（不論重慶政府、南京政府或華北政務委員會）、滿洲國，不論何種目的，都是日本駐各地領事館、福岡縣知事關注的對象，[122] 依不同的身分、類別給予必要的「尾行」（跟蹤），或在輪船上派員盤查，然後寫成資料向上報告。依目前掌握的資料可知，臺灣人被「尾行」的有以下幾類：

（1）特要甲號：如林獻堂、楊肇嘉、謝春木、邱德金、蔡培火、黃旺成，上述數人皆為從事臺灣民族運動者。[123]

（2）特要乙號：如羅萬俥、林德旺。羅萬俥是《臺灣民報》的專務取締役，林德旺是臺灣文化協會左傾後的成員之一，他參與該會機關報《臺灣大眾時報》的發行，[124] 兩人都在報界服務。

（3）思想要注意人物：如連雅堂、曾慶福。連雅堂在 1935 年 3 月到陝西省政府建設廳，探望在該處就職之子連震東，並往訪舊知、當時也在同廳任開拓準備委員主席、中央監督委員的張繼，而於 6 月 18 日回到上海。日方偵知連雅堂說陝西因華北問題對日感情惡化，在車上或醒目的場所都貼有「打倒日本」的海報；也將連寫給友人的信加以日譯存檔。[125]

（4）有嫌疑的臺灣人：如林思漢、黃子英、李焌。這三人到漢口，表面上要進入軍官學校，其實是欲加入以共產主義者臺人翁澤生為中心所組織的臺灣青年團。特別是林思漢曾在以福建永春為根據地的共產黨軍中當連長，故特別引起上海日本特務側目，立刻行文給漢口總領事以便調查。[126]

（5）要注意臺灣人：如李肇基（李友邦），日本駐廣東總領事代理須磨彌吉郎報告，李肇基突然間在 1931 年 3 月 26 日到香港；在廈門時租翁澤生房子的三樓，並未停止反日行動，但尚無具體事實，唯有翁澤生等與中國國民黨常來往，籌謀反日運動，暫時停止宣傳共產主義。[127]

以上的分類特甲、特乙名冊經臺灣各州造報，由各領事館派出人員打探上述人在中國大陸的活動。有關跟蹤報告取得的資料是依據警保局「要視察人引繼標準」、「特別要視察人視察內規ノ件」，在臺灣特別有「臺灣人特別要視察人（簡稱特要臺或臺）」分成甲號、乙號，有治安之虞者為甲號，其他稱乙號。[128] 凡是被列入上述

---

122 從事民族運動的臺人由臺灣赴日本，或由日本回臺，船到門司即由福岡縣知事報告。
123 日本外務省外交史料館藏，I,4,5,2,2-2-2,〈要視察人關係雜纂　本邦人ノ部　臺灣人關係〉，頁 334，1932 年 4 月 6 日，特處繹秘第 518 號，〈臺灣人ノ動靜ニ關スル件〉。
124 同上，頁 311，特處繹秘字第 405 號，〈要視察臺灣人視察ニ關スル〉。
125 同上，頁 546，1935 年 6 月 24 日，東亞局機密字 989 號，〈要視察臺灣人陝西省旅行歸來談ニ關スル〉。
126 同上，頁 170，1930 年 9 月 2 日，公領機第 628 號，〈容疑臺灣人行動視察方ノ件〉。
127 同上，頁 194-197，機密公第 482 號，〈要注意臺灣人ノ動靜ニ關スル件〉。
128 荻野富士夫，《特高警察体制史：社会運動抑圧取締の構造と實態》（東京：せきた書房，

分類者，不管在日本、在臺灣、在中國，都為日本當局嚴密控管。

以林獻堂為例，在 1932 年 8 月為反對總督府統制臺灣米的移入日本，而組成「臺米移入制限反對同盟會」，他被選為代表赴日，9 月 17 日回臺船上，特務中光即來問林有關去東京的種種，林獻堂在日記上寫著「他等往來於朝鮮、臺灣、上海、大連、青島，每船皆有他等之特務在焉。以培火為通譯，問上京何事。日米制限問題也。……」[129] 臺灣民眾黨的要角、《臺灣新民報》的記者謝春木，他被列入特甲，當 1929 年代表黨赴南京參加孫中山的奉安大典[130] 前，曾到華中、華北、滿洲旅行 2 個月，[131] 當他自長崎搭船抵上海後，即被跟蹤而至的特務叫到領事館去問話。[132] 以後謝春木在上海經營「華聯通訊社」，將臺灣反日的消息提供給中國報社，內多對日本統治不利的消息，[133] 他被長期監視、尾隨可想而知。

李爐己、謝龍濶兩人，在滿洲國建國後赴滿洲的一舉一動也在日本政府監控中。按李爐己於 1915 年畢業於臺灣總督府國語學校師範部乙科，[134] 曾任福建督軍李厚基的顧問，並包稅捐，在福建的臺灣人奔走於其門下者不少。九一八事變後，奉日本密令製造中日糾紛以遂日軍侵閩之陰謀，福州水戶事件[135] 即其所為，此事件迫使福建當局賠款二萬並派人謝罪，後當局知係李之所為，乃捕送李至日本駐福州總領事館。李在軍部掩護下得到自由，但已不能在閩活動，遂被遣返臺灣。不久軍部介紹其赴滿洲國任特務隊長，[136] 但不久即行返臺，再度到廈門。福州總領事守屋和太郎乃向外務大臣報告李的動向，報告中提到當時就讀淡水中學之長男李姓

1984），頁 244。

129　林獻堂著，許雪姬、周婉窈主編，《灌園先生日記（五）一九三二年》（臺北：中央研究院臺灣史研究所籌備處、近代史研究所，2003），頁 383，1932 年 9 月 16 日。

130　日本外務省外交史料館藏，A,5,3,0,3，臺灣人關係雜件，自昭和 2 年至昭和 17 年。在上海總領事石射猪太郎給外務大臣廣田弘毅電報，昭和 9 年 12 月 13 日，東亞局機密第 1427 號。除給外務省外，也給日本在華公使、在滿大使、臺灣總督府警務局長、關東長官及相關領事。

131　謝春木，《臺湾人は斯く観る》（東京：龍溪書舍，1974），頁 174，第二編新興中國見聞記，第十四章 二箇月の旅行。

132　謝春木，《臺湾人は斯く観る》，頁 17，日本警察から解放。

133　日本外務省外交史料館藏，A,5,3,0,3，臺灣人關係雜件，〈謝春木ノ經營スル華聯通訊社ノ捏造反日記事ニ關スル件〉。

134　不著編人，《臺北師範學校卒業及修了者名簿》（臺北：臺北師範學校創立三十周年紀念祝賀會，1926），頁 83。

135　水戶事件發生於福州，1932 年 1 月某日，李爐己受臺灣軍司令部的命令，於傍晚潛入日人福州小學校教諭水戶守宿舍，殺死其夫妻，妻懷胎八個月，故為二屍三命的慘劇；李又破壞部分日本領事館，詭為中國人所為，以嫁禍於福建當局。林知淵，《政壇浮生錄：林知淵自述》，收入福建文史資料第 22 輯（福州：中國人民政治協商會議福建省委員會文史資料委員會，1989），頁 35-44。

136　在〈1933 年 7-9 月外國旅券下付表〉，識別號：T1011_03_138，見有李爐己帶著妻、子及相關家人共六人的紀錄。

源,曾到奉天去見其父母。[137] 謝龍闓於 1914 年畢業於國語學校師範部乙科,[138] 是李爐己的前輩。謝一向在廈門活動,任全閩日報社經理及臺灣公會副會長。1922 年有臺人被廈門人所殺,謝乃組織臺灣人自衛團,自任團長,每日率領武裝團員在市中巡邏。1930 年因涉嫌許卓然暗殺案乃避至上海、香港。九一八事變後到滿洲任職建國第二軍,因不得意,不久歸臺,再赴福州。李、謝之動靜都為福州總領事館所掌握。[139]

再以楊肇嘉為例,他在 1943 年 4 月到朝鮮,前往新京拜訪女婿吳金川和女兒楊湘玲,在日本下關上船,6 時半就到達釜山,一小時後就登上直達新京(長春)的快車,預計隔天的半夜可到瀋陽,不料隨車警察來查,並命在新義州下車,由警察押人和行李進入當地派出所,隨後送至平安北道警察部,被關入監房,未曾訊問。由 4 月 12 日關到 16 日才被正式審問,但只問身分、經歷、朋友就回監,21 日再被提出,會同檢查行李一小時,24 日就被一位自稱朝鮮銀行新義州的支店長的人保出。[140] 原來是女婿吳金川久未見丈人到來,乃覺事有蹊蹺,經幾番周折找到被囚禁之處,託人保釋岳父。[141]

如果臺人赴海外,卻未依例向領事館報告,將來要回臺灣或日本可就麻煩,因未得領事館同意無法離境。

2. 保護:雖然在海外的臺灣人受到日本政府的管理與監視,但對臺人在海外遇到困難亦盡力救助。舉例而言,臺灣總督府醫學校第八屆(1909)畢業生程水源,[142] 鹿港人,在廈門思明東路開建德醫院,[143] 其長子程榮(一度誤為程巢,戶籍名程守傳,即戰後第一任彰化區區長陳幸西),[144] 於 1927 年到莫斯科中山大學就讀,1931 年畢業,3 月欲搭西伯利亞鐵路到中國,4 月途經哈爾濱,被認為有共產黨嫌疑,而被民國護路軍總司令部逮捕,10 月 13 日以共產黨嫌疑罪被移送到奉天地方法院拘禁。家屬獲知消息後,由在彰化的母親程蕭氏受,於 6 月向臺中州知事太田吾一提出救援

---

137 日本外務省外交史料館藏,A,5,3,0,3,台灣人關係雜件,昭和 8 年 8 月 12 日,在福州總領事守屋和郎給外務省大臣伯爵內田康哉殿,〈國光日報ノ記事並李爐己ノ動靜ニ關スル件〉。
138 不著編人,《臺北師範學校卒業及修了者名冊》,頁 81,謝龍闓誤寫為謝龍何。
139 日本外務省外交史料館藏,A,5,3,0,3,臺灣人關係雜件,自昭和 2 年至昭和 17 年,在福州總領事守屋和郎致外務大臣伯爵內田康哉,昭和 8 年 8 月 12 日,〈國光日報ノ記事並謝龍闓ノ動靜ニ關スル〉。
140 楊肇嘉,《楊肇嘉回憶錄》(臺北:三民書局股份有限公司,2007 年 4 版 2 刷),頁 328-330。
141 許雪姬訪問、吳美慧紀錄,〈吳金川先生訪問紀錄〉,頁 134-135。
142 景福基金會,《國立台灣大學景福校友通訊錄》(臺北:景福基金會,1992),頁 3。
143 日本外務省外交史料館藏,A,5,3,0,3,臺灣人關係雜件,自昭和 2 年至昭和 17 年,廈第 381 號,廈門駐在太田直作致臺灣警務處保安課長小林長彥,昭和 6 年 12 月 25 日,〈莫斯科中山大學ヨリノ歸途哈爾濱ニシテ支那軍監禁セラレタル程守傳ノ動靜ニ關スル件〉。
144 原名程守傳,又稱程幸西、陳幸西,其事蹟可參考蘇寶藏,《我的回憶錄》(未著出版地:作者自刊,1998),頁 111、154、164-165。

其子的請求，太田知事乃經由臺灣總督府，再轉到日本外務省辦理。[145] 另方面，臺灣總督府電日本駐哈爾濱總領事展開救援的工作，該領事前往會見護路軍總司令部參謀長兩次。[146] 程守傳在獄中數個月並未經審訊，乃致信其在彰化的叔父，請寫信向郡役所申訴，同時也向總督府外事課照會，請致電日本駐奉天領事館交涉釋放。[147] 此事直至該年 12 月 23 日，程水源才由日本駐廈門領事太田直作得到其子已被釋放，但需盡快送金百圓旅費的訊息。[148] 據奉天總領事代理森島守人致電外務大臣犬養毅，程守傳在 1931 年 12 月 21 日已獲釋。[149]

五、到滿洲的交通與人數

（一）交通

要到滿洲地區，早期並未有輪船由臺灣直通滿洲的航線，因此大半先到日本再轉往滿洲。1896 年 5 月臺灣總督府補助大阪商船株式會社，開設臺灣和日本第一條定期命令航路（海運補貼）出現後，[150] 臺灣人赴日可在基隆搭基隆神戶線到日本再前往滿洲。當時由兩家日本會社的船行走命令航路，即大阪商船株式會社、日本郵船株式會社，約每月在日本、臺灣間航行兩次。往後隨著命令航路的增加，臺、日間的往來更形便利。為了驅逐自清中葉後英商德忌利士（Douglas）航行、壟斷臺灣與南洋間的航線，自 1899 年 4 月起，日本政府命大阪商船株式會社航行於淡水、香港間，開設與太古洋行競爭之線路，並在 1900 年在安平和香港間再增加併行線，此外還加華南航路，故自 1896 年起至 1911 年止，15 年間大阪商船株式會社已獨

---

145 日本外務省外交史料館藏，A,5,3,0,3，臺灣人關係雜件，自昭和 2 年至昭和 17 年，中警祕特第 13310 號，昭和 6 年 11 月 2 日，臺中州知事太田吾一轉給總督府警務處處長，〈共產主義者程守傳ノ身柄救出願出ニ關スル件〉。

146 日本外務省外交史料館藏，A,5,3,0,3，臺灣人關係雜件，自昭和 2 年至昭和 17 年，亞細亞局第三課永井次官致臺灣總督府總務長官，昭和 6 年 6 月 20 日，〈臺灣籍民程守傳救護方ニ關スル件〉。

147 日本外務省外交史料館藏，A,5,3,0,3，臺灣人關係雜件，自昭和 2 年至昭和 17 年，中警祕特第 13310 號，昭和 6 年 11 月 2 日，臺中州知事太田吾一轉給總督府警務處處長，〈共產主義者程守傳ノ身柄救出願出ニ關スル件〉。

148 日本外務省外交史料館藏，A,5,3,0,3，臺灣人關係雜件，自昭和 2 年至昭和 17 年，廈第 381 號，廈門駐在太田直作致臺灣警務處保安課長小林長彥，昭和 6 年 12 月 25 日，〈莫斯科中山大學ヨリノ歸途哈爾濱ニシテ支那軍監禁セラレタル程守傳ノ動靜ニ關スル件〉。

149 日本外務省外交史料館藏，A,5,3,0,3，臺灣人關係雜件，自昭和 2 年至昭和 17 年，亞細亞局機密第 21 號，在奉天總領事代理森島守人致外務大臣犬養毅，昭和 7 年 1 月 13 日，〈臺灣籍民程守傳ノ身柄救出ニ關スル件〉。

150 劉素芬，〈日治初期大阪商船會社與臺灣海運發展（1895-1899）〉，收入劉序楓主編，《中國海洋發展史論文集》（第九輯）（臺北：中央研究院人文社會科學研究中心，2005），頁 379。

占臺灣與華南的航線,並進一步與英國輪船爭奪華中的航線。1911年南洋郵船會社成立,開通日本與南洋之間的定期航路;1912年再創朝鮮郵船會社,從事朝鮮沿岸的航行。[151] 這一些航線的開設,由申請旅券時的目的地可略窺一斑,亦即渡華旅券顯示出早期到故鄉福建廈門的為最多,若到海外則以到香港為多。[152]

臺灣和滿洲間有航線,始於1923年命令航路中的華北線。先是1912年已有打狗、天津線,若用旅券資料來做觀察,這時乘客的需求不多,較可能注重在貨運,亦即由高雄將糖和香蕉輸往天津。華北線停泊的港口有高雄、基隆、福州、青島、大連、天津,航運的船隻有盛京丸和華陽丸,一個月航行一次,噸數為1,500噸,速度10節,乘客100人。[153] 船到大連後可搭1908年10月自大連通到新京的滿鐵線。[154] 到1925年華北線在航行福州、青島間時,加停了上海,每個月的航班也由一次增為兩次,船的噸數、速度、規定乘客數都沒變,但航行的船隻改為貴州丸、盛京丸、福建丸。[155] 1928年的命令航線中可航至大連者有兩線,一為高雄天津線,其停泊的港灣和華北線同,航行的輪船三艘亦同,唯每一年航海次數,由原來的24次增加為36次。另一為臺灣鮮滿線,以高雄為起訖站,沿途停靠基隆、仁川、大連、鎮南埔、仁川、釜山、基隆,航行的船隻為第二養老丸和岩手丸,每年航行24次,總噸數2,000噸,速度為10節,但搭乘客數不詳。[156] 臺灣滿鮮線的開闢,主要與日本於1910年併合朝鮮有關。1931年9月九一八事變發生,翌年滿洲國成立,初始仍維持高雄天津線、臺灣朝鮮線。有鑒於臺灣與滿洲之間的貿易日趨密切,故1935年起,臺灣總督府命令大連汽船株式會社(1915年創立)開航高雄、大連線(又稱大連—臺灣線),[157] 大阪商船株式會社開辦高雄、清津線,另一方面命令郵船會社,將臺灣、朝鮮、滿洲線改為高雄仁川線。[158] 這三條路線說明如下:

1. 高雄仁川線:停泊高雄、基隆、大連、鎮南埔、仁川,有二艘船岩手丸、岐阜丸航行,每艘船每月往返兩次,噸數2,000,速度12節,未敘載客人數,似以載貨為主。

2. 高雄大連線:航行高雄、基隆、大連,可說是臺灣直達滿洲的唯一航線。

---

151 曾汪洋,《臺灣交通史》,臺灣研究叢刊第37種,(臺北:臺灣銀行經濟研究室,1955),頁19-21。
152 本人閱讀1897-1934年旅卷下付返納表所得的結果。
153 曾汪洋,《臺灣交通史》,頁22。
154 西澤泰彥,《図說滿鉄:「滿洲」の巨人》(東京:河出書房新社,2005年3刷),頁46。
155 曾汪洋,《臺灣交通史》,頁27。
156 曾汪洋,《臺灣交通史》,頁28-29。
157 此會社是滿鐵的旁系會社,資本金2,570萬圓(1938年),是日本五大汽船會社之一。見高橋勇八,《滿洲商工名鑑:附諸官廳錄》(上冊)(大連:大陸出版協會,1938),頁115。
158 原來的高雄天津線一分為二,一為高雄仁川線、一為高雄天津線。見曾汪洋,《臺灣交通史》,頁31。

有二艘船航行,即山東丸、山西丸,一年航行 36 次,噸數 2,000 噸,速度 12 節,可搭載 50 名乘客。這由旅券資料可以得知,1933 年臺灣人到滿洲已有 273 人;比 1932 年的 42 人已增加不少,故有此需要。[159]

3. 高雄天津線:停泊高雄、基隆、大連、天津,有二艘船航行,即大華丸、中華丸,噸數 2,000,每年航行 24 次,速度 12 節,未敘搭客人數。[160]

1937 年七七事變發生,命令航路僅做小改變,亦即高雄仁川線取消在基隆的停泊。[161] 1938 年恢復高雄仁川線停泊在基隆,[162] 1939 年命令航路仍維持三條線,但高雄仁川線已有變更,航行船隻改為同噸數、速度的元明丸與大阪丸,但不再停泊鎮南埔。[163] 1940 年較大的變化是為了因應赴滿洲人口增加,臺灣滿洲直航的高雄大連線,每年航行的次數由 36 次增加一倍,故增加了北安丸和西安丸共四艘船航行。[164] 1942 年隨著太平洋戰爭進入第二年,海上航行安全的顧慮以及船隻的不足,因此取消高雄仁川線,高雄大連線,改由大連汽船 3,000 噸的輪船航行;高雄天津線只剩一艘船航行,因此每月只有一次航班,由東亞海運維運。[165] 事實上,1942 年以後隨著戰事日益吃緊,民間人士申請渡航證明已不多,而到 1943 年命令航路只剩下臺灣沿海線。[166]

戰後在東北的臺灣人回臺困難,主要原因是 1943 年再無高雄大連線、高雄天津線可搭;而蘇聯在占領滿洲後,不准使用大連港有以致之。

以上為以臺灣為中心探討臺灣人在 1923 年設華北線以後由臺灣出發到大連船班的情形。值得注意的是,如果不直接搭船到大連者,可經由廈門、上海、天津等地,再搭船、或經陸路出山海關到達滿洲。亦可由日本出發,可有不同的選擇,通常是搭船到門司,轉搭到釜山(關釜聯線),再坐滿鐵的火車(包括亞細亞號),經過朝鮮,進入大連、奉天,一路北上到新京、哈爾濱。

(二)航行的經驗

上述僅就航行輪船、路線加以說明,以下舉例說明除上述航線、輪船外,1937

---

159 有關日本外務省外交史料館公布的旅券下付返納表,到 2015 年只公布到 1934 年 1-3 月,2016 年公布到 1942 年的資料,請見表 2-1,共前往 2,338 人次。
160 曾汪洋,《臺灣交通史》,頁 32。
161 曾汪洋,《臺灣交通史》,頁 33。
162 曾汪洋,《臺灣交通史》,頁 34。
163 曾汪洋,《臺灣交通史》,頁 35。
164 曾汪洋,《臺灣交通史》,頁 37。
165 曾汪洋,《臺灣交通史》,頁 38。
166 曾汪洋,《臺灣交通史》,頁 39。

年七七事變後臺灣人到滿洲的行程,有搭直航的,亦有先到日本再轉往者。

1. **杜聰明到旅順工科大學、南滿洲工業專門學校參加日本學術協會等十三回大會總會與部會**:杜聰明於1937年8月16日10時自基隆搭大和丸起程,8月18日下午1時半停泊門司港,下船到山陽ホテル休息,當晚9時半自旅館出發,搭關釜連線聯絡船金剛丸,8月20日早上8時抵達奉天火車站,10時半搭火車往撫順,8月21日坐6時10分的車回奉天,約一小時,改搭8時半往大連的火車,下午二時半到大連火車站。8月23日參加日本學術協會第十三回大會總會於旅順工科大學,並被授予學會賞（有獎狀與獎金）,8月24日在南滿洲工業專門學校演講,題目是「台灣ニ於ケル阿片癮者ノ統計的調查殊ニ其死亡及死亡原因ニ就テ」。8月27日出發去新京,8月29日出發去哈爾濱,8月30日早上10時搭急行車回奉天,於下午2時13分抵達。8月31日晚上6時搭山東丸,9月4日早上10時半船到基隆港,11時結束這次旅程。[167]

2. **鍾理和帶妻鍾平妹坐船、火車到奉天**:1938年鍾理和決心到奉天去建立一個立足點,以便將在故鄉的妻鍾平妹帶出對「同姓結婚」[168]抱有道德性惡感的故鄉。他先去讀奉天的汽車駕駛學校,取得執照,而在1940年8月和平妹,搭馬尼拉丸由高雄到門司。[169]由於平妹病了,在休息三天後再自下關搭船,船十點開,翌日到達釜山,下了船登上火車,第三天早晨到達奉天。[170]

3. **何金生娶妻後搭高雄大連線回奉天的經驗**:何金生原在奉天維城中學教書,1941年回臺,2月6日結婚,2月7日在基隆乘船,到2月10日下午就到大連,所搭的是直航的高雄大連線才會如此快,之後搭夜快車,於第二天早晨到達奉天火車站。當時一票到底,即自豐原到基隆、基隆到大連、大連到奉天都只要同一張票,票價30元2角,不僅如此,行李在豐原直掛,到奉天再取行李,[171]十分方便。

4. **葉鳴岡前往新京投考新京醫科大學的搭船經驗**:由於投考到放榜間有一個多月,因此葉買來回票,因具學生身分、且火車買三等票,[172]因此船票只有27.5元。他由花蓮搭船到基隆,共七天六夜才到大連,由此搭火車到新京。由於回程搭錯火車,到奉天下車後回臺之船已開,乃向船公司交涉,由大連搭船到下關,在下關每

167　杜聰明著,〈杜聰明日記〉,1937年8月16日迄9月4日逐日之日記,未刊稿。
168　鍾理和,〈同姓之婚〉,收入鍾鐵民編,《鍾理和全集1》,頁91。「我們的結合,不但跳出了社會認為必須的手續和儀式,並且跳出了人們根深蒂固的成見──我們是同姓結婚的!」
169　鍾理和,〈奔逃〉,收入鍾鐵民編,《鍾理和全集1》,頁84。
170　鍾理和,〈奔逃〉,收入《鍾理和全集1》,頁89-90。
171　許雪姬訪問,何金生、鄭鳳凰紀錄,〈何金生先生訪問紀錄〉,頁175、177。
172　反之,侯金魚與丈夫石林玉燦要到哈爾濱鐵道醫院任職,1936年時出發,坐上高雄大連線,再由大連坐亞細亞號（一等車）到哈爾濱。該鐵路是寬軌,車廂很大、很乾淨速度很快,一天一夜即到哈爾濱。見許雪姬訪問,王美雪紀錄,〈侯金魚女士訪問紀錄〉,《日治時期在「滿洲」的臺灣人》,頁88。侯坐一等車,和葉坐三等車,自然感受不同。

三天就有船開往臺灣，比在大連等高雄大連線和高雄天津線要來得快，於是乃經日本回臺。[173]

5. 涂南山在1945年前往新京就讀建國大學的搭船經驗：往常考上建大的學生都得在東京集合，先在日本參拜伊勢神宮、明治神宮，再經朝鮮，受朝鮮總督招待後才到滿洲。由於已到戰爭後期，乃由臺灣總督府文教局直接將三位學生送往滿洲。先計劃搭由基隆開往大連、大連汽船公司所有、3,000噸的長山丸，但因局勢不佳而延期。文教局建議搭乘飛機，但因只有大佐以上才有搭飛機的資格而作罷。於是家在嘉義的涂家父子二人在臺北住旅館待機半個月，仍無法出發，只得回嘉義。又過了十天左右，文教局命令在2月19日搭船，那艘船是要由南洋去日本、路過臺灣的運送船團，有三艘驅逐艦保護。此船在3月1日下午2時出基隆港，直到3月10日才到門司，費時十天。再由門司出發，抵大連，坐了兩天火車後在3月15日到達新京。這趟船，全程必須穿救生衣，連睡覺也不例外，如果聽到喊危險就必須特別注意。途中有二次遇險，一次是由基隆航往華南經臺灣海峽時；一次是由山東半島要航向九州時，那裡海域較寬容易受潛水艇偷襲，只能繞路走淺水域，故航程耗時較多。4月美軍就登陸沖繩，可見3月時的海上有多危險。[174]

6. 翁通逢醫師自日本前往滿洲的搭船經驗：翁通逢醫師料想自己會被調往南洋當軍醫，而由日本往南洋的船隻會受美艦襲擊，慘遭不測，故在朋友的慫恿下決定到滿洲。與朋友共三人，由東京到京都找到在京都帝大的兄長翁通楹，[175]然後由京都搭火車出發，火車到廣島，就有特務警察來盤問，上了船，又被水上警察盤查，到韓國釜山下船，準備搭火車到滿洲時，又有特務警察前來問話。搭車經過新義州，再經奉天到達目的地開原，找到黃順記醫師的醫院，後來決定待在四平，將近一年後才到新京。[176]

7. 林黃素華參加開拓團前往滿洲經驗：已到1945年戰爭的最後一年，該年住在東京附近的林錦文、林黃素華夫妻，面對美軍的轟炸，不斷遷徙仍躲不開夢魘，在林錦文日本大學醫科課程結束，還沒拿到畢業證書，即在鄰居臺灣同鄉的推薦下，和臺灣同鄉一起加入不久即將前往滿洲的東京開拓團。該團預計到吉林的農場，全程免費，規定不走完全程者必須繳清費用才可以離團。林黃素華原本即想到

---

173 許雪姬訪問、鄭鳳凰紀錄，〈葉鳴岡先生訪問紀錄〉，《日治時期在「滿洲」的臺灣人》，頁47-48。

174 許雪姬訪問、鄭鳳凰、黃子寧紀錄，〈涂南山先生訪問紀錄〉，《日治時期臺灣人在滿洲的生活經驗》，頁127-129。

175 許雪姬訪問、鄭鳳凰紀錄，〈翁通楹先生訪問紀錄〉，《日治時期在「滿洲」的臺灣人》，頁464。他1944年自下關搭船到釜山，約坐了8小時，再搭上開往北京的火車，再於奉天換往哈爾濱的火車，在車上過了一夜，隔天中午才到。此經驗值得參考。

176 許雪姬訪問、鄭鳳凰紀錄，〈翁通逢先生訪問紀錄〉，頁103-104。

吉林後，要到新京去找四叔黃春木（任教於新京工科大學），故到吉林十多天後就前往新京。[177]

除了搭船、火車外，當時是否有利用飛機前往滿洲？至少 1937 年前後，已可搭飛機自臺北前往大連（票價 196 円）、奉天（票價 192 円）、新京（票價 210 円）、哈爾濱（票價 232 円），飛機票在臺北、高雄、宜蘭、花蓮港等地賣出，[178] 票價高，而且戰爭期間非得軍階在大佐以上的才有搭飛機的資格，因而利用飛機前往滿洲的臺人不多。1943 年在滿洲的林鳳麟（滿洲國總務廳參事官），[179] 因母親生病，要趕回臺探視，欲搭船回臺怕在海上遭攻擊、搭機亦然，乃採取經朝鮮到日本，再坐火車至九州，再從福岡搭機返臺。停留三星期後因公事急迫，要回新京，乃向總督府申請安排機位，未獲許可，但正巧是日有大、中、小三船開行，大、中船已被軍人、官員搭滿，只能搭小船，在船上過一夜後，次日早晨出發，將近中午，大船中魚雷、不久中船中彈即將傾斜，小船正在考慮是否留下來救人，還是繼續航行的猶豫之間，水雷在離小船船頭十公尺處飛過，驚險萬分，乃顧不得救人，加速前進，終於安抵九州。[180]

大體而言臺灣人前往滿洲之交通路線，有的直接由日本、中國前往，有的早期由臺灣出發經日本、朝鮮到滿洲，臺灣開闢前往大連的航線後，即可由臺灣出發，如 1923 年以後的華北線經過大連，1928 年有高雄天津線、臺灣滿鮮線，仍非直航大連，一直到 1935 年的命令航路高雄大連線、高雄天津線才有直航的可能。這也顯示出 1932 年滿洲國成立後臺、滿關係日益密切，貨運、客運相對蓬勃有關。戰後於 1948 年自長春返臺者，由於鐵路遭破壞，而且情勢緊急，不得不搭飛機，如劉建止、謝久子夫妻。他們利用關係改成軍眷，才得乘軍機到瀋陽，再飛到北平，自天津乘船到上海，再乘船回臺。[181] 另一個是葉鳴岡的例子，他們一行 30 多人，5 月由長春出發，先坐馬車到瀋陽，自瀋陽搭飛機到錦州，再搭火車到天津，7 月 31 日自天津搭船回到臺灣。[182] 飛機在戰後臺灣人返鄉時，在交通上仍有其角色。

177　許雪姬訪問、王美雪紀錄，〈林黃淑麗女士訪問紀錄〉，《日治時期在「滿洲」的臺灣人》，頁 140-141。
178　呂靈石，《民報家庭寶典》（臺北：臺灣新民報社販賣部，1937），頁 48。
179　國務院總務廳編，《滿洲國政府公報》，第 2498 號，康德 9（1942）年 9 月 10 日，頁 169。
180　許雪姬訪問、曾金蘭紀錄，〈林鳳麟先生訪問紀錄〉，《口述歷史》5（1994.6），頁 220-221。
181　許雪姬訪問、鄭鳳凰紀錄，〈劉建止先生訪問紀錄〉，《日治時期在「滿洲」的臺灣人》，頁 19；許雪姬訪問、藍瑩如紀錄，〈謝久子女士訪問紀錄〉，《日治時期臺灣人在滿洲的生活經驗》，頁 340。
182　許雪姬訪問、鄭鳳凰紀錄，〈葉鳴岡先生訪問紀錄〉，頁 61。

（三）人數

究竟日治 50 年間臺灣人中有多少人去過滿洲？這無疑是個必須解決的重要問題，但又是很難克服的問題，本研究首要之務是建立一套可以使用的基礎名單和履歷。以下是四種建立名單的重要資料

1. 旅券資料中的名單

旅券是研究跨境者最好、最重要的參考資料，若將旅券中在旅行目的地填入金州、牛莊、營口、大連（青泥窪）、新京、ハルピン、吉林、滿洲國等的都列入統計，可見「表 2-1 日治時期臺灣人往東北及滿洲國的旅券登記人數（1897.1-1942.12）」，共有 2,338 人次，如前所述 1897 年到謝介石前往的十年間，到滿洲的臺灣人不到十位，而 1929 年 7-9 月前往的 29 人中，大半是日本人（臺灣人只有一位），少數人去視察實業，大部分人去受雇為職工，[183] 因此上表的人數必須剔除日人。旅券的使用還有一個問題是，短期前往探親、商業視察的，只是一時前往，而本文以在滿洲有職業者包括其家人為研究對象，因此雖然可建立前往滿洲國的名單，但是必須排除一些短期停留者，如新化人梁道，在 1933 年申請往牛莊做衛生視察的旅券，[184] 實則順道去探視在撫順開天生醫院的弟弟梁宰（1914 年到撫順行醫）、兒子梁炳元。第三，由於臺人赴滿洲國由日本去的不需申請旅券，若需申請也在日本申請、或在中國相關日本領事館申請，因此就不在臺灣總督府發給的旅券下付表中。再者自 1908 年後臺灣人赴日不需再申請「內地渡航證」，因此有意往中國發展又不願受日本駐華領事館管轄者，無不先往日本再前往中國。1914 年臺灣總督府為防止此漏洞，曾修改旅券規則，令往後由臺灣經由日本轉往中國者，亦要申辦旅券，若不遵守，將罰百円之下的款項或拘役。[185] 臺灣警務局指出，如果臺人在日本居住，期間去中國不處分，但自臺灣即有渡華的動機卻不申請渡華旅券則予以處罰，[186] 但不申請者仍大有人在，因此這條管道是臺人赴華也是赴滿洲的捷徑。因此建立臺灣人去滿洲的名單必須另闢蹊徑。

2. 〈居住長春台灣省民名簿〉中 211 戶的名單（家屬不具名，連家屬在內為 608 人）
是極寶貴的資料，是由長春臺灣同鄉會於 1946 年 3 月 1 日製作完成。個人資料包括年齡、出身學校及專攻學科、職歷、技能、希望職務、家族狀況、備考（填寫現職），可惜沒有家屬姓名，雖然旅券中有一些女子到滿洲的資料，但夫妻若未同行，除了

183　〈1901 年 7-9 月外國旅行券下付表及返納表〉，識別號：T1011_02_003，ホ之部，一六〇〇九 堀川儀一郎 實業視察 牛莊、金州；ヨ之部，一六四二一 荻本三七 當職工 牛莊。
184　〈1933 年 1-3 月外國旅券下付表〉，識別號：T1011_03_136，梁道 衛生視察 牛莊。
185　梁華璜，〈日據時代臺民赴華之旅券制度〉，頁 26。
186　黃呈聰，〈支那渡航旅券制度の廢止を望む〉，《臺灣》3：9（1922.12），頁 19-29。

透過口述訪談得知彼此的關係,很難知道這些單獨前往的女性是何人之妻、何人之母。

3. 大學一覽、同窗會名簿的名單可以發現去滿洲國的臺灣人:以臺灣人就讀人數最多的滿洲醫科大學為例,除留下自 1911 年到 1945 年的學籍簿、卒業生學籍簿、成績原簿,還有《滿洲醫科大學一覽》(1941)、《滿洲醫科大學輔仁會會員名簿》(1964),是資料最全的一所學校。其他如滿洲當地學校《旅順工科大學一覽》(1926-1944)、《大同学院同窓會名簿》(1998)、《新京醫科大學圭泉會名簿》(1991)、《建国大学同窓会名簿》(1988),還有臺灣本地學校同窓會名簿,可看到該校畢業生到滿洲的職業,如《(臺中師範)同窓會誌創刊號》(1939)、《(臺北州立臺北工業學校)會員名簿》(1941)、《(臺北第一高等女學校)同窓會誌》(1938)、《(嘉義高等女學校)同窓會名簿》(1941)。

4. 《滿洲國政府公報》提供在滿洲國政府任職的臺灣人名單及經歷,而得以製成〈在滿洲國任公職之臺灣人表〉、〈在滿洲國臺灣人高等官一覽表〉。(參見本書第四章表 4-6、表 4-7)

由目前筆者參考以上重要資料及各種名人傳、人士鑑所製成的表,已達 1,000 餘人,距離長春臺灣同鄉會指出的「查在東北臺胞共計約有三千人」[187] 只及三分之一,但已能進行相關研究。

至於臺灣人在滿洲以在新京(占五分之一)為多,大連、奉天亦為重要據點,在新京者大半在政府機關任職、或在學,在大連、奉天的以行醫、營商、就學為多。

5. 由滿洲向北京、上海遷移:到滿洲雖然在求職、求學上的機會高過臺灣,但有些人自臺灣遷移到滿洲,會因有更好的機會及天氣的因素或回臺、或向北京、上海遷移,以下舉幾個案例以說明之。

(1) 林朝棨:臺北帝大理學部地質學畢業,1939 年擔任新京工鑛技術學院(後易名新京工科大學)教授,[188] 1940 年到北京,任北京師範學院地質系教授,1942 年擔任該系系主任。[189]

(2) 林耀堂:臺北帝國大學部有機化學科畢業,1940 年在滿洲大陸科學院有機化學研究室任副研究官,[190] 1944 年辭職,到北京大學化學系任教。[191]

(3) 張世城:臺北開南商工商科第十二期畢業,1934 年中到滿洲國外交部權

---

187 長春台灣省同鄉會會長郭松根,〈為呈請指定輪便接回東北台胞由〉(1946 年 2 月 23 日),藏於中國南京第二歷史檔案館。
188 中西利八編纂,《滿洲人名辭典》(東京:日本圖書センター,1989 年重印),頁 272。
189 林恩朋編,《林朝棨(戟門)先生紀念文輯》(臺北:自刊本,1989),頁 3。
190 國務院總務廳編,《滿洲國政府公報》,第 3023 號,康德 11(1944)年 1 月 7 日,頁 97。
191 許雪姬,〈1937 至 1947 年在北京的臺灣人〉,《長庚人文社會學報》1:1(2008.4),頁 65。

運署工作,在林朝棨的勸服下1941年遷到較溫暖的北京,先在臺灣人楊朝華的新新戲院任會計,再轉到華北電影公司擔任配片工作。[192] 楊朝華也是先在滿洲從事電影相關工作,後遷到北京。

(4)陳錫卿:臺北帝國大學文政學部法學科畢業,1932年到滿洲,在文教部服務,後經介紹於1938年到上海,任周佛海機要秘書。[193]

在滿洲的臺人以醫師、公職人員較為穩定,但也有流動性不可不察。亦即離散後還有再遷徙,甚至回到原鄉,也有的將異鄉住成故鄉,於是有認同問題,尤其是第二代的認同問題於焉產生。在滿洲的臺人的離散／跨境,因戰爭結束而使大部分人不得不回歸臺灣,是個短暫的跨境,但所展開的人生旅程,仍值得研究。

六、由旅券中看臺灣人的「旅行目的」

自1897-1944年的旅券中,唯一不變、一直存在的項目就是「旅行目的」,主要在填寫到滿洲的目的。如以目前到滿洲的旅券來看,可大別分為以下數項:

(一)就職

指去求職、任職的人,共有430筆,其上填「被雇」、「被傭」、「就職」、「歸任」、「赴任」、「復職」、「奉職」占絕大部分,但沒有說明就何職的就不計在內,此外攜帶家眷前往的,往往其家眷的「旅行目的」和戶主的寫法相同,亦不計在內。只談較具體、而是《滿洲國政府公報》、「人名傳」中較少敘述的,之中又可以分為幾類:

1. 到滿洲國任公職[194] 者:包括在滿洲國中央、地方政府,或國策會社、準國策會社服務者:1932年12月鹿港人莊垂慶受雇於映畫會社書記而到哈爾濱,[195] 滿洲只有位於新京的株式會社滿洲映畫協會,料想莊在此執業。1933年1月嘉義人

---

192 許雪姬訪問、鄭鳳凰紀錄,〈林更味女士訪問紀錄〉,《日治時期在「滿洲」的臺灣人》,頁369-370。
193 許雪姬訪問、蔡說麗紀錄,〈陳許碧梧女士訪問紀錄〉,《口述歷史》5(1994.6),頁267。
194 1907年3月申請旅券應吉林府軍招聘的謝介石,屬於清朝,故不列入。參見〈1907年1-3月外國旅券下付表〉,識別號:T1011_02_025。
195 〈1932年10-12月外國旅券下付表〉,識別號:T1011_03_135。

林建寅為任官吏，[196] 而到奉天、新京、吉林、哈爾濱。[197] 1933 年 2 月臺南人吳金川為就職滿洲中央銀行，到牛莊。[198] 1933 年 3 月竹南人方清輝到特務機關任職而到牛莊。[199] 1933 年 3 月台南人劉明哲、劉福基，同年 4 月臺南人黃德國，為任職於經濟專賣總局阿片販賣所而到牛莊。[200] 1933 年 4 月淡水人高湯盤、1935 年 2 月佳冬人蕭秀淮、1935 年 3 月台北人劉啟盛、1937 年元月板橋人王萬賢、王博雅為到銀行任職而到滿洲國。[201] 1933 年 12 月新竹關西人吳清煥，為歸任而到吉林省延吉縣。[202] 1934 年 3 月新竹市人郭竹春，為就職滿洲國郵政管理局而到哈爾濱。[203] 1934 年 5 月臺中東勢人劉發甲，為任職軍政部而到滿洲國。[204] 1936 年 6 月湖口人葉炳煌到滿洲國任警官。[205] 也有幾位從事和鐵路有關的工作，如 1934 年 10 月關西人劉阿燕，任職鐵道局電氣係，[206] 1935 年 3 月銅鑼人陳阿輝在北鐵運輸處任職，[207] 1935 年 12 月臺中大屯人廖炳輝在奉天鐵路總公司任職。[208] 1937 年 3 月苗栗人邱阿琳任農業技術員。[209] 1937 年 3 月馬公人林有伍任職於國都建設局。[210] 1938 年 3 月馬公人林益修到水產試驗場就職、苗栗人鐘宗堯在國稅科任職。[211]

2. 到醫院奉職：在滿洲的臺灣醫師不少，但在〈旅券下付表〉中出現的名字只有彭春水、章榮基、李德彰、高進紀、林清等相當有限。其次是到醫院幫忙，如受雇、協助炊事、當藥局生、看護婦的；也有受雇於藥局的，介紹如下。1932 年

196　林建寅（1887-1950），畢業於臺灣總督府大目降糖業講習所。1932 年 4 月 22 日曾去見林獻堂，請其補助前往滿洲國，林贊成其前往，說「牛不食險草不肥」。他 4 月 28 日到滿洲後，入滿洲國建國第二軍。軍長為程國瑞。林獻堂著，許雪姬、周婉窈編輯，《灌園先生日記（五）一九三二年》（臺北：中央研究院臺灣史研究所籌備處，2003 年），頁 181。
197　〈1933 年 1-3 月外國旅券下付表〉，識別號：T1011_03_136。
198　〈1933 年 1-3 月外國旅券下付表〉，識別號：T1011_03_136。
199　〈1933 年 1-3 月外國旅券下付表〉，識別號：T1011-03-136。
200　〈1933 年 1-3 月外國旅券下付表〉，識別號：T1011_03_136；〈1933 年 4-6 月外國旅券下付表〉，識別號：T1011-03-137。按劉明哲到滿洲去後從事何種工作？在一九四三年出版的《臺灣人士鑑》語焉不詳，旅券下付表解答了此問題。
201　〈1933 年 4-6 月外國旅券下付表〉，識別號：T1011_03_137；〈1935 年 1-3 月外國旅券下付表〉，識別號：T1011_03_144；〈1937 年 1-3 月外國旅券下付表〉，識別號：T1011_03_152。
202　〈1933 年 10-12 月外國旅券下付表〉，識別號：T1011_03_139。
203　〈1934 年 1-3 月外國旅券下付表〉，識別號：T1011-03_140。
204　〈1934 年 4-6 月外國旅券下付表〉，識別號：T1011_03_141。
205　〈1936 年 4-6 月外國旅券下付表〉，識別號：T1011_03_149。葉炳煌任三江省警務科警正。參見《大同學院同窗會名簿》，頁 180。
206　〈1934 年 10-12 月外國旅券下付表〉，識別號：T1011_03_143。
207　〈1935 年 1-3 月外國旅券下付表〉，識別號：T1011_03_144。
208　〈1935 年 10-12 月外國旅券下付表〉，識別號：T1011_03_147。
209　〈1937 年 1-3 月外國旅券下付表〉，識別號：T1011_03_152。
210　〈1937 年 1-3 月外國旅券下代表〉，識別號：T1011_03_152。
211　〈1938 年 1-3 月外國旅券下付表〉，識別號：T1011_03_156。

12月臺北人黃郭氏鳳交，為到醫院奉職而到牛莊，[212] 她很可能就職於黃子正開設於新京的大同醫院。[213] 1933年8月三重埔人洪蘭，為到滿洲國任官吏，而到牛莊。[214] 1938年5月大甲人蔡榮宗幫忙醫院開業。[215] 被雇為藥局生的有1934年5月苗栗銅鑼人鐘長秀、鐘登松、鐘欽秀，[216] 5月豐原人張世城，[217] 1937年8月鹿港人楊克奇，[218] 1938年4月新化人傅仰敦，[219] 除傅之外，都受雇於親戚。而張世城到滿洲後並未當藥局生。也有被藥商雇用的，如1934年深坑的許張要男、中和的王杏文。[220] 女性當護士的也有，如1938年8月新化蔡氏越、9月馬氏文銀都是。[221]

　　3. 一般行業：有一些從事技術性行業的人，由於滿洲需人孔亟，也有些人前往。如：

　　（1）刻印、印刷業：1905年12月，日本剛設關東州就有新竹舊港人黃獅被雇從事印章雕刻，[222] 1933年10-12月，台北人吳金雨、蔡君通、黃天賜，都受雇印刷業。[223]

　　（2）受雇與雇主同行：1926年8月淡水陳清受雇與雇主同行，前往奉天等地，但雇主不詳；[224] 1931年10月彰化人溫成龍，受雇主林獻堂雇用，欲隨行前往奉天、天津、上海、香港，[225] 依《灌園先生日記》所載，林本欲與妻遊歷上述地點，因九一八事件而中止此行。[226] 1934年5月嘉義人王氏式受雇與雇主同行，[227] 7月豐原人盧氏屏受雇與戶主吳子瑜同行，歷經北平、天津、上海、滿洲國諸地。[228]

212　〈1932年10-12月外國旅券下付表〉，識別號：T1011_03_135。

213　黃郭氏鳳交的地址在大橋町1／226，與黃子正妻黃洪瓊音的住址同。而黃子正的弟／堂弟黃子修、黃子成地址同。參黃洪瓊英的旅券下付表，〈1937年7-9月外國旅券下付表〉，識別號：T1011_03_154。

214　〈1933年7-9月外國旅券下付表〉，識別號：T1011_03_138。洪蘭並未當成官吏，而是在孟天成開業於大連的博愛醫院擔任檢驗等工作。

215　〈1938年4-6月外國旅券下付表〉，識別號：T1011_03_157。

216　〈1937年1-3月外國旅券下付表〉，識別號：T1011_03_152。

217　〈1934年4-6月外國旅券下付表〉，識別號：T1011_03_141。

218　〈1937年7-9月外國旅券下附表〉，識別號：T1011_03_154。

219　〈1938年4-6月外國旅券下付表〉，識別號：T1011_03_157。

220　〈1934年4-6月外國旅券下付表〉，識別號：T1011_03_145。

221　〈1938年7-9月外國旅券下付表〉，識別號：T1011_03_162。

222　〈1905年10月-12月外國旅券下付表〉，識別號：T1011_03_020。

223　〈1933年10-12月外國旅券下付表〉，識別號：T1011_03_139。

224　〈1926年7-9月外國旅券下付表〉，識別號：T1011_03_110。

225　〈1931年10-12月外國旅券下付表〉，識別號：T1011_03_131。

226　林獻堂著，許雪姬主編，《灌園先生日記（四）一九三一年》（臺北：中央研究院台灣史研究所籌備處，2001），頁311。

227　〈1934年4-6月外國旅券下付表〉，識別號：T1011_03_141。

228　〈1935年10-12月外國旅券下付表〉，識別號：T1011_03_147。

（3）受雇為料理人（廚師）：1932年12月台中人蔡火營，到新京，[229] 1933年3月板橋人胡森林、廖阿杉，受雇為「料理人」。[230]

（4）看小孩與當女中：1933年4月樹林人王周氏緣，為受雇為炊事婦而到牛莊，1934年4-6月受雇照顧小孩。[231] 同樣當女中的還有台北人陳氏春妹、北門郡學甲人莊氏端。[232] 當家政婦的有六人，即南勢角的姚廖氏阿卻、游景熙，於1937年5月取得旅券，[233] 來自嘉義的有四人，元町的王氏采薇在1938年2月取得旅券，[234] 林李氏葉、林麗松、林阮氏尾三人則在1938年5月取得。[235]

（5）土木建築業：有11個人，木匠有五人、泥水匠一人，其他受土木業、建築業者所雇。五個木匠，有一個來自埔里，此即1933年7月到滿洲國的黃春香；[236] 三個來自大溪，都受雇於鞍山，李能斌、張阿屘、邱炳，這三人都在1934年8月取得旅券。[237] 泥水匠溫水法來自彰化，1934年10月取得旅券。[238]

（6）汽車、腳踏車、運送業：1936年5月苗栗人邱阿立到滿洲當司機，[239] 有中和人林琴記、台北邱乾明受雇在腳踏車和汽車業，兩人分別在1937年3、6月取得旅券。[240] 桃園的徐文炳，則受雇於運送業。[241] 林元文則開腳踏車店。（見圖5-11）

（7）受雇演劇團：都在1935年3-4月取得旅券，分別是新店林丁財、板橋林朝清、佳里蔡江泉、沙鹿顏朝臨。[242] 是否同屬一個劇團，不得而知。

（8）受雇餅店：1935年3月蘆洲高銘芳、淡水林蔭福取得旅券。[243]

（9）受雇金鑛業：共有18人，以出身瑞芳龍潭者的16人為最多，大約在1936

229　〈1932年10-12月外國旅券下付表〉，識別號：T1011_03_135。
230　〈1933年1-3月外國旅券下付表〉，識別號：T1011_03_136。
231　〈1934年4-6月外國旅券下付表〉，識別號：T1011_03_141；〈1934年7-9月外國旅券下付表〉，識別號：T1011_03_142。
232　〈1936年4-6月外國旅券下付表〉，識別號：T1011_03_149；〈1936年7-9月外國旅券下付表〉，識別號：T1011_03_150。
233　〈1937年4-6月外國旅券下付表〉，識別號：T1011_03_153。
234　〈1938年1-3月外國旅券下付表〉，識別號：T1011_03_156。
235　〈1938年4-6月外國旅券下付表〉，識別號：T1011_03_157。
236　〈1933年7-9月外國旅券下付表〉，識別號：T1011_03_138。
237　〈1934年7-9月外國旅券下付表〉，識別號：T1011_03_142。
238　〈1934年10-12月外國旅券下付表〉，識別號：T1011_03_143。
239　〈1936年4-6月外國旅券下付表〉，識別號：T1011_03_149。
240　〈1937年1-3月外國旅券下付表〉，識別號：T1011_03_152；〈1937年4-6月外國旅券下付表〉，識別號：T1011_03_153。
241　〈1934年4-6月外國旅券下付表〉，識別號：T1011_03_141。
242　〈1935年1-3月外國旅券下付表〉，識別號：T1011_03_144；〈1935年4-6月外國旅券下付表〉，識別號：T1011_03_145。
243　〈1935年1-3月外國旅券下付表〉，識別號：T1011_03_144。

年9月至1937年5月取得旅券，[244]似乎是受黃子修[245]雇用而前往開礦。

（10）受雇鍛冶業：共有九人，都在1938年4月取得旅券，其中八個是臺中人，一人是新竹人，他們是洪火舜（臺中）、黃連界（中壢）、戴川（臺中）、鄭萬發（豐原）、賴崑錫（臺中）、魏丁安（臺中）、林添木（臺中）、吳佩元（臺中）、吳新春（臺中）。[246]

此外也有受雇製造米粉的大坪林人劉金龍，[247]臺北人陳維誠受雇為裁縫。[248]

由上可知，上述都前往求職，其中女性大半是當家政婦、保姆，也有護士；男性則任公務員、醫療人員、交通業者，其中令人囑目的是從事礦業、鍛冶、戲務、建築業者，這是過去史料中所未呈現的一面，遺憾的是就目前的資料也無法做進一步的研究。

（二）學事關係

凡是到滿洲讀書、考試（入學、醫師檢定）者都屬之，共268筆。其旅行目的寫著「中學入學」、「滿洲醫科大學入學試驗」、「留學」、「受驗」、「勉學」、「醫學／醫術研究」、「修學」、「就學」、「歸校」。這些資料中有些人重複，主要因為考試、留學、歸省都有申請的記錄。在「旅行地名」上，絕大部分都指向滿洲國或其城市，但也有填出一些地名，據推測可能有二，一是一路由臺灣來，不只投考滿洲的學校，如臺北人蔡建成，1927年8月的旅券下付表就填了福州、上海、漢口、奉天，[249]往後也未見他在滿洲的學校就讀的資料。另一是前往滿洲考試，順道到幾個地方走走，如江塗龍，後來考上滿洲醫科大學，他的「旅行地方」包括上海、芝罘、牛莊。[250]也有到滿洲國某城市參加考試或在滿洲國就讀期間到各地去參觀。如岡山人林寬明，曾到新京、奉天、吉林、撫順，[251]杜慶祥就讀哈爾濱醫科大學，除了去哈爾濱外，也到奉天、新京。[252]章榮秋就讀滿洲醫科大學，除奉天外，他還去新京、哈爾濱、齊齊哈爾、赤峰、滿洲里、吉林，[253]其兄章榮熙，

---

244 〈1936年7-9月外國旅券下付表〉，識別號：T1011_03_150；〈1937年4-6月外國旅券下付表〉，識別號：T1011_03_153；〈1937年7-9月外國旅券下付表〉，識別號：T1011_03_154。

245 黃子修似為溥儀私人醫師黃子正的堂弟，他的「旅行目的」寫的是「鑛業從事」和其他人寫「金鑛業ニ被傭」不同。

246 〈1938年4-6月外國旅券下付表〉，識別號：T1011_03_157。

247 〈1936年10-12月外國旅券下付表〉，識別號：T1011_03_151。

248 〈1935年7-9月外國旅券下付表〉，識別號：T1011_03_146。

249 〈1927年7-9月外國旅券附表〉，識別號：T1011_03_114。

250 〈1935年4-6月外國旅券下付表〉，識別號：T1011-03_145。

251 〈1936年7-9月外國旅券下付表〉，識別號：T1011_03_150。

252 〈1937年10-12月外國旅券下付表〉，識別號：T1011_03_155。

253 〈1933年7-9月外國旅券下付表〉，識別號：T1011_03_138；〈1934年7-9月外國旅券下付表〉，

也讀滿洲醫科大，除奉天外，也去了新京、哈爾濱。[254]

學事資料中其旅行目的主要為投考滿洲醫大的有 15 筆，並不多，但如果以《滿洲醫科大學一覽》（1941）的「卒業生氏名」來對照其名字，[255] 這 268 筆資料中，絕大多數是滿洲醫科大學的學生。在這些名單中還有人「旅行目的」寫的是要去讀中學，在滿洲讀中學，尤其南滿中學有利於入滿洲醫科大學專門部，如 1924 年 7 月前往的林雲山、林雲川兄弟。[256] 其他要入新京中學的黃瀛江，新竹人，[257] 也許和其兄黃瀛澤已在滿洲國興農部任職有關。其餘有苗栗銅鑼人邱德章欲入兩級中學校、[258] 北屯人林水旺要入「日本中學」、[259] 竹東劉子傑要入美術學校、[260] 草屯林船維要入商業學校。[261]

除了受教育外，臺灣總督府臺北醫學專門學校教授杜聰明在 1929 年 4 月受臺灣專賣局委囑研究阿片烟膏和嗎啡副產物之性質並反應之實驗研究。6 月由朝鮮抵達滿洲，到奉天參觀滿洲醫科大學藥理學教室，並會見在當地進行研究及開業的醫生同鄉，如謝秋濤、梁宰、陳章哲、簡仁南等。[262]

（三）各項商、產、工、農、醫業等參觀與考察

這部分有 980 筆，占去滿洲者「旅行目的」的大部分，亦即各界人士到滿洲視察的比起求學、求職的多。在分析這些資料時必須先分類，有時會界於兩類之間，很難截然劃分，但所呈現的情形仍值得參考。

1. 商業視察：共 600 人次，其中三人在日本未設關東州時即已前往，其餘 96 人次在滿洲建國前前往。在滿洲國尚未建立就到滿洲的，如謝介石之弟謝江洋；[263]

識別號：T1011_03_142。
254 〈1934 年 7-9 月外國旅券下付表〉，識別號：Bt1011_03_142。
255 滿洲醫科大學，《滿洲醫科大學一覽》（奉天：該校，1961），頁 168-171。如 1934 年 3 月畢業的有 27 名，臺灣人占 6 人；1937 年 3 月畢業生有 20 名，臺灣人有 11 名，占了一半以上；1938 年 3 月畢業的有 25 名，臺灣人有 10 名，占了 4 成。
256 〈1924 年 7-9 月外國旅券下付表〉，識別號：T1011_03_102。不過兩兄弟的名字並未在《滿洲醫科大學一覽》出現。
257 〈1934 年 7-9 月外國旅券下付表〉，識別號：T1011_03_142。
258 〈1937 年 1-3 月外國旅券下付表〉，識別號：T1011_03_152。
259 〈1937 年 7-9 月外國旅券下付表〉，識別號：T1011_03_154。
260 〈1938 年 1-3 月外國旅券下付表〉，識別號：T1011_03_156。
261 〈1938 年 1-3 月外國旅券下付表〉，識別號：T1011_03_156。
262 杜淑純編，《杜聰明博士世界旅遊記》（臺北：財團法人杜聰明博士獎學基金會，2012），頁 243-245，〈任臺灣總督府專賣局囑託及往朝鮮滿洲出張旅行〉。又，1929 年 1-3 月外國旅券下附表，反而看不見其申請，反倒是 1929 年 7-9 月有其到天津、北平、漢口、南京、上海的相關紀錄。
263 〈1918 年 7-9 月外國旅券下付表〉，識別號：T1011_03_078。

有重複去的,如臺北許雨亭,經營瑞泰商行,是有名的米商,曾在1934年1月、1935年3月1取得旅券前往滿洲進行商業視察,[264] 他的女兒陳許碧梧、女婿陳錫卿當時在新京滿洲國文教部、安東省教育部工作。[265] 商業視察越往後結伴同行的更多,先是兩人行,如1930年9月南投人林嘉總、鄭謹一同前往福州、上海、青島、奉天。[266] 後來結團視察成為一種風氣,茲舉例如下,如1934年7月員林郡的黃火在、羅國賓、陳建勳、林和忍、邱興才,欲前往廈門、上海、天津、香港、滿洲國。[267] 1935年6月由彰化的游錦順、陳火周、陳栢青、游角,欲前往廈門、福州、上海、南京、天津、香港、滿洲國;[268] 1937年4月竹山林朝槐、林如璋、王美木、曾厲水、張朝邦、陳鳳飛、林邦光、林宗慶共八人,欲前廈門、香港、廣東、長沙、漢口、上海、南京、天津、滿洲國,[269] 是最大的團。前往商業視察者既未說明視察哪一行業,也未說明是否進行交易,或者這也和下面要談的產業等視察一樣兼具觀光的性質。

2. **產業視察**:比起商業視察要少得多,只有91筆,如果加上「視察」、「一般視察」、「實業視察」則還有43筆。由於和商業視察一樣沒有說明所指的產業為何,僅能指出幾個產業團。如1933年8月臺南州蔡培楚、戴戊己、徐守益、廖重光、吳桂春、許能春、林文❍共七人,前往牛莊、奉天、新京,[270] 全然的滿洲團。

1937年4月共12人,即謝春木(桃園)、范姜萍(中壢)、劉阿春(中壢)、邱雲興(苗栗)、陳夢蘭(大甲)、廖慶雲(中壢)、劉石滿(中壢)、曾安勳(中壢)、羅仁里(新竹)、羅仁權(新竹)、蔡金池(桃園郡),欲前往滿洲國、天津、北平、濟南、上海、福州。[271] 但是沒有說明到滿洲國的哪些城市。這其中有王長勝(與其妻王林氏治)、陳和貴,除實業視察外,還有親戚訪問。[272] 黃演淮也訪問了友人。[273] 王長勝之子王大樹醫生在錦州開業,[274] 陳和貴畢業於日本法政大學,在滿洲的日本[奉天]

---

264 〈1934年1-3月外國旅券下付表〉,識別號:T1011_03_140;〈1935年1-3月外國旅券下付表〉,識別號:T1011_03_144。1935這次,與許雨亭同行的是王德福,有可能是公司的伙記或者是朋友。
265 許雪姬訪問、蔡說麗紀錄,〈陳許碧梧女士訪問紀錄〉,《口述歷史(五)》(1994.6),頁255。
266 〈1930年7-9月外國旅券下付表〉,識別號:T1011_03_126。
267 〈1934年7-9月外國旅券下付表〉,識別號:T1011_03_142。
268 〈1935年4-6月外國旅券下付表〉,識別號:T1011_03_145。
269 〈1937年4-6月外國旅券下付表〉,識別號:T1011_03_153。
270 〈1933年7-9月外國旅券下付表〉,識別號:T1011_03_138。
271 〈1937年4-6月外國旅券下付表〉,識別號:T1011_03_153。其中羅仁里出現兩次,刪掉一次。
272 〈1938年4-6月外國旅券下付表〉,識別號:T1011_03_157;〈1938年7-9月外國旅券下付表〉,識別號:T1011_03_148。
273 〈1933年4-6月外國旅券下付表〉,識別號:T1011_03_137。
274 滿洲醫科大學輔仁會,《會員名簿》(東京:該會,1978),頁20。

領事館服務，[275] 目前尚未知其親戚還有誰在滿洲。黃演淮，同志社大學就讀期間就申請旅券前往滿洲，1935年到新京法政大學擔任教授。[276] 臺北人黃朝君（黃竹堂）申請旅券，乃因他擔任臺灣經濟タイムス記者[277] 5月要前往滿洲參訪，11月出版《新興滿洲國見聞錄》。[278]

3. 醫業視察：為了開業或視察醫療衛生狀況而前往的有31筆，其中有為視察齒科，即當時住在高雄的史衡，他在1935年5月取得旅券，[279] 為了在滿洲開業而前往視察的人中，如前所言以新竹鄭邦吉，在1908年4月取得旅券欲前往吉林[280] 為最早；他在1936年8月再度申請（已在清水開業）旅券，[281] 終究只聞樓梯響不見人下來。至於以申請醫業視察、醫院開業為目的申請人，有些是滿洲醫科大學（包括大學部、專門部）的畢業生，如楊藏興、黃順記、劉萬、林老銓，也有一些如黃子正、袁錦昌、彭華英（妻婦產科醫生蔡阿信）、傅元熾、林新埤、黃耀光、林祺煌、梁宰等醫生。衛生視察，以新化梁道、梁宰兄弟，楊海澄［澄海］、梁氏金蓮夫婦、梁氏金菊家族為多。（後敘）也有視察藥種商的經營，即漢醫業務視察，有二筆。一為謝春池，他父親是烏牛欄一帶有名的醫生（日治時中醫的稱呼，以別於西醫稱醫師）謝道隆，[282] 他繼承家業，前往大連，欲經營漢藥店。[283] 1923年謝春池一家搬到長春，往依其弟謝秋涫醫師。[284]

4. 糖業視察：有六筆，其中有兩筆，一是臺南的林汝霖，他要去販賣肥料、糖蜜，[285] 美濃人楊五珍有具體說明要擴張砂糖販路。[286]

5. 鑛業視察：仍如前以瑞芳人為多，在1936-1937年前往。如陳廖有賊（平溪庄）、柳金發（雙溪庄）、劉尚（瑞芳庄）、黃子修（瑞芳庄）、林溪土（瑞芳庄）、潘溪水（瑞芳庄）、陳大江（三峽）、高金堆（鶯歌庄）、蔡萬（瑞芳庄）、陳金占（汐止庄）、蔡德龍（瑞芳庄）。[287]

275　神阪京華僑口述記錄研究會編，《聞き書き・関西華僑のライフヒストリー》，第6号，2015年4月，頁67。

276　黃演淮，日本同志社大學畢業，他本人在1935年到新京法政大學任教，因此次可能是前往探路。參考黃五常族譜續編輯委員會編，《黃五常派族譜續編》（台中：該會，1995），頁87。

277　興南新聞社，《臺灣人士鑑》（臺北：該社，1943），頁156。

278　黃竹堂，《新興滿洲國見聞錄》，頁19-20。

279　〈1935年4-6月外國旅券下付表〉，識別：T1011_03_145。

280　〈1908年4月外國旅券下付表〉，識別號：T1011_03_004。

281　〈1936年7-9月外國旅券下付表〉，識別號：T1011_03_150。

282　謝道隆為烏牛欄第一保保正、醫生。《南部臺灣紳士錄·臺中廳》，頁456。

283　〈1916年4-6月外國旅券下付表〉，識別號：T1011_03_137。

284　謝東漢、吳餘德著，《徘徊在兩個祖國（上）》（台北：謝東漢、吳餘德，2016），頁169。

285　〈1910年2月外國旅券下付表〉，識別號：T1011_03_026。

286　〈1936年1-3月外國旅券下付表〉，識別號：T1011_03_148。

287　〈1936年4-6月外國旅券下付表〉，識別號：T1011_03_149；〈1936年7-9月外國旅券下付表〉，識別號：T1011_03_150；〈1937年4-6月〉，識別號：T1011_03_153；〈1938年1-3月外國旅券下

去就鑛業職和去視察鑛業，以瑞芳及其相近地區為主，主要是出身瑞芳這一煤礦區者，對煤礦經營並不陌生有以致之。

6. 農業視察：共44筆，以純粹農業視察為多，有的加上視察商業、學事、勸業諸設施、工業、交通業等。朴子人林瑞西，醫師，1921年畢業於臺灣總督府醫學校，[288] 相當活躍，光是農業視察在兩年內就申請了三次，第一次與同是朴子人往後死於二二八事件的張榮宗，一起前往滿洲、上海、廈門、汕頭、廣東、海南島、香港。[289] 張榮宗同年7月再申請一次，在旅行地點中少了海南島。[290] 林瑞西在1938年3月和8月再申請，旅行地點都是滿洲國、天津、上海、香港。[291]

7. 水果、柑桔、蔬菜、碾米、茶業的生意通路、買賣情形視察：和上述農業視察不同的，此類直接說出去視察看能否做什麼生意，想調查水果行情的有14筆，自1932年6月到1938年6月，去的人來自臺中、屏東、新竹、苗栗、高雄等地，去的滿洲地區有新京、吉林、奉天、牛莊／營口。[292] 就水果中的柑桔販賣通路及商況視察，去的大半是柑橘產地的新埔人，只有一位來自台中，他們前往的滿洲大都市為奉天、新京、哈爾濱，去的年代為1933年最多，有十筆，另外1935、1937年各有一人前往。[293] 旗山人劉添丁、屏東人鄧潤德則前往視察蔬菜交易情形；[294] 亦有前往做米買賣的苗栗人李金榜、竹南人葉學、高雄人陳福松。[295] 目前為止已瞭解一些茶商在滿洲的活動，旅券下付表也提供了27筆資料。其中兩筆是1937年

付表〉，識別號：T1011_03_156。

288　李昭容，《文化的先行者：嘉義文協青年的運動與實踐》（臺南：國立臺灣文學館，2020），頁153。

289　〈1937年4-6月外國旅券下付表〉，識別號：T1011_03_153。

290　〈1937年7-9月外國旅券下付表〉，識別號：T1011_03_153。

291　〈1938年1-3月外國旅券下付表〉，識別號：T1011_03_156；〈1938年7-9月外國旅券下付表〉，識別號：T1011_03_158。

292　〈1932年4-6月外國旅券下付表〉，識別號：T1011_03_133；〈1932年7-9月外國旅券下付表〉，識別號：T1011_03_134；〈1933年4-6月外國旅券下付表〉，識別號：T1011_03_137；〈1933年7-9月外國旅券下付表〉，識別號：T1011_03_138；〈1934年10-12月外國旅券下付表〉，識別號：T1011_03143；〈1935年1-3月外國旅券下付表，識別號：T1011_03_144；〈1935年4-6月外國旅券下付表〉，識別號：T1011_03_145；〈1936年1-3月外國旅券下付表〉，識別號：T1011_03_148；〈1936年10-12月外國旅券下付表〉，識別號：T1011_03_151；〈1937年1-3月外國旅券下付表〉，識別號：T1011_03_152；〈1938年1-3月外國旅券下付表〉，識別號：T1011_03_156；〈1938年4-6月外國旅券下付表〉，識別號：T1011_03_157。

293　〈1933年4-6月外國旅券下付表〉，識別號：T1011_03_137；〈1935年1-3月外國旅券下付表〉，識別號T1011_03_144；〈1935年4-6月外國旅券下付表〉，識別號：T1011_03_146；〈1937年1-3月外國旅券下付表〉，識別號：T1011_03_152。

294　〈1933年7-9月外國旅券下付表〉，識別號：T1011_03_138；〈1938年4-6月外國旅券下付表〉，識別號：T1011_03_156。

295　〈1933年7-9月外國旅券下付表〉，識別號：T1011_03_138；〈1934年4-6月外國旅券下付表〉，識別號：T1011_03_143。

9、10月到滿洲國去參加臺茶展示會的劉宗妙、朱阿西。[296] 其餘前往的都是去調查茶葉的販賣與經營。其中王水柳是王添灯之弟，他在1937年8月前往茶葉視察，[297] 而後文山茶行就在大連設支店。此外美濃的邱阿奔、邱溫氏喜妹、邱光昌、邱中昌，於1936年8月到哈爾濱、新京做「茶商經營」，[298] 深坑黃漢水，三芝盧根德、江輝達，五股李明德，新莊李憲章，都在1936-1938年間到滿洲國考察茶葉市場。[299]

8. 交通、運送業、自動車業考察：豐原人廖允寬、苗栗人施大陽、北斗陳慶墻，在1934-1936年間去滿洲國，[300] 基隆人楊森榮則視察運送業。[301] 至於自動車業視察，目前已知不少美濃人到大連等地經營計車行或開計程車，旅券下付表提供的美濃人只有宋喜祥一人，[302] 其餘屏東人尚有內埔李己財、高樹葉榮松、枋寮吳寶春、長興邱魁龍，[303] 台北有士林人魏有財、蓬萊町陳英豪、深坑庄陳三財。[304]

9. 新聞業經營狀況視察：李金鐘，1928年畢業於日本早稻田大學政經科，回臺後自1929年2月起入臺灣民報社，一直到1935年，之後轉到天津《庸報》服務。[305] 1933年5月曾到奉天、新京、哈爾濱視察。[306] 郭發，1920年臺北師範學校第一屆畢業，1926年再畢業於日本早稻田大學政經科，1927年入臺灣民報社，1935年任社會部長，1939年迄戰爭結束任廈門支局長。[307] 在1938年4月到北京、天津、滿洲國。[308]

10. 照相業視察：照相在日治時期是個全新的行業，據簡永彬統計〈1930-1936年間全臺臺灣人開設且登記有案的寫真館〉，台北州有21、台中州有11、臺南州3、

---

296 〈1937年7-9月外國旅券下付表〉，識別號：T1011_03_154。這之前的1933年8月，朱阿西曾和林返去過滿洲參加物產展示會，〈1933年7-9月外國旅券下付表〉，識別號：T1011_03_138。
297 〈1937年8月外國旅券下付表〉，識別號：T1011_03_154。
298 〈1936年7-9月外國旅券下付表〉，識別號：T1011_03_150。
299 〈1936年4-6月外國旅券下付表〉，識別號：T1011_03_149；〈1938年7-9月外國旅券下付表〉，識別號：T1011-03-158。
300 〈1934年7-9月外國旅券下付表〉，識別號：T1011_03_142；〈1935年1-3月外國旅券下付表〉，識別號：T1011_03_144；〈1936年1-3月外國旅券下付表〉，識別號：T1011_03_148。
301 〈1932年度10-12月外國旅券下付表〉，識別號：T1011_03_135。
302 〈1937年4-6月外國旅下付表〉，識別號：T1011_03_153。
303 〈1936年7-9月外國旅券下付表〉，識別號：T1011_03_150；〈1937年4-6月外國旅券下付表〉，識別號：T1011_03_153；〈1938年7-9月外國旅券下付表〉，識別號：T1011_03_158。
304 〈1933年4-6月外國旅券下付表〉，識別號：T1011_03_137；〈1933年10-12月外國旅券下付表〉，識別號：T1011-03-139；〈1936年10-12月外國旅券下付表〉，識別號：T1011_03_151。這其中李己財在1935年8月、1936年8月去兩次。
305 興南新聞社，《臺灣人士鑑》（臺北：該社，1943），頁435。
306 〈1933年4-6月外國旅券下付表〉，識別號：T1011_03_137。
307 興南新聞社，《臺灣人士鑑》，頁84。
308 〈1938年4-6月外國旅券下付表〉，識別號：T1011_03_157。

澎湖廳 3，[309] 缺新竹、高雄州。旅券中有澎湖湖西人李長壽到牛莊、苗栗人謝丙榮到新京、屏東潮州人張世添到新京考察照相業，[310] 沒有相關的資料證明他們在滿洲還是回到臺灣開照相館或當照相館的伙計。

11. 工場視察：共有 13 筆，其中臺北人廖欽福因其舅謝華輝任滿洲國濱江專賣署署長，[311] 他利用假日前往探親，約一個月，[312] 1934 年 8-10 月左右參加修築哈爾濱松花江隄防的護岸工程。[313] 佳冬人蕭恩鄉是醫師，蕭家則以經營米穀買賣為業，他轉而經商，[314] 於 1933 年 9 月前往滿洲國。[315] 廖、蕭兩人並非完全做工業調查，其餘 11 個人也許並非全然視察工業。土木建築業的包工及相關視察可以列在此項，有五筆。

12. 辯護士及從事訟訴事務：彰化人林庚甲在 1933 年 7 月去滿洲國、上海、廣東、汕頭、廈門、福州、香港，想在當地擔任律師；[316] 淡水人黃炎生，1928 年 10 月高等文官考試行政科及格、1929 年 11 月司法科及格，他於 1935 年 5 月在臺北擔任律師，[317] 1939 年 5 月為「訴訟用務」，到汪記中華民國政府、滿洲國、香港一帶。[318]

13. 學業／事視察：有五筆，分別是永靖人詹煌輝，社頭人張塞門、蕭燈煌，竹東人劉雲青，南投名間人陳長章。[319]

14. 裁縫／服裝業：永靖莊王氏金治、王氏腰兩人從事裁縫業，申請赴廈門、牛莊的旅券。[320] 屏東鹽埔人鍾理和申請到奉天、新京去做和服產業視察。[321] 後進入滿洲自動車學校，1940 年取得駕照，在奉天交通株式會社任職，1941 年夏遷居

309　簡永彬，《凝視時代：日治時期臺灣的寫真館》（新北市：左岸文化出版、遠足文化發行，2019），頁 40-41。

310　〈1933 年 4-6 月外國旅券下付表〉，識別號：T1011_03_137；〈1935 年 10-12 月外國旅券下付表〉，識別號：T1011_03_147；〈1938 年 7-9 月外國旅券下付表〉，識別號：T1011_03_158。

311　大西利八編、金丸裕一監修·解說，《中國紳士錄 上》（東京：株式會社 ゆまに書房），頁 518。

312　〈1933 年 7-9 月外國旅券下付表〉，識別號：T1011_03_139。

313　林忠勝編著，《廖欽福回憶錄》（臺北：前衛出版社，2005），頁 51。

314　興南新聞社，《臺灣人士鑑》，頁 197。

315　〈1933 年 7-9 月外國旅券下付表〉，識別號：T1011_03_138。

316　〈1933 年 7-9 月外國旅券下付表〉，識別號：T1011_03_138。

317　蔡慧玉，〈日治時期臺灣行政官僚的形塑：日本帝國的文官考試制度、人才流動和殖民行政〉，《臺灣史研究》，14:4（2007.12），頁 54。

318　〈1939 年 4-6 月外國旅券下付表〉，識別號：T1011_03_161。

319　〈1935 年 7-9 月外國旅券下付表〉，識別號：T1011-03-146；〈1936 年 1-3 月外國旅券下付表〉，識別號：T1011_03148；〈1936 年 7-9 月外國旅券下付表〉，識別號：T1011_03_150。

320　〈1935 年 7-9 月外國旅券下付表〉，識別號：T1011_03_0146。

321　〈1938 年 4-6 月外國旅券下付表〉，識別號：T1011_03_157。

北平。[322] 李顯本，新化人，到滿洲欲經營洋服店。[323]

15. 舞廳經營：新竹人王繼竹，在 1937 年 4 月和 12 月申請旅券，欲赴新京經營舞廳。[324] 當時滿洲似乎有不少的跳舞場，氣氛很好，在奉天的楊從貞女士，剛到滿洲時其夫梁松文醫師常帶她去跳舞。[325] 可見臺灣人到滿洲開舞廳是可行的。

16. 製材業、林業視察：東北林產豐富，可投資製材業，埔里人徐文枝、清水蔡江去做製材業視察。[326] 至於邱欽堂去做林業視察則為被臺灣總督府所指派。[327] 邱畢業於臺北帝大附屬農林專門學校第一屆畢業，在母校森林經理學研究，擔任助教授，1938 年 7 月去滿洲視察後，1939 年 4 月就擔任滿洲國林野局技佐。[328]

17. 古物品販路視察：朴子人李天生，在 1938 年 7 月申請到新京，[329] 據他在《天星回憶錄》中所說於 1939 年 7 月中旬，由上海到南京，經青島到達大連，再到瀋陽，在滿洲所見頗為失望，因此決定到南京開創事業。[330] 是否李天生的回憶錄所載年代錯誤，還是他在前一年曾到滿洲探探是否能進行廢鐵生意。

18. 開雜貨店：台北人史金泉早在 1924 年已申請到奉天開雜貨店的旅券，[331] 至於台中人龍金龍則在 1933 年 9 月前往天津、滿洲國經營雜貨店，[332] 究竟最後落腳何處不詳。

（四）參加博覽會

1936 年在德國柏林舉行第 11 屆奧林匹克運動會，一共有 49 個國家參賽，日本是參加國之一，得 6 面金牌、4 面銅牌、8 面銅牌，共 18 面獎牌，排名第八。[333]

---

322 高雄縣立文化中心，《鍾理和全集 6》，頁 226-228，〈鍾理和生平與著作刊登年表〉。
323 〈1938 年 7-9 月外國旅券下付表〉，識別號：T1011_03_158。
324 〈1937 年 4-6 月外國旅券下付表〉，識別號：T1011_03_153；〈1937 年 10-12 月外國旅券下付表〉，識別號：T1011_03_155。
325 林德政採訪、撰稿，〈懷念在滿洲國的十二年：楊從貞女士口述史〉，收入林德政，《口述歷史採訪的理論與實踐》（台北：五南圖書出版股份有限公司，2018 年 2 版 1 刷），頁 296。
326 〈1934 年 1-3 月外國旅券下付表〉，識別號：T1011_03_140。
327 〈1934 年 4-6 月外國旅券下付表〉，識別號：T1011_03_141。
328 中西利八，《滿洲人名辭典》，頁 631。
329 〈1938 年 7-9 月外國旅券下付表〉，識別號：T1011_03_158。
330 李天生口述、黃志明編著，《天星回憶錄》（出版訊息缺），頁 80-81。李天生女兒李錦姬女士複製贈送，謹致謝意。
331 〈1924 年 1-3 月外國旅券下付表〉，識別號：T1011_03_100。
332 〈1933 年 7-9 月外國旅券下付表〉，識別號：T1011_03_138。
333 「1936 年夏季奧林匹克運動會」，（https://zh.wikipedia.org/wiki/1936年夏季奧林匹克运动会，2019/08/26）；此次日本選手中有來自臺灣的張星賢，他和日本隊在 7 月 20 日抵達奧運場地柏林，8 月 1 日奧運開幕，他參加 1,600 公尺接力賽跑最後一棒，但未進入決賽。張星賢著、杉森藍、王

為了去參觀奧運，臺南劉家的劉錫五（1987-1960）、劉清風（1900-1978）父子，於 1936年 5 月申請旅券，搭西伯利亞鐵路經由滿洲、蘇聯、波蘭到德國、法國、英國做環遊世界之旅。[334] 在德國柏林參觀第 11 屆奧運時，當時留德的劉青和（伯郎史瓦克高等工業大學，獲得化學工程博士）和其父兄兩人不僅參觀奧運，也訪問奧運村，帶包括張星賢在內的日本選手吃中國料理，令張星賢十分高興。[335] 當時劉清風在臺南開設青峰醫院。[336] 父子因去過歐洲，因此兩人都加入 1926 年成立的「臺灣歐美同學會」。[337]

（五）慰勞皇軍、農業義勇團

1938 年 9 月臺東的鍾石若、鳳山的謝賴登，申請旅券要去慰勞皇軍，並做一般的商業視察；可能不是臺灣總督府的命令，他們填寫的旅行目的地在中華民國以及奉天、新京、哈爾濱。[338] 旗山的楊堃登則去訪問農業義勇團和做商業的視察，拿到旅券的時間和去慰問者相同。所謂農業義勇團，是日本政府在中國設置軍農場，來臺招募懂農業的人，五州五隊，每隊 200 人，共 1,000 人，大半是臺灣人，每月薪水 30 円，在日本占領上海後，就在江灣鎮設立農場，於是農業義勇團就派到當地去種菜，以供應日軍所需。除了第一批到上海外，也有到南京的，[339] 但當時臺灣派出的農業義勇團並未到滿洲國。

（六）臺灣女性的依親與觀光

由於史料龐大，以下以女性為例，觀察其他依親與觀光的現象。

1.「夫卜同棲」：共有 101 人次。即與丈夫團圓，也寫成「夫卜同棲ノ為」、「夫と同居」、「夫の呼寄により」，似是夫已在滿洲任職而前往依親。「夫に同伴」、「夫卜同伴」，即指夫妻一起出發前往滿洲。至於「夫訪問」或「訪親」亦指與夫

淑容譯，《我的體育生活：張星賢日記及書信》（臺南：國立臺灣歷史博物館，2020），頁 133-140。

334　〈1936 年 4-6 月外國旅券下付表〉，識別號：T1011_03_149。

335　張星賢著，鳳氣至純平、許倍榕譯，《我的體育生活：張星賢回憶錄》（臺南：國立臺灣歷史博物館，2020），頁 212。

336　興南新聞社，《臺灣人士鑑》，頁 423。

337　杜聰明編輯發行，《臺灣歐美同學會名簿》（臺北：臺灣歐美同學會，1941），頁 2、6。

338　〈1938 年 7-9 月外國旅券下付表〉，識別號：T1011_03_158。

339　許雪姬訪問、蔡說麗紀錄，〈李太平先生訪問紀錄〉，《口述歷史（五）》，1994.6，頁 87-89。李太平，新化人，新化農業專修學校畢業，是第一批被派往上海江灣鎮軍農場的農業義勇團員。

團圓,但有時只是一時前往探視,沒有久居之意;有時是回臺探親再往滿洲,無法一概而論。如1934年12月取得旅券的旗山郡美濃庄的吳鍾氏玉香,帶同女兒吳氏秀霞,在「夫吳松興ノ呼寄ニ依リ」前往齊齊哈爾。[340] 吳松興,日本武藏高工畢業,1935年為了想歸化為滿洲國人,前往哈爾濱,[341] 曾任勤勞部技佐。[342] 又如楊氏從貞,1937年6月與梁松文在臺南結婚,[343] 7月下旬與以「訪親」,夫梁松文以「留學」為旅行目的,兩人的照片沒有合照,旅券也分別申請,[344] 被海關詰問,誤以為兩人私奔或逃往他鄉。[345] 水竹居主人張麗俊最小的兒子張世城在其姊張彩鸞(姊夫袁錦昌已在新京開錦昌醫院)的勸導下,帶著妻子張林氏更味、大女兒張氏懷謹在1934年7月前往滿洲。[346] 期間夫婦曾在1936年5月帶著大女兒、長子張德州、次子張德賢回臺,主要在探視生病的父親張麗俊,翌年6月回到滿洲,[347] 不幸才七個月的次子在回滿洲七天就過世。[348]

2. 親戚訪問: 或寫「親族訪問」、「家族ト同居」「長男ノ呼寄」、「兄訪問」、「長男ト同居」、「子訪問」、「父母ト同居」都是,共有69人次。由字面上看「訪問」似指短期逗留,但也不竟然。到訪的女性有的是去看兒子,有的是妹妹探訪兄弟,有的是庶母訪子。謝道隆的妾蔡紫薇於1934年8月前往滿洲國,其「旅行目的」是「子訪問」,[349] 她的親生兒子謝秋汀,在1930年前往滿洲投靠兩位在滿洲從醫的同父異母兄長謝秋涫、謝秋濤,至是蔡紫薇前往探視兒子,也曾在新京住過,終戰前才回臺灣。[350] 至於歸仁人王長勝、王林氏治夫婦在1938年4月的旅券下付

---

340 〈1934年10-12月外國旅券下付表〉,識別號:T1011_03_143。
341 〈1935年1-3月外國旅券下付表〉,識別號:T1011-03-144。
342 長春臺灣同鄉會,〈居住長春台灣省民名簿〉,1946年1月28日。登記為「單身」,可能家族在戰前已回臺。
343 林德政採訪、撰稿,〈懷念在滿洲國的十二年:楊從貞女士口述史〉,林德政著,《口述歷史採訪的理論與實踐:新舊臺灣人的滄桑史》,頁293-294。梁松文當時尚在滿洲醫科大學就讀,1939年3月畢業。
344 兩人都在1937年8月取得旅券,但卻在不同時間申請,才被誤會。參見〈1937年7-9月外國旅券下付表〉,識別號:T1011-03-154。楊從貞的旅券由其父在其結婚前已辦妥,因此是自家關廟的地址而非夫家新化的住址。
345 林德政,〈懷念在滿洲國的十二年:楊從貞女士口述史〉,頁295。
346 〈1934年4-6月外國旅券下付表〉,識別號:T1011_03_141。張林氏更味的「旅行目的」是「夫ト同棲」。許雪姬訪問、鄭鳳凰紀錄,〈林更味女士訪問紀錄〉,《日治時期在「滿洲」的台灣人》,頁365-366。
347 〈1937年4-6月外國旅券下付表〉,識別號:T1011_03_153。
348 許雪姬訪問、鄭鳳凰紀錄,〈林更味女士訪問紀錄〉,頁384-385。
349 〈1934年7-9月外國旅券下付表〉,識別號:T1011_03_142。
350 許雪姬訪問、藍瑩如紀錄,〈謝文昌先生訪問紀錄〉,許雪姬,《日治時期臺灣人在滿洲的生活經驗》(臺北:中央研究院臺灣史研究所,2015年初版二刷),頁351-355。

表中的「旅行目的」分別寫著「親族訪問及視察」、「［夫］卜隨行」，[351] 他們到底去訪問誰？原來其子王大樹，1932 年 3 月在滿洲醫科大學畢業後即在錦州開「錦生醫院」，他本人任錦州醫師會會長。[352] 娶另一在滿洲行醫、彰化人陳章哲的女兒為妻。[353] 吳金川，東京商科大學商學碩士，在滿洲國中央銀行任職，[354] 1936 年他父親的妾薛氏絲綢，和兩個妹妹吳氏瓊英、吳氏彩秀結伴到滿洲探親，[355] 1938 年薛氏絲綢和其父另一個妾黃氏囝圍，和妹妹吳氏瓊英再去探親。[356] 這樣去做「庶子訪問」兩次的例子不多見。也有以「內緣ノ夫卜同棲」（同居）的理由前往，有數例，如新竹人柳氏錦蓮；[357] 埔里人陳氏阿雲；[358] 臺北人陳氏玉葉。[359] 也有因兒子結婚而前往，如新竹人戴氏杏，[360] 也有未婚夫在滿洲而前往結婚的，也算另一類家族訪問。如臺灣人曾氏換［治］；[361] 澎湖瓦硐人許氏淑蘋，1937 年 7 月在母親許何氏指陪伴下前往哈爾濱，[362] 和京都大學畢業就職於滿鐵的吳振輝結婚，[363] 吳振輝之姊吳蘭香也由屏東前往[364] 參加弟弟的婚禮。

　　3. 觀光：今日的觀光在古代已有之，但以往都是旅行家方可為之，觀光要成為一般民眾可以進行的活動，可能要到十九世紀上半葉。當時的觀光不應只是遊山玩水，在某個程度上和產業視察、家族訪問結合在一起。不過以下要探討的是在旅券申請書的「旅行目的」填上觀光的女性。對當時女性而言，單人出遊絕無僅有，結伴出遊亦不多見，在資料中僅見四位。廖詹氏阿扁為廖重光之妻，兩人於 1936 年 6 月取得旅券，到香港、廣東、漢口、上海、南京、天津、滿洲等地觀光。[365] 按廖重光（1875 年生），1901 年畢業於國語學校國語部，而後執教鞭 20 年，1920 年 10 月地方制度改正後擔任西螺庄長，1924 年任西螺街長（共 3 任），並獲紳章，

351　〈1938 年 4-6 月外國旅券下付表〉，識別號：T1011_93_157。
352　JD24,24〈滿洲醫科大學昭和 7 年學籍簿〉，藏於中國遼寧省檔案館。
353　李水清，〈附錄：東北八年回憶錄（1938 年 4 月—1946 年 4 月）〉，《日治時期臺灣人在滿洲的生活經驗》，頁 105。
354　臺灣商專同窗會，《會員名簿》（昭和 14 年 11 月）（臺南市：帝國商事株式會社，1939），頁 8。
355　〈1936 年 4-6 月外國旅券下付表〉，識別號：T1011_03_149。
356　〈1938 年 1-3 月外國旅券下付表〉，識別號：T1011_03_156。
357　〈1935 年 1-3 月旅券下付表〉，識別號：T1011_03_144。
358　〈1935 年 9-12 月旅券下付表〉，識別號：T1011_03_147。
359　〈1936 年 4-6 月旅券下付表〉，識別號：T1011_03_149。
360　〈1935 年 1-3 月旅券下付表〉，識別號：T1011_03_144。
361　〈1935 年 1-3 月旅券下付表〉，識別號：T1011_03_144。
362　〈1937 年 7-9 月旅券下付表〉，識別號：T1011_03_155。
363　汪乃文、吳振乾編，《一五〇年來吳葛親族》（屏東：吳氏家族自印，1990），頁 140，第四代。
364　〈1937 年 7-9 月外國旅券下付表〉，識別號：T1011_03_154。
365　〈1936 年 4-6 月旅券下付表〉，識別號：T1011_03_149。

圖 2-5　1934 年 8 月前往新京探視兒子謝秋汀的蔡紫薇，時年 50 歲。
（謝文昌先生提供）

1936年5月退任。[366] 退任後立刻前往上述諸地觀光。員林人黃氏惜與其夫及夫的兄弟張春茂、張春鐘，於1937年3月一起前往天津、濟南、南京、上海、杭州、寧波、蘇州、廣東、福州、廈門、滿洲國觀光。[367] 東港人李許氏姐和潘陳氏金井，可能結伴同行，1938年6月到哈爾濱。[368] 臺北人楊周氏招治，於1937年3月到牛莊觀光。[369]

小結

要討論到滿洲的臺灣人，首先要探討的是，清代臺灣人對遼東與遼西的認識，主要透過方志的資料，知道康熙、雍正、乾隆年間臺灣商船已到遼河口岸牛莊做生意，主要是糖船，但到嘉慶年間因蔡牽之亂，商船多毀，因而來載糖的船減少。除了對牛莊有些認識外，據1832年《噶瑪蘭廳志》所載，今臺南有航向旅順口，再轉蓋州（遼東）、錦州（遼西）之船，稱「天津船」。由上可知，清代方志留下來的「滿洲」記載相當有限。其次談清日戰爭後俄羅斯租借旅順、大連（原名青泥窪，1905年改名）。日俄戰爭後，日本取得原俄國關東州租借地，成為日本領土的一部分，之後如何在1932年發動九一八事變，又如何泡製滿洲國；皇帝溥儀戰後在撫順戰犯管理所供稱，日本在此間的統治，既實行經濟統制、又過度徵用勞工，修建防蘇基地；再移民數十萬日人到滿洲，這些情況使東北農民難以為生。1945年8月18日滿洲國滅亡，前後14年。

臺灣人何以來到滿洲，有四種背景，一是臺灣人在臺是被殖民者，有差別待遇，到滿洲國則成為準殖民者，又有工作的機會，可以翻轉過往的生涯；其次是溥儀本是遜清皇帝，又成為滿洲國的執政、皇帝，因而對滿洲國有故國之思，且謝介石、陳文山等人也和溥儀有交情，故介紹臺人前往；第三是滿洲國的弘報部擅於宣傳在滿洲是五族協和、王道樂土的新天地，再加上臺灣報紙的吹噓、報導，電影的拍攝，使一般民眾對滿洲國充滿了好奇心；第四是看板人物謝介石和開大醫院的名醫如孟天成、簡仁南，以及臺灣始政四十周年記念博覽會的「滿洲館」，謝介石以滿洲國駐日大使身分回臺，更興起臺人前往滿洲的熱潮。去滿洲的臺灣人可依時間分成三期，一是1895-1905年，日本領臺到取得關東州，去的人只有個位數；二是1906-1932年，日俄戰爭後到滿洲國建立，由於華北線等命令航路的出現，前往的人略

366　臺灣新民報社，《臺灣人士鑑》（臺北：該社，1937），頁431。
367　〈1937年1-3月旅券下付表〉，識別號：T1011_03_152。
368　〈1938年4-6月旅券下付表〉，識別號：T1011_03_157。
369　〈1937年1-3月旅券下付表〉，識別號：T1011_03_152。

增,以醫師、醫學生為多;三是 1933-1945 年,1934 年去滿洲的人口大增,1935 年高雄大連線命令航路可以直航大連,成為最多被利用的赴滿航線;然而 1941 年太平洋戰爭爆發,1942 年起赴滿洲者,大半是自日本前往逃避空襲的臺灣人。研究去滿洲臺灣人的先決條件,是建立名單和學經歷,作者已利用諸種資料完成 1,000 多人的名單(大半單身),與在滿洲有的 3,000 臺灣人相比,雖只有三成多,但已可進行相關研究。

　　利用旅券下付表資料固然可以得到臺灣人去滿洲的資料,了解他們申請的目的及目的地,但並非每個人都如實填寫,即使是如實填寫,是否真的前往也必須考量。而沒有列名在上也去了滿洲者並不少見,如黃清舜等人在牡丹江市從事林業工作,但並沒有在旅券下付表中看到他們的名字。因此除了使用旅券資料外,仍然必須參考其他資料,以發掘更多去滿洲的臺灣人。不過,即使去了滿洲,但大半只是去視察、觀光、探親,做短暫的停留;去結婚、依親、就職、求學的才會留下來,而這些留下來者就是第三章起研究的對象。

第三章
赴滿洲國求學的臺人

一、滿洲國高等以上學校
二、醫學校的畢業生
三、工業／科大學的畢業生
四、法律科畢業生
五、商業學校畢業生
六、全滿最高學府——建國大學
小結

臺灣人到滿洲國的原因之一是求學，在未敘述滿洲的高等教育前，有必要先說明在臺灣的教育狀況，再談臺灣學生到滿洲相關各校求學的情況。

在臺灣受高等教育（指專門教育和大學教育）的機會有限，迄1945年日本戰敗為止，除了1928年設立的臺北帝國大學外，只有經濟、工業、農林學校，帝國大學附屬醫學專門部；師範教育僅在臺北、臺中、臺南各設一校。這些學校的學生中，臺灣學生的比例低於日人。以臺北帝國大學1944年（昭和19年度）的日臺學生所占比率為例，文政學部、理學部、農學部、工學部、醫學部學生277人中，臺灣學生占4成，至於師範學校臺灣學生只占一成；臺北高等學校設的三年制臨時教員養成所數學科41人中，臺灣學生只有4人；物理化學科44人中，臺灣學生只有6人。[1] 就是高等女學校中的臺灣女學生的入學比例也低。[2] 1922年4月日臺共學之前，臺灣學生不能與日本學生共學，形成明顯的差別待遇，即使可共學之後，臺灣學生亦受諸多限制。[3]

為了接受高等教育，臺灣學生有四條管道可以達成願望。一是赴日留學，日本學校多，[4] 選擇性多；且為了保證可以升學內地的好大學，而到日本高校就讀，如東京一高；[5] 二是到日本人在中國（包括滿洲）設立的大學就讀，如1900年在上海設立的東亞同文書院、[6] 1911年在奉天設立的南滿醫學堂、1939年設立的青島醫學專門學校；[7] 以及設在朝鮮的平壤醫學專門學校、京城醫學專門學校、大邱醫專

1　臺灣總督府，《臺灣統治概要》（臺北：臺灣總督府，1945），頁49、40-41。

2　高等女學校臺灣學生的入學率僅占同年齡層的0.2%。見山本禮子，《植民地台湾の高等女学校研究》（東京：多賀出版株式会社，1999），頁62。

3　山本禮子，《植民地台湾の高等女学校研究》，頁52。

4　大阪每日新聞社、東京日日新聞報社，《每日年鑑》（東京：東京日日新聞社，1940），頁409-415，有日本「學校一覽」，其中帝國大學有9、官公立大學15、私立大學27、高等師範學校有4、官公立專門學校有36，此外還有私立專門學校、工業專門學校、商業專門學校、商船專門學校，不下數百間。到1945年為止的日本高等教育機構。亦可參考日本近現代史辭典編輯委員會，《日本近現代史辭典》（東京：東洋經濟新報社，1990年6刷），頁985-999，〈附錄50 文部省管轄高等教育機關一覽〉。

5　如1926年理乙黃炎生、1929年理甲黃龍泉、1930年文甲林益謙，而臺灣人中用中華、滿洲籍入學的也有，如1936年理乙林濬哲（福建，林坤鐘弟）、1937年特理（特設高等理科）林坤義（福建，林忠）、1939年特設高等理科蔡啟運（吉林，蔡法平子）、林添筆（福建）。一高同窓會，《會員名簿 昭和二十七年四月十五日現在》（東京：一高同窓會，1952），頁249、269、274、320、328、341。

6　東亞同文書院於1939年12月昇格為東亞同文書院大學。見滬友會，《東亞同文書院大學史》（東京：滬友會，1955），頁80。臺灣人有30人就讀。見許雪姬，〈東亞同文書院大學（1900-1945）的臺灣學生〉，《臺灣史研究》，25：1（2018.3），頁137-182。

7　青島醫學專門學校同窓會、青友會，《青友史》（橫濱：青友會事務局，不著出版年月），頁27、137。畢業生有林長燦、郭炳堂、劉明恕、賴起魁、吳鎮茂、曾春城、謝炳章、馮光治、鄭騰煉、賴時昌等。見臺灣省醫師公會印行，《臺灣省醫師公會所屬各縣市局醫師公會會員名冊》（高雄：臺灣醫界社，1966），頁43、61-62、71、77、79、109-110、118。此外還有畢業自青島東亞醫學院者。相關研究可看看陳力航，〈日治時期在中國的臺灣醫師（1895-1945）〉（臺北：國立政治大學臺灣史研究所碩士論文，2012）。

等。[8] 到上述學校就讀受到的差別待遇少，但學費高，多半是有錢人家的子弟才有就學的可能。三是到學校多、名校也不少且學費相對低的中國廣州、廈門、上海、北京的學校就讀，前往者大半較具民族意識，厭惡日本統治者，或是較窮困人家子弟。[9] 在中國就讀的臺灣學生，雖未被差別待遇，但也被視為日本人，在抗日的活動下遭受波及，故常以中國籍自居，甚至改姓名以趨吉避凶。四是到學校（尤其是醫學校）不少，且有優待的滿洲。滿洲的學校比臺灣多，有的學校有固定名額給臺灣學生，有的可申請助學金，以畢業後在滿洲國服務折抵。因此設在滿洲的高等以上學校，就成為臺灣學生重要的選項之一。本文擬介紹滿洲國的高等以上學校，再分別自醫科、工科、法科、商科等學校，看臺灣學生畢、肄業的情況。

一、滿洲國高等以上學校

滿洲國成立以前所創立的學校，較能吸引臺灣學生的是滿洲醫科大學、旅順工業學校。九一八事變後，東北學校關閉了不少，滿洲國成立後文教部原來只設司，由國務院總理鄭孝胥兼任，1935 年 5 月 21 日才由阮振鐸任文教部大臣，以恢復各級學校為目的，到 1936 年小學校學生數只恢復到 60%，約 80 萬，中學校學生數約五萬，高等學校學生數不足一萬。[10] 到 1937 年滿洲國公布「新學制要綱」，實行日本學制，與臺灣同，亦即施行實務教育，中等學校由原來的三三制（初中三年、高中三年）改為五年制，姑不論其教育內容如何，但明顯的是要區隔關內與關外的教育聯繫，亦即使滿洲國畢業的中學生不可能向中國內地各大學或專門學校升學。[11] 滿洲國學制的改正，雖不利於滿洲人，但對臺灣人而言反而是一種方便，到滿洲國受教育可以和過去受的教育銜接得起來。

（一）高等教育機關

在學制方面，學校教育分成初等、中等與高等教育三階段，及師道教育（即師

8　陳姃湲，〈放眼帝國、伺機而動：在朝鮮學醫的臺灣人〉，《臺灣史研究》19：1（2012.3），頁 87-140。

9　福建檔案館，《閩台關係檔案資料》（廈門：鷺江出版社，1992），頁 13-14。日本駐廈門領事館領事井上庚二郎在 1926 年 9 月，分析赴廈門讀書的臺灣學生時指出：「在臺因學業拙劣，操行不良而無法入學者，或因入學後參加罷課而被退學者；另外又有看中此地學費低廉而來者。綜合上述，可說大部分是在臺落伍者」。上述說法大半為日本官方的偏見。

10　中央檔案館編，《偽滿洲國的統治與內幕：偽滿官員供述》（北京：中央檔案局，2000），頁 138，〈阮振鐸筆供〉（1954 年 7 月 14 日）。

11　中央檔案館編，《偽滿洲國的統治與內幕：偽滿官員供述》，頁 139，〈阮振鐸筆供〉（1954 年 7 月 14 日）。

範教育）與職業教育兩部門。其中成為臺人青睞對象的是高等教育。入學高等教育者需是國民高等學校畢業，或同等學力者，修業年限三至四年，採全部住宿的方式，主要在使學生鍛鍊身心，及實踐民族協和。

在1920年以前，醫學教育機關為外國人壟斷，如英格蘭教會在奉天設滿洲基督教學院和醫科大學，但規模不大。影響滿洲教育機關比較大的，是因日本人1905年設立的關東州，日本文部省在之後設立旅順工科大學、南滿鐵道工程學院及南滿醫學堂。張學良統治下的中國東北，在奉天、吉林、哈爾濱等地設大學與專門學校；九一八事變後，大半閉鎖。滿洲國成立後，直到1933年盱衡情事，發布私立學校規程，許可奉天醫科專門學校、哈爾濱醫學專門學校及聖ウラチミル專門學校設立，接著是設立國立大學。首先於1936年4月在奉天設高等農業學校。1937年4月承認由俄僑事務局成立的哈爾濱俄僑學校，5月改組哈爾濱高等工業學校；吉林國立醫院附屬醫學校改組為新京醫學校。12月私立奉天藥劑師養成所被認可。1938年隨著新學制的實行，上述專門學校都改為國立大學。1939年設立國立新京法政大學；到滿洲國結束前，共設有12個大學，見表3-1（不包括建國大學和師道大學）。但也有資料顯示共有15所國立大學，即建國大學、新京政法大學、新京工業大學、新京醫科大學、新京畜產獸醫大學、新京女子師道大學、新京師道大學、吉林師道大學、奉天工業大學、奉天農業大學、哈爾濱醫科大學、國立大學哈爾濱學院、哈爾濱農科大學、佳木斯醫科大學。其他財團法人和社團法人成立的幾所大學，為滿洲醫科大學、旅順工科大學、盛京醫科大學、王道書院。[12] 另在私立學校方面，1938年哈爾濱醫學專門學校改為哈爾濱醫科大學；而廢止在1937年設立在哈爾濱的白俄人學校聖ウラチミル專門學校，之後由1937年認可的白俄人學校俄僑學院，和聖ウラチミル專門學校合併而成北滿學院。[13]

表3-1　滿洲國的高等教育

學校名稱	官私立別	所在地	修業年限	分科
哈爾濱工業大學	官立	哈爾濱市南崗公司街	四年	土木學科、建築學科、電氣學科、機械學科、應用化學科、採鑛冶金學科

12　周克讓，〈回憶長春大學〉，收入《吉林文史資料》（長春：中國人民政治協商會議吉林省委員會，1987），頁74-75。

13　滿洲國史編纂刊行會，《滿洲國史 各論》（東京：財團法人滿蒙同胞援護會，1971），頁1089。

學校名稱	官私立別	所在地	修業年限	分科
新京醫科大學	官立	新京特別市興安大路	四年	
新京法政大學	官立	新京特別市南嶺	本科三年 特修科二年	法學部 經濟學部
國立大學哈爾濱學院	官立	哈爾濱市馬家溝	四年	採鑛科、冶金科、電氣科、機械科、應用化學科、土木科、建築科
新京工業大學	官立	新京特別市南嶺	豫科一年 本科三年	採鑛科、冶金科、電氣科、機械科、應用化學科
奉天工業大學	官立	奉天城內	豫科一年 本科三年	
哈爾濱醫科大學	官立	哈爾濱市南崗大直街	醫科四年 齒科三年	醫學部 齒科醫學部
新京畜產獸醫大學	官立	新京特別市	本科三年 特修科二年	
佳木斯醫科大學	官立	佳木斯市	四年	
哈爾濱農業大學	官立	哈爾濱市	三年	農學科、獸醫科
奉天農業大學	官立	奉天市	本科三年 特修科二年	農學科、林學科、獸醫學科、農業土木學科、林學特修科
開拓醫學院	官立	齊齊哈爾、龍井、哈爾濱	二年	
滿洲醫科大學	私立	奉天市	豫科三年 學部四年	
盛京醫科大學	私立	奉天市小河沿	四年	
滿洲國北滿學院	私立	哈爾濱市道裡商務街	商業部三年 工業部四年	電氣科 機械科
奉天藥劑師養成所	私立	奉天市青葉町	三年	
哈爾濱基督教青年會專門學校	私立	哈爾濱市	三年	日、獨、英語部
奉天商科學院	私立	奉天市	二年	

資料來源：豐田要三編纂，《滿洲帝國概覽》，頁272-273。

此外還有以特別法立校的國立建國大學，直接由國務總理大臣管理，師道大學則是培養初等教育的師資學校。

（二）就讀中等學校的臺灣人

臺人到滿洲雖以高等教育為主要目標，但因有些學生為隨父前往，或因特殊需求必須在滿洲或中國其他地方就讀中學，因此以下就由中等學校談起。為了在滿洲讀高等學校，也有先到滿洲讀中學或豫科者。這些人有的是與父母移居滿洲，故在當地接受教育，如梁金蘭於1933年畢業於撫順高等女學校，其父梁宰，在撫順開天生醫院，梁金蘭大約在1924、25年被父親自臺灣帶到撫順，故在當地接受教育。[14] 又如袁櫻雪，就讀新京錦ケ丘高等女學校，主要是因父親袁樹泉在新京二道河開設錦昌醫院，全家遷到新京所致。[15] 謝久子出生於滿洲，讀新京敷島高等女學校，因其父謝秋涫在新京開設百川醫院，全家以廣東省蕉嶺縣為本籍；[16] 謝秋涫是僅次於謝唐山，第二位到滿洲行醫者。

亦有為了在滿洲接受高等教育故先到中國或到滿洲受中學教育，以便順利取得中國籍的身分，享受免學費的優待。這些人中有因姻親在滿洲而前往，並入當地中學者，如劉建停、劉建止兄弟。兩人的姑媽為謝秋涫的妻子，因此劉建停畢業於奉天培英中學，[17] 劉建停之弟劉建止畢業於臺中一中，但學籍上卻記載著畢業於東安東亞預備學校。[18] 另外如吳大杉，安徽中學第一高級中學畢業，[19] 林肇周畢業於湖北商德高級中學；[20] 梁松文畢業於廈門大學預科，[21] 莊金城畢業於龍溪高級中學，[22] 孫崧芳畢業於長春商業學校，[23] 高夢雄畢業於南京私立正誼中學高中部，[24] 陳振茂

14　許雪姬訪問、蔡說麗紀錄，〈梁金蘭、梁育明姊弟訪問紀錄〉，《口述歷史》第5期（1994.6），頁311。

15　許雪姬訪問、鄭鳳凰紀錄，〈葉鳴岡先生訪問紀錄〉，《日治時期在「滿洲」的台灣人》，頁56。袁櫻雪即葉鳴崗之妻。

16　《滿洲醫科大學檔案》，JD24,62，〈滿洲醫科大學專門部昭和十七年卒業生學籍簿〉（瀋陽：中國遼寧省檔案館藏）。

17　《滿洲醫科大學檔案》，JD24,38，〈滿洲醫科大學專門部昭和十三年卒業生學籍簿〉。依其弟劉建止所言，自己則畢業於臺中一中。見許雪姬訪問、鄭鳳凰紀錄，〈劉建止先生訪問紀錄〉，《日治時期在「滿洲」的台灣人》，頁13。唯一可解釋的是滿洲醫科大學專門部允許中國籍者免費入學，故偽稱畢業於滿洲的中學，作為充分的證據。

18　《滿洲醫科大學檔案》，JD24,60，〈滿洲醫科大學專門部昭和十五年學籍簿〉。

19　《滿洲醫科大學檔案》，JD24,59，〈滿洲醫科大學專門部昭和十四年學籍簿〉。

20　《滿洲醫科大學檔案》，JD24,54，〈滿洲醫科大學專門部昭和十二年學籍簿〉。

21　《滿洲醫科大學檔案》，JD24,43，〈滿洲醫科大學昭和十四年學籍簿〉。

22　《滿洲醫科大學檔案》，JD24,57，〈滿洲醫科大學專門部昭和八年三月至十年九月學籍簿〉。

23　《滿洲醫科大學檔案》，JD24,60，〈滿洲醫科大學專門部昭和十五年學籍簿〉。

24　《滿洲醫科大學檔案》，JD24,93、112，〈滿洲醫科大學藥學專科昭和十六年四月入學生徒身上

畢業於廣東縣立世羅中學校，[25] 黃酉時亦畢業於南京正誼中學校，[26] 黃雅幫畢業於奉天南滿中學，[27] 葉敏盛畢業於華北中學校。[28] 另有多位畢業於南滿中學堂，他們分別是謝文燦（3屆）、戴神庇（4屆）、戴耀閭、林漢、王標、[29]（5屆）、王大樹（7屆）、謝文炫、楊藏興、（10屆）、梁成、（11屆）、梁松文、林昌德（12屆）、謝文壇（13屆）、張嵩山（17屆）、林克宏（18屆）、張泰山（20屆）[30] 張華山則畢業於新京一中預科（見後）。以上有部分是預計進入滿洲醫科大學專門部，才到中國就讀高中，以取得準中國籍的身分。其中南滿中學堂是為教育滿洲人的學校。[31]

亦有畢業自大連三中的陳威博，又名楊威理，父陳欽梓 1935 年到滿鐵齊齊哈爾站任職，當時他正在樺山小學就讀，遂和母親留在臺灣，後因母親過世，乃在讀五年級時轉到大連的日本橋小學，自己一人留在大連，住在日本人家。畢業後考上大連三中，1942 年改姓父親的姓「中目」（為日本人的養子），五年中都任級長，不論在誰的眼中看來都是個日本優秀的少國民。然而他沒有忘記其父告訴他的「不要忘了自己是漢民族」，因此中學四年級時就拿周佛海《三民主義解說》來精讀，在自己的世界地圖中，以南京為中心，用圓規畫出中國全土，並塗上紅色，他和幾個中國學生論三民主義，也談蔣介石、汪精衛，即便改了姓，中國同學仍親密地喊他「楊君！」。他形容其中學生活，受日本校長皇國精神的說教，但他不受影響；被施以斯巴達式教育，一年四季都「裸體作體操」，當時雖然吃不消，但他終生幾乎沒得過感冒。大連三中的教師非常認真，往後英語、漢文、歷史、地理、數理等等知識都奠基在此時期。[32]

另有就讀青年工業學校，如滿洲飛行機製造株式會社工業青年學校，與滿洲航空株式會社航空工廠同時成立於 1938 年；這是附屬的技術人員訓練學校，訓練的時間一至兩年。屏東楓港人蔡潔生，畢業於枋寮公學校高等科，之後進入上述青年

調書〉。

25　《滿洲醫科大學檔案》，JD24,59，〈滿洲醫科大學專門部昭和十四年學籍簿〉。
26　《滿洲醫科大學檔案》，JD24,54，〈滿洲醫科大學專門部昭和十三年卒業生學籍簿〉。
27　許雪姬訪問、吳美慧紀錄，〈黃順記先生訪問紀錄〉，《口述歷史》6（1995.7），頁 203。
28　《滿洲醫科大學檔案》，JD24,52，〈滿洲醫科大學專門部昭和十九年學籍簿〉。
29　《滿洲醫科大學檔案》，JD24,3，〈南滿醫學堂卒業生學籍簿〉。
30　《滿洲醫科大學檔案》，JD24,54，〈滿洲醫科大學專門部昭和四年至十年學籍簿〉。《滿洲醫科大學檔案》，JD24,3，〈南滿醫學堂卒業生學籍簿〉。據旅券下付代表顯示，南投竹山的林雲山、林雲川兄弟，為了進入奉天南滿中學，曾在 1924 年 7 月取得赴滿洲的旅券，但是否真的入學，無可考。〈昭和十三年（1938）奉天南滿中學堂歷屆畢業生名錄〉，頁 13-14、15、17、23-25、53、57、64、74。
31　田中總一郎，《滿洲年鑑》（大連：滿洲日日新聞社，1939），頁 340。除南滿中學堂外，滿洲人的學校還有旅順高等公學校中學部。
32　楊威理，〈台湾人、中国人、日本人の三国人に生きる―自叙伝〉，（東京：未刊稿，2003），頁 26。

工業學校。[33]

　　至於臺灣人在滿洲國接受高等教育者,以下分醫、工、法、商四類學校分別說明,最後介紹滿洲國的最高學府建國大學。

二、醫學校的畢業生

　　由於臺灣的醫學校只有臺北醫學校（臺北醫專、臺北帝大醫學院）一所,因此有志成為醫師者乃赴日本、滿洲、朝鮮就讀醫學校;依初步估計畢業於滿洲醫科大學的共有89人,新京醫科大學有21人,哈爾濱醫科大學4人,滿洲開拓醫學校7人,旅順醫學專門學校1人,滿洲國立陸軍軍醫學校1人。以下對每個學校及在該校求學的臺灣學生做一介紹。

（一）滿洲醫科大學

　　1. 沿革：南滿洲鐵道株式會社（簡稱滿鐵）成立於1906年11月26日。[34] 1911年滿鐵在關東都督大島義昌（1906年9月1日—1912年4月26日）的認可下設立南滿醫學堂,地點在大連醫院奉天分院。接著指定大連醫院醫學博士河西健次兼任南滿醫學堂長,而以捐小洋銀六萬元為南滿醫學堂獎學金的東三省總督趙爾巽為名譽總裁。這是一所醫學專門學校。[35] 10月本科生日本人20人,豫科生中國人8名獲得入學許可。[36] 11月舉行開學典禮,1912年12月奉天省官費派遣中國人進入豫科,以後奉天省、吉林省、瀋陽縣每年派數名乃至數十名學生入學。1915年6月奉天醫院（1912年8月由大連醫院奉天分院改成）成為南滿醫學堂的附屬醫院,9月有第一屆畢業生共11人,而附設的看護婦養成所也有了第一屆畢業生（5月開始）。1917年4月在南滿中學堂附設南滿醫學堂豫科。[37]

33　林明玉,《屏東縣楓港國民小學創校百年誌》（屏東：該校,2002）,頁140,〈第一屆表揚有功人員簡介〉；蔡英文,《洋蔥炒蛋到小英便當：蔡英文的人生滋味》（臺北：圓神出版有限公司,2011,4刷）,頁22-30。據師大歷史所博士曾令毅於其臉書所撰的〈關於蔡英文之父蔡潔生的謠言〉,2015年6月18日所做的修訂。

34　滿洲國通信社編,《滿洲國現勢：康德五年版》（新京：滿洲國通信社,1938）,頁396,〈新情勢下滿鐵〉。日本政府在1906年6月7日以敕令第142號公布南滿洲鐵道株式會社設立。

35　滿洲醫科大學,《滿洲醫科大學一覽》（奉天：滿洲醫科大學,1941）,頁6,〈沿革略〉。

36　滿洲醫科大學輔仁會,《會員名簿》（東京：滿洲醫科大學輔仁會,1978）,無頁數。〈滿洲醫科大學、專門部附屬藥學專門部、附屬看護婦養成所沿革略〉。又,能日語的中國人經由豫科進入本科,和日人一起受教育。

37　滿洲醫科大學,《滿洲醫科大學一覽》,頁9。

1922 年 3 月南滿醫學堂改設為滿洲醫科大學，11 月 6 日關東廳認可為滿洲醫科大學時，並設有大學豫科、別科，及南滿醫學堂的定例。從此年起每年與北京協和醫院交換教授。本年對女子習醫也有了重大的突破，大學豫科、附屬豫備科准許中國籍女子入學，開啟女子進入醫學教育之門。而這一年也終止南滿醫學堂學生的招收。1925 年 4 月大學別科改為專門部，開始招收中國人學生（專門部只收中國人）。專門部設立後，卻在 1931 年 1 月停招，主要問題可能是開業資格問題。1933 年此問題解決後，才又依新學制招收專門部學生，換言之，本年 1 月官方已認可專門部畢業生的開業資格。1937 年滿洲醫科大學增設藥學專門部，1941 年設齒科。

　　滿洲醫科大學原由滿鐵地方衛生課管理，以後則改由地方部管轄，設有滿鐵總裁獎獎勵優秀學生，其重要的相關雜誌為《東洋醫學雜誌》季刊，到第 3 卷起改為《滿洲醫學雜誌》，1926 年 7 月改成月刊，以迄 1945 年 8 月，共發行 42 卷 5 號，這是登載滿洲醫科大學重要學術論文的園地。據戰後國民政府接收滿洲醫科大學時稱：「其校舍之雄壯，設備之精緻，實為偽滿教育界所鮮有。其學生之入學資格，雖不限于國籍，然考試頗難，其錄取比率常在千分之幾……。現該校分醫學、專門、藥學三部，醫學部內科分德國醫學系、日本醫學系（前者以德文為主，後者以英日文為主）。修業年限為八年，全醫學部之人數尚不足百名。專門部分耳目口鼻科、齒科、外科、小兒科等六科，其修業期限除外科、小兒科規定六年外，其餘暫定四年。如期滿考試不及格者，仍不得畢業。藥學部係將前藥劑師養成所改開而成，畢業年限定為四年，全藥學部學生約五十名。該校因功課繁重，考試過嚴，故全校學生尚不足六百名。該校中國學生約占百分之十弱。因該校修業年限既長，每日又半日實習，故其畢業生成績及待遇，均為偽滿醫學生之冠。」[38] 即可知該校為全滿洲醫學校之翹楚。

　　日本投降後，10 月滿洲醫科大學由八路軍管理，翌月由蘇聯軍接手；1946 年 4 月 29 日，由中華民國政府接收，當時改名為中長鐵路醫科大學，嗣又改為國立鐵路醫學院，7 月又改為國立瀋陽醫學院，由徐誦明任校長。[39] 1948 年 11 月瀋陽再度為中共管轄，1949 年 2 月改為中國醫科大學以迄於今。[40]

38　中國第二歷史檔案館，〈偽滿大學教育實況及抗戰勝利後整理意見（三）〉，《民國檔案》（南京），2001.4，頁 33-34。

39　另一說是 1945 年 8 月到 11 月改名為中長鐵路醫學院，校長是張伯森和卡琴扣（蘇聯人）。1945 年 11 月至 1946 年 4 月，改為鐵路醫學院，校長董其改；7 月改為瀋陽醫學院，校長徐誦明。

40　中國醫科大學最早為中共因戰爭需要於 1931 年 11 月創辦的醫科高等學校，位在蘇區（江西）瑞金，原名紅軍軍醫學校，後改名中國工農紅軍衛生學校，為因應長征，學校不斷遷徙，1936 年遷至陝北；也不斷改名，1940 年才改為中國醫科大學，位於延安。1945 年 8 月日本投降後，學校遷至東北，初設在哈爾濱。1948 年 11 月中共軍隊攻下瀋陽後，乃遷至瀋陽，接收國立瀋陽醫學院和原私立遼寧醫學院而成。見遼寧省衛生志編纂委員會編，《遼寧省衛生志》（瀋陽：遼寧古籍出版社，1997），頁 493-494。

回日本後的滿洲醫科大學畢業生，1951 年在東京雅敍園舉行滿洲醫科大學四十周年記念式並發行《滿洲醫科大學四十周年記念誌附業績集》。1976 年籌組滿洲醫科大學史編集委員會，二年後完成《滿洲醫科大學史》。[41]

2. 南滿醫學堂的畢業生：由 1911 年起開始招生，到 1924 年不再招收學生，該年肄業生則到 1929 年才畢業。[42] 臺灣人第一個自南滿醫學堂畢業的是呂耀唐，何以他會赴滿洲求學？呂耀唐之父呂震妙（一字宏輝，或寫成候輝）是澎湖白沙庄瓦硐人，秀才。[43] 臺灣割讓後，因不滿日本兵打他一巴掌而決定保留清國籍，[44] 而在 1897 年年初（農曆丙申年 12 月 26 日）挈眷回廈門，寄居馬巷陳坂鄉，後再遷金門東村，其三子呂耀唐即誕生於此。[45] 呂氏全家在 1909 年 7 月 30 日才向臺灣總督府申請日本籍，並回澎湖。[46] 他就讀南滿醫學堂之前，與同班同學、出身福建的黃丙丁[47] 都讀南滿中學堂豫科，[48] 兩人的保人都是廈門旭瀛書院的校長岡本要八郎，黃丙丁畢業自旭瀛書院，[49] 呂耀唐亦有可能同校，並結伴前往滿洲。第二位林伯輝，是臺北人。[50]

第三位是 1925 年畢業的戴神庇。戴亦為澎湖白沙庄瓦硐人，與呂耀唐是表兄弟。按戴家原住中寮，後遷瓦硐，來瓦硐第一世戴媽功娶瓦硐人呂香娘，生五男三女，戴次子錦潤生有兩子，長添棟（又稱棟）、次神庇；而媽功的三女旦則嫁呂震妙，[51]

41　滿洲醫科大學輔仁會，《會員名簿》，不著頁數，〈滿洲醫科大學、專門部附屬藥學專門部、附屬看護婦養成所沿革略〉

42　滿洲醫科大學，《滿洲醫科大學一覽》，頁 149。

43　《臺灣總督府公文類纂》，文件號：00417-01，乙種永久保存，第十七門教育學術，學校，49 卷，1899 年，〈明治三十一年末學校一覽表（1899 年 09 月 15 日）〉。

44　許雪姬訪問、丘慧君紀錄，〈戴秀麗、秀美姊妹訪問紀錄〉，《口述歷史》6（1995.7），頁 101-102。依戴秀麗對其姑丈呂宏輝的描述是：「澎湖發生鼠疫那年，日本人為了怕疫情擴大，特將澎湖每户人家噴灑消毒一番，並於消毒作業完畢的民宅牆壁上，打個 × 作為記號，以便有所區別；沒想到二姑丈從外頭歸來，不知此事，且嫌它難看，二姑丈就動手把記號擦掉，剛好被從隔鄰完成消毒作業的日本兵看到，就不由分說地上前給了二姑丈一巴掌。二姑丈一氣之下，就帶了家眷搬到廈門去住，後來生了三個兒子，老大、老二在廈門港開一間漁行。」

45　許益超，〈瓦硐呂氏族譜〉，未刊稿。此譜參考〈震妙家藏家譜〉、〈呂東族譜〉、〈呂求族譜〉而編。呂震妙生於 1859 年 9 月 1 日（農曆 8 月 5 日），卒於 1918 年 7 月 28 日。

46　許雪姬，〈澎湖的人口遷移：以白沙鄉瓦硐村為例〉，收入張炎憲主編，《中國海洋發展史論文集》（三）（臺北：中央研究院中山人文社會科學研究所，2002），頁 92。

47　黃丙丁，字燧光，福建晉江縣人，1901 年生，南滿醫學堂畢業，後任南滿醫學院醫員、滿洲醫科大學助手及講師、日本東北帝大醫學部副手，並在東北帝大取得博士學位。回福建後任福建省政府技術專員。見外務省情報部編纂，《現代中華民國滿洲帝國人名鑑》（東京：財團法人東亞同文會，1937），頁 185。

48　《滿洲醫科大學檔案》，JD24,3，〈南滿醫學堂卒業生學籍簿〉，黃丙丁、呂耀唐。黃的住址是福建晉江縣泉州城內察仔街；呂的住址是福建省思明縣廈門港打石字街。

49　中島利重，《米壽の語り》（東京：中島利重先生の米壽を祝う會，1984），頁 52。

50　《滿洲醫科大學檔案》，JD24,3，〈南滿醫學堂卒業生學籍簿〉，林伯輝在學籍簿上的本籍是福建省閩縣，寄留地是福建省福州南台泛船埔。

51　許益超，〈澎湖瓦硐戴姓族譜〉，未刊稿。

即呂耀唐母。戴神庇入學時籍貫是福建廈門,至 1924 年才改籍臺灣。[52] 1926 年畢業生中的臺灣人除戴神庇外,還有謝文燦與蘇永隆兩人。[53]

謝文燦為豐原人,父謝秋涫為謝道隆之子。謝秋涫在 1909 年底赴大連醫院任職,就不再回臺,將事業重點放在新京,謝文燦為其長子。[54] 蘇永隆則是高雄州岡山郡湖內庄人,他遠赴滿洲學醫,卻因病而於 1926 年亡故,亦即畢業(5 月)後亡故。[55]

以上五人:呂耀唐、林伯輝、戴神庇、謝文燦、蘇永隆都以福建籍的身分入學。1927 年畢業的戴耀閣、王標則以臺灣籍的身分入學。戴耀閣是戴神庇的堂弟,父戴錦世,字逢年。在臺南白金町開「安步鞋店」,以後投資道安堂藥房而致富。但後因投資養蜂與打撈業,導致周轉不靈,乃結束鞋店遷到廈門投靠呂震妙。這時正好是戴耀閣在滿洲醫科大學最後一個學期。[56] 王標是臺中州豐原郡神岡庄圳堵人,[57] 畢業後留在南滿醫學堂附屬醫院耳鼻咽喉科研究。[58] 回臺後在虎尾開設慈濟醫院。[59]

1928 年畢業的林漢是最後一個出身南滿醫學堂的臺灣人,同年共有 18 名畢業生。[60] 林漢,1901 年生,是臺南州斗六郡莉桐庄人,他的保證人是撫順天生醫院院長梁宰;而林漢的成績十分優良,在學四年中,第一年、第三年、第四年都得到滿鐵社長頒發的優等賞。[61] 畢業後回斗六開仁德醫院。[62]

3. 滿洲醫科大學醫學部畢業生:誠如上述,南滿醫學堂於 1922 年改為滿洲醫科大學。學校分新舊兩制,舊制預科兩年、本科四年(後改為預科三年、本科四年),附設藥學系四年。新制醫本科六年。附設有一設備完善的醫院,設七百張病床,還附設高級職業護士學校、助產學校各一。醫科分設解剖、生理、生理化學、病理、寄生蟲、藥理、衛生、微生物、法醫學九科;研究所有解剖、生理、病理、細菌、藥理、內科、外科、放射線科。[63]

52　《滿洲醫科大學檔案》,JD24,3,〈南滿醫學堂卒業生學籍簿〉。
53　滿洲醫科大學,《滿洲醫科大學一覽》,頁 148。
54　《滿洲醫科大學檔案》,JD24,3,〈南滿醫學堂卒業生學籍簿〉。
55　《滿洲醫科大學檔案》,JD24,3,〈南滿醫學堂卒業生學籍簿〉。
56　許雪姬訪問、丘慧君紀錄,〈戴秀麗、秀美姊妹訪問紀錄〉,頁 100-101;《滿洲醫科大學檔案》,JD24,3,〈南滿醫學堂卒業生學籍簿〉。兩姊妹的父親即戴逢年,兄長為戴耀閣。
57　《滿洲醫科大學檔案》,JD24,3〈南滿醫學堂卒業生學籍簿〉,本籍福建省思明縣廈門港關刀河。
58　興南新聞社,《臺灣人士鑑》(臺北:興南新聞社,1943),頁 69。
59　興南新聞社,《臺灣人士鑑》(1943),頁 69。
60　滿洲醫科大學,《滿洲醫科大學一覽》,頁 149。
61　《滿洲醫科大學檔案》,JD24,3,〈南滿醫學堂卒業生學籍簿〉。
62　《滿洲醫科大學檔案》,JD24,3,〈南滿醫學堂卒業生學籍簿〉。
63　郭衛東主編、劉一皋副主編,《近代外國在華文化機構》(上海:上海人民出版社,1993),頁 392。

至於取得學位，其考試的科目則為解剖學、生理學、醫化學、微生物學、病理學、藥物學、衛生學、法醫學、眼科學、耳鼻咽喉科學、精神病學、小兒科學、皮膚泌尿器科學、內科學、外科學、產婦人科學、支那語。[64]

滿洲醫科大學的臺灣人畢業生有將近40位。其中名醫孟天成畢業於臺灣總督府醫學校第三屆，[65]後又入滿洲醫科大學進修，於1936年取得博士學位。[66]和孟天成同一情形的有王洛（原名王世恭）、[67]江塗龍與簡仁南。[68]

表3-2　滿洲醫科大學醫學部臺籍畢業生名單

*括弧內為學籍簿所登記的籍貫

畢業年代	人數	畢業者
1932年	1名	王大樹
1933年	1名	章榮基（廣東）
1935年	2名	江塗龍、陳松齡
1936年	2名	許燦淵、謝文炫（廣東）
1937年	2名	梁炳元、林秀模
1938年	3名	徐裕增（福建）、劉泗洲、廖涼棟
1939年	3名	黃永盛、洪鴻儒、梁松文（福建）
1940年	4名	周壽源（福建）、章榮熙（吉林）、劉萬、林樹敏
1941年	7名	郭英啟、蘇耀輝、張金財、陳有德、陳東海、林昌德、楊崑松
1942年	2名	黃深智（龍江）、林秀梯（奉天）
1943年	3名	施義德（奉天）、張登川（奉天）、陳永福
1944年	2名	陳守仁（興安南）、葉敏盛（福建）
1947年	4名	曾森林、楊有務、張華山、傅宏成[69]
1949年	2名	梁育明、徐德龍
不明年份	2名	張少基、楊鐘靈[70]

資料來源：滿洲醫科大學，《滿洲醫科大學一覽》，頁147-165。

64　《滿洲醫科大學檔案》，JD24,38（24），〈滿洲醫科大學昭和十年學籍簿〉。支那語後改為華語、皮膚科改為皮黴科。
65　景福基金會，《國立台灣大學景福校友通訊錄》（臺北：景福基金會，1992），頁1。
66　滿洲醫科大學，《滿洲醫科大學一覽》，頁149。
67　王世恭畢業於本校專門部；吳銅，《臺灣醫師名鑑》（臺中：臺灣醫藥新聞社，1954），頁35。
68　滿洲醫科大學，《滿洲醫科大學一覽》，頁197。江塗龍畢業於本校本科，簡仁南畢業於臺灣總督府醫學校，又到日本醫專留學。
69　傅宏成為傅元暄之子，新竹人。
70　吳銅，《臺灣醫師名鑑》，頁83、122。

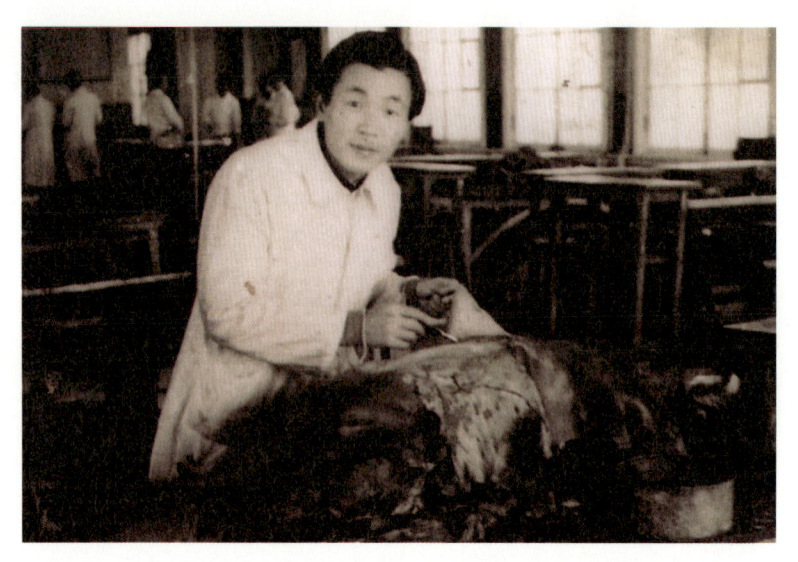

圖 3-1　就讀於滿洲醫科大學的施義德，在人體解剖課中（施義德先生提供）

圖 3-2　滿洲醫科大學（1943 年畢業）同班同學合照
　　　　第三排左起第四位為施義德（施義德先生提供）

有關滿洲醫科大學的臺人畢業生，除籍貫登記臺灣者外，尚有非登記臺籍者，一是章榮基，是新竹人，[71] 用廣東籍可能係祖籍；謝文炫，父謝秋涫改籍廣東，臺中州豐原郡潭子人，其祖父為謝道隆，抗日失敗回廣東，局勢穩定才回臺，[72] 兄為謝文燦。[73] 徐裕增登記為福建龍溪籍，但其保證人兄徐福安，則住在臺南州新豐郡安順庄，可見為臺籍。[74] 梁松文亦登記為福建籍，梁松文為臺南新化梁宰之侄，[75] 周壽源亦籍福建，實為鹿港人，其保證人為叔父周松坡，據載擔任官吏，籍奉天瀋陽，住在東京麻布區櫻田町，這是滿洲國駐日大使館的地址，可能是外交人員，[76] 但據其表弟施義德言，周壽源號松坡，[77] 如果上述證言屬實，則可見周壽源的學籍資料不實。他畢業後一度在北京行醫，戰後回臺開業於臺北。[78] 章榮熙登記吉林籍，他是章榮基之弟，新竹人。[79] 黃深智登記龍江省，[80] 換言之取得滿洲國國籍；他是滿洲醫科大學專門部畢業之彰化人黃順記之三弟，黃順記自1933年畢業後即在滿洲就職，後開設博愛醫院於開原；[81] 黃深智原為專門部學生，後轉考入大學部。[82] 林秀梯為林秀模之弟，羅東人，但籍設奉天市城內大東門分所。[83] 陳守仁登記的籍貫為興安南省，亦已取得滿洲國國籍，原為彰化秀水人；[84] 葉敏盛登記為福建籍，本籍為廈門，[85] 實則他是臺北人，學耳鼻咽喉科，回臺後曾任順光醫院醫師、木柵、

71　菅武雄，《新竹州の情勢と人物》（新竹：出版單位不詳，1938），頁170-171。

72　謝秋涫赴滿洲後，於1925年向長春縣衙申請，將全家恢復中華民國國籍，以廣東省蕉嶺縣為籍貫，登記入當地戶籍冊。謝家在戰後，部分家屬留在北京，文革時被下放，文革結束後藉平反的機會，將全家人改為臺灣籍，再經多方奔走，才將謝文煥（秋涫子）之子謝玉水轉回北京。謝東漢、吳餘德，《徘徊在兩個祖國》（上冊），頁176、180。

73　〈居住長春台灣省民名簿〉（1946年1月28日），中國南京第二歷史檔案館藏；《滿洲醫科大學檔案》，JD24,13，〈南滿醫學堂畢業生名簿〉，謝文燦。

74　《滿洲醫科大學檔案》，JD24,41，〈滿洲醫科大學昭和十三年學籍簿〉。

75　《滿洲醫科大學檔案》，JD24,43，〈滿洲醫科大學昭和十四年學籍簿〉；吳銅，《臺灣醫師名鑑》，頁253。

76　《滿洲醫科大學檔案》，JD24,45，〈滿洲醫科大學昭和十五年學籍簿〉。

77　許雪姬訪問、紀錄，〈施義德先生訪問紀錄〉，《日治時期在「滿洲」的台灣人》，頁4。

78　滿洲醫科大學輔仁會，《會員名簿》，頁29。

79　吳銅，《臺灣醫師名鑑》，頁6。

80　滿洲國成立後，於1934年將原東三省先劃成九省，即奉天、安東、錦州、吉林、濱江、三江、間島、龍江、黑河，以後又細分而增加北安、東安、牡丹江、通化、四平、熱河、興安東、興安西、興安南、興安北省，共十九省。見豐田要三編纂，《滿洲帝國概覽》（新京：滿洲事情案內所，1942），頁382。

81　許雪姬訪問，吳美慧紀錄，〈黃順記先生訪問紀錄〉，《口述歷史》6（1995.7），頁201-202。

82　《滿洲醫科大學檔案》，JD24,47，〈滿洲醫科大學昭和十六年學籍簿〉。

83　《滿洲醫科大學檔案》，JD24,47，〈滿洲醫科大學昭和十六年學籍簿〉。

84　吳銅，《臺灣醫師名鑑》，頁130。

85　《滿洲醫科大學檔案》，JD24,52，〈滿洲醫科大學昭和十九年學籍簿〉。

三芝鄉衛生所主任。[86]

何以明明是臺籍，卻要登記為不同的籍貫，是否滿洲醫科大學有籍貫比例的限制，還是用中國或滿洲的籍貫較容易錄取？由於史料不足，無法分析出原因。

以上醫科大學畢業生大半都在終戰前畢業，但楊有務、張華山、曾森林則畢業於瀋陽醫學院時期。[87]楊有務，屏東高樹人，先就讀日本山陽中學預科，醫科畢業後曾任省立臺東醫院醫師、高樹鄉衛生所主任。[88]張華山，臺北人，新京一中預科畢業後考入；[89]曾森林，屏東人，畢業後在屏東醫院服務，1948年在內埔設北辰醫院。[90]徐得龍則在改為中國醫科大學時才畢業，[91]畢業後留在大連未回臺。另有新竹人傅宏成，戰後回臺，在臺中開設傅外科醫院。[92]還有臺南人梁育明，為天生醫院醫師梁宰之子，戰後留在瀋陽，完成學業。[93]

4. 滿洲醫科大學專門部畢業生：共45人。所謂專門部在1922年滿洲醫學堂改為滿洲醫科大學時，是以大學別科的形態出現；到1925年才正式改為專門部。專門部和大學部的差別在，大學先讀三年預科再讀四年本科，專門部修業期限則是四年，[94]專門部不具大學資格。1929年專門部有了第一期畢業生，但到1931年1月因故中止了專門部學生的招收。[95]然而由於滿洲建國後第二年（1933，即大同2年）霍亂自營口、大連發生，漸由滿鐵鐵路沿線蔓延，只通遼一處已有七百個死亡者，民生部乃設檢疫所並派醫官隨時檢查治療。為了共同防疫，民生部乃求助於關東廳。滿鐵及軍部在各主要都市設公立醫院，在鄉下設公醫，但是因為醫師人數不足，[96]故在1933年恢復招收專門部，[97]四年後依醫師管理規則給予開業許可。[98]為了鼓勵非日籍的滿洲（中）國人學生入學，因此只要是滿洲籍或中國籍者入學可以免費。因此臺灣人為了要免費就讀醫學院，莫不冒籍為中國人。[99]這種差別待遇所遭致

86　吳銅，《臺灣醫師名鑑》，頁15。
87　《滿洲醫科大學檔案》，JD24,128，〈滿洲醫科大學民國卅六年畢業學生登記表〉。
88　吳銅，《臺灣醫師名鑑》，頁284。
89　《滿洲醫科大學檔案》，JD24,128，〈滿洲醫科大學民國卅六年畢業學生登記表〉。在《滿洲醫科大學輔仁會會員名簿》中，稱其下落不明，見該書，頁41。
90　吳銅，《臺灣醫師名鑑》，頁301。
91　許雪姬訪問、蔡說麗紀錄，〈梁金蘭、梁育明姊弟訪問紀錄〉，頁319。
92　臺灣省醫師公會印行，《臺灣省醫師公會所屬各縣市局醫師公會會員名冊》，頁137。
93　許雪姬訪問、蔡說麗紀錄，〈梁金蘭、梁育明姊弟訪問紀錄〉，頁315。
94　許雪姬訪問、吳美慧紀錄，〈黃順記先生訪問紀錄〉，頁198。
95　滿洲醫科大學，《滿洲醫科大學一覽》，頁9-14。
96　中溝新一編輯，《滿洲年鑑》（五）（大連：滿洲文化協會，1933），頁503，〈共同防疫〉。
97　滿洲醫科大學，《滿洲醫科大學一覽》，頁13。
98　中溝新一編輯，《滿洲年鑑》（五），頁503，〈共同防疫〉。
99　見表3-3滿洲醫科大學專門部臺籍生畢業名單。

的冒籍問題，在清初臺灣有秀才名額時，其他省份（尤其閩、粵）的學子紛紛來臺應試，[100] 如出一轍。

1935年10月起對入學的滿洲（中）國人學生收取一半的學費，[101] 1936年11月，專門部學生每年招收60名。1939年4月大學專門部增設附屬豫備科。1938年4月，滿洲（中）國人免收學費的優待停止，臺灣人已無冒籍的必要。[102] 因此1938年以後畢業者，冒籍的情形減少，不過這也意味著臺人入專門科的學生也減少了。以下將入專門部的臺灣人列表敘述如下：

表3-3　滿洲醫科大學專門部臺籍生畢業名單

*括弧內為學籍簿所登記的籍貫

畢業年	人數	畢業生名
1931年	1名	王世恭（福建）
1932年	1名	楊藏興（福建）
1933年	3名	李德彰（福建）、黃順記（福建）、彭春水（福建）
1934年	6名	吳昌禮（福建）、梁成（福建）、黃昌名（福建）、楊金涵（福建）、楊毓奇（福建）、孫崧芳（廣東）
1935年	2名	林清南（福建）、楊藏德（福建）
1937年	11名	王祖堦（福建）、林元晃（福建）、林老銓（福建）、林肇基（福建）、柯雲鳳（福建）、洪禮峰（廣東）、張宗池（福建）、章榮秋（吉林）、楊藏銥（福建）、廖永堂（福建）、鄭信章（浙江）
1938年	10名	王火炎（廣東）、林欽明（河南）、林肇周（湖北）、黃演敏（山西）、楊德昭（福建）、劉建停（廣東）、謝知母（廣東）、蔡啟獻（福建）、鄭國輝（福建）、莊金城（浙江）
1939年	5名	洪禮卿、吳大杉、張嵩山（福建）、黃西時、廖泉生
1940年	2名	高夢雄、劉建止
1941年	1名	高進紀、劉光業（錦州）
1942年	3名	謝久子（廣東）、林宗輝（河北）、張泰山（福建）

資料來源：滿洲醫科大學，《滿洲醫科大學一覽》，頁167-173。

1935年4月以前，由於滿洲（中）國人入學均可免交學費，而1938年4月以前滿洲（中）國人可享減半學費，因此冒籍的情況相當嚴重，大半用的是福建籍，

100　周鍾瑄，《諸羅縣志》，臺灣文獻叢刊第141種，卷5學校志，頁80，「諸羅建學三十年，撥科多內地寄籍者。庠序之士，泉、漳居半，興、福次之，土著寥寥矣！」
101　滿洲醫科大學，《滿洲醫科大學一覽》，頁9-14。
102　滿洲醫科大學，《滿洲醫科大學一覽》，頁9-14。

圖 3-3　1933 年畢業於專門部的黃順記（黃順記先生提供）

有 20 人；洪禮峰、孫崧芳、王火炎、劉建停、謝知母等 4 人冒廣東籍；冒閩、粵兩籍均係因兩地是臺人的原鄉。辨識其冒籍主要的線索是戰後編輯的《臺灣醫師名鑑》，另外則是因彼此的親戚關係而得知，最能代表的一例是潭子三兄弟，林欽明，行三，冒河南籍，他是潭子人，父親林春木，[103] 他有一個堂兄林肇周，冒河北籍，一個兄長林肇基冒用福建籍。林欽明籍設河南省西平縣范堂村頭家厝十三號，[104] 可能是原始的祖籍地；林肇周依《滿洲醫科大學一覽》載為湖北籍；但依滿洲醫科大學的學籍簿是臺灣，主要是 1938 年以後不再優待中國人，因此林肇周才在 1940 年 6 月 23 日轉為潭子原籍。[105] 林肇基一直保留福建籍，籍設福建省思明縣廈門大走馬路。[106] 他是謝秋濤的女婿，也是小同鄉。

鄭信章是新竹人，本籍設在浙江省嘉興縣，[107] 他在 1937 年 12 月 1 日（畢業當年）登錄為滿洲國醫時已改籍臺灣。[108] 黃演敏，臺中州東勢郡石岡鄉人，[109] 他登記為山西省孝義縣人，其兄黃演淮 1935 年任新京法政大學教授。[110] 1938 年 6 月 23 日在醫科大學專門部主事的訓誡下，改為臺灣籍。[111] 莊金城，臺南人，卻以浙江紹興為本籍，且畢業於龍溪高級中學；他與黃演敏同在 1938 年 6 月 13 日提出改為臺灣籍的申請。[112]

至於劉光業為錦州籍，可能已入滿洲國籍，他回臺後，曾任臺中空軍醫院院長，退休後到廖泉生的仁愛綜合醫院任副院長。[113]

前已述及 1938 年後對以滿洲（中）籍入學者不再有優待，臺人也就改回了臺灣籍已如上述。[114] 也有人在這之前被發現偽造籍貫而被開除者，此人為魏木源，被退學的理由是申請入專門部第一學年時，將原籍地寫為中華民國河北省密縣廣泰益，因此得到入學許可。以後證明他的原籍地是彰化，就叫他本人出來接受質問，他自白確係如此無誤，此行為有違專門部的校規，因此在 1935 年 5 月 16 日召開教

---

103 臺灣新民報社，《臺灣人士鑑》（臺北：臺灣新民報社，1937），頁 448。
104 《滿洲醫科大學檔案》，JD24,54,〈滿洲醫科大學專門部昭和十二年學籍簿〉。
105 《滿洲醫科大學檔案》，JD24,54,〈滿洲醫科大學專門部昭和十二年學籍簿〉。
106 《滿洲醫科大學檔案》，JD24,54,〈滿洲醫科大學專門部昭和十二年學籍簿〉。
107 《滿洲醫科大學檔案》，JD24,54,〈滿洲醫科大學專門部昭和十二年學籍簿〉。
108 國務院總務廳編，《滿洲國政府公報》，第 1369 號，康德 5（1938）年 10 月 29 日，頁 587。
109 黃五常族譜續編委員會，《黃五常派族譜續編》（臺中：該會，1995），頁 87。
110 中西利八編纂，《滿華職員錄》（東京：滿蒙資料協會，1942），頁 54。
111 《滿洲醫科大學檔案》，JD24,54,〈滿洲醫科大學專門部昭和十二年學籍簿〉。
112 《滿洲醫科大學檔案》，JD24,54,〈滿洲醫科大學專門部昭和十二年學籍簿〉。
113 方玉珍、郭紫筠，《乘願藥師如來：廖泉生回憶錄》（臺中：財團法人仁愛綜合醫院，2000），頁 14、54。
114 如林宗輝，在華北中學讀了兩年，再入專門部，本籍登記為河北省赤城縣，後來就改為臺灣。見《滿洲醫科大學檔案》，JD24,62,〈滿洲醫科大學專門部昭和十七年卒業生學籍簿〉。

圖 3-4　林欽明在滿洲醫科大學校園（林正南先生提供）

授會議決定予以除籍，這時魏木源是二年級。至於他為了旅行而存在學校的錢，可以退回。[115]

遼寧省檔案館留下滿洲醫科大學大學部、專門部的資料中，包括：本籍、現住所、入學前（就讀何校）、入卒（入學、畢業時間）、事故（在學間發生的事）、性質（品行評語）、操行（思想方面評量）、趣味嗜好、保證人（保證人一到二名，記明保證人姓名、職業、現住所、與保證人的關係），最後一欄是成績，因而得以知道部分臺籍學生課業的表現。另外也留下畢業時必須通過的學門及其考試和通過時間、成績，以梁炳元為例，他的畢業考科目有解剖學（良）、生理學（良）、醫化學（良）、病理學（良）、藥物學（良）、微生物學（可）、衛生學（良）、法醫學（優）、內科學（良）、外科學（良）、小兒科學（優）、精神病學（可）、眼科學（優）、產婦人科學（良）、耳鼻咽喉科學（可）、皮黴科學（可）、華語（優）。[116]

臺灣學生中成績最佳的當推王洛、林老銓和楊金涵。王洛在昭和三、四、五年度都是特待生；且自1929年4月4日起到1931年3月止，每個月由滿鐵給予20元學資金，畢業時因成績優良，得到滿鐵總裁賞。[117] 林老銓，臺南新化人。成績自一年級起到畢業都是全班第一名。[118] 楊金涵，亦為臺南新化人，在昭和六、七、八、九年度皆為特待生，名列第二名，畢業時得到滿鐵總裁賞。[119] 其他如臺南新化郡左鎮人李德彰，有兩年第一名、一年第二名、一年第三名。[120] 彰化縣線西人黃順記，他兩年第一名、兩年第三名。[121] 臺北人吳昌禮，兩年第一名、兩年第五名。[122] 臺南人黃昌名，兩年第六名、一年第五名、一年第四名。[123] 鹿港人楊毓奇除一年補考未計分數外，其他三年成績兩年第三名、一年第五名。[124] 林元晃，桃園人，兩年第八名、一年第七名、一年第六名。[125] 黃演敏，兩年第六名、一年第四名、一年第二名。[126] 莊金城一年第二名、一年第四名、一年第五名、一年第八

---

115 《滿洲醫科大學檔案》，JD24,116-1，〈滿洲醫科大學昭和十年五月至十四年五月休學及退學的文件〉，學內庶第一四七號，昭和十年五月十八日，〈生徒學籍ニ關スル件〉。

116 《滿洲醫科大學檔案》，JD24,35，〈滿洲醫科大學昭和八年學籍簿〉。當時成績分為四等，一為秀，二為優，三為良，四為可。

117 《滿洲醫科大學檔案》，JD24,54，〈滿洲醫科大學專門部昭和四年至十年學籍簿〉，頁35。

118 《滿洲醫科大學檔案》，JD24,54，〈滿洲醫科大學專門部昭和四年至十年學籍簿〉，頁12。

119 《滿洲醫科大學檔案》，JD24,54，〈滿洲醫科大學專門部昭和四年至十年學籍簿〉，頁113。

120 《滿洲醫科大學檔案》，JD24,54，〈滿洲醫科大學專門部昭和四年至十年學籍簿〉，頁73。

121 《滿洲醫科大學檔案》，JD24,54，〈滿洲醫科大學專門部昭和四年至十年學籍簿〉，頁83。

122 《滿洲醫科大學檔案》，JD24,54，〈滿洲醫科大學專門部昭和四年至十年學籍簿〉，頁100。

123 《滿洲醫科大學檔案》，JD24,54，〈滿洲醫科大學專門部昭和四年至十年學籍簿〉，頁105。

124 《滿洲醫科大學檔案》，JD24,54，〈滿洲醫科大學專門部昭和四年至十年學籍簿〉，頁115。

125 《滿洲醫科大學檔案》，JD24,54，〈滿洲醫科大學專門部昭和十二年學籍簿〉，頁13。

126 《滿洲醫科大學檔案》，JD24,54，〈滿洲醫科大學專門部昭和四年至十年學籍簿〉，頁11。

名。[127] 劉建停，兩年第一名、一年第二名、一年第三名。[128] 吳大杉，一年第一名、兩年第二名、一年第六名。[129]

唯一的女醫生謝久子，其兄謝文燦、謝文炫都畢業於大學部，她畢業於專門部，有三年是第二名、一年是第六名。[130]

另有一位原本成績平平，到畢業那年卻拿到第一名，即劉建止，五年成績是第七、第十二、第十二、第九，到畢業時平均 90 分，在全班 53 人中拔得頭籌。[131] 劉建止和謝久子兩人結為夫妻。

雖然臺籍生的表現頗為亮麗，但也有表現平平者，如新化人王火炎，畢業於嘉義中學，1932 年入滿洲醫科大學預備科，翌年 3 月由大學部轉到專門部，第一年敬陪末座，第二年二十三名，第三年又墊底，第四年十七名已有起色，畢業那一年二十五名。[132]

黃深智原在 1934 年入專門部就讀，卻在第二學年退學轉入大學預科第一學年就讀。[133]

此外專門部學生在學中因生病或其他事故休學的如高夢雄，澎湖人，[134] 他在專門部第一年時即在 1935 年 9 月 1 日至 1936 年 3 月 31 日，因肺尖炎而休學；[135] 因屆時未癒，又自 1936 年 4 月 1 日起請假到同年 8 月 31 日。[136] 專門部三年級的鄭國輝也因病自 1935 年 11 月 20 日請假到 1936 年 11 月，整整病假一年。[137]

5. 滿洲醫科大學藥學專門部：1937 年 5 月滿洲醫科大學公布附屬藥學專門部設立規程，命山下泰藏教授為主事。第一屆學生於 6 月入學；1939 年 4 月藥專門部設置預備科。[138] 藥學系分生藥學、分析化學、微生化學、微生物學、藥工學、

127　《滿洲醫科大學檔案》，JD24,54，〈滿洲醫科大學專門部昭和四年至十年學籍簿〉，頁 12。
128　《滿洲醫科大學檔案》，JD24,54，〈滿洲醫科大學專門部昭和四年至十年學籍簿〉，頁 38。
129　《滿洲醫科大學檔案》，JD24,59，〈滿洲醫科大學專門部昭和十四年學籍簿〉，頁 8。
130　《滿洲醫科大學檔案》，JD24,62，〈滿洲醫科大學專門部昭和十七年學籍簿〉，頁 15。
131　《滿洲醫科大學檔案》，JD24,60，〈滿洲醫科大學專門部昭和十五年學籍簿〉。
132　《滿洲醫科大學檔案》，JD24,56，〈滿洲醫科大學專門部昭和八年三月至十年九月學籍簿〉。
133　《滿洲醫科大學檔案》，JD24,116-1，〈滿洲醫科大學昭和十年五月至十四年五月休學及退學の文件〉，頁 32，黃深智退學願，昭和十年四月五日。
134　〈1937 年 7-9 月外國旅券下付表〉，識別號：T1011_03_154，中央研究院臺灣史研究所檔案館「臺灣史檔案資源系統」，http://tais.ith.sinica.edu.tw/sinicafrsFront/index.jsp。澎湖廳馬公街人。
135　《滿洲醫科大學檔案》，JD24,116-1，〈滿洲醫科大學昭和十年五月至十四年五月休學及退學の文件〉，頁 91，生徒休學願出ノ件，昭和十年九月二十一日。
136　《滿洲醫科大學檔案》，JD24,116-1，〈滿洲醫科大學昭和十年五月至十四年五月休學及退學の文件〉，頁 150，生徒休學願出ノ件。
137　《滿洲醫科大學檔案》，JD24,116-1，〈滿洲醫科大學昭和十年五月至十四年五月休學及退學の文件〉，頁 121，生徒休學願出ノ件，專門部三年鄭國輝。
138　滿洲醫科大學輔仁會，《會員名簿》，不著頁數，〈滿洲醫科大學、專門部附屬藥學專門部、附

圖3-5 1942年謝久子與劉建止在遼陽的婚禮紀念照，依序：1.謝久子的三哥文煥；2.大嫂；3.大媽傅謙；4.二哥文炫；5.父親謝秋涫；6.大伯劉建停（時在遼陽開業醫）；7.弟弟文火；8.三嫂；9.四嬸謝秋濤妻劉阿純；10.母親日本人西山鈴（謝久子女士提供）

圖3-6 戰後回臺前謝久子與劉建止全家與母親西山鈴，在北京合影。
（謝久子女士提供）

藥物學、藥局學等七科。[139] 在藥學部學生的名單中，《滿洲醫科大學一覽》缺昭和十八年度入學名單，遼寧檔案館的資料到昭和十八年度，滿洲醫科大學校友會輔仁會所編的名簿最為完整。就讀學生自第六屆（昭和十九年畢）起，非日籍的比例已非常低，而第六屆中有四位行蹤不明者顯係滿洲人，而非臺人。[140] 茲分年敘述臺籍學生入學年、姓名如下：

表 3-4　滿洲醫科大學藥學部臺籍生入學名單

*括弧內為學籍簿所登記的籍貫

入學年	人數	人名
1940 年（第一回）	1 人	林青娥
1941 年（第三回）	4 人	蘇世昌、郭毓文、王水柳（浙江）、楊克義（河北）
1942 年（第四回）	4 人	黃再的、施世傳、楊元統、周壽灶（吉林）
1943 年（第五回）	2 人	陳振茂、周萬清（浙江）[141]

資料來源：滿洲醫科大學輔仁會，《會員名簿》，頁 57-59。

　　此處仍有第一學年入學用假籍貫的現象，是否藥學專科亦有某些優待滿洲（中）國人的特殊條款，然史料不足徵。林（謝）青娥為林肇基之妻，是謝秋濤的女兒。[142] 蘇世昌可能是臺北人，回臺後在木柵開大橋藥局。[143] 楊克義回臺後在高雄鹽埕區開宏明藥局。[144] 王水柳回臺後在鹿港開設益和藥局。[145] 郭毓文的行蹤不詳。

　　1942 年入學的黃再的，是黃順記的堂兄，他娶滿洲女子為妻，結婚時對方以 20 天地（一天地為七分田）為嫁妝。戰後中共入開原，該地被沒收，而黃再的沒有回臺。[146] 施世傳和王水柳是同鄉，都是鹿港人，前者回臺在鹿港鬧區開設民生藥局。[147] 他在學中成績相當不錯，1941 年第二學年、1941 年第三學年都是第一名，

屬看護婦養成所沿革略〉。
139　郭衛東主編、劉一皋副主編，《近代外國在華文化機構》，頁 3920。
140　滿洲醫科大學輔仁會，《會員名簿》，頁 60。
141　滿洲醫科大學，《滿洲醫科大學一覽》，頁 194-196。括弧內為考入時的冒籍。
142　許雪姬訪問、藍瑩如紀錄，〈謝大墉先生訪問紀錄〉《日治時期臺灣人在滿洲的生活經驗》，頁 350，〈謝道隆家系圖〉；〈附錄：謝秋濤老先生事略〉《日治時期臺灣人在滿洲的生活經驗》，頁 375。
143　滿洲醫科大學輔仁會，《會員名簿》，頁 57。
144　滿洲醫科大學輔仁會，《會員名簿》，頁 58。
145　滿洲醫科大學輔仁會，《會員名簿》，頁 58。
146　許雪姬訪問、吳美慧紀錄，〈黃順記先生訪問紀錄〉，頁 206。黃再的在 1978 年編《會員名簿》時已過世，卒年不詳。
147　滿洲醫科大學輔仁會，《會員名簿》，頁 58。

1942年是第二名，畢業考時第六名，[148]是臺籍學生中成績最佳者。楊元統則移民巴西，[149]周壽灶回臺後任職行政院衛生署藥政處。[150]

1942年畢業的陳振茂，[151]據調查他是屏東車城人，中學畢業於廣東縣立世羅中學校，父為陳進得，職業是貸地業，其母在陳振茂六歲時亡故。家有不動產40萬、動產8萬，經濟狀況不錯。[152]畢業後留在奉天鹽野義藥廠服務，[153]回臺後投身於政界，先是任臺灣省臨時省議會議員，同時任臺灣省藥劑師公會理事長、內政部藥品審查委員會委員，亦任首屆車城鄉鄉長、屏東縣立恆春醫院董事長、屏東縣議會第二屆議員。[154]周萬清回臺後任省立基隆醫院藥局長。[155]

要通過藥學專科試驗，必須考下列學科，修身、教練、體操、獨逸語（德語）、日語、羅馬語（拉丁語）、無機藥品製造學、無機化學實習、有機化學、有機實習、衛生化學、衛生實習、細菌學、裁判化學、生藥學、生藥實習、物理學。[156]

6. 滿洲醫科大學附屬醫院看護婦養成所：1912年4月5日設立，入學資格以女子中學畢業者為限，分為藥劑、助產、看護三科，學生大都是日、鮮籍，修業年限除助產士為二年外，皆為三年。畢業於藥劑、看護兩科者，可以參加醫師開業許可檢定考試。[157]第一回畢業生有11名。臺灣人女性就讀的不多，有一名洪ミツノ者，戰後住臺北，[158]很可能是嫁給臺灣人的日本女性，但也不排除是臺灣人。

滿洲醫科大學還有研究科和專修科的設置，醫科大學部畢業的廖涼棟，畢業後

148　《滿洲醫科大學檔案》，JD24,78，〈滿洲醫科大學藥學專科昭和十五年度成績原簿〉，頁101，施世傳；《滿洲醫科大學檔案》，JD24,79，〈滿洲醫科大學藥學專科昭和十六年度成績原簿〉，頁72，施世傳；《滿洲醫科大學檔案》，JD24,80，〈滿洲醫科大學藥學專科昭和十七年度成績原簿〉，頁101，施世傳；《滿洲醫科大學檔案》，JD24,83，〈滿洲醫科大學藥學專科昭和十五年至十九年試驗成績原簿，昭和十六年十二月（十七年三月）第三學年第三回成績原簿，卒業試驗，頁114，施世傳。

149　滿洲醫科大學輔仁會，《會員名簿》，頁59。

150　滿洲醫科大學輔仁會，《會員名簿》，頁58。

151　《滿洲醫科大學檔案》，JD24,83，〈滿洲醫科大學藥學專科昭和十五年至十九年試驗成績原簿〉，昭和十七年九月十九日卒業，第四回卒業成績原簿，頁143，陳振茂。

152　《滿洲醫科大學檔案》，JD24,93，112，〈滿洲醫科大學藥學專科昭和十六年四月入學生徒身上調書〉，頁11，陳振茂。

153　許雪姬訪問，何金生、鄭鳳凰紀錄，〈何金生先生訪問紀錄〉，《日治時期在「滿洲」的台灣人》，頁195-196。

154　吳巍主編，《南臺灣人物誌》（臺中：東南文化出版社，1956），頁8；〈陳振茂先生生平事略〉，收入蔡盛琦、陳世局編輯，《國史館現藏民國人物傳記史料彙編》，第37輯（臺北：國史館，2014），頁375-376。

155　滿洲醫科大學輔仁會，《會員名簿》，頁59。

156　《滿洲醫科大學檔案》，JD24,78，〈滿洲醫科大學藥學專科昭和十五年度成績原簿〉。

157　中國第二歷史檔案館，〈偽滿大學教育實況及抗戰勝利後整理意見（三）〉，《民國檔案》（南京），2001.4，頁35。

158　滿洲醫科大學輔仁會，《會員名簿》，頁69。

任滿洲國陸軍軍醫少校,自1938年到1942年5月,6月1日被任命為陸軍軍醫學校教官,向滿洲醫科大學研究科申請入學,研究期間為1942年6月16日至1943年5月31日;他的指導教授是內科原亨醫學博士。[159] 1936年以前入專修科的有撫順天生醫院醫生梁宰,內科林漢(1928.5-1929.3),外科有戴神庇(1926)、章榮基(1933)、楊藏德(1935),眼科有呂耀唐(1931.4-1932.3)、陳松齡(1935.4-10)、彭春水(1933.4),婦人科有江塗龍(1936.7),小兒科有王世恭(1931.4-1934.3)、楊藏興(1932.4),法醫學王世恭(1932.10-1933.3)。[160]

此外有解剖學謝知母、梁成;病理學楊金涵、黃永盛、王火炎;藥理學廖泉生、高進紀;法醫學謝秋濤;外科學孫崧芳、游高石。[161] 1941年後申請者留下較詳細的資料,簡述如下:王火炎入病理學稗田憲太郎醫學博士教室,畢業後在1938年4月入滿洲醫大附屬病院皮膚泌尿科服務,1939年4月就職於赤十字社奉天病院。1940年轉到梁宰的天生醫院服務,至是申請入專修科。[162] 游高石申請入外科學,受松本彰教授指導,畢業後即入鞍山滿鐵醫院外科任職,1941年受滿鐵之命到醫大做一年間的留學。[163] 謝知母申請入解剖學教室跟隨工藤喬三教授進行研究,畢業後先到奉天日本赤十字社病院皮膚泌尿科服務,翌年請辭,自行開業。1941年申請入專修科,但不到一個月即申請退學。[164] 謝頂亦申請入外科接受松本彰教授指導,畢業後在大連滿鐵醫院分院同壽醫院外科服務,1941年辭職,再入滿洲國赤十字社奉天病院,而於同年10月提出申請。[165] 楊毓奇申請入病理學稗田憲太郎醫學博士教室。楊畢業後回臺北任馬偕醫院醫生,1935年6月到滿洲四平開業,而於1942年1月申請深造。[166] 黃順記(改名廣田文雄)畢業後入日本赤十字社奉天病院任醫務助手,在皮膚泌尿科服務,1933年在開原開博愛醫院,而於1943年2月

---

159 《滿洲醫科大學檔案》,JD24,119-1,〈滿洲醫科大學研究所昭和十七年七月至十九年一月入學、退學文件〉,自昭和十七年七月至十九年一月研究科入退學書類綴。

160 黑田源次編,《滿洲醫科大學二十五年史》(奉天:滿洲醫科大學,1936),頁54、92、105、107、110、115、116、121、128、140-141、148。

161 滿洲醫科大學,《滿洲醫科大學一覽》,頁176-178。

162 《滿洲醫科大學檔案》,JD24,119-1,〈滿洲醫科大學研究所昭和十七年七月至十九年一月入學、退學文件〉,專科入學願出ノ件,頁147,王火炎。

163 《滿洲醫科大學檔案》,JD24,119-1,〈滿洲醫科大學研究所昭和十七年七月至十九年一月入學、退學文件〉,專科入學願出ノ件,頁163,游高石。

164 《滿洲醫科大學檔案》,JD24,119-1,〈滿洲醫科大學研究所昭和十七年七月至十九年一月入學、退學文件〉,專科入學願出件,頁171、184,謝知母。

165 《滿洲醫科大學檔案》,JD24,119-1,〈滿洲醫科大學研究所昭和十七年七月至十九年一月入學、退學文件〉,專科入學願出ノ件,頁201,謝頂。

166 《滿洲醫科大學檔案》,JD24,119-1,〈滿洲醫科大學研究所昭和十年六月至十九年一月入學、退學文件〉,頁266,楊毓奇。

申請入病理學稗田憲太郎醫學博士教室。[167]

在滿洲醫科大學醫學部、專門部畢業取得非同校博士學位的臺灣人不多，一是戴神庇，他在1932年取得慶應義塾大學醫學博士。[168] 江塗龍（後改名江文峰，日本名江木澄雄），嘉義人，[169]《滿洲醫科大學一覽》稱其得到醫學博士名號，但由其經歷中並未見有關博士的記載。他曾任滿洲醫科大學婦產科教室醫局長、大連回生醫院院長、南京回生醫院院長，回臺後在嘉義開南京產科醫院。[170]

滿洲醫科大學畢業也在同校取得博士學位的有梁炳元，梁炳元內向，在學中好讀書，不愛玩，行事如聖人，朋友都暱稱他為「孟子」。[171] 畢業後曾在滿洲醫大內科學教室、研究科（內科）服務，[172] 在回臺結婚後（妻梁許春菊）即重回醫大博士班，終於取得博士學位，[173] 而後入其叔父梁宰設於撫順的天生醫院任內科、小兒科醫生。第二位是黃順記，在開原開業一直到1942年，其弟黃深智醫科大學畢業回開原接任該院副院長時，才赴滿洲醫科大學攻讀博士學位，而在1946年4月通過博士論文考試得到博士學位。其學位論文為主論文〈硅酸曹達の連續的投與による家兔〉；副論文為〈胸腺淋巴體質に就いて〉外三篇，指導教授為稗田憲太郎與副教授井上一男。時已是中國人校長，但其博士學位仍由原校長守中清給發。給發號為269，時間是昭和21年4月28日，黃順記仍是福建籍，證書文曰：

右者論文ヲ提出シテ學位ヲ請求シ本大學教授會ハ之ヲ授與スヘキ學力アリト認メタリ仍テ大正九年勅令第二百號學位令ニ依リ茲ニ醫學博士ノ學位ヲ授ク。[174]

另一位滿洲醫科大學醫學博士是廖泉生，自專門部畢業（1939）後，仍留在藥理學研究。後白天任職赤十字醫院，晚上則在醫大實驗室從指導教授寺田文治郎學習，經過十年的努力取得博士學位。廖研究各種藥物對於治療過敏、起疹的影響。[175]

梁宰畢業於臺灣總督府醫學校（第十一屆，1912年畢業），先在臺北赤十字社醫院服務，1914年赴撫順滿鐵醫院服務，1924年開設天生醫院於撫順曙町，後轉移到

167　《滿洲醫科大學檔案》，JD24,119-2，〈滿洲醫科大學研究所昭和十年六月至十九年一月入學、退學文件〉，頁301，黃順記。
168　興南新聞社，《臺灣人士鑑》（1943），頁148。
169　滿洲醫科大學，《滿洲醫科大學一覽》，頁157。
170　吳銅，《臺灣醫師名鑑》，頁187。
171　許雪姬訪問、紀錄，〈施義德先生訪問紀錄〉，頁11。
172　吳銅，《臺灣醫師名鑑》，頁244。
173　許雪姬訪問、蔡說麗紀錄，〈梁許春菊女士訪問紀錄〉，《口述歷史》5（1994.6），頁298-306。
174　許雪姬訪問、吳美慧紀錄，〈黃順記先生訪問紀錄〉，頁202-203。
175　方玉珍、郭紫筠，《乘願藥師如來：廖泉生回憶錄》，頁11-25、31、41-43。

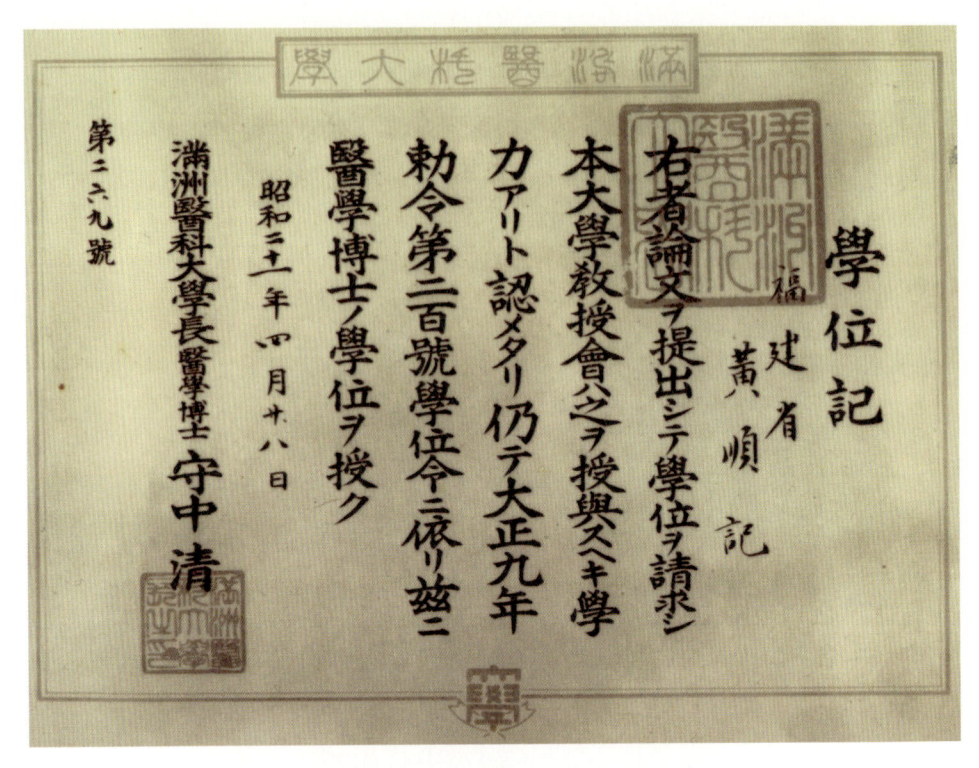

圖 3-7　戰後黃順記取得滿洲醫科大學博士學位之學位記
（黃順記先生提供）

圖 3-8　初入滿洲醫科大學時的廖泉生
（廖泉生，《乘願藥師如來：廖泉生回憶錄》，頁 10。）

東三番町新市街，1933 年天生醫院與滿鐵會社共濟會合作，院務益旺。同年梁宰到滿洲醫科大學研究，每晚自撫順、奉天往返，終於在 1938 年獲得博士學位。[176] 其主要研究論文有二：一是〈撫順ニ見ラレタル「カシン・ベック」氏病ノ臨床的觀察〉，[177] 另一論文為〈一新條蟲驅除藥「雷丸」ニ就テ〉，[178] 其主要研究是自《本草綱目》中發現了產在四川的雷丸，其功用就在於以酵素作用破壞條蟲本體，並根絕其再生能力，而雷丸本身不具副作用，另也研究十二指腸鉤蟲病防治。[179]

（二）新京醫科大學

滿洲國一共設有四所官立醫科大學，一為新京醫科大學、一為哈爾濱醫科大學、一為佳木斯醫科大學，另一為短期的開拓醫學院。[180] 新京醫科大學原名新京醫學校，創立於 1932 年，原非國立，校址在新京特別市南嶺，[181] 屬於民生部直接管理，1938 年改為國立醫科大學，因係國立，因此規定中國籍占 30% 以上，其餘為日（40%）、蒙、鮮籍，教師都是日本籍。[182] 1941 年以前學生必須付學費，[183] 一學年的學費為 497 元，以後則為 310 元，改國立以後則免交學費。[184] 不必交學費對臺人學生而言，自是一大誘因。其入學資格有六：

1. 國民高等學校畢業者（預定於本年 12 月末畢業者亦包含在內）。
2. 男子高級中學校第一學年修了者。

---

176 許雪姬訪問、蔡說麗紀錄，〈梁金蘭、梁育明姊弟訪問紀錄〉，頁 311。
177 《滿洲醫誌》，24：5（1936），頁 997。
178 《滿洲醫誌》，24：1（1936），頁 239。以上兩文目錄可見黑田源次編，《滿洲醫科大學二十五年史》，頁 495。
179 許雪姬訪問、蔡說麗紀錄，〈梁金蘭、梁育明姊弟訪問紀錄〉，頁 312。
180 開拓醫學院設在齊齊哈爾、龍井、哈爾濱，日系醫學專門學校二年修了程度可以報考，修業年限二年。見豐田要三編纂，《滿洲帝國概覽》，頁 272。
181 國務院總務廳編，《滿洲國政府公報》，第 1948 號，康德 7（1940）年 10 月 23 日，頁 462，〈滿洲國立醫科大學康德 8 年（昭和十六年）度日系學生募集公告〉。
182 中國第二歷史檔案館，〈偽滿大學教育實況及抗戰勝利後整理意見（三）〉，《民國檔案》（南京），2001.4，頁 34。
183 每一學年約 300 元，授業費 60 元、校友會 7 元（入會費 2 元、會費 5 元）、宿舍費 120 元、旅行存款 15 元、被服費 50 元、學用品費 50 元。見國務院總務廳編，《滿洲國政府公報》，第 1328 號，康德 5（1938）年 9 月 9 日，頁 256，〈國立新京醫科大學招生公告〉。
184 一學年校友會 12 元（入會 2 元、校友會費 10 元）、宿舍費 150 元、旅行積立費（滾金）15 元、小旅行費 10 元、被服費 60 元、學用品費 200 元。見國務院總務廳編，《滿洲國政府公報》，第 1661 號，康德 6（1939）年 10 月 27 日，頁 605，〈國立新京醫科大學日人學生募集要項〉。雖然取消授業料，但校友會費增 5 元，寄宿舍費貴 30 元、增小旅行費 10 元、被服費增 10 元、學用品費漲 150 元最多。

3. 男子高級師範學校第一學年修了者。
4. 履修於民生部大臣所指定之與國民高等學校相同之教育課程者之滿人。
5. 國民高等學校畢業程度學力檢定合格者之滿人。
6. 有入學於外國高等專門學校程度教育施設之資格者之滿人。[185]

就是包括日系、滿人及民生部的滿人依託生，[186] 臺灣人就讀是屬於日系。所謂依託生即「為養成於民生部大臣所指定之各相關從事診療或衛生技術之醫師起見，於新京醫科大學及哈爾濱醫科大學置民生部依託醫學生」，[187] 一般而言每學年招收學生大約有110人，日系約40人，滿系70人。[188] 臺灣人每學年大約有兩、三個人，有時沒有。

入學要考六科，一是物理（第一天下午），一是化學（第三天早上），一是數學（代數及平面幾何，第二天早上），一是日本語（第一天早上）、國文（第二天早上），一是動植物（第三天下午），每節考兩小時，第四天上午是身體檢查及口試。考試的地點則為新京、哈爾濱、吉林、奉天四處；11月初旬考試，12月上旬公布錄取者，考上後修業四年。[189]

至於日系學生也分學年招考，如1939年即招40名第一學年的新生，第二學年15名，第三學年10名，第四學年5名。第一學年應考資格是入學外國高等專門程度之教育施設者，考試科目為物理、化學、數學、國語；第二學年以上的是年滿35歲以下的日本人，並具備中等學校畢業、同等以上學歷，及滿洲國醫師考試第一部試驗及格者。第二學年考解剖學、生理學、醫化學。第三學年考藥物學、病理學、細菌學。第四學年考內科學、外科學、眼科學、產婦人科學。凡是被錄取者可以借支，每月50元以內，但領此費用者，畢業後要到民生部大臣指定的地方服務三年；而未借支的則服務兩年。而借支的償還則在借款期間的二倍內還清。畢業後可得醫師證，並可暫緩徵兵。[190]

---

185 國務院總務廳編，《滿洲國政府公報》，第1328號，康德5（1938）年9月9日，頁256，〈國立新京醫科大學招生公告〉。

186 國務院總務廳編，《滿洲國政府公報》，第1469號，康德6（1939）年3月9日，頁133，〈民生部訓令第二七號〉令新京醫科大學長、哈爾濱醫科大學長、關於制定民生部依託醫學生規程之件。

187 國務院總務廳編，《滿洲國政府公報》，第1469號，康德6（1939）年3月9日，頁133，〈民生部訓令第二七號〉令新京醫科大學長、哈爾濱醫科大學長、關於制定民生部依託醫學生規程之件。

188 許雪姬訪問、鄭鳳凰紀錄，〈葉鳴岡先生訪問紀錄〉，頁50。

189 國務院總務廳編，《滿洲國政府公報》，第1328號，康德5（1938）年9月9日，頁256，〈國立新京醫科大學招生公告〉。

190 國務院總務廳編，《滿洲國政府公報》，第1661號，康德6（1939）年10月27日，頁604，〈國立新京醫科大學日人學生募集要項〉。

圖 3-9　畢業於新京醫科大學的余錫乾之結婚照
前排左起：國務院總理張景惠之子、張景惠的第五太太、余錫乾太太、余錫乾、父余逢時的姨太太、高湯盤的次子
後排左起：高富子（高湯盤妻）、賀理事、父余逢時（余錫乾先生提供）

臺灣人中畢業於新京醫科大學的有 11 人。最早考上新京醫大者為吳振茂，新竹人，是第二期生，1941 年畢業，[191] 同年登錄為滿洲國醫生，[192] 畢業後曾在西安鑛病院服務，後在本溪湖開業健民醫院，回臺後在新竹縣湖口鄉開設醫院，[193] 1975 年歿。[194] 第二位是陳銘斌，他是第三期生，[195] 高雄人，回臺後在高雄開寬仁醫院，主治內科、小兒科。[196]

第四期畢業生有兩人，一是余錫乾。余錫乾之父余逢時，1933 年到滿洲，先參加滿洲軍，後到新京擔任經濟部工鑛司參事。[197] 余錫乾畢業於臺北二中，尚未參加畢業典禮即赴滿洲，一年後考入新京醫科大學。新京醫科大學沒有附屬醫院，因此畢業後必須到市立醫院實習。實習後即入滿洲電信電話株式會社（簡稱滿洲電電或電電）擔任內科醫師，直到戰爭結束，回臺後在臺北松山開設泰安診所。[198]

洪禮憲出身於醫生世家，兄長洪禮峰畢業於滿洲醫科大學專門部，弟弟洪禮照亦出身新京醫科大學。[199] 臺北人，畢業後曾任新京市立第一病院產婦人科醫生，[200] 日文名字為大川憲三。[201]

第六期畢業生有三人：陳寶琛、董延葭、葉鳴岡。陳寶琛是陳錫卿之弟，南投人，回臺後曾任省立澎湖醫院婦產科主任、宜蘭醫院婦產科主任，曾在鹿谷鄉開惠生醫院，1953 年轉到竹山開業，亦曾任竹山鎮衛生所主任，[202] 專攻婦產科。[203] 董延葭，日名日澤延夫，屏東縣人，1940 年考入。[204] 畢業後曾在新京市立第一病院產婦人科服務，回臺前任平安病院長，回臺後任省立屏東醫院主治醫師。[205] 葉鳴岡，花蓮人，花蓮港中學四年級時報考臺北高等學校丙組，卻因沒有改姓名而未通過口試。正好有同學拿到新京醫科大學的招生簡章，但資格必須成績在十名內，由

191　大田豐正，《新京醫科大學圭泉會名簿》，頁 44。
192　國務院總務廳編，《滿洲國政府公報》，第 2638 號，康德 10（1943）年 3 月 7 日，頁 488。
193　吳銅，《臺灣醫師名鑑》，頁 70。
194　大田豐正，《新京醫科大學圭泉會名簿》，頁 44。
195　大田豐正，《新京醫科大學圭泉會名簿》，頁 55。
196　吳銅，《臺灣醫師名鑑》，頁 258。
197　高橋勇八，《滿洲商工名鑑：附諸官廳錄》（上冊）（大連：大陸出版協會，1938），頁 116。
198　許雪姬訪問、鄭鳳凰紀錄，〈余錫乾先生訪問紀錄〉，《日治時期在「滿洲」的台灣人》，頁 39-40；大田豐正，《新京醫科大學圭泉會名簿》，頁 61。至於〈居住長春台灣省民名簿〉言當時任北安病院長。
199　〈居住長春台灣省民名簿〉（1946 年 1 月 28 日）。
200　〈居住長春台灣省民名簿〉（1946 年 1 月 28 日）。
201　大田豐正，《新京醫科大學圭泉會名簿》，頁 62。
202　吳銅，《臺灣醫師名鑑》，頁 148。
203　大田豐正，《新京醫科大學圭泉會名簿》，頁 74。
204　國務院總務廳編，《滿洲國政府公報》，第 1781 號，康德 7（1940）年 4 月 1 日，頁 8。
205　吳銅，《臺灣醫師名鑑》，頁 287。

圖 3-10　葉鳴岡就讀新京醫科大學時參加通遼黑死病解剖班（葉鳴岡先生提供）

圖 3-11　新京醫科大學三年級（1943年）參加通遼黑死病防疫工作。坐第一排右一後方為葉鳴岡（葉鳴岡先生提供）

圖 3-12　康德 11 年（1944）12 月 9 日新京醫科大學卒業紀念，最後排左四為葉鳴岡；坐排左六為郭松根教授。（葉鳴岡先生提供）

圖 3-13　三位新京醫科大學的學生，由右至左葉鳴岡、山谷橘雄、陳寶琛，攝於新京公園。（葉鳴岡先生提供）

學校保送才能報考,經由池田勝三[206]老師推薦,乃在 1941 年 2 月赴新京考試。那年新京醫科大學改為國立,採公費制,學程四年,三年級開始在附屬官立醫院實習。由於費用不足,乃往考北票礦山會社獎學金,考上後一個月有 80 元津貼,領兩年後,畢業必須到該醫院服務四年。主治小兒科、內科。1946 年葉回到長春與未婚妻袁櫻雪(袁樹泉女)結婚。1948 年回臺後在花蓮開惠生醫院。[207]

由於第六期生畢業時已是 1944 年 12 月,因此第七期生畢業當已在戰後,遑論第八期以後。陳正乾是第八期生,其日名為松林佳宏,回臺後在高雄邱永仁綜合醫院婦產科服務。[208] 郭仲舟是第九期生。[209] 洪禮照、傅祖宗則已畢業,但未見於《新京醫科大學圭泉會名簿》。傅祖宗,新竹人,曾任大連市大同醫院醫員,回臺後在新竹縣橫山鄉開業。[210] 此外吳慶輝、吳慶懷、洪源福、袁鈺昌、張政宏、陳宋舫、葉步嶽、廖錦河均未畢業。[211] 黃千壬於 1939 年考上,[212] 但未就讀。

葉步嶽回臺後,轉入臺大醫學院就讀,1950 年 7 月畢業,是戰後臺大醫學院第四屆畢業生。畢業後在臺大附設醫院服務,[213] 1988 年因心肌梗塞而歿,其兄為葉鳴岡。[214]

新京醫科大學曾有一位臺灣籍的教授名郭松根,其事蹟將於第四章再敘。另有梁良造,畢業於新京順天醫院,但未能在相關資料找到此醫院。[215]

(三)哈爾濱醫科大學

哈爾濱醫科大學原為私立哈爾濱醫學專門學校與哈爾濱齒科專門學校,於

---

206 池田勝三,1904 年生,北海道人。1929 年畢業於東京高等師範學校。1937 年起為花蓮港廳立花蓮港中學校教諭,1941 年轉任為臺中師範學校教諭。《臺灣人士鑑》(臺北:興南新聞社,1943),頁 22。
207 邱上林,《影像寫花蓮:花蓮人的老相簿》(花蓮:花蓮縣立文化中心,1999),頁 224-227;許雪姬訪問、鄭鳳凰紀錄,〈葉鳴岡先生訪問紀錄〉,頁 49-56。
208 大田豐正,《新京醫科大學圭泉會名簿》,頁 92。
209 大田豐正,《新京醫科大學圭泉會名簿》,頁 103;〈居住長春台灣省民名簿〉(1946 年 1 月 28 日)。
210 吳銅,《臺灣醫師名鑑》,頁 66。
211 〈居住長春台灣省民名簿〉(1946 年 1 月 28 日)。
212 國務院總務廳編,《滿洲國政府公報》,第 1493 號,康德 6(1939)年 4 月 7 日,頁 168。黃千壬在 1941 年畢業於東京醫學專門學校,並在華北交通株式會社任職。見不著撰人,《東京醫學專門學校南瀛會名簿》(會誌第 6 刊)(東京:東京醫學專門學校,1941),頁 22。本書為已故許丕樵醫師所提供,謹致謝意。
213 黃得時等,《臺大畢業同學錄》(臺北:臺大同學會,1952),頁 96。
214 大田豐正,《新京醫科大學圭泉會名簿》,頁 104;許雪姬訪問、鄭鳳凰紀錄,〈葉鳴岡先生訪問紀錄〉,頁 54。
215 臺灣省醫師公會,《臺灣省醫師公會所屬各縣市局醫師公會》(1966),頁 48。

圖 3-14　葉鳴岡（右七）與袁櫻雪（右八）於長春市結婚之紀念照，前排右六為郭松根教授，前排左六為新娘父親袁樹泉。（葉鳴岡先生提供）

1937年12月因頒布新學制,乃升格為國立哈爾濱醫科大學,有醫、藥、齒三學部。大半為中國學生,而且男女兼收「極為特殊」,但「畢業生之技術,似較遜于他校。」[216] 該校位於南崗大直街,有醫學部(修業四年)、齒科醫學部(三年),每年約招收醫學部日系學生40名,齒科名額不定。所謂日系包括日人、鮮人與臺人。採所有學生住宿的規律生活,應徵的資格為身體健康、思想堅實、成績優秀者,年齡在25歲以下男子,若有特優者25歲以上亦可。有資格報考者包括三類,一是依日本法令中等學校畢業者;二是日本專門學校學生依檢定規程經檢定考試合格者;三是協和會市縣旗本部認為適當者。要入此校必先由推薦機關向該大學銓衡委員會提出,包括最近三學年的成績,必須提出在學最後一學年的第一學期成績,每科以百分為滿分,該學年有多少人,及其相對名次。通過第一關後,第二關則進行考試,口試及身體檢查,合格後再發通知。[217] 畢業於哈爾濱醫科大學的臺灣人有4位。

哈爾濱雖有小上海之稱,但緯度較低,冬天常到零下三十度,對臺人而言過冷,因此相對的到哈爾濱醫科大學就讀的人較少。盧昆山在1938年[218] 報考哈爾濱醫科大學前,早在其姊夫簡仁南在大連的仁和醫院協助醫療工作,因無照而頗為困擾;當時已有一位臺人前輩杜慶祥在校;與他一起報考的還有楊、劉兩人。盧考上後被姊夫簡仁南笑稱是「乞食中取好漢」。為了貼補學費,曾典當冬衣,也教日文。在學中(三年級)曾被派往農安縣做鼠疫預防工作約一個月之久。學業結束,不僅要舉行畢業考試,還要參加國家考試才能取得醫師資格。國家考試是由滿洲國當局向日本厚生省照會,請派專員來考試。當時猜測內科的題目是「結核之診斷及治療方針」,外科是「蟲垂炎之診斷及治療方針」,由各該科主任特別召集應考學生惡補。盧主修皮膚科,畢業後到鞍山天生醫院任職。[219]

林維喬,臺中人,在1940年以日系身分考入哈爾濱醫科大學,[220] 畢業後任省立吉林醫院小兒科醫師、穆稜縣立醫院小兒科主任。回臺後在臺東縣卑南鄉開設維喬醫院。[221] 楊宦奇,彰化人,1943年1月到1945年10月在新京醫科大學小野寺內科服務,回臺後設健民醫院於臺中市新民街。[222] 黃演桂(1918-1969),亦稱永仁,

---

216 中國第二歷史檔案館,〈偽滿大學教育實況及抗戰勝利後整理意見(三)〉,《民國檔案》(南京),2001.4,頁34。
217 國務院總務廳編,《滿洲國政府公報》,第1948號,康德7(1940)年10月23日,頁3,〈滿洲國立醫科大學康德八年(昭和十六年)度日系學生募集公告〉。
218 盧言28歲考試,他1910年出生,故推為1938年。
219 盧昆山,《七十回憶》(臺南:豐生出版社,1979),頁26-41;許雪姬訪問、蔡說麗紀錄,〈盧昆山、李謹慎夫婦訪問紀錄〉,《口述歷史》5(1994.6),頁269-291;〈故盧昆山長老生平略傳〉,《聖徒盧昆山長老告別禮拜》(2000年12月30日)。
220 國務院總務廳編,《滿洲國政府公報》,第1788號,康德7(1940)年4月10日,頁163。
221 吳銅,《臺灣醫師名鑑》,頁313。
222 吳銅,《臺灣醫師名鑑》,頁95。

1939 年齒科畢業後，至日本東京齒科專門學校繼續深造。[223]

（四）滿洲開拓醫學院

　　開拓醫院的設置主要是為了提高日本開拓民醫療水準，遂創設開拓醫師之應急措置，先設開拓衛生技術院及開拓地醫生養成所，從事醫療及研究工作。[224] 至是在 1940 年 6 月設開拓研究所，繼則在各地設立醫院。設置此院主要是針對日本來滿洲的開拓民施以萬全的治療及保健指導，稱保健指導員，[225] 在興農部大臣管轄之下。凡依日本昭和十五年（1940）拓務省令第四號開拓醫學生規則第一條，而成為開拓醫學生者給予公費，[226] 分別設在哈爾濱（每年招收 50 名）、齊齊哈爾（40 名）、龍井（60 名）。報考資格是年齡 40 歲以下的日本人，一、在日本國大學令下的專修醫學的大學，公立、官立或文部大臣指定的私立醫學專門學校、齒科醫學專門學校第二學年修了者；二、在日本大學令下專修獸醫學的大學、大學實科，及官、公立或文部大臣指定的私立獸醫學專門學校；三、朝鮮總督府或滿洲國醫師考試第二部合格者；四、日本齒科醫師考試，朝鮮齒科醫師試驗第一部，或滿洲國齒科醫學考試學科考試合格者；五、有相當學力及有醫學經驗者。報名者先經初步審核後，進行兩天的考試，及一天的口試。

　　考試的科目有解剖學、生理學、醫化學、藥物學、病理學、細菌學，考試場地在新京特別市、東京市、福岡市。每一年的學費約 600 元，本大學設有助學貸金，每個月 50 元。本校畢業生拿到醫生執照後必須服務三年，若有借金者，其服務期限多一年。[227] 1940 年第一次招生，哈爾濱開拓醫學院取 30 人，齊齊哈爾取 29 名，龍井取 49 名。[228]

　　就目前所知臺灣人畢業於滿洲開拓醫學校者有 7 人，全是嘉義籍，戰後大半先在嘉義醫院任職，而後在當地開業，如林啟徽（介生診所）、林景修（長春診所）、黃元鑫（芳生診所）、羅燦楹（羅小兒科診所）、蘇夢蘭（志生診所）、簡汝楨（資生診所）、

223　黃五常族譜續編委員會，《黃五常派族續編》，頁 88。
224　中國第二歷史檔案館，〈偽滿大學教育實況及抗戰勝利後整理意見（三）〉,《民國檔案》（南京），2001.4，頁 34-35。
225　中央檔案館編，《偽滿洲國的統治與內幕：偽滿官員供述》，頁 307,〈盧元善筆供〉（1954 年 5 月 14 日）。
226　國務院總務廳編，《滿洲國政府公報》，第 1731 號，康德 7（1940）年 1 月 24 日，頁 508-509,〈滿洲帝國開拓醫學院學生募集公告〉。
227　國務院總務廳編，《滿洲國政府公報》，第 2125 號，康德 8（1941）年 6 月 6 日，頁 89-90,〈開拓醫學生給費規程〉，興農部大臣于靜遠頒布〈興農部令第二十五號〉。
228　國務院總務廳編，《滿洲國政府公報》，第 1806 號，康德 7（1940）年 5 月 4 日，頁 86,〈學事事項、入學試驗及格者，開拓醫學院康德七年度入學試驗及格者〉。

余文奎（玉山林場管理處阿里山醫務處）。[229] 上述醫生透過什麼管道進入開拓學校？何以全是嘉義人？尚沒有答案。另有黃鳳銘，畢業自「東京滿洲開拓醫學校」，[230] 不知該校位於東京何處，還有誰曾經就讀。

（五）滿洲國立陸軍軍醫學校

位於哈爾濱的陸軍軍醫學校原似稱為軍醫養成處，在1935年2月開始招募20歲以上、22歲以下的高中畢業生，施以訓練，即可任軍醫，學費全免。當時招募30名，考試科目為國文、算術、英文、地理、歷史。[231] 校內分醫學部、藥學部與專門部，醫學部修業年限七年，後二者四年，但低年級除學科訓練外，須受軍訓。醫學部畢業者，先任以軍醫中尉，藥學部及專門部畢業者，先任以軍醫少尉。[232] 依目前資料，臺人中似有鄭登山一人畢業自該校。鄭登山，臺南人，畢業後曾任新京恩賜病院醫師二年、吉林鐵路病院醫師二年，回臺後在新營開設寬仁醫院。[233] 楊占恭畢業於哈爾濱軍醫學校，亦即設於哈爾濱的陸軍軍醫學校。回臺後在臺北開設占恭診所。[234]

（六）旅順醫學專門學校

依目前資料有三人就讀，一是黃啟章，彰化人，1944年畢業。戰後參加籌備旅順市立醫院，歷任瀋陽鐵路局大連醫院副院長兼外科主任、院長、名譽院長。[235] 由上可知他是少數未自滿洲回臺者之一。另二為盧昆山的姪兒盧主恩，「**因為在中日戰爭時，旅順醫專二年級，學府關閉後，到軍需工廠工作，每天工資都與日本同學喝酒解愁**」，未能完成學業，回臺後半身不遂。[236] 三是邱金波，1920年生，畢業年份不詳，回臺後在臺北市中山北路開設仁光醫院。[237]

---

229 臺灣省醫師公會印行，《臺灣省醫師公會所屬各縣市局醫師公會會員名冊》（1995），頁190、194、195、196、199。
230 臺灣省醫師公會印行，《臺灣省醫師公會所屬各縣市局醫師公會會員名冊》（1995），頁156。
231 國務院總務廳編，《滿洲國政府公報》，康德2（1935）年2月12日，第279號，頁43，〈軍醫養成處學生募集廣告〉。
232 中國第二歷史檔案館，〈偽滿大學教育實況及抗戰勝利後整理意見（三）〉，《民國檔案》（南京），2001.4，頁34-35。
233 臺灣省醫師公會，《臺灣省醫師公會所屬各縣市局醫師公會會員名冊》（1966），頁217。
234 臺灣省醫師公會，《臺灣省醫師公會所屬各縣市局醫師公會會員名冊》（1966），頁59。
235 台灣同胞在大陸畫冊編委會編，《台灣同胞在大陸》（福州：海風出版社，1993），頁75。
236 盧昆山，《七十回憶》，頁62。
237 陳國柱，《臺灣省醫師名鑑》（臺北：國際文化服務社，1958），頁13。

（七）奉天齒科大學

傅仰敦，畢業後在廈門開業。[238]

（八）奉天護士養成所

似為滿洲赤十字社奉天病院養成所，是職業性學校，學生都是畢業自日本高小之女性入學。學成後，每年夏季考試，凡是考試及格即可成為護士、助產士、藥劑士。[239] 鄭秀美，畢業後任職赤十字社醫院。[240]

除了上述醫學校外，畢業自新京順天醫學院的梁良道，戰後在臺北市開設靜修精神科醫院。[241]

以上大約有120多位臺灣菁英有機會到滿洲國取得學位及醫師的執照。在1936年以前赴滿洲者只要是在日系醫科大學、醫學專門學校畢業者皆可取得在日本境內的行醫資格；滿洲國成立後在1936年頒布醫師法、漢醫法及其他施行規則，翌年再頒齒科醫師法、藥劑師法等，只要在滿洲國境受醫學教育者經登錄即取得執業的資格。[242] 在上述各醫學院中，如滿洲醫科大學專門部、國立醫學院、開拓醫院等，由於有獎學金、助學貸金或其他優待，因此畢業取得醫師執照後必須在滿洲當地服務，或到開拓區當衛生指導員，因此醫學院畢業生留在滿洲服務的人較多。

此外還有藥劑師學校畢業生。據目前的資料，畢業於奉天藥劑師養成所的只有豐原人徐月玉一人。[243] 該校於1937年12月成立，屬於準大學的程度，這是與大學相類似的特別教育設施，學制三年，為應戰時需要而培養的人員，開設藥劑學等方面的課程。1940年時在校生有207人，1941年併入新京醫科大學藥劑師養成所。[244]

238　陳春木，《臺南地方鄉土誌》（臺北：常民文化事業公司，1998），頁303。
239　中國第二歷史檔案館，〈偽滿大學教育實況及抗戰勝利後整理意見（三）〉，《民國檔案》（南京），2001.4，頁35。
240　〈居住長春台灣省民名簿〉（1946年1月28日）。
241　臺灣省醫師公會印行，《臺灣省醫師公會所屬各縣市局醫師公會會員名冊》（1966），頁48。
242　豐田要三編纂，《滿洲帝國概覽》，頁130。
243　不著編人，《奉天藥劑師養成所同學錄》（奉天：奉天藥劑師養成所，1943），頁27。
244　郭衛東主編、劉一皋副主編，《近代外國在華文化機構》，頁240。

三、工業／科大學的畢業生

(一) 新京工業大學

　　1937 年滿洲工鑛技術學堂成立於新京城後路，並開始招生，設有採鑛、電氣、機械、應用化學、土木、建築等六個學科，臨時校舍在新京特別市城後路，以招收高中畢業生為主，學程兩年。所招收的學生，以日系中學畢業生為主，兼收少數滿（中）籍高中畢業生，學生享有公費，施以採礦技術之訓練。翌年改為國立大學新京工鑛技術員養成所（或稱技術院），第一期共招生 150 人。由於在對日系學生招生的簡章中校名是「滿洲工鑛技術學堂」，日系學生以為如「旅順工科學堂」一樣是準大學。及至新京，日系學生到校見校名為「養成所」，校舍簡陋，實施軍事化訓練，乃大為不滿，群起抗議。為順應學生之要求，學校乃開始在南嶺建築新學舍與實習工廠（1940 年才遷入新校舍）。該校占地六萬平方公尺，1939 年 1 月 1 日乃改為國立工鑛技術學院。[245] 1940 年 9 月本院和其他兩所工鑛技術學院一起改制為工業大學，此即哈爾濱工業大學、新京工業大學、奉天工業大學。[246] 由於日系、滿系受的中等教育不同，日本中學五年，滿洲國為四年，因此工業大學雖係三年制，但滿（中）系則必須多讀一年預科。而 1939 年也將冶金由採鑛科分出。[247] 學校內的教授共 72 名，都是日籍，戰爭結束時有 670 名學生，中國學生占 15% 弱，已畢業的有千餘名。[248]

　　據中國籍的畢業生回憶本校教學的特點有四：一是教學管理嚴格，一般入學者需經推薦經審查合格後考試，入學後還要筆試與口試複試才能正式入學，錄取率在 10%，每學年考試嚴格，淘汰率高，三期有一科淘汰率到達 45%；二是課程負擔過重：每天七節，一週四十二節，鐘點多；而教的課程也多，有基礎、專業課程，教學內容多，進度快，教授力圖授予最新知識，因此常趕進度；三是強調教學與實踐，重視「實驗、實習、科研、設計、參觀、考察等教學實踐環節，理論聯系實際，加深對課堂教學的理解；擴大知識領域，又與畢業論文、畢業設計密切結合以達到學以致用的目的。任課或指導教師強調培養學生的檢測、鑑定、測量、製圖、計算等基

245　長春工業大學校友會，《長春工業大學中國校友記事》（長春：長春工業大學校友會，1996），頁 1-2。

246　國務院總務廳編，《滿洲國政府公報》，第 1911 號，康德 7（1940）年 9 月 5 日，頁 84，由滿洲國皇帝於 9 月 5 日批准「朕經諮詢參議府裁可國立工業大學官制著即公布」。前述《長春工業大學中國校友記事》一書竟未隻字及之。

247　長春工業大學校友會，《長春工業大學中國校友記事》，頁 2。

248　中國第二歷史檔案館，〈偽滿大學教育實況及抗戰勝利後整理意見（一）〉，《民國檔案》（南京），2001.2，頁 37。

圖 3-15　1943 年在新京讀書的臺灣學子聚會,前排右二為林永倉;後排左五為李謀華。
（李謀華先生提供）

本功;培養金工、電工、土建以及工礦生產技術操作能力;也注意培養科研、資料檢索、閱讀參考資料的能力。校友們感到在以後的工作崗位上有自我提高和實幹的優勢。」[249] 四是師資條件較好,當時的教師有三大來源,一來自日本各大學包括旅順工大的教授或系主任;一是日本各科學研究機構,尤其是工大對面的大陸科學院研究人員,一是來自日本工礦業。有這四個特點,因此吸引一些臺灣學生前往報考。

臺灣學生進入新京工業大學者,依畢業先後分列如下:

1. 陳老尾:後改名陳博鄉,他同時考上新京醫科大學[250]與新京工礦技術學院,[251] 他選擇後者,[252] 是採鑛科第三期。畢業後曾在鶴岡炭礦任職員,[253] 後在臺北台坤實業公司任總經理。[254]

2. 張川銘:臺中人,嘉義中學十五屆畢業,[255] 1940年考入冶金科三期,[256] 回臺後曾任臺灣煉鐵公司汐止廠總工程師。[257]

3. 黃瑞徵:他受推薦而入1940年度本科第一學年,[258] 是採鑛科第三期,回臺後曾任永豐餘造紙公司臺北廠總務主任。[259]

4. 洪鴻福:他同時考上新京工業大學[260]與新京醫科大學,[261] 選擇前者,是冶金科第八期,回臺後任臺北市企業鋼鐵公司總經理。[262] 是陳亭卿的小舅子。[263]

5. 吳天得:畢業於臺南州立第二中學,在日本考上當時稱滿洲國工鑛技術員養成所,是電機系第一期生。[264] 回臺後曾任臺北黎明工業專科學校教授,後移民美國。[265]

249　長春工業大學校友會,《長春工業大學中國校友記事》,頁8。
250　國務院總務廳編,《滿洲國政府公報》,第1780號,康德7(1940)年4月1日,頁8。
251　國務院總務廳編,《滿洲國政府公報》,第1790號,康德7(1940)年4月12日,頁219。
252　國務院總務廳編,《滿洲國政府公報》,第1813號,康德7(1940)年6月11日,頁219
253　〈居住長春台灣省民名簿〉(1946年1月28日)。
254　長春工業大學校友會,《長春工業大學中國校友記事》,頁72,〈中國臺灣校友會簡介〉。
255　平井新,《嘉義中學校同窗會會報·附會員名簿》(嘉義:嘉義中學校同窗會,1940),頁49。
256　國務院總務廳編,《滿洲國政府公報》,第1790號,康德7(1940)年4月12日,頁219。
257　長春工業大學校友會,《長春工業大學中國校友記事》,頁72。
258　國務院總務廳編,《滿洲國政府公報》,第1790號,康德7(1940)年4月13日,頁218。
259　長春工業大學校友會,《長春工業大學中國校友記事》,頁12。
260　長春工業大學校友會,《長春工業大學中國校友記事》,頁73。
261　〈居住長春台灣省民名簿〉(1946年1月28日),此處記載在長春醫科大學在學中。
262　長春工業大學校友會,《長春工業大學中國校友記事》,頁73。
263　許雪姬訪問、鄭鳳凰紀錄,〈葉鳴岡先生訪問紀錄〉,頁52。
264　國務院總務廳編,《滿洲國政府公報》,第1189號,康德5(1938)年3月25日,頁171。
265　長春工業大學校友會,《長春工業大學中國校友記事》,頁73。

6. 謝振熹：畢業於臺北工業學校，[266] 其同窗陳登財已先到新京工業大學做助手，因此謝就到新京。[267] 機械科第四期，畢業後留在新京工業大學當職員。[268] 戰後回臺，1957 年 10 月亡故。[269]

7. 陳捷步：機械科第六期，回臺後任臺北台彰實業公司總經理。曾於 1992 年 5 月到長春參加長春工業大學校友聯誼會並發言。[270]

8. 林永倉：基隆人，畢業於臺北工業學校土木科，到臺灣電力公司服務時，因工資與日人有差別待遇，乃提出辭呈，轉而報考滿洲國工鑛技術員養成所，成為土木科第二期學生。本校由五族（日、漢、滿、蒙、鮮）共學同住學寮，後因經濟統制而產生差別待遇，日人配給白米，朝鮮人小米，滿漢人高粱，林因不滿於此現狀乃提議將上述配給品共炊，在大家的同意下皆大歡喜，相安無事。在學中的寒暑假曾參加交通部的測量工作，有一次到黑龍江參加飛機場的測量工作，曾由黑河搭大輪船直到滿洲最北的漠河；第二年校舍由城後路遷到南嶺校舍，因無正規的運動場，由土木科學生發動全校學生做五個月的勤勞奉仕，完成有四百公尺跑道之正規田徑賽運動場。在學中只有一次不小心感冒，由同學自室外抓一把雪花放入冰囊置於頭部而退燒；又一次到中銀武道場接受冬期訓練時未暖身，以致左腳跟腱斷裂，被送往新京市立醫院開刀，住院一個月期間，專心自收音機學習秩父小太郎之滿洲語廣播，出院不久即考上滿洲語檢定考試三等，第二年再考上二等。1942 年畢業，以成績優異得民生部大臣賞；[271] 同時及格高等技術官銓衡考試，[272] 進入大同學院受訓一年。由於畢業前收到受訓通知，乃請假先入大同學院。林永倉後來被派在交通部土木工程處辦事，是交通部高等官試補，領五級俸，[273] 專做蘇、滿國境之道路、橋樑工程。戰後回臺，曾任臺北市的工務局長。[274]

9. 李謀華：雲林縣崙背人，淡水中學畢業後申請進入本校，[275] 由於成績在二至四名內，兼劍、鎗等無一不通，故被錄取。當年一起考上的臺灣人有八人，但其

---

266 在〈臺北工業學校畢業生名單〉中寫為謝「政」熹，機械科畢業。
267 許雪姬訪問、鄭鳳凰記錄，〈陳登財先生訪問紀錄〉，《日治時期在「滿洲」的台灣人》，頁 224-225。
268 〈居住長春台灣省民名簿〉（1946 年 1 月 28 日）。
269 長春工業大學校友會，《長春工業大學中國校友記事》，頁 73。
270 〈居住長春台灣省民名簿〉（1946 年 1 月 28 日）；長春工業大學校友會，《長春工業大學中國校友記事》，頁 73。
271 許雪姬訪問、王美雪記錄，〈林永倉先生訪問紀錄〉，《日治時期在「滿洲」的台灣人》，頁 347-353。
272 國務院總務廳編，《滿洲國政府公報》，第 2500 號，康德 9（1942）年 9 月 17 日，頁 206。
273 國務院總務廳編，《滿洲國政府公報》，第 2500 號，康德 9（1942）年 9 月 17 日，頁 207。
274 許雪姬訪問、王美雪記錄，〈林永倉先生訪問紀錄〉，頁 347-353。
275 國務院總務廳編，《滿洲國政府公報》，第 1790 號，康德 7（1940）年 4 月 12 日，頁 220，推荐之部。

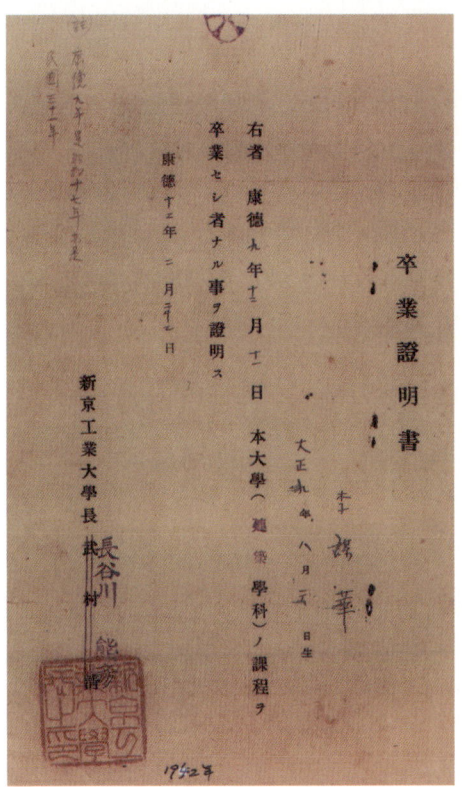

圖 3-16 發起動員新京工業大學全校學生以五個月勞力完成 400 公尺長跑道之運動場邊，第二期土木科學生接受訓練後休憩合影，1940 年攝。

後排左起：深澤寬一、吉田德則、伊藤忠夫、竹田明、小野寺輝男、石丸久治；中排：里川恆一、坂口弘、林永倉；前排：鈴木實、梁瀨一、恩田康次、川木義郎、川本節美、海野信吾。

（林永倉先生提供）

圖 3-17 李謀華的卒業證明書

（李謀華先生提供）

第三章　赴滿洲國求學的臺人

圖 3-18　1942 年李謀華與日本同學攝於新京工業大學運動會場上，右起：李謀華、高橋豐、川越汎、野野瀨千次郎、田代義種。
（李謀華先生提供）

圖 3-19　1942 年滿洲建國十週年遊行，於新京市大同廣場。
（李謀華先生提供）

為唯一建築科,該班日人 20 人,滿漢人 10 人;由於時局關係,入學後即受現役軍官嚴格的軍訓,每週有三天,每天有二、三個鐘頭的軍訓課,每年有一次在露營地演習,衛生環境不佳,尤其蒼蠅特多。第三年在吉林市郊做野外演習,晚上睡在露天,下雨時才到農家屋簷下靠牆睡。在本校除認真修課外,也到哈爾濱、海拉爾(曾在市郊參加新建忠靈塔工程之義工)、滿洲里、吉林各城市參加各種建築物設計及都市計畫,也到承德市離宮避暑山莊及普陀拉廟參觀,同時在山莊內受教實地測量土地房屋之技術。在學中學騎馬、滑冰、踢踏舞、魔術,甚至速記法。

畢業論文題目是〈細沙大小便器構造〉,主要因滿洲天冷,冬天水結冰無法沖廁所,故有此發想;建築科科長矢崎高儀引以為奇,對此創見頗感興趣,乃幫之登在日本建築雜誌上,並代為介紹到國務院建築局設備科任職。在設備科從事管理暖氣設備及衛生設備的工作,當然這必須考上建築技士的資格而後才能就職。由於就讀該校免費,因此要服務四年半才可回臺。在設備科服務五、六個月後,收到由家中來的電報,稱「母死父病危速歸」,乃請假趕回臺。實則此乃家人怕日本戰敗,李謀華會有危險,乃用計騙回。回臺後到日本海軍設施部專屬包商榮興營造廠當技術員,被派到臺北水源地興建鋼筋混凝土造大型堡壘工地,直到日本投降。[276]

10. 郭歐平:畢業於土木科,曾在開發土木會社為會員,[277] 唯《長春工業大學中國校友記事》中未曾提及。

此外戰後歐陽瑞典[278] 仍在學中。依《滿洲國政府公報》所載,有三位經過推薦取得入學資格,卻未在該校校友名錄中找到,應該是考上了而沒有入學。這三人是:葉灯富(就讀於奉天工業大學)、蘇清泉、黃新錢。[279]

(二)奉天工業大學

奉天工業大學設在奉天城內,以招收高等學校畢業生為主,預科一年,本科三年,設有採鑛科、冶金科、電氣科、機械科、應用化學科、採礦冶金科。[280] 劉勝雄、葉灯富第14屆畢業。[281] 第12回畢業的林宜萊則在畢業後至本溪湖煤煙公司工作。[282] 據目前為止的資料,還有一些人受推薦而入學,即吳國楠、李文富、張清來(以上

---

276 許雪姬訪問,李謀華、王美雪記錄,〈李謀華先生訪問紀錄〉,《日治時期在「滿洲」的台灣人》,頁 321-245。
277 〈居住長春台灣省民名簿〉(1946 年 1 月 28 日)。
278 〈居住長春台灣省民名簿〉(1946 年 1 月 28 日)。歐陽瑞典為歐陽餘慶之子。
279 國務院總務廳編,《滿洲國政府公報》,第 1790 號,康德 7(1940)年 4 月 12 日,頁 221。
280 豐田要三編纂,《滿洲帝國概覽》,頁 272。
281 中島力,《同窗会名簿》(臺北:臺北第二中學校同窗会,1943),頁 90、91。
282 不著編者,《同窗会名簿》(臺北:臺北第二中學校同窗会,1941),頁 76。

機械科)、沈萬年(採礦科)同是 1940 年本科第一學年的推薦學生。[283] 另林楊梅，畢業於嘉義中學。[284]

(三) 旅順工科大學

原名旅順工業大學堂，位於旅順北市街札幌町，為日本文部省於 1908 年，關東都督大島義昌時期創立，主要是教育日本人。1917 年兼收滿洲(中)學生，中國學生由於不懂日語，因此先讀一年預備科，經考試通過，再讀兩年預科，再經本科三年。1922 年改為旅順工科大學，交由南滿洲鐵道株式會社管理。學校除設學部和預科外，學部有機械工學科、航空工學科、電氣工學科、應用化學科、冶金工學科和採礦工學科六科。[285]「**其規模之宏、設備之富，實為亞洲稀有者**」，修業年限 7 年，日籍教授 150 名，臺灣學生占 2%，中國學生占 9% 強。學校升級考試極嚴，畢業考試尤嚴，[286] 為滿洲首屈一指的工科大學。目前所知臺灣人畢業於旅順工科大學者，有楊振河，臺南州人，1926 年 3 月修完豫科，4 月進入本科，1929 年 7 月畢業。[287] 褚阮進，高雄州人，1933 年 3 月修完豫科，1936 年 3 月畢業。[288] 許耀輝，基隆中學第十屆畢業，曾就讀旅順工科大學豫科。[289] 黃時福，彰化人，畢業後入滿洲ベアリング製造株式會社任職。[290] 林克宏，豐原人，機械系畢業，戰後在上海，任上海大陸重工業株式會社技師。[291] 謝文壇，臺中豐原人，謝秋濤次子，[292] 戰後曾任職六和機械公司。臺南第一中學畢業生葉盛吉(後因白恐被判死刑)，1943 年考

---

[283] 國務院總務廳編，《滿洲國政府公報》，第 1790 號，康德 7(1940)年 4 月 22 日，頁 222。

[284] 平井新，《嘉義中學校同窓會會報‧附會員名簿》，頁 42。

[285] 郭衛東主編、劉一皋副主編，《近代外國在華文化機構》，頁 330-331。

[286] 中國第二歷史檔案館，〈偽滿大學教育實況及抗戰勝利後整理意見(二)〉，《民國檔案》(南京)，2001.3，頁 39。

[287] 旅順工科大學，《旅順工科大學一覽 大正 15 年 4 月至大正 16 年 3 月》(旅順：旅順工科大學，1926)，頁 74；旅順工科大學，《旅順工科大學一覽 昭和 18-19 年》(旅順：旅順工科大學，1944)，頁 153。

[288] 旅順工科大學，《旅順工科大學一覽 昭和 18-19 年》，頁 168、157。褚阮進畢業後入興中公司為囑託，歷任山西冶鐵所籌備處業務課技術係主任，山西製鐵礦業所、定襄鐵礦業所合辦的定襄鐵工廠廠長，1942 年兼同廠業務課技術係主任。中西利八編，《中國紳士錄》(2007 年影印再版)，頁 1012。

[289] 井上藏治，《卒業生名簿》(臺北州：基隆中學校友會，1942)，頁 74。

[290] 興南新聞社，《臺灣人士鑑》(1943)，頁 426，吉田銀次郎原名黃銀漢，彰化人，黃時福為黃銀漢的次子。

[291] Q130-63-6(4)，社、團、會全宗彙集，〈新臺灣同志會上海特別分會〉「新臺灣同志會入會申請書」，上海市檔案館藏；許雪姬訪問，林建廷、劉芳瑜紀錄，〈滿洲、臺灣、日本，伴夫行醫半世紀：林江金素女士訪問紀錄〉，收入陳儀深主編，《記錄聲音的歷史》，10 期(改版第 4 期)(臺北：臺灣口述歷史學會，2019)，頁 146。林克宏為林江金素女士小叔。

[292] 《日治時期臺灣人在滿洲的生活經驗》，〈附錄：謝秋濤老先生事略〉，頁 375。

圖 3-20　林克宏，畢業於旅順工科大學，戰後以接收委員的身分回臺。
（林正南先生提供）

取豫科,[293] 但未前往就讀。

四、法律科畢業生

以新京法政大學的畢業生為主。新京法政大學創立於1938年,[294] 設此校主要目的是「以修練鞏固之國民精神之修得國家需要之高等學術之理論及實際而養成國家樞要之人材。」[295] 分成法學部和經濟學部,還有特修科（為在職公務人員而設）,各收150名,其中,日系學生約各30名。所招收的學生在17歲到25歲之間,資格為國民高等學校畢業及同等學力者。銓衡分兩階段舉行,第一階段通過後才有考試的資格。考試的科目滿系是數學（代數及幾何）、國語（漢文及日語）、日滿地理、東洋史（含日本史）,第二天是身體檢查及口試;日系學生只有國語不同,是考漢文及現代文。[296] 此校分本科和特修科兩部分,本科三年、特修科兩年。本科有一條很特別的規定,即經濟學部畢業生立即取得商業教師的資格,並可支給部分學資金,不過凡支此金者,其服務年間為支給期間的一倍半,而學資金自畢業時起每個月將學資金的五分之一以上償還。[297] 本科授業的基本科目也在招生簡章中呈現。[298]

特修生則是「對晝間執務者,與以向學之便,使修練鞏固之國民精神並擬使速修國家需要之高等學術之理論及實際。」每次招生200名,法學部、經濟學部各

293　許雪姬、王麗蕉主編,《葉盛吉日記（三）1942-1942》（新北、臺北:國家人權博物館、中央研究院臺灣史研究所,2018）,頁269。

294　國務院總務廳編,《滿洲國政府公報》,第1416號,康德5（1938）年12月24日,頁530,〈民生部令第十五號新京法政大學規程〉。1934年滿洲國司法部附設新京法學校,1938年實施新學制,1939年才改為國立新京法政大學,1940年設夜間部,1942年南嶺的校舍落成,才將分校合併,並將夜間部改為特修科。每年招生400名,日本學生占60%強,朝鮮學生占20%,其餘為中國籍和蒙古籍。戰爭後期約有學生2,879名,日籍教授41名。中國第二歷史檔案館,〈偽滿大學教育實況及抗戰勝利後整理意見（一）〉,《民國檔案》（南京）,2001.2,頁38。

295　國務院總務廳編,《滿洲國政府公報》,第1652號,康德6（1939）年10月16日,頁425,〈新京法政大學招生簡章〉。

296　國務院總務廳編,《滿洲國政府公報》,第1652號,康德6（1939）年10月16日,頁425,〈新京法政大學招生簡章〉。

297　國務院總務廳編,《滿洲國政府公報》,第1949號,康德7（1940）年10月24日,頁488,〈滿洲國立新京法政大學康德八年（昭和十六年）度日系學生募集公告〉。

298　國務院總務廳編,《滿洲國政府公報》,第1949號,康德7（1940）年10月24日,頁488,〈滿洲國立新京法政大學康德八年（昭和十六年）度日系學生募集公告〉。法學部的課程有國民道德、基本法、行政法、刑法、民法、商法、政治學、經濟學、財政學、民事訴訟法、刑事訴訟法、國際公法、國際私法、法理學、東洋法制史、經濟法、社會學、外國書講讀、哲學概論、法律演習、歷史、國語、體操、教練。經濟學部則修國民道德、經濟原論、財政學、貨幣金融論、商業學、經濟政策、經濟地理、統計學、簿記、會計學、經濟史、經濟事情、經濟演習、基本法、民法、商法、外國書講讀、哲學概論、歷史、教育學、國語、體操、教練。

100 名。[299]

　　讀新京法政大學的臺人首推陳寶川，他於 1932 年畢業於臺北工業學校，後到九份台陽礦業工作，在職中通過滿洲國委託臺灣總督府舉辦新京法政大學入學考試。由於免學費，而且成績優良者可領取學校獎學金，畢業後還可赴日本深造，故報名人多，且競爭激烈，是年（1934）陳寶川考上法學部，另有一臺人考上經濟學部。當其考上後日本憲警來盤查赴滿洲就學的原因，為恐其出國將吸收反日思想，故由林獻堂等人保證後才得出國。陳寶川認為該校幾乎是京都帝大分校，因主要教授均來自京大，師資不錯，思想較自由。畢業後不一定需要高考即可取得高等文官資格，也可順利就業，或赴京都帝大深造。

　　陳寶川入學後先讀預科一年，再轉入大學部，畢業後同時考上滿洲國高考司法、行政兩科，又考上公費留德，後因局勢有變，乃轉往京都大學研究。在學中因民族觀念較強，秘密加入中國國民黨，偶爾進行秘密聚會，以表示對滿洲國與日本的不滿。在學期間，因為土木科畢業的背景，故在學期間曾到遼河治水處工作，被派往遼陽一帶治水，負責測量高、低水位作為建築堤防之參考，以防止水患，前後長達十個月。[300]

　　除陳寶川外還有詹朝、賴眼前等在學。[301] 另有王朝坪，早稻田大學畢業，到新京法政大學當短期（四個月）助手。[302]

五、商業學校畢業生

　　臺人有兩位畢業於大連高等商業學校。此商校的設立乃日本在大連的實業家福海茂太郎認為九一八事變後，關東州及其接壤地區，在商業上會有劃時代的發展，故應養成人材，因此投下巨資，於 1936 年 11 月得到關東州許可，成立財團法人大連商業學校，在 1937 年 4 月開校。不久七七事變發生，欲達創校目的有其困難，乃於 1941 年 4 月移轉由官方來經營。[303] 遂改為公立，修業年限三年，專收日本中

299　國務院總務廳編，《滿洲國政府公報》，第 1960 號，康德 7（1940）年 11 月 6 日，頁 120，〈新京法政大學特修科招生公告〉。

300　陳寶川口述，卓遵宏、歐素瑛訪問，歐素瑛紀錄整理，《陳寶川先生訪談錄》（臺北：國史館，1999），頁 18-28，〈長春法政大學〉。

301　許雪姬訪問、曾金蘭紀錄，〈林鳳麟先生訪問紀錄〉，《口述歷史》5（1994.6），頁 216-217。林鳳麟曾在法政大學兼課，他記憶中兼課者尚有陳寶川和黃演淮。然黃演淮畢業於同志社大學法科，他入法政大學是任教職工作，有待下一章再深入分析。

302　國務院總務廳編，《滿洲國政府公報》，第 1868 號，康德 7（1940）年 7 月 17 日，頁 432；國務院總務廳編，《滿洲國政府公報》，第 1950 號，康德 7（1940）年 10 月 31 日，頁 674。

303　山崎庄作，《大連高等商業學校一覽》（大連：大連高等商業學校，1943），頁 3。

學畢業之華僑、日人。[304] 徐先佑，嘉義中學畢業（十屆），為本校第三回本科畢業生，畢業後在 1934 年進入大同學院第一部受訓。[305] 另一個為張錦源，臺中州人，畢業於本校別科，時為 1939 年 3 月。[306]

六、全滿最高學府——建國大學

建國大學是滿洲國最高學府，設立於新京南嶺，仿日本帝國大學學制前期三年、後期三年。1937 年 8 月 5 日公布「建國大學令」，由國務院總理張景惠兼總長，副總長則是日人田庄一。[307] 建國大學創設的日期為 1938 年 5 月 2 日，是滿洲國皇帝溥儀訪日宣詔紀念日之當天宣布成立，親臨參加，並發布敕書。[308] 此學校主要的目的是：

在養成體得建國精神之真髓，究明學問之蘊奧，以身踐行而為建設道義世界先覺的指導者之人材也。本大學即仰體興學育才之聖旨，為國家造就楨幹標樑之材，特由構成帝國之各民族青年中，選拔俊秀者使其入學。[309]

建大設於新京特別市歡喜嶺，入學者完全免費，但需全體住於塾（宿舍）中，塾中刻意將不同民族的學生集在一起，希望住共同塾，能成為由日常生活體會建國精神之道場，「在塾內塾頭教導之下，施以嚴肅明朗之規律的生活，切磋琢磨，以勵身心之鍛鍊，模範的實踐民族協和，以期育成為真正指導者之材幹器量者也。」[310] 這是該校的特色。由此可知這所學校十分重視精神教育，且具有濃厚的政治色彩。其前後期的教育內容說明如下：

1. 前期：以體會建國精神為主，授以高等之普通教育，注重軍事、武道、作業等之訓練。

2. 後期：以修滿洲國學為主，其學科中於共同課目，修得基本的諸學，及必

---

304 中國第二歷史檔案館，〈偽滿大學教育實況及抗戰勝利後整理意見（二）〉，《民國檔案》（南京），2001.3，頁 40。

305 山崎庄作，《大連高等商業學校一覽》，頁 96；平井新，《嘉義中學校同窓會會報·附會員名簿》，頁 43。

306 山崎庄作，《大連高等商業學校一覽》，頁 96。

307 于家齊，〈偽滿建國大學及其剖析〉，收入長春市政協文史和學習委員會，《回憶偽滿建國大學》，文史資料總集第 49 輯，（長春：長春文史資料編輯部，1997），頁 3。

308 國務院總務廳編，《滿洲國政府公報》，第 1219 號，康德 5（1938）年 5 月 4 日，頁 43，由國務院總理大臣之名，於康德 5 年 5 月 2 日公布〈康德五年五月二日建國大學開學式所賜之敕書〉。

309 國務院總務廳編，《滿洲國政府公報》，第 1823 號，康德 7（1940）年 5 月 24 日，頁 578，〈康德八年度入學建國大學前期招生公告〉。

310 國務院總務廳編，《滿洲國政府公報》，第 1823 號，康德 7（1940）年 5 月 24 日，頁 578，〈康德八年度入學建國大學前期招生公告〉。

習之諸學，於選擇科目，授以政治、經濟、文教（教育）等三科之專門教育，使其研究國家需要之學術。[311]

畢業後若要做更深研究者，還設有大學院，提供更好的研究環境。[312] 分為建國原理班、日本精神班、國土班、滿蒙文化班、東亞及世界秩序班，修業年限2年。除畢業於建國大學者可就讀外，其他大學畢業生也可經由保送進入，[313] 建國大學是滿洲最高學府，相當難考。

至於其招生的條件，學歷則是（1）滿洲國民高等學校或同等學校畢業者，預定畢業者，並有同等資格者。（2）日本中等學校（師範學校、中學校、甲種實業學校、關東州或滿洲國內日本人中等學校）畢業或預定畢業及有同等學力者。（3）由協和會特別推薦者。想入建大者首先必須填志願申請表、交畢業證書或相關文件、相片、人物考查書（學生由校長、協和會由該會中央本部做成）、學業成績單，向以下單位申請之：

表3-5　建國大學申請單位

推薦機關名	志願者區別
道各府縣及樺太廳	該地居住日本內地人
朝鮮總督府	朝鮮或日本內地居住朝鮮人，朝鮮居住日本內地人
臺灣總督府	臺灣或日本內地居住臺灣人，臺灣居住日本內地人
駐滿日本帝國大使館	關東州居住各民族，滿洲國民住日本內地人、朝鮮人、臺灣本島人（但具日本國學制者）
滿洲國各省及特別市	該地居住滿、蒙、俄人及據滿洲國學制之朝鮮人、臺灣本島人
駐日滿洲帝國大使館	日本居住滿、蒙、俄人
協和會中央本部	由協和會特別推薦者

資料來源：國務院總務廳編，《滿洲國政府公報》，第1538號，康德6（1939）年6月2日，頁87-88。

建大就上述資料做第一次審核，通過後才有考試資格。考試分身體檢查及筆試，考試科目亦有民族之區別。滿、蒙、俄人考常用語（滿、蒙、俄語任擇其一）、作文、日本語譯成常用語、常用語譯成日本語、地理（本國地理、世界地理：以亞細亞洲、澳大利亞洲為限）、歷史（國史、日本史、西洋史）、數學（算術、代數、平面幾何，但對數、三角法除外），

311　國務院總務廳編，《滿洲國政府公報》，第1823號，康德7（1940）年5月24日，頁578，〈康德八年度入學建國大學前期招生公告〉。
312　國務院總務廳編，《滿洲國政府公報》，第1321號，康德5（1938）年9月1日，頁1，〈敕令第223號：建國大學研究令〉。
313　中國第二歷史檔案館，〈偽滿大學教育實況及抗戰勝利後整理意見（一）〉，《民國檔案》（南京），2001.2，頁39。

答案可用常用語或日語做答;日本內地人、朝鮮人、臺灣本島人考國語、作文、漢文、地理（日本地理、外國地理：以亞細亞洲、澳大利亞洲為限）、歷史（日本史、東洋史、西洋史）、數學（代數、平面幾何，但對數、三角法除外）、外國語（於滿、英、法、俄、德語中任擇其一）。[314]第一次考試後還有第二次考試，[315]若二試合格即算錄取。

以建國大學前期第一期學生（康德5年度）招收的學生為例，日本內地人共有70人、朝鮮人10人、臺灣人3人、滿洲人55人、蒙古人7人、白俄5人，共150人，以日本人為多，唯這是滿洲各公費大學中唯一規定臺灣人名額者。[316]當其入塾時，即可清楚見其民族別，以8期、1945年（前期一年）的錄取者為例，有日本人53名、朝鮮人9名、臺灣人3名、滿洲人（中國人）57名、蘇聯人2名。不包括物故及不知下落者，即可知其民族別。[317]

建大到1943年3月因時局緊迫之故縮短修業年限六個月，而畢業最後一學期的結束日期為6月30日。[318]

建大開的課程相當多，主要以培養高級領導人材為目的，因此其招生在滿洲各大學招生之前進行，主要想由其中選擇拔尖分子。至於畢業後的出路，則是參加高等文官考試以取得高等官試補的資格，再進入大同學院接受訓練，三個月後即分配到協和會、大型株式會社、地方行政機關、司法機關任職。這表示「**作為官員已開始踏上國家權力中心的階梯**」。[319]建大占地65萬坪；學校有滑翔機場、軍訓場、馬場；由於校地太大，每逢上軍訓課要帶兩個便當，否則一來一往花太多時間；而滿洲國內交通不便，要到較偏遠之地須騎馬，因此建大學生必須上馬術課，這部分是訓練課程而非學科。前期訓練課有軍事訓練、柔道、劍道、合氣道、弓道、騎道、農業訓練。而上課時天寒地凍，雖有暖氣，但筆記常一半墨水一半鉛筆，因寫到一半墨水已凍得寫不出來，故上課仍需帶氈帽聽講。[320]

---

314 國務院總務廳編，《滿洲國政府公報》，第1538號，康德6（1939）年6月2日，頁87-88，〈依左別要項招募康德七年前期入學生〉。

315 第一試考試地點亦分兩類，一是滿、蒙、俄人為大連、奉天、新京、吉林、承德、安東、錦州、哈爾濱、齊齊哈爾、牡丹江、王爺廟、東京；一是日本內地人、朝鮮人、臺灣本島人為仙台、東京、京都、廣島、熊本、京城、臺北、大連、新京、延吉。見國務院總務廳編，《滿洲國政府公報》，第1538號，康德6（1939）年6月2日，頁87-88，〈依左別要項招募康德七年前期入學生〉。

316 國務院總務廳編，《滿洲國政府公報》，第1181號，康德5（1938）年3月16日，頁422，〈建國大學學生及格者〉。

317 建國大學同窗會，《建國大學同窗會名簿》（昭和六十三年四月現在）（東京：建國大學同窗會，1988），頁125-137。

318 國務院總務廳編，《滿洲國政府公報》，第2636號，康德7（1940）年3月15日，頁402，〈關於建國大學修學年限臨時短縮之件〉。

319 長春市政協文史和學習委員會，《回憶偽滿建國大學》，頁12、19-20。

320 許雪姬、黃自進訪問，丘慧君紀錄，〈吳憲藏先生訪問紀錄〉，《口述歷史》6（1995.7），頁215-216。

建大學生生活起居接受軍訓管理，1939 年滿洲國開始實行配給制度，糧穀每月每人配給 30 文，日人和中國南方以米食為主的人配給粳米，滿洲人配給高粱，[321]在校中亦然。原本吃飯日人吃白米，滿系吃高粱、玉米，後來為了五族協和，取消差別待遇，早上吃高粱煮的粥，中餐吃高粱，晚上吃白米，週末有紅豆餅當點心，打牙祭時吃赤飯（せきはん）。[322] 建大教育的特色是透過塾教育，培養學生的指導能力，也藉由軍訓、農訓和武訓來訓練學生，該校以不考試，不打分數（不發表成績）以顧全日語程度不如的漢、滿、蒙學生的面子，到晚上睡覺前還要集合塾生討論時局，互相論難，即所謂夜間研究會。[323] 課程中也有門課叫勤勞奉仕，即義務勞動，有時是下鄉實地考察地方行政業務，以累積日後工作經驗，有時幫地方政府修築道路。建大五期生吳憲藏在三年建大學生生涯中，一次被派到吉林省附近的松花江畔做道路工程，一次則到北緯 50.5 度的黑河附近鋪設軍用道路。7 月底 8 月初，白天熱得需脫去上衣才能做工，晚上要蓋八條毯子（上五、下三）才能禦寒。[324]

　　事實上，考入建大的學生除日本人外，其他非大和族都各懷鬼胎、另有懷抱。中國人想把日本人趕走，恢復獨立；朝鮮人亦然，蒙古人則要恢復成吉思汗的豐功偉業。至於臺人讀建大的原因，據第七期的涂南山說他到建大只想著如何抵抗日本侵略、如何復興中國；以及滿洲若解放了，臺人能否自日本的統治中得到解放？日人自亦明瞭不同民族都有其理想，但不容許政治上的反日事件，因此建大期間曾發生一些滿籍建大生結社被捕、被殺的慘劇。[325] 在戰爭結束後約有學生 1,200 名，中國學生 15% 弱，日本學生超過 60%，蒙、鮮、白俄、臺灣學生共占 10% 弱，畢業生有 400 名。[326]

　　建大每期給臺灣學生的名額是 2%（大約是三個名額），通常考上建大的臺籍學生，如果不是戰爭時都會集合到東京，然後將全員帶往拜伊勢神宮、明治神宮再前往滿

321　中央檔案館編，《偽滿洲國的統治與內幕：偽滿官員供述》，頁 275，〈閻傳紱筆供〉（1954 年 8 月 16 日）。

322　許雪姬訪問，鄭鳳凰、黃子寧紀錄，〈涂南山先生訪問紀錄〉，《日治時期臺灣人在滿洲的生活經驗》（臺北：中央研究院臺灣史研究所，2015 年 2 刷），頁 132。

323　李水清，〈附錄：東北八年回憶錄（1938 年 4 月－1946 年 4 月）〉，《日治時期臺灣人在滿洲的生活經驗》，頁 34-42。

324　許雪姬、黃自進訪問，丘慧君紀錄，〈吳憲藏先生訪問紀錄〉，頁 217-218。

325　有關建大學生在學中承受不了激烈的訓練和殖民思想的沉重壓抑，而直接投入抗日活動因而被捕，也有轉赴關內到抗戰前線，也有因病而休、退學者。受日本政府逮捕的建大學生及其相關事實，可見《回憶偽滿建國大學》，如佟鈞鎧，〈我在偽建國大學的抗日鬥爭〉，可人、王東桂，〈追念苗崇元同學〉等文，如 1944 年建國大學柯教授、學生楊萬玉等二十餘名被逮捕，楊萬玉在途中被毆身亡之外，餘皆去向不明。見中央檔案館編，《偽滿洲國的統治與內幕：偽滿官員供述》，頁 284，〈閻傳紱筆供〉（1954 年 8 月 16 日）。

326　中國第二歷史檔案館，〈偽滿大學教育實況及抗戰勝利後整理意見（一）〉，《民國檔案》（南京），2001.2，頁 39。

洲,意思是要新生到滿洲國後不要忘記日本精神,途經朝鮮時,就由朝鮮總督負責招待。以後海上不靖、局勢危險時,就連到滿洲入學都有困難,遑論先到東京再一起前往。以塗南山、賴寶琛、賴翔雲而言,1944年上半年有一艘基隆到大連的船ちょざんまる(長山丸),三千噸,但因故取消行程。3月1日船出港到3月10日才到門司,到釜山後再搭火車,3月15日到新京。原本兩、三天的路程卻用了15天才到,戰局之緊迫可見一斑。[327] 有關建大生的進一步介紹,則參看本書第八章。

表3-6　建國大學臺灣學生名單 [328]

期別(新)	期別(舊)	入學者
1	1	*李水清、*黃山水、林慶雲
2	2	游海清、賴英書、*蔡傑川
3	3	呂芳魁、朱子英、游禎德
新(3)	4	陳金聲、紀慶昇、賴登漢
(4)	5	孫順天、劉杏林、劉文雄、邱德根
(5)	6	劉英州、黃進福、吳憲藏、董炳煌
(6)	7	邱來傳、顏再策、蔡維鈞
(7)	8	賴寶琛
(8)	9	塗南山、蘇大川、賴翔雲

*為畢業者3名

資料來源:許雪姬訪問,黃子寧、林丁國紀錄,〈李水清先生訪問紀錄〉,《日治時期臺灣人在滿洲》(臺北:中央研究院臺灣史研究所,2015年2刷),頁11。

　　有關臺灣的建大畢業生,在2020年由岸田由香(Yuka Hiruma Kishida)出版《建國大學及其泛亞洲主義經驗:日本帝國的教育》(Kenkoku University and the Experience of Pan-Asianism: Education in the Japanese Empire)一書,其中的第四章「將亞洲成為新家:朝鮮人和臺灣人學生在建國大學的經驗」,談到建國大學吸引這兩處日本殖民地的青年來就讀,主要是受到下列因素的影響:受滿洲國以創造更大的平等之此一口號所吸引;又鑑於建大的學歷,不下於日本帝國內外地的高校、大學所形成的光環,且學費、塾費全免;滿洲國又以「民族協和」為標榜,能和來自不同民族、不同地區者進行

327　許雪姬訪問,鄭鳳凰、黃子寧紀錄,〈塗南山先生訪問紀錄〉,《日治時期臺灣人在滿洲的生活經驗》,頁129。
328　此名單另參考建國大學同窓会,《建国大学同窓会名簿》(東京:該会,1988),頁21-137;山根幸夫,《建国大学の研究—日本帝国主義の一斷面》(東京:汲古書院,2003),頁397-424。以李水清提供的名單最正確。而李水清之名單亦和塗南山的名單比對過。山根名單中的日本式姓名,是否為臺人,值得進一步商榷。

交流，言論自由，又具文化寬容的精神。她以李水清的〈東北八年回憶錄（1938年4月-1946年4月）〉為本，敘述他深信石原莞爾（倡導設立建大者之一）倡導的泛亞信念，認為日本、中國、滿洲三者間的合作與提攜，將是建立亞洲聯盟的關鍵，從而為滿洲國的發展提供新的模型。在學中他又和住在新京一帶的臺灣同鄉，如吳金川、郭松根（見第四章）等人有所接觸，受到其啟發，引用新京醫科大學教授郭松根告訴他的話：「我們臺灣人是少數民族，要設法多培養第一流人材出來才站得住，藝術家、音樂家、運動選手也可以，最好是科學家，要多培養幾個世界第一流的科學家，始能立足於世。」對臺灣人如何立足於世界有所深省，認定自己雖是日本籍，但是漢民族的意識很強。終究經建大六年的教育後，李水清成為一位堅定的泛亞洲主義

圖3-21　建國大學學生著制服合照
坐地者：（左起）田中博文、中村喬一、井上居石、有吉正雄、木戶隆、丁本圭徹
第二排：森田幸雄、八木芳雄、オルトニバト（蒙古人）、瀧川、李水清、張玉麟、高橋淳夫
第三排：路燦河、石酒章、松田幸夫、山城淳三、向井、岡部、入江、劉承聰、金宮、孫、王、馬維同
最後排：董佩林、プリチョーカ、張權（李水清先生提供）

者，和臺灣民族主義者。[329] 李水清由建大的塾教育養成建大學生互助合作、默默無聞地去盡心盡力挺身赴難的精神。[330] 由於李水清常帶建大學生造訪在新京的臺灣同鄉，彼此建立深厚的情感，當滿洲國滅亡後，在新京臺灣人返鄉過程中得到建大學生多方協助，而能順利返鄉，將在第八章敘述。

小結

　　以上討論日治時期赴滿洲受教育的臺人，大約有 120 人就讀醫科學校，分別是滿洲醫科大學（包括南滿醫學堂及醫科大學大學部與專門部）、新京醫科大學、哈爾濱醫科大學、滿洲開拓醫學校、旅順醫學專門學校、滿洲國立陸軍軍醫學校，另有一人畢業於奉天藥劑師養成所。除醫科外，工科為新京工業大學、奉天工業大學、旅順工科大學約有十數名，法律科的畢業生都出自新京法政大學，有 4 人，大連商學校也有 2 人、建國大學有 27 人，約有 160 餘人在滿洲受教育，但有些人並未畢業。據〈回憶長春大學〉一文指出，日本在滿洲國進行的高等教育，雖有十幾所大學，但實際上每年招生人數只有 1,400 人，其中日系（包括臺灣）占了 800 人。[331] 上述學校中的臺灣人學生有 150 多人，可見該文指稱的人數應該十分貼近現實。滿洲為臺灣訓練了一些人才，主要原因是臺灣高等教育機構不足，而在臺灣受高等教育後就職困難，即使順利就職也會面臨差別待遇；而滿洲是日本的勢力範圍，臺灣人被視為日系，受到的差別待遇與在臺灣相比較不明顯；語言也不是障礙；有些大學如建國大學有帝大的水準，且每年有 2%（約 3 名）的名額給臺籍學生；更加上大半的國立大學基本上有公費且可申請學貸；畢業後有固定的工作，這些優厚的條件給臺人相當大的吸引力。至於這些學校的畢業生，未來在職場上的表現，則可參考第四章以下的相關討論。

329　Yuka Hiruma Kishida, *Kenkoku University and the Experience of Pan-Asianism* (London and New York: Bloomsbury Academic,2020), pp.113-121。岸田只參考李水清的回憶錄，但未參考另兩位建大生的口述訪談，一是涂南山、另一是吳憲藏。

330　李水清，〈東北八年回憶錄（1938 年 4 月 -1946 年 4 月）〉，收入許雪姬等訪問，《日治時期臺灣人在滿洲的生活經驗》，頁 47。

331　周克讓，〈回憶長春大學〉，頁 75。

第四章 滿洲國官僚體系的建立與臺籍官員

一、滿洲國官僚體系的建立與日系官員
二、滿洲高等官吏的搖籃——大同學院
三、任職於中央部會的臺人
四、在地方任公職的臺灣人
五、滿洲國軍隊中的臺人
小結

臺灣人前往滿洲除了求學如前章所敘外，求職也是主要原因，通過考試取得一官半職，實為在滿洲立足的終南捷徑。本章將先討論滿洲國在中央與地方的行政組織，以及在官僚布署下的所謂日系官員的數量問題；其次探討作為高等官訓練搖籃的大同學院如何設立與變遷，再討論 1938 年滿洲國舉行文官高等考試後，高等官的養成與任用。處理上述結構性的問題後，臺灣人在滿洲國存在的 13 年半中，有多少人任中央官員、地方官員？又有多少高等官？值得進一步探討。

一、滿洲國官僚體系的建立與日系官員

滿洲國於 1932 年 3 月 1 日發表建國宣言，9 日溥儀即執政位並舉行建國式，10 日滿洲國正式向列國宣布獨立，是日也發布各部會的首班人選，3 月 16 日定都新京。[1] 溥儀的執政府設置府中令，係特任官，承執政之旨管理執政府的一切事務。執政府下設秘書廳、內務處、掌禮處及警衛處等三處一廳，置秘書長、內務長、警衛長，是特任官，大禮官則是簡任官。除三處一廳外，還有四局，即會計審查局、侍從武官、侍衛官及內廷局。[2] 國務院方面則設有民政部、外交部、財政部、軍政部、實業部、交通部、司法部、文教部、興安總局。[3]

1933 年滿洲國統治者由執政而皇帝，年號也由大同改為康德，是為滿洲帝國。自 1934 年（康德元年）到 1945 年（康德 12 年）中央、地方行政組織有哪些單位，茲以 1942 年《滿洲帝國概覽》為主，來簡介其大概情形。

（一）中央官制

1. 尚書府：藏御璽、國璽，並在詔書、敕書及其他文書上用璽，最高官為尚書府大臣，下設秘書官長、秘書官、屬官的職員。

2. 宮內府：輔弼帝室之事務，設有六處：總務、內務、近侍、掌禮、皇宮近衛、侍衛；還有帝室會計審查局，首長為宮內府大臣。

3. 皇帝大典委員會：以宮內府大臣為委員長，尚書府大臣、宮內府次長、參議府參議二人、各部大臣二人、最高法院長、國務院總務長官組成，得設幹事長、幹事處理一般事務。

4. 侍從武官處：置侍從武官長及侍從武官，前者由陸軍上將或中將親補；後

1　金丸精哉，《滿洲風雲錄》（東京：六人社，1941），頁 389。
2　陸軍省調查班，《滿洲國の容相：第一續編》（東京：陸軍省調查班，1933），頁 4-5。
3　林聲主編，《九一八事變圖志》（遼寧：遼寧人民出版社，1991），頁 206。

者以陸軍軍官補之，主要的工作是扈從。

5. **軍事諮議院**：在重要軍務上應皇帝諮詢的機構，設議長、諮議官、幹事，諮議官由治安部大臣擔任，特別是親補軍事諮議官的上將或中將，以年紀大的為議長。

6. **參議府**：由參議組成，是皇帝最高諮詢機構。

7. **祭祀府**：掌管建國神廟、建國忠靈廟等機關，置總務、祭務。

8. **立法院**：有關法律、預算及預算外國庫負擔所必要的契約之立法翼贊機構，向國務院建議國務，受理人民請願等，設秘書廳，由立法院長綜理一切。

9. **法院**：審判依規定的民事、刑事案件，管理區、地方、高等、最高四法院，置各級檢察廳。

10. **國務院**：諸般的行政均歸其掌理，起先設國務總理大臣，下設民政、外交、軍政、財政、實業、交通、司法、文教、蒙政九部，總務廳一廳，恩賞、國都建設、國道、營繕需品四局。1937年為了行政「簡素強力化」及確保國內治安軍警一元化，並使中央和地方緊密聯繫且劃一，遂行產業經濟計畫，達成民族協和這些目標，因此改組了國務院，設外務、內務、[4] 興安三局，治安、民生、司法、產業、經濟、交通六部，審計局、恩賞局隸屬國務院。以外尚有大同學院、建國大學、大陸科學院、地政總局、官需局、建築局等機構。

1940年6月1日產業、經濟兩部改組，連帶廢止了產業部而設興農部，並擴充經濟部的機構，國務總理大臣的責任也加重。至於國務院所屬的各行政機關如下：

（1）總務廳：掌國務總理大臣的職務執行有關事務，下設官房、法制、人事、主計、統計、弘報、地方七處。

（2）大同學院：（下敘）

（3）建國大學：見第三章。

（4）大陸科學院：屬總理大臣管理，掌管資源的開發利用為目的有關的科學研究事項，以下設有馬疫研究處、獸疫研究所、衛生技術廠、地質調查所等，是滿洲國最高的科學研究機構。（下敘）

（5）興安局：掌管蒙政的基調，蒙政事務的聯絡調整，設有庶務、調查兩科。

（6）外務局：原設外交部。設外務局長官，設有官房、政務、調查三處，主要職務有六：制定外交政策的基調；國際交涉、外國事情的調查及外國情報的搜集，外交使節、外交官及領事館；保護在外國旅行及居留人民；外國人的出入國等事。

（7）大公使館：掌理特命全權大使、全權公使在各該駐箚國進行外交交涉、通商、保護在留民等相關事務，在日本置大使館，在義大利、西班牙、德國、匈牙利

4　外務、內務二局在康德6（1939）年6月30日廢止。

設公使館。

（8）領事館：總領事、副領事皆受國務總理大臣的訓令及管理來執行其職務。設總領事館的有德國漢堡、波蘭華沙、日本大阪；領事館在蘇聯有海蘭泡、赤塔，朝鮮新義州等地。

（9）建築局：設總務處、第一工務處、第二工務處，主要有四項任務：營繕由國費支辦的建造物；統制監督由地方費支辦的建築物；在國務總理大臣認可下受委託施行公共團體及其他團體的建造物營繕；管理中央官署專用電話及主要官署機械煖房作業。

（10）官需局：掌管官署、公共團體、國務總理大臣所指定的團體，其工事或物品製造包商所要物品的購入及供給。局內有庶務、經理，第一、第二、第三、第四科。

（11）恩賞局：掌勳章、褒章、記章、其他榮典、外國的勳章、褒章及記章的受領及佩用。

（12）地政總局：設官房、事業、審查共三處。主管土地權利的審定，地籍的設定及維持管理；整理商租權等八項職務。

（13）審計局：依審計法行審計的工作，設長官官房及第一、第二處。

（14）治安部：1937年7月新設，除官房外還有參謀司、軍政司、警察司；另有馬政局。治安部下還有軍械廠、軍需廠……等。

（15）民生部：管教育、禮教、社會、保健及其他民心作興及民生安定等事。設有官房及教育、厚生、勞務、保健等四司，禁煙總局、國立中央博物館。

（16）司法部：監督法院、檢察廳、監獄，掌理民事、刑事、行刑、非訟事件、民籍、地籍及其他司法行政。除官房外，設有民事、刑事、行刑三司。

（17）興農部：掌理農、林、水產、畜產（馬、騾、驢、駱駝除外）及開拓有關事項。除官房外，置農政、農產、畜產三司，下有開拓總局、特產局、林野局、營林局、營林署。

（18）經濟部：掌理工、礦、商、貨幣、金融、租稅、國有財產、專賣、工業所有權、水力電氣施設的建設等。除官房外，設有工務、礦山、金融、商務、稅務五司，水力電氣建設局、專賣總局、專賣署、稅務監督署、稅捐局、權度檢定所、鹽業試驗場。

（19）交通部：除官房外，設有鐵路、道路、水路、航空、都邑計畫等五司，還有郵政總局、郵政管理局、中央觀象台。[5]

---

[5] 豐田要三編纂，《滿洲帝國概覽》（新京：滿洲事情案內所，1942），頁34-62。

（二）地方官制

　　滿洲的地方行政制度是 1934 年 12 月 1 日經審慎調查的結果（由地方制度調查會）實施第一次改革、1937 年 7 月 1 日做第二次改革。改革的方向有二：一地方行政機關在於能因應地方的實情加以統合整備；另一是普及協同組合並整備地方自治制。依此，省由原來的 10 省改為 16 省及新京一特別市，廢除哈爾濱特別市；年底廢除治外法灌，滿鐵所管的附屬地移交滿洲國也獲得實行，同時省以下的市、街、村制，也做了部分修正，確立了地方行政制度。

　　1939 年 6 月 1 日為防範邊境、開發產業，並因應東亞情勢，多設了東安、北安兩省，故滿洲國共有 18 省（最後改為 19 省，見第三章）。省是地方行政最高單位，省長是最高行政長官，在國務總理大臣的指揮監督之下執行法律命令，來管理省內的行政事務。省長可指揮、監督其下的市長、縣長、旗長及警察廳長，省長可將其職權所屬的部分事務委由市長、縣長、旗長及警察廳長代理。

　　省長之下設次長、廳長、參事官、理事官、技正、秘書官、事務官、警正、視學官、屬官、警佐、技士、警尉等的職員，分管各項工作。省本身的組織除官房外，設有民生、警務、實業、土木四廳，若經國務總理大臣指定，實業廳或民生廳可以代之以設開拓廳，也可設煙政廳。吉林、龍江、濱江、三江、北安五省以開拓廳代實業廳，牡丹江、東安、興安北三省開拓廳代替民生廳及實業廳，通化、興安東二省不置實業、開拓及土木廳，龍江、錦州、熱河、間島、三江、牡丹江、東安、北安、興安南、興安西、興安北等 11 省未設土木廳。

　　1933 年 7 月滿洲國發布特別市制，新京、哈爾濱為特別市，但 1937 年 7 月廢除哈爾濱特別市。特別市是法人，特別市的住民有共同對特別市財產及營造物的權利及分擔之義務，市下設有官房、行政、財務、衛生、工務四處，臨時國都建設局；特別市還設有供市長諮詢的特別市諮議會，其諮議會員由市長選任 15 名，日系 7 名、滿族 7 名，鮮系 1 名。

　　除特別市外，還有省下的市，市設諮議會，有議員 7 到 15 人，議長由市長就諮議會員中指定。滿洲國的市到 1942 年共有 17 市：哈爾濱、奉天、吉林、齊齊哈爾、牡丹江、錦州、佳木斯、安東、撫順、營口、鞍山、四平街、遼陽、鐵嶺、本溪湖、阜新、海拉爾。

　　縣置縣長、副縣長，縣長在省長指揮監督下執行法律命令、管理縣內行政事務；副縣長則輔佐縣政並在縣長有事時代理其職務。1940 年滿洲國共有 146 縣、38 旗，旗長管理旗民住的區域。

　　街與村是下級地方團體，街以街制、村以村制作為基礎法，兩者除在機關的構成及文化、國民度有事務廣狹的差異外，基本構造上大體相同。街、村制是在

1937 年 12 月 1 日開始實施，採用大街、大村主義，街為準市的都邑，1940 年前後共有 187 街、2,982 村。[6]

（三）「滿洲國」官吏中的日系官吏

　　臺灣人之所以能在滿洲國當官，和滿洲國所謂日系官吏所占的比例有關，茲簡述如下：據滿洲國執政、皇帝溥儀被捕後的筆供（用筆寫下來的供詞）稱，當滿洲國建國時，日方曾堅持在滿洲國的官員中，日系要占三成，往後在財政部總長熙洽[7]等人反對下，因而大致是 1：4（即兩成），但關東軍司令本庄繁有權對於日系官員加以晉用、免職。[8] 在滿洲國成立之初，政府任用了 600 名官員，其中日系占二成為原則，為了維持以滿洲官員（漢人＋滿人）為主的假象，日系官員只在國務院總務廳廳長、各處處長、各部總務司長、各省總務廳長下，作為各部總長、各省長的輔佐。表面上滿洲人任高官，實際上的主導權卻掌握在日系官員手中。[9] 至於政府的政策並非由滿洲人的國務院總理下決定，而是由總務廳長（總務長官）主持的火曜會[10]中做成。一旦案件通過，即使國務院、參議府、溥儀都不得變更。因此滿洲國國務院總務長官是滿洲國實際上的「統治者」。[11] 舉例來說，第一任國務總理鄭孝胥即因

6　豐田要三編纂，《滿洲帝國概覽》，頁 63-78。

7　熙洽，1884 年生，滿洲人，1911 年日本陸軍士官學校畢業，曾任東北邊防軍副司令長官公署參謀長，兼任吉林省長，屬復辟派。他主張「滿洲應該掌握在滿洲人手中」。在滿洲國建立後任鄭孝胥內閣的財政部長，在張景惠內閣任宮內府大臣。見今村俊三等，《滿洲國人傑紹介號》（東京：日支問題研究會，1936），頁 9，〈人傑中の人傑〉。

8　中央檔案館編，《偽滿洲國的統治與內幕：偽滿官員供述》（北京：中央檔案局，2000），頁 96，〈愛新覺羅・溥儀筆供〉。不只本庄繁，只要是關東軍司令官，不受日本政府的指揮，直屬天皇，他是天皇派來指導滿洲皇帝的師傅，因此日系官吏的總務長官要接受關東軍司令的內面指導，而滿洲國政府不直接和日本聯絡，而是透過關東軍司令部通往日本陸軍省軍務局，此局再經由對滿事務局（以後的大東亞省），到達日本政府。見武藤富男，《私と滿州國》（東京：文藝春秋，1988，4 刷），頁 100。

9　滿洲國史編纂刊行會，《滿洲國史 各論》（東京：財團法人滿蒙同胞援護會，1971），頁 1089。

10　參加者有總務廳長（後改為總務長官）、總務廳次長、各部次長、總務廳各處長、興安總局參與官、總務廳文書科長，還有代表軍部的人參加，稱作次長會議，因在星期二召開，因此又叫火曜會。1937 年以後改在星期三開，改叫水曜會。見王賢瑋，〈偽滿：日本的掌中物〉，收入文斐編，《我所知道的偽滿政權》（北京：中國文史出版社，2005），頁 93-94。王賢瑋曾任滿洲國國務院總務廳次長。

11　中央檔案館編，《偽滿洲國的統治與內幕：偽滿官員供述》，頁 96，〈臧式毅筆供〉。

總務廳長駒井德三[12]的專橫,而對諸事保持沉默,並因而於 1935 年 5 月去職。[13] 原則上日系官吏占二成,但實際執行如何?在總務廳、國都建設局是日人占七成,財政部、實業部是占六成,民政部是占三成,地方公署則是占兩成,至於省、縣、旗則大半是滿系官吏。[14] 之所以未能謹守 1 比 4 的比例,主要有兩個原因:

1. 南滿洲鐵道株式會社(簡稱「滿鐵」)的行政權 1936 年交由滿洲國來執行,因而政府必須吸收在職大量的日系職員。

2. 基於需要熟於產業開發、開拓政策、戰時行政、技術部門人員,但滿洲人較少這類人才。

為了增加合格的行政官僚,1938 年發布文官令,以採用考試、適格考試來增加官員人數,由於考試科目需用日語作答,因此考取者中十個有七個是日系,升等的登格考試,也是七三比例。[15]《滿洲國史 各論》雖一再強調日本人到滿洲國崩潰前仍然嚴守著「日系官員」二成的規範,[16] 非但不是事實,[17] 且有決定權的都是日系,等於日本人掌握滿洲國的一切行政體系,談不上日滿共治,更不用說是五族協和。[18]

臺灣人在 1897 年 5 月 8 日「臺灣住民去就決定日」之後未離開臺灣的,實際已成了日本籍,因此臺灣人在滿洲任官也算是占日系官員的名額;但有例外亦必須說明,如由放棄日本籍改入中華民國籍者,甚至加入滿洲民籍者,即占滿系缺,如霧峰林家的林季商在 1914 年改為中華民國籍;[19] 亦有臺灣人改為滿洲民籍者,如

12　駒井德三(1885-1961),號麥秋,日本滋賀縣人。滿洲國第一位國務院總務長官。早年受荒尾精的影響,而關心中國事務,再讀宮崎滔天的《三十三年之夢》,更為關心。1911 年日本東北帝國大學農科大學畢業,畢業論文為《滿洲大立論》,出版後頗受好評。同年 8 月進入滿鐵。1925 年參加郭松齡的滿洲獨立運動,失敗後回日本熱海隱居。1931 年九一八事變爆發,為陸軍省囑託,任關東軍統治部長。1932 年 3 月滿洲國成立時,就任總務長官,10 月辭職改任參議府參議。1935 年在日本寶塚設康德學院。1946 年受 GHQ 命令而出面,但被免除戰犯的身分。1961 年過世。著有《大滿洲國建設錄》、《大陸小志》、《大陸への悲願》等。見臼井勝美等,《日本近現代人名辞典》(東京:吉川弘文館,2001),頁 433。

13　林聲主編,《九一八事變圖志》,頁 206;中國歷史博物館編、勞祖德整理,《鄭孝胥日記》(第 1 冊)(北京:中華書局,1993),不著頁數,〈整理說明〉。

14　東北淪陷十四年史吉林編寫組譯、趙連泰校譯,《滿洲國史 分論》(長春:東北淪陷十四年史吉林編寫組,1990),頁 34-35。

15　中央檔案館編,《偽滿洲國的統治與內幕:偽滿官員供述》,頁 163-164,〈谷次亨筆供〉;谷次亨曾任滿洲國民政部警務處外事科長。見舉國社編,《大滿洲帝國名鑑‧昭和九年版(康德元年版)》(東京:舉國社,1934),頁 86。

16　滿洲國國史編纂刊行會編,《滿洲國史 各論》,頁 34。

17　林聲主編,《九一八事變圖志》,頁 206。林聲指出滿洲建國之初,日系官吏已占了三成。

18　所謂五族協和是指漢、滿、蒙、日、鮮互相協助。但在滿洲的朝鮮人則戲謔地解釋為是在民族差別之下,協助大和民族侵略中國。見尹虎,〈「満洲国」における在満朝鮮人指導方針と「民族協和」〉,《国際日本学論叢》6(2009.3),頁 57。

19　〈臺灣總督府公文類纂〉,文件號:02359-04,永久保存,三門警察門,行政警察,19 卷,1915 年〈林季商國籍喪失ニ關スル件照復(廈門領事)〉(1915 年 4 月 1 日),典藏號:00002359004。

王世恭（王洛）醫師，1929年5月登錄為醫師時，籍貫為奉天省瀋陽縣。[20]有此了解，對於大同學院第二部原以招收滿系人學生為主，卻有日系臺籍人士出現的事便不覺得唐突。

有關大同學院中的臺灣人這一主題，過去從未有人研究過，沒有先行研究可以參考。本主題的相關史料最重要的是《滿洲國政府公報》（分上、下欄，分別為中文、日文）；[21]大同學院同窓會所編的《大同學院同窓會名簿》（1942、1998）、[22]大同學院同窓會編的《大いなる哉滿洲》（1966）、[23]《友情の架橋—海外同窓の記錄》（1986）。[24]其他如滿洲國文教部總務司出版的《滿洲帝國文教關係職員錄》（1936）、[25]《滿華職員錄》（1942）、[26]《華北政府職員錄》（1943），[27]亦為重要參考資料。另日本之林ひふみ撰寫滿洲國後期在吉林師道大學任教、戰後留在中國從事音樂工作的董清財一文，[28]亦值得參考。此外加上參考相關有滿洲經驗者的口述歷史紀錄。

20　國務院總務廳編，《滿洲國政府公報》，第943號，康德4（1937）年5月24日，頁460，〈醫師名簿登錄〉（康德4年〔1937〕4月1日）。王洛，臺北人，1924年3月畢業於臺灣商工學校商科第五期。見JD24,54,〈滿洲醫科大學專門部昭和四至十年學籍簿〉，《滿洲醫科大學檔案》（瀋陽：中國遼寧省檔案館藏）。改籍的原因，據猜測是想要定居滿洲，如陳章哲醫師的改籍考量亦同。見《臺灣民報》，第295號，昭和5（1930）年1月11日，第11版，〈馬賊と大豆粕及び張作霖で有名な滿洲〉（中）。

21　《滿洲國政府公報》第1號發行於1932年4月1日，到第341號為止。由大同改元康德後，又自1號開始。因此只寫號時，必須說明是大同還是康德。此公報原以中文為主，而後有日譯本，大概晚中文版一個半月發行，到1933年9月，大同152號起，中文、日譯同日發行。到1936年，將中、日文合體，每頁分二部分，上部為中文，下部為日文。見古屋哲夫編，《滿洲国人事法令年表：大同元（1932）年—康德二（1935）年》（京都：京都大學人文科學研究所，1992），頁117-119。

22　大同學院同窓會編，《大同學院同窓會名簿》（新京：大同學院同窓會，1942）；米沢久子編集，《大同學院同窓會名簿》（東京：大同學院同窓會，1998）。

23　大同学院史編纂委員會，《大いなる哉 滿洲》（東京：大同学院同窓會，1966），共699頁。分成「建國への門出」、「挺身赴難」、「民族協和と民生の安定」、「崩壞の嵐に立ちて」、「大同学院の教育と生活」、「滿洲雜記」、「亡きおもかげに想う」、「建国に殉じた同志」。本書為葉碧苓教授購贈，謹致謝意。

24　創立五十五周年記念出版委員会編，《友情の架橋—海外同窓の記録》（東京：大同学院同窓会，1986）。本書承陳許碧梧女士借閱，謹致謝意。當初由同窓會編這書時，曾依〈中華民國大同學院同學會名單〉寄出31封邀稿函給臺籍生（也包括自東北來臺者），但當時臺灣在政治上尚未解嚴，沒有一個人響應這個活動，至為可惜。而中國有22人、韓國有4人寫出對大同學院的回憶，見本書的〈編集後記〉，頁203-204。

25　滿洲國國務院文教部總務司編，《滿洲帝國文教關係職員錄》（東京：滿洲國國務院文教部總務司，1936）。

26　中西利八編纂，《滿華職員錄》（東京：滿蒙資料協會，1942）。

27　本書藏中國瀋陽遼寧省檔案館，但本書已不全。戰後被改為《偽華北政府職員錄》（K82-01/097），1943年版。疑為中西利八所編，因這兩書中的傳可在其集其大成之作《中國紳士錄》一書見。

28　林ひふみ，〈滿州国の台湾人と日本人その戰後董清財、吉崎ヨシ夫婦の足跡〉，《明治大學教養論集》通卷441（2009.1），頁1-38。本論文為林ひふみ教授所寄贈，謹致謝意。

二、滿洲高等官吏的搖籃——大同學院

（一）建立與分期

　　大同學院可分前、中、後期，是日本代滿洲國訓練高級幹部的地方，[29] 曾就讀大同學院的林永倉說該校類似臺灣的革命實踐研究院；[30] 陳亭卿說得最清楚，他說大同學院是所高級職員訓練所，受訓完後為「高等官試補」，不久再升為高等官，是在官場上要成長的最直接路徑。[31] 何以有大同學院這個訓練機構？1931 年九一八事變發生後不久，11 月在日本人的運作下，統轄已在奉天省各縣成立的自治會或治安維持會的自治指導部，由于沖漢[32] 任部長，另設自治指導部自治訓練所，以養成自治指導人材，分派到各地。[33] 1932 年 1 月 11 日起，訓練現地日、滿人學生 20 多名。3 月 15 日自治指導部解散，由新設的滿洲國資政局訓練所承接。4 月下旬在東京、京都招生，錄取 80 人；加上在新京（長春）當地錄取的，共 97 名，就是第二期生，但不久後資政局解散，[34] 大同學院成立後，就由該院接管。自治指導員原是訓練年輕的知識分子，挺身到各縣、旗去指導自治、維持治安，到大同學院時代，受訓者就改稱參事或副參事官，[35] 意義也就不太相同。

　　滿洲國在 1932 年 3 月 1 日成立，7 月 11 日即以教令 60 號，發布大同學院官制，設院長、教授、事務官、屬官等，而院長是在總務長官的監督下綜理院務，屬國務

29　許雪姬訪問，吳美慧、丘慧君紀錄，〈謝報先生訪問紀錄〉，《口述歷史》5（1994.6），頁 197。

30　許雪姬訪問、王美雪記錄，〈林永倉先生訪問紀錄〉，《日治時期在「滿洲」的臺灣人》（臺北：中央研究院近代史研究所，2004 年初版 2 刷），頁 350。

31　許雪姬訪問、王美雪紀錄，〈陳亭卿先生夫人訪問紀錄〉，《日治時期在「滿洲」的臺灣人》，頁 293。

32　于沖漢，1871-1932，遼寧遼陽人，1931 年 11 月任自治指導部部長。見貴志俊彥等，《二〇世紀滿洲歷史事典》，頁 390。其子于靜遠（1898-1969）則在九一八事變後任奉天自治指導部顧問兼自治訓練處長。于靜遠，畢業於瑞士陸軍士官學校，回東北後歷任東北大學教授、省特別區警察第三總署長、省鐵路護路軍總司令部參謀、東北船政局顧問、東省特別區行政長官公署參議。1932 年滿洲國成立後，任滿洲國協和會總務處處長（一說總務廳廳長），翌年底任駐日本公使館參事。1938 年任新京特別市市長，1940 年 5 月任產業部大臣，6 月任興農部大臣。見內尾直昌編，《滿洲國名士錄：康德元年版》，頁 13-14；大阪每日新聞社編，《日本人名選‧附滿支人名選》（大阪：大阪每日新聞社，1941），頁 379，本書為吳文星教授所提供，謹致謝意。

33　中央檔案館編，《偽滿洲國的統治與內幕：偽滿官員供述》，頁 108-109，〈于靜遠筆供〉。

34　滿洲國史編纂刊行會，《滿洲國史 總論》（東京：財團法人滿蒙同胞援護會，1970），頁 250。

35　于靜遠的筆供沒有談到改為資政局一節。曾就讀大同學院的李水清則提出如上的看法。見李水清，〈附錄：東北八年回憶錄（1938 年 4 月-1946 年 4 月）〉，《日治時期臺灣人在滿洲的生活經驗》（臺北：中央研究院臺灣史研究所，2015 年 2 刷），頁 47。

圖4-1　1941年4月通過滿洲國高等官考試者在日本青年會館報到（蔡西坤先生提供）

圖4-2　滿洲國新京大同學院第十三期學員於日本東京集合後，準備出發前往滿洲國（蔡西坤先生提供）

院總務廳,主要目的是「為養成訓練官公吏或將為官公吏者之所」。[36]

1932年開始招收第一部第一期生,所謂第一部指「高等專門以上學校畢業者中直接採用」,亦即由上述學校畢業者經考試及格後得入大同學院接受訓練。第一部專門訓練日系(日本、朝鮮、臺灣)學員。在招收第三期生時,對滿洲人的應考者沒有特別規定,但對日本人則規定1933年後畢業者(1934年3月有畢業可能者也包括在內),其銓衡(指口試和身體檢查)則在東京、京都、仙台、福岡、新京舉行,[37]在臺灣未設銓衡地,因此經筆試合格的臺人,都往福岡銓衡。到1935年10月第一部招收第五期生時,改由現任職員中選拔入學,並設置第二部,招考不懂日語的滿系學生,但僅招七期。由1932年到1936年可謂大同學院的前期。1937年起是為中期,翌年改正官制,直屬國務院總理,除養成中堅文官外,還接受委託訓練地方團體、協和會、特殊會社的職員。1940年官制改正後,大同學院成為管理滿洲國境內所有中間指導者之養成機關。除官制的修正外,1938年公布文官令,只要是高等文官考試及格者都能入大同學院受訓,亦即只看實力不看學力,而且不會有如日本形成學閥。1941年起為後期,這時期有些學生對建國當初標榜的王道主義、五族協和是否能實現抱持著疑問。後期中的第十六期生、第十七期生則有白俄學生進入。這時期日系一畢業就應召入軍營,至於未應召的則到地方去增加生產供糧,或負擔國境的建設,或到各街村當指導員。1943年設了研究所,可和日本總力戰研究所相匹敵,而人員也互相交流。大同學院在1945年8月15日第十九期生與研究所第二期生畢業後解散。據云前後訓練的學生有4,000名。[38]以上分成三期,和大同學院同窓會的分期的期名和時間範圍不同。[39]

大同學院共分為三部,第一部如前所述,訓練大專以上畢業生,到1938年後就是高等文官考試及格者。第二部1935年設立,由不通日語、中學畢業的滿系子弟入學,僅辦七期,於1941年結束,即所謂的舊二部。而後第一部除高等文官考試及格者外,加上銓衡及格者,及協和會、公共團體、特殊會社與其他特殊團體的職員,修學期間一年以內。第二部是高等文官登格考試或銓衡及格者(即任職兩年以內的高等官),以及協和會、公共團體或特殊會社及其他特殊團體的職員,在學期間六個月以內。第三部學生為薦任文官服務三年以上,與協和會、公共團體及特殊會社、其他團體的職員,在學期間六個月以內。[40] 1943年大同學院增設研究院,入學

---

36 國務院總務廳編,《滿洲國政府公報》,第23號,大同元(1932)年7月11日,頁1。
37 國務院總務廳編,《滿洲國政府公報》,第287號,大同2(1933)年12月12日,頁17-19。
38 滿洲國史編纂刊行會,《滿洲國史 總論》,頁251-255。
39 大同学院史編纂委員会,《大いなる哉 滿洲》,頁68,〈編集後記〉,建國創業期(第1-4期)、建國整備期(第5-12期)、大東亞戰時及崩壞期(13-19期)。
40 柏崎才吉編,《滿洲國現勢:康德八年版》(新京:滿洲國通信社,1941),頁106。

者以政界之日人簡任、薦任官為限，期限一年，以研究行政改革的方策為主。[41]

當時的考試科目有四科：1.法制（日本憲法、日本民法〔總則〕）；2.經濟（經濟原論）；3.語學（日語之外英語、法語、德語、俄語中任擇其一中譯）；[42] 4.常識（時事問題及其他一般常識問題）；其次接受口試及身體檢查。[43]有關口試到底都問些什麼？可以由兩個例子來說明。任新銘為大同學院第一部第十二期生，中國人（當時稱滿系），他的口試題目為「日本精神是什麼？」第二題是「在平地上設下水道，要如何作？」第三題是「常常泛濫的河，要在河上架橋，如何決定寬度？」第一題的答案他說是堅忍不拔的精神，第二、三題他無法做答，就說不知道，最後幾個考官還消遣他，「你會說中國話嗎？」他想說可能考不上了，但卻收到合格通知單。[44]另一位是朝鮮人（當時稱鮮系）具鳳會，是第一部第十三期生，他出身於私立普成專門學校（今高麗大學前身），是反日的堡壘，本身卻參加滿洲文官高等考試，心中不無掙扎，他接受半小時的口試，主要問「南總督（南次郎，1936.8-1942.5）在朝鮮的統治如何？」第二題「滿洲的民族協和與朝鮮皇民化政策的比較」具大膽批評南總督創氏改名、皇國臣民化，東亞、朝鮮日報被停廢刊的政策不當。口試委員以波蘭被大國分割為例，勸告應有順應時勢的美德，具以愛爾蘭獨立成國為例回答。由於自認這樣的回答應該不被錄取，卻收到合格通知。[45]由上可知口試必須面對專業、政治的問題，究竟口試委員以何種標準計分，則不得而知。1938年文官令頒布後，應考的資格限制、地點都有不同。

大同學院主要在訓練入院者成為優秀的官吏，畢業後能到邊區去從事自治指導、深入民間，才能滿足國家的需要。為了達成上述目的，凡入大同學院者，接受三個月、六個月或一年不等的訓練，並合宿於學寮，以便養成「無我至純、信賴團結」的學院精神。[46]訓練內容分敘如下：

1. **學科訓練**：以第一部為例，都在5月入學之後到6月的期間，接受如下學科訓練，即日本語精神論、建國精神論、國家經營論、士道、論政府機構及運營，

41　中國第二歷史檔案館，〈偽滿大學教育實況及抗戰勝利後整理意見（二）〉，《民國檔案》（南京），2001.3，頁36。

42　原文為「滿譯」。滿譯即中譯。

43　國務院總務廳編，《滿洲國政府公報》，第1138號，康德5（1938）年1月18日，頁442，〈關於對於留日學生補招大同學院第一部生之件〉。

44　任新銘，〈友情的架橋〉，收入創立五十五周年記念出版委員会編，《友情の架橋―海外同窓の記錄》，頁39。

45　具鳳會，〈風波　波濤〉，收入創立五十五周年記念出版委員会編，《友情の架橋―海外同窓の記錄》，頁67-68。

46　蕭玉相，〈學院同窓会員に望む〉，收入創立五十五周年記念出版委員会編，《友情の架橋―海外同窓の記錄》，頁60。

協和會、特殊會社的運營機構、國勢各論,語學的訓練及教習。[47] 授課時間一般在早上。

  2. 精神訓練:聆聽相關演講,如講述大川周明的興亞論,[48] 又 1945 年 4 月日本駐德國特命全權大使大島浩(1941.2.7-1945)在旅順對大同學院學生訓話,這時他正經由西伯利亞、柏林回日本。他說明當時世界的局勢,柏林陷淪即在眼前,日、德、義三軸心國已注定要吃敗仗。[49] 此外必須要徹底守時,日常行事完全按照預定的時間進行,不能快或慢,如星期六下午允許外出,但要分秒不差的回來,若不守時有時還會被關在南嶺校園三樓的忠靈塔中。起床時間到集合的時間很短,但不能因而早起。[50] 到戰爭後期煤炭不足,學生沒有暖氣,起床後 5 分鐘要集合,要將 10 條毛毯一一折好常常來不及,最初二、三天連上廁所的時間都沒有。[51] 此外如早上必須遙拜、食前要默禱。[52]

  3. 體能訓練:行軍並在這當中進行模擬戰,中午吃飯後稍做休息,下午繼續前進,往往因天悶或下大雨而增加行軍的困難,常常走到鞋底脫、腳起泡。行軍後必須聽教官的講評,隔日到地方聽縣長或副縣長說明該縣的施政方針,到處參觀,[53] 以便增強體力、了解地方。騎馬也是必要的訓練,除了體能還包括技術。當騎馬由原來的「並足」(普通步伐)到「駈足」(快跑),馬跑起來後,隊伍凌亂,馬也很難止住,往往就有人摔下馬來。[54] 此外如冷天氣早上吃飯前,只穿一件襯衫在坡道上走,到海邊用水澆頭,游泳也必須訓練。大抵每早要跑步、快走、慢走,並用乾布摩擦身體,[55] 使身體保持健康。

  在生活上採全體合宿,越到戰後期糧食缺少,配給糧食時,卻因民族而異,這時大家將配給所得一起享用,[56] 已如前述。也有在興凱湖練習游泳時,抓到魚,立

---

47 柏崎才吉編,《滿洲國現勢:康德八年版》,頁 107。

48 尹富炳,〈我が人生と大同學院〉,收入創立五十五周年記念出版委員会編,《友情の架橋—海外同窓の記錄》,頁 28。

49 朱有昌,〈鍊成生活〉,收入創立五十五周年記念出版委員会編,《友情の架橋—海外同窓の記錄》,頁 172。

50 蕭玉相,〈學院同窓会員に望む〉,收入創立五十五周年記念出版委員会編,《友情の架橋—海外同窓の記錄》,頁 60。

51 朱有昌,〈鍊成生活〉,收入創立五十五周年記念出版委員会編,《友情の架橋—海外同窓の記錄》,頁 170。

52 鄒元植,〈畏友〉,收入創立五十五周年記念出版委員会編,《友情の架橋—海外同窓の記錄》,頁 166。

53 楊世基,〈農安行軍記〉,收入創立五十五周年記念出版委員会編,《友情の架橋—海外同窓の記錄》,頁 179-184。

54 朱有昌,〈鍊成生活〉,收入創立五十五周年記念出版委員会編,《友情の架橋—海外同窓の記錄》,頁 173。

55 白薩泰,〈大同の境域〉,收入創立五十五周年記念出版委員会編,《友情の架橋—海外同窓の記錄》,頁 145。

56 白尚健,〈友情不變〉,收入創立五十五周年記念出版委員会編,《友情の架橋—海外同窓の記錄》,頁 158。

圖 4-3　大同學院第十三期學員野外受訓（蔡西坤先生提供）

圖 4-4　蔡西坤（左三）於大同學院受訓時與同寢室好友合照
右起：張守先、王成春、緒方秋行、門屋太郎、池田愿、蔡西坤、吉野豐、郝維宇
（蔡西坤先生提供）

刻做成生魚片來吃,這給他們單調的生活中帶來愉悅,也曾有過全部學生在操場吃飯,看著月亮升起的時候。[57]

6月就到各地方省縣出差,進行實態調查與研究。後期7月到11月,為了應付畢業後要到第一線從事業務,因而配屬到各局部接受實務指導。之後學習研究國際論、民族論、東亞文化史、東亞政治政理、自然科學、人文科學、國際情勢。[58]據就讀大同學院者的回憶,最令學生高興的有觀光、調查旅行與農村調查。所謂觀光旅行,包括外地考上大同學院後到日本集合,然後集體到新京的過程。據第十三期生臺灣人蔡西坤的回憶,被錄取後先到東京日本青年會館報到,然後與同學沿途視察,一路上由日本乘船到釜山,再到大連、新京,最後到新京南嶺大同學院的校園[59](設於南嶺,1934年9月23日落成)。其次是在縣中參觀旅行與實務教育,第十七期生的朝鮮人白尚健,參加東滿班,而得以參觀吉林、延吉、牡丹江、佳木斯、密山、興凱湖、東寧、綏芬河、鶴岡炭田、松花江、哈爾濱,看到鏡泊湖之美麗景觀,也看到可以匹敵鴨綠江水豐水庫的豐滿水庫,以及鶴岡煤礦的地下資源。到地方則有次官級的人來指導,做實務教育。[60]第十六期生的臺灣人李水清,在1943年7月入大同學院,接受約100天的訓練,先是一個星期在東嶺縣鏡泊湖露營,另一個月分成四組(班),即治安、農村、開拓、重工業組,分別實習,李水清分到重工業組,故到奉天、撫順、鞍山、大連、旅順、大石橋等地的重要工廠參觀,[61]院方這些活動,應是基於「經驗是無形之財產」[62]所做的安排。這種分班進行的旅遊,不僅增加見聞,也使班上的同學情誼更為加深。

比參觀旅行更值得一提的是農村調查,如1933年大同學院學生111名,分成九班對全滿洲加以視察,自7月6日起二週。此一調查旅行是為將來實際行政做準備,也為了加深對地方的瞭解,因而旅行過後必須寫成報告書。由於當時有關滿洲的資料不多,而且地方提供的數字,也有一些難以置信之處,再加上這次旅行,是在炮彈下的潛行,或受「匪賊」襲擊,故還沒達到最好的境地,但畢竟是入險地與僻地所得的結晶。大同學院將此報告書出版,[63]內容分縣為之,先有旅行路線(圖)、

---

57 尹富炳,〈我が人生と大同学院〉,收入創立五十五周年紀念出版委員會編,《友情の架橋—海外同窓の記錄》,頁29。
58 柏崎才吉編,《滿洲國現勢:康德八年版》,頁107。
59 許雪姬訪問、吳美慧紀錄,〈蔡西坤先生訪問紀錄〉,《口述歷史》5(1994.6),頁175-176。
60 白尚健,〈友情不變〉,收入創立五十五周年紀念出版委員会編,《友情の架橋—海外同窓の記錄》,頁150。
61 李水清,〈東北八年回憶(1934年4月至1946年7月)〉,《日治時期臺灣人在滿洲的生活經驗》,頁73-74。
62 白尚健,〈友情不變〉,收入創立五十五周年紀念出版委員会編,《友情の架橋—海外同窓の記錄》,頁149。
63 〈刊行の辭〉,收入大同學院圖書部委員編,《滿洲國各縣視察報告》(新京:大同學院,

圖 4-5 1933 年 6 月 25 日,大同學院第二期之臺灣同學為善慧上人(江善慧,臺灣中學林創辦人)送別。
左起黃瀛澤、黃千里、善慧上人、趙鴻謙、陳錫卿、黃清塗。
(陳許碧梧女士提供)

旅行日誌,接著是各縣報告,大抵包括總說、治安及警察、財政、商業及金融、農業、工業、教育及宗教、社會事業、衛生、地方制度,有時還有附錄,每班的內容也略有不同。當時臺人黃瀛澤在第二班,走的是新京、四平街、梨樹、鄭家屯、洮南、洮安、三爺廟、洮安、泰來、チチハル(齊齊哈爾)、江橋、嫩江、ハルビン(哈爾濱)、寬城子路線;黃清塗在第八班,黃千里在第六班。

　　大同學院 13 年間共訓練了 4,000 人,其中以日本人最多,此外包括滿、漢、蒙、回、ダグール(達斡爾)、[64] 朝鮮人、臺灣人以及白俄。[65] 此學院以五族協和為標榜,有一姓日向的日本人,到滿洲後看破所謂標榜的共存共榮、五族協和都是假的,他再也不能忍耐要退學。[66] 也有朝鮮人具鳳會,雖盡力勸慰「鮮系」開拓民,已是五族協和中的一員,因此要有昂揚的主人意識,卻被日本憲兵隊長認為他仍是「不逞鮮人」,再如何盡力終是「你是鮮系」,因而往後只好明哲保身。[67]

　　由於有幾個月甚至半年、一年的相處,學生間不分種族都結了很深的友誼,雖然戰後各奔西東,各遇艱困,終能在戰後 4、50 年過去,重新再架起友誼的橋,體現「一度入南嶺,終生為兄弟」[68] 的情懷。1981 年起,每隔兩年大同學院同窗會[69] 就辦一次南嶺會第○回友好訪中團,而在日本的同學也協助中國的同學後裔赴日留學,重拾南嶺人的兄弟緣。

　　至於有多少臺灣人自大同學院畢業,請參考附錄一。

(二) 滿洲國高等文官考試與大同學院

1. 1938 年公布〈文官令〉

　　滿洲國成立於 1932 年,但首次發布完整的文官體系相關的命令,是 1938 年 5

1933)。全書一共為 1,888 頁。
64　又寫成ダフール,即達斡爾族,分布在中國內蒙古自治區呼倫貝爾市莫力達瓦達斡爾族自治旗、黑龍江省齊齊哈爾市梅里斯達斡爾族區,少數在新疆塔城市,約 132,747 人(2000 年的統計),講達斡爾語,滿洲國皇帝后郭布羅婉容即達斡爾人,清代一度被稱為索倫人,一般放入滿系。該族以放牧為生,有定住的家屋,並僱人協助畜牧。見佐藤定勝編,《最新滿洲國大觀》(東京:誠文堂新光社,1937),頁 104。1953 年正名,似為契丹人後裔。
65　孟和博彥,〈同窓再会〉、白蔭泰,〈大同の境域〉,收入創立五十五周年記念出版委員会編,《友情の架橋—海外同窓の記錄》,頁 136、145。
66　鄒元植,〈畏友〉,收入創立五十五周年記念出版委員会編,《友情の架橋—海外同窓の記錄》,頁 167-168。
67　具鳳會,〈風濤　波清〉,收入創立五十五周年記念出版委員会編,《友情の架橋—海外同窓の記錄》,頁 75-76。
68　宗芳公,〈日本の同窓を迎えて〉,收入創立五十五周年記念出版委員会編,《友情の架橋—海外同窓の記錄》,頁 21。
69　孟和博彥,〈同窓再会〉,收入創立五十五周年記念出版委員会編,《友情の架橋—海外同窓の記錄》,頁 140-141。

月7日的敕令第95號〈文官令〉，用來規範文官的考試、任用、官等、給與等，其後至1945年8月間，又陸續發布了幾次文官修正令，用以修正文官體系的相關規定。[70]〈文官令〉上的規定，基本上只闡明人原則，關於文官考試、應試者的應試資格或學力認定等細節，則規定於其後發布之〈文官考試規程〉與〈文官令之指定認定〉等法令中，前者載明文官考試相關的細節，後者則載明文官考試應試者的學力認定或應試資格等。以下就〈文官令〉、〈文官考試規程〉以及其相關的指定認定之法規演變，來觀察滿洲國高等文官考試的變化。

關於滿洲國高等文官的種類，〈文官令〉第十九至第二十一條規定，文官分為高等官、委任官和試補。高等官再分為特任、簡任官及薦任官；試補可以再分為「高等官試補」和「委任官試補」，而「高等官試補」準於高等官，因此滿洲國高等文官是為特任官、簡任官、薦任官，和「高等官試補」四種。[71]在文官任用上，根據〈文官令〉第二章第五十四條的任用規定，特任官可以自由任用；[72]簡任官、薦任官，和「高等官試補」的任用，原則上必須透過文官考試的系統，才能進入高等文官的體系。而在考試種類上，根據〈文官令〉的說明，文官考試分為高等官考試及委任官考試，高等官考試由高等文官考試委員會負責，分為採用、適格及登格考試，而適格、登格考試又分為行政科和司法科兩科。[73]這三種考試的進行，根據〈文官令〉第三十條規定，適格考試為考察既往之勤務成績、考察識見、執務能力和語學；登格考試則為審查既往之勤務成績、考察識見、基礎的學術、執務能力和語學。採用考試則施行有關於人物、識見及基礎的學術考察，以及身體檢查。依〈文官令中修正之件〉第六十九條又再細分資格和採用考試兩階段，基礎學術考察在資格考試階段實施，人物、識見、身體檢查則在採用考試時施行。[74]

此三種考試的實施方式多以口試和筆試進行，適格和登格考試為體制內文官升遷考試，採用考試則從體制外拔選人才，而從此三種考試的公告簡章上來看，從體制外進入文官體系的應試者，必須在採用考試及格後進入大同學院受訓，才得以成為滿洲國官吏，而體制內的升遷則不需此訓練過程。當時考試的必考科目有六科（每科二小時），即1.滿洲國基本法（得以日本憲法代之），2.滿洲國民法，3.經濟學，4.東洋史（日本史及滿洲、中國史中任選其一），5.語學：除應考者常用語言外，就滿、日、

70　國務院總務廳編，《滿洲國政府公報》，第1222號，康德5（1938）年5月7日，頁175-188，〈文官令〉。
71　國務院總務廳編，《滿洲國政府公報》，第1222號，康德5（1938）年5月7日，頁177，〈文官令〉。
72　國務院總務廳編，《滿洲國政府公報》，第1222號，康德5（1938）年5月7日，頁180，〈文官令〉。
73　國務院總務廳編，《滿洲國政府公報》，第1222號，康德5（1938）年5月7日，頁178，〈文官令〉。
74　國務院總務廳編，《滿洲國政府公報》，第1222號，康德5（1938）年5月7日，頁178，〈文官令〉；國務院總務廳編，《滿洲國政府公報》，第1942號，康德7（1940）年10月15日，頁312，〈文官令中修正之件〉。

蒙、英、德、法、俄語中擇一，6.常識。選考的科目則有 12 科（其中選擇二科應試），分別是哲學概論、世界地理、社會學、財政學、經濟史、商法、刑法、行政法、民事訴訟法、刑事訴訟法、國際公法、國際私法。[75] 由於本文探討大同學院與滿洲國高等文官考試、與任高等官之間的關係，因此將重點放在需要進入大同學院受訓之大同學院的自招、高等官採用考試，以及後來的高等官資格採用考試的分析上。

2. 1940 年的〈文官令中修正之件〉

從 1940 年 3 月 31 日《滿洲國政府公報》第 1764 號中的「文官考試圖解」（圖4-1）可窺知當時的滿洲國文官體系，以及進入高等文官官階的管道。從「文官考試圖解」來看，想要成為高等文官，途徑有三，一是特別任用，一是高等官登格考試，一是高等官採用考試和適格考試，除了特別任用外，其他皆為考試的途徑。前二者為文官體制內的委任官，被拔擢為高等文官之薦任官的途徑。根據〈文官令〉第六十六條規定：「及格於甲種委任官適格考試，或登格考試之委任官，於考試及格後在職七年以上者，得經高等文官考試委員會之銓衡任用為薦任官」，此為特別任用的途徑。[76] 而高等官登格考試的規定，則見於〈文官令〉第四十一條：「各科（司法科、行政科）高等官登格考試，凡及格於該科甲種委任官適格考試或登格考試之委任官，於考試及格後在職三年以上，且未滿四十歲者得應試之，但不得超過三次。」[77] 第三種為高等官採用考試和適格考試的途徑，此為從文官體系外經過選拔而進入高等文官體系。根據〈文官令〉第四十條和第七十條的規定，應試者可透過參加高等官採用考試，通過後即成為官階準於高等官的「高等官試補」，而在職一年以上至三年六個月以內者，可應試高等官適格考試而被拔擢為薦任官。[78]

1940 年 3 月 31 日的「文官考試圖解」（圖4-1）呼應著 1938 年 5 月 7 日〈文官令〉，形成滿洲國高等文官考試的基本架構。其後至 1945 年 8 月滿洲國結束為止，較大的結構性變動為 1940 年 10 月 15 日所發布的敕令第 245 號〈文官令中修正之件〉中所做的修正，主要的變動為，原先的高等文官考試再細分為資格考試和採用考試。[79] 應試者需先通過資格考試後，才得以進一步應試採用考試，通過後一樣成為「高等官試補」，在任職一年後可應試高等官適格考試。1940 年的〈文官修正令〉中所分化出來的「資格—採用考試」系統，一直進行到 1945 年，資格考試因時局

75　國務院總務廳編，《滿洲國政府公報》，第 1233 號，康德 5（1938）年 5 月 20 日，頁 728-734。
76　國務院總務廳編，《滿洲國政府公報》，第 1222 號，康德 5（1938）年 5 月 7 日，頁 181，〈文官令〉。
77　國務院總務廳編，《滿洲國政府公報》，第 1222 號，康德 5（1938）年 5 月 7 日，頁 179，〈文官令〉。
78　國務院總務廳編，《滿洲國政府公報》，第 1222 號，康德 5（1938）年 5 月 7 日，頁 179、182，〈文官令〉。
79　國務院總務廳編，《滿洲國政府公報》，第 1942 號，康德 7（1940）年 10 月 15 日，頁 306-314，〈文官令中修正之件〉。

關係而暫停舉辦，根據 1945 年 5 月 14 日的敕令第 152 號和院令第 25 號之〈文官考試之時局特例〉，高等文官考試的資格考試取消，採用考試則權宜性地加入了原本於資格考試的實施項目。[80] 由 1943 年的「滿洲國文官任用制度圖解」（圖4-2）中可以更清楚地了解高等官任用的過程。1938 年 5 月 7 日所發布的〈文官令〉於同年度 10 月 1 日正式施行，[81] 而在其發布之前的現職人員的官種對照問題，從同年 9 月 22 日的敕令第 232 號〈關於依文官令第一百十八條規定之現職者之特例之件〉中可得到解答，其中關於高等官之薦任官與「高等官試補」的資格對照，多有所描述。例如，在文官令施行之際已為薦任行政官、司法官、技術官、教官者，可依其人物、能力、勤務成績和履歷，而視為及格於高等官適格考試；而已為學習法官、通過高等官採用考試或司法考試者，可視為通過高等官採用考試，是為「高等官試補」等。[82]

關於大同學院，〈關於依文官令第一百十八條規定之現職表之特例之件〉中則明文補充了〈文官令〉發布前的大同學院畢業、在學、或已取得入學許可之學員的文官等資格問題。其中規定：

> 第二條：文官令施行之際，現畢業於大同學院第一部而為委任官、委任待遇官吏、或雇員者之全員，及畢業於大同學院第二部而為委任官、委任待遇官吏、或雇員者之中，由國務院總理大臣認為成績特別優秀者，其可為行政官或司法官者，視為及格於高等官採用考試者。其可為技術官者視為經高等文官考試委員會之銓衡者任用為高等官試補。
>
> 第五條：文官令施行之際，現於大同學院第一部在學中之委任官，其可為行政官或司法官者，視為及格於高等官採用考試者，任用為高等官試補。其可為技術官者，視為經高等文官考試委員會之銓衡者任用為高等官試補。
>
> 第六條：已被許可入學於大同學院第一部，而於文官令施行之際現對於入學延期中者，於其事由終止時，准於前條之規定任用為高等官試補，但被取消入學許可者不在此限。[83]

80　國務院總務廳編，《滿洲國政府公報》，第 3268 號，康德 12（1945）年 5 月 14 日，頁 177-178，〈敕令第 152 號：文官考試之時局特例〉；國務院總務廳編，《滿洲國政府公報》，第 3268 號，康德 12（1945）年 5 月 14 日，頁 186-189，〈院令第 25 號：文官考試之時局特例〉。

81　國務院總務廳編，《滿洲國政府公報》，號外，康德 5（1938）年 9 月 22 日，頁 108，〈文官令施行日期〉。

82　國務院總務廳編，《滿洲國政府公報》，號外，康德 5（1938）年 9 月 22 日，頁 32，〈關於依文官令第一百十八條規定之現職者之特例之件〉。

83　國務院總務廳編，《滿洲國政府公報》，號外，康德 5（1938）年 9 月 22 日，頁 32，〈關於依文官令第一百十八條規定之現職者之特例之件〉。

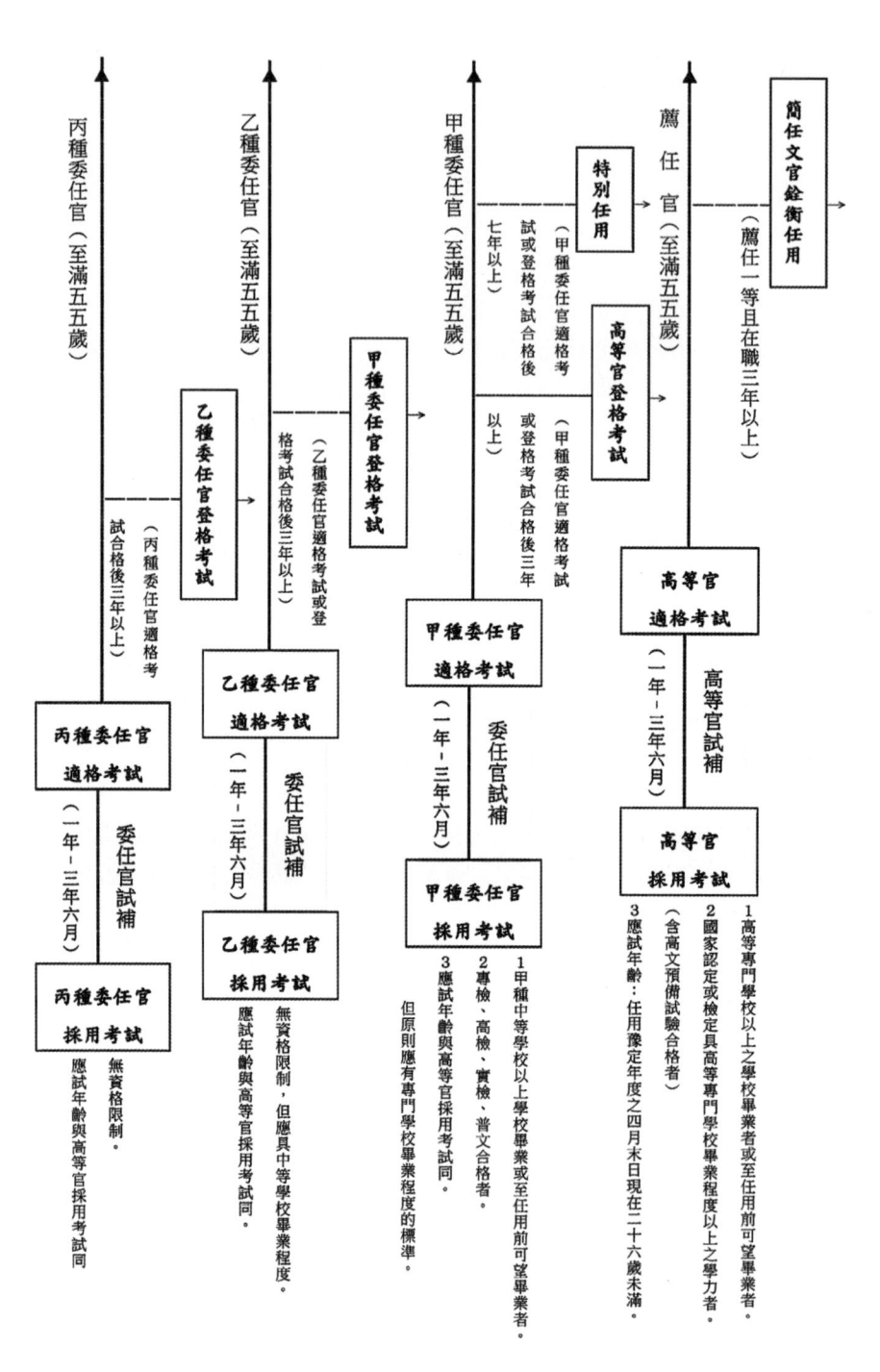

圖 4-6　文官考試圖解

資料來源：國務院總務廳編，《滿洲國政府公報》，第 1764 號，康德 7（1940）年 3 月 11 日，頁 176。

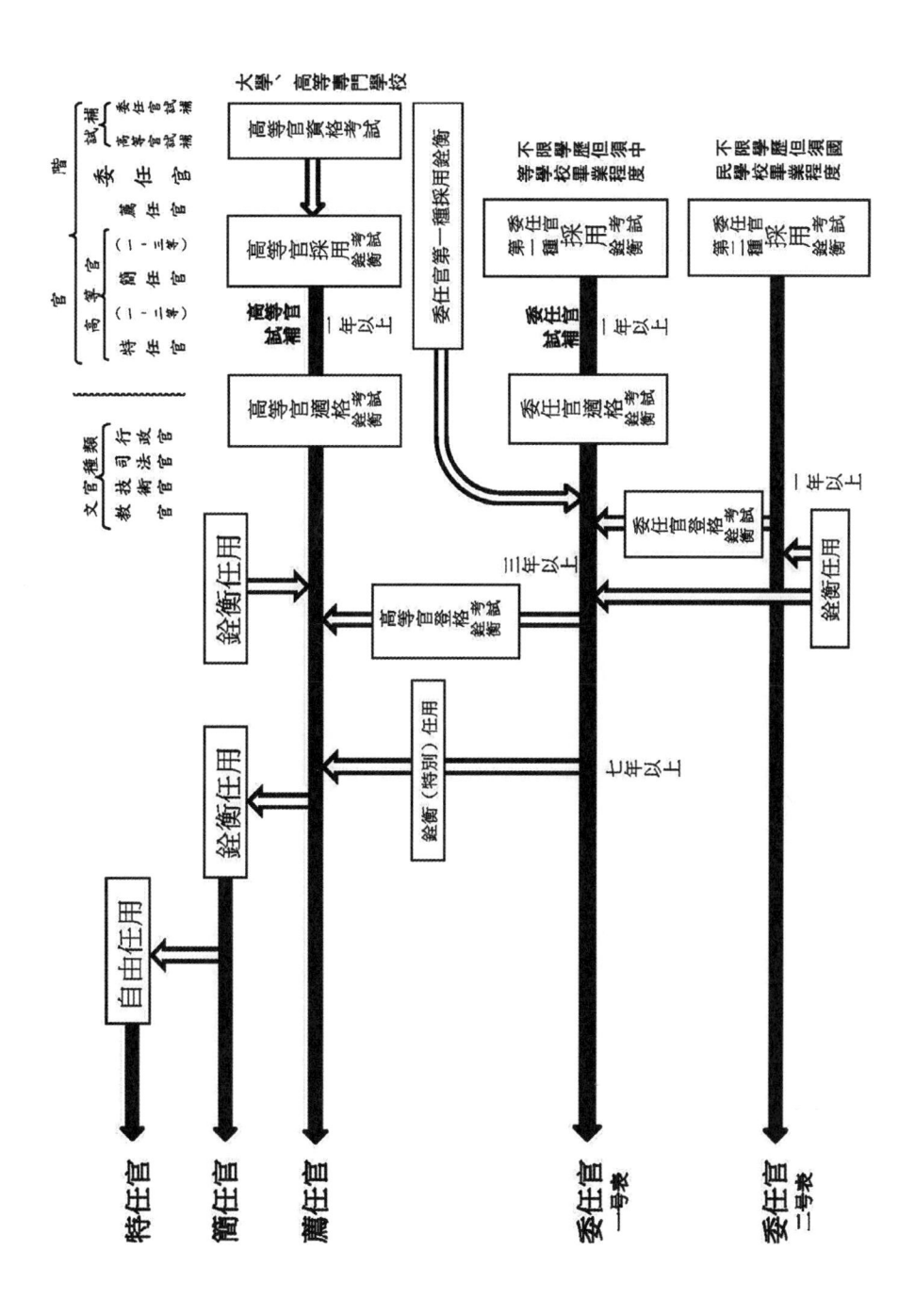

圖 4-7　滿洲國文官任用制度圖解

資料來源：國務院總務廳人事處人事科編，《滿洲帝國文官制度概要》（新京：國務院總務廳人事處，1943）

由此三條規定可知，文官令發布前的大同學院第一部畢業或在學、或已取得入學資格者，皆具有「高等官試補」之高等官資格，而在文官令發布前的第二部畢業之委任官，則有機會被直接「擢升」而具有「高等官試補」之高等官資格。

表 4-1　高等文官考試舉行沿革

年份	1938 年以前	1938-1940 年	1941-1944 年	1945 年
考試名稱	大同學院招生考試	採用考試	資格考試 採用考試	採用考試 （加入某些資格考試項目）
招生頻率	第一部共十期 第二部共七期	一年一次	一年各一次	一年一次
簡章類型	大同學院招生	1. 行政官、司法官 2. 技術官、（教官）	1. 行政官、司法官 2. 技術官、教官	行政官、司法官、技術官、教官

資料來源：國務院總務廳編，《滿洲國政府公報》
製表：助理藍瑩如

　　從舉行考試的情形來看（表 4-1），可看出滿洲國高等文官考試的運作情形。1938 年以前，大同學院第一部共招生十期、第二部共招生七期，在簡章上的標題都以「大同學院招生」為條目，也都有詳細記載關於及格者進入大同學院受訓的規定，可清楚看出大同學院的運作。[84] 1938 年以前的大同學院招生情形不規律，但在〈文官令〉發布之後的高等文官考試，則漸趨定型，但仍有些微的變動。首先是 1938 年到 1940 年，由大同學院招生考試改為高等文官考試，以一年一次的「採用考試」形式舉行，簡章類型則分為「行政官、司法官」和「技術官」兩種，而在 1940 年的技術官考試中，則開始新出現了「教官」的類項。1941 年到 1944 年間，則因為文官考試的修正，而將原本的採用考試再細分為「資格」和「採用」考試兩種，頻率上也維持一年各舉行一次，資格考試在採用考試之前舉行，簡章類型則為「行政官、司法官」和「技術官、教官」兩種。[85] 到 1944 年為止考試的相關規定已趨於完整與規律化，但 1945 年的考試則受到資格考試取消的影響，只安排一次採用考試，[86] 但並未如期舉行，之後滿洲國即滅亡。

---

[84] 大同學院第一部第十期在《滿洲國政府公報》上的正式名稱為〈大同學院第一部（一般文官）招生〉和〈大同學院第一部（技術官）招生〉，原始簡章並無「第十期」字樣，雖其考試形式和內容皆已具備後來的高等文官考試雛形，但因其時間點位於〈文官令〉發布之前，且仍以大同學院名義招生，可見其位於過渡時期的特性，因此本文為了整理方便，仍將其歸為大同學院第十期的「一般文官」和「技術官」招生兩個項目。

[85] 1944 年的採用考試則合併兩種類型的考試成為「行政官、司法官、技術官、教官」，並只舉行一次。

[86] 由於未見相關資料，據推測應是二戰結束的關係，1945 年的採用考試並未實際舉行。

186　離散與回歸：在滿洲的臺灣人（1905-1948）／上

（三）高等官的官等與其薪資

　　如果進一步分析這批經過大同學院訓練的高等官臺灣人中，到滿洲國滅亡的 1945 年為止，最高的官是薦任二等，只要再經薦任一等，即可進入簡任官。誠如前述，高等官包括特任、簡任及薦任官，特任官先不計外，在滿洲國剛成立的 1932 年，簡任官為高等官一、二等，薦任官為高等官三等至八等。至成立帝國的 1934 年後則簡任官不變，但薦任官分成一等至八等。[87] 到 1938 年時有了改變，亦即文官令發布前薦任官的官等，原為一等的仍為一等，二等的改為一等，三、四等改為二等，五、六、七、八等改為三等，[88] 統一了文官令發布後的官等。在大同學院畢業的臺灣人的資料中，升到薦二的有黃瀛澤、黃清塗、黃千里、徐水德、吳昌禮、陳亭卿、邱昌河等人（部分人資料不足），這其中擔任行政官、司法官較多，而林永倉和王森井則是技術官。[89]

87　國務院總務廳編，《滿洲國政府公報》，號外，康德元（1934）年 6 月 30 日，頁 510-517，〈敕令第 89 號〉，第 1、25 條。

88　國務院總務廳編，《滿洲國政府公報》，號外，康德 5（1938）年 9 月 22 日，頁 35，〈關於依文官令第一百十八條規定之現職者之特例之件〉，第 23 條。

89　國務院總務廳編，《滿洲國政府公報》，第 2275 號，康德 8（1941）年 12 月 6 日，頁 137；第 2504 號，康德 9（1942）年 9 月 23 日，頁 270。

表 4-2　滿洲國文官官等沿革

發布時間	滿洲國文官		官等	級俸（以月俸為主）	任免敘等	資料來源
1933/6/28	特任官			2級，年俸	執政	1. 敕令第四十二號〈暫行文官官等俸給令〉，《滿洲國政府公報》，第19號，大同元（1932）年6月28日，頁1-2。2. 敕令第八十九號〈暫行文官官等俸給令中改正〉，《滿洲國政府公報》，第44號，大同元（1932）年9月12日，頁3。
	高等官	簡任官	高等官一至二等，共二等	8級，年俸	執政	
		薦任官	高等官三至八等，共六等	18級，當年追加至26級，年俸	國務總理→執政	
	委任官		委任官共五等	30級	本屬長官	
1934/6/30	高等官	特任官		2級（依官職又有不同）		敕令第八十九號〈高等官官等俸給令〉，《滿洲國政府公報》，號外，康德元（1934）年6月30日，頁29。
		簡任官	簡任官一至二等，共二等	5級（依官職又有不同）		
		薦任官	薦任官一至八等，共八等	12級，分四號		
	委任官		委任官共五等	17級，分二號		敕令第九十號〈委任官官等俸給令〉，《滿洲國政府公報》，號外，康德元（1934）年6月30日，頁29-33。
1938/5/7	高等官	特任官		依官職不同		1. 敕令第九十五號〈文官令〉，《滿洲國政府公報》，第1222號，康德5（1938）年5月7日，頁175-211。2. 敕令第二百三十號〈文官給與令〉，《滿洲國政府公報》，號外，康德5（1938）年9月22日，頁1-24。
		簡任官	分二等	7級	國務大臣奏請	
		薦任官	分三等	19級，分二號	國務大臣奏請	
	委任官			31級，分三號	本屬長官	
	試補	試補高等官		9級		
		試補委任官		13級，分三號		

製表：助理陳雅苓

至於他們的薪俸為多少？在大同學院受訓時一個月有 150 元津貼。[90] 就職後的薪水如何？依 1934 年〈高等官官等俸給令〉的規定，薦任官的俸給共分 12 級，薦任一等的依第 1 號，二等的依第 2 號，三等的依第 3 號，四等的依第 4 號。[91] 至 1936 年，依敕令第 50 號〈高等官官等俸給令修正〉中，將薦任二等的 2 號月薪增加一級是為 13 級 135 元；[92] 到了 1938 年第 2 號又增為 19 級，即自 14 級至 19 級。[93] 到 1942 年廢除薦任官薪級的 1、2 號，全以 1 號薪資給予，共分 20 級。1 級月薪 520 元，20 級月薪 115 元。[94] 以陳亭卿來說，1943 年 12 月他領的是 10 級俸，那就是 270 元，吳昌禮到 1945 年領的是 8 級俸，就是 315 元，徐水德到 1945 年 2 月領的是 7 級俸，就是 340 元，邱昌河在 1943 年 8 月領的是 12 級俸的 230 元，謝報領 420 元，領的是 4 級俸。[95] 除了本俸外，還有職務津貼（以職務的性質、繁閒）、冬期津貼（採暖費，全國分三級，支給一到二成的費用）、勤務地津貼（依生活難易、治安、衛生、教育等生活條件，將全國分為五級）、在外津貼（1940 年 1 月以後物價騰貴，對生活困難的委任官職員以下之臨時支給），[96] 以及所謂的語言津貼。

　　為了鼓勵日系及滿系官員成為能雙語的人，滿洲國設有語學檢定考試，列入考試範圍的語言是滿洲語、日本語、蒙古語，應試資格為在滿洲國任職的，只要經各官署長推薦，日系有考滿洲語與蒙古語的資格，其他人只有考日本語的資格。第一次舉行在 1936 年 8 月上旬到 9 月下旬，舉行的地點分成滿洲語、日本語、蒙古語，考場不盡相同。考試分口試和筆試，筆試分為解釋（滿洲語考試為滿文譯日文、日文譯滿文）、作文及筆錄；口試分會話和解釋，考試結果分成特、一、二、三等，各給語言津貼（表 4-3）。大同學院有兩個臺灣人考過滿洲語（中文），陳錫卿考上一等，[97] 林永倉考過三等，第二年再考上二等。[98] 在外交部任職的吳左金，考上三等，[99] 考上者即依等分年給津貼。

90　許雪姬訪問、吳美慧紀錄，〈蔡西坤先生訪問紀錄〉，頁 172。
91　國務院總務廳編，《滿洲國政府公報》，號外，康德元（1934）年 6 月 30 日，〈敕令第 89 號〉，第 1、25 條，頁 521。
92　國務院總務廳編，《滿洲國政府公報》，第 616 號，康德 3（1936）年 4 月 9 日，頁 163-164。
93　國務院總務廳編，《滿洲國政府公報》，號外，康德 5（1938）年 9 月 22 日，頁 16。
94　國務院總務廳編，《滿洲國政府公報》，第 1942 號，康德 7（1940）年 10 月 15 日，頁 318。
95　許雪姬訪問，吳美慧、丘慧君紀錄，〈謝報先生訪問紀錄〉，頁 200。
96　滿洲國史編纂刊行會，《滿洲國史 各論》，頁 32。
97　許雪姬訪問、曾金蘭紀錄，〈吳金川先生訪問紀錄〉，《口述歷史》5（1994.6），頁 102。
98　許雪姬訪問、王美雪紀錄，〈林永倉先生訪問紀錄〉，頁 350。
99　許雪姬訪問、曾金蘭紀錄，〈吳左金先生訪問紀錄〉，《口述歷史》5（1994.6），頁 102。

表 4-3　滿洲國一、二、三等語言津貼表

等級		薦任官及委任官	委任官待遇者	附註
特等	能通流暢口語文語及公文程度	20 圓（月）	15 圓（月）	給 5 年
一等	能通口語文語及公文程度	15 圓	10 圓	給 2 年
二等	能通口語及簡單之文語程度	10 圓	6 圓	給 2 年
三等	能通日常簡單之口語程度	6 圓	4 圓	給 1 年

資料來源：國務院總務廳編，《滿洲國政府公報》，第 659 號，康德 3（1936）年 6 月 1 日，頁 2-3，〈發給語學津貼規則〉；第 681 號，康德 3（1936）年 6 月 27 日，頁 435，〈語學檢定考試〉。

1. 高等官的薪資

當上高等官後，高等官的薪水是每年調升 15 元，若遇拔擢則升兩倍，蔡西坤說他在滿洲四、五年的時間裡，待遇總共升了七倍，日子可以說過得很輕鬆。[100] 陳亭卿也說，臺灣人到滿洲有好處，就是享有日本人的生活待遇，但這也僅限於高等官，一般的屬官則沒有這等優待。接著說到「在我們臺灣本島，臺灣人沒有享受一樣的待遇，只拿日本人六成左右的薪水，我們得四十、六十元，他們就可拿九十、一百元，但在東北，則一樣，照學歷拿薪資。」[101] 以下看看當時滿洲國的薪情如何。

以 1934 年時日本奏任官與滿洲國薦任官之年俸比較，見表 4-4，可發現同樣是十一級，單就本薪，在滿洲國一年可多拿 870 元，平均每月較在日本（包括臺灣）多 72.5 元。在此亦有必要說明滿洲國和日本國幣值是否相等，經比較才有意義。滿洲國一開始日系職員的薪水是日本內地薪水的二倍到三倍。就幣值而言，當時滿洲國幣 100 元對日本円 60 円，但之後因美國銀政策的關係，銀價飛騰上升，變成國幣 100 元等於日本円 120-140 円，造成滿洲國官員的薪水加了六到八成，而使滿洲國總務廳不得不對日系人員減四成俸以為因應。但之後受到反彈，乃減為二成六。[102] 即使經過減俸，其本俸仍比在日本的官員高，更何況 1935 年時日本、滿洲國發表兩者的幣制等值，[103] 因此表 4-4 的比較就有意義。

100　許雪姬訪問、吳美慧紀錄，〈蔡西坤先生訪問紀錄〉，頁 180。

101　許雪姬訪問、王美雪紀錄，〈陳亭卿先生夫人訪問紀錄〉，頁 298。依蔡慧玉的研究，1921 年修改〈臺灣總督府職員加俸支給細則〉後，確定了「日本高等文官加俸百分之五十、判任文官加俸百分之六十」的支給標準。見蔡慧玉，〈日治時期臺灣的俸給令研究：明治建制、官制釋疑及臺灣基層行政〉，收入汪榮祖編，《地方史研究集》（嘉義：國立中正大學臺灣人文研究中心，2007），頁 159-160。

102　東北淪陷十四年史吉林編寫組譯、趙連泰校譯，《滿洲國史 分論》，頁 27-28。

103　枥倉正一，《滿洲中央銀行十年史》（新京：滿洲中央銀行，1942），頁 324。

表 4-4　1934 年時日本奏任官與滿洲國薦任官之年俸比較（以二號為例）

（單位：圓）

級俸	日本奏任官（高等官四等乃至八等）	滿洲國（薦任官二等）
一　級	3,400	390×12=4,680
二　級	3,050	365×12=4,380
三　級	2,770	340×12=4,080
四　級	2,420	315×12=3,780
五　級	2,150	290×12=3,480
六　級	1,820	265×12=3,180
七　級	1,650	240×12=2,880
八　級	1,470	215×12=2,580
九　級	1,300	195×12=2,340
十　級	1,130	175×12=2,100
十一級	1,050	160×12=1,920
十二級	--	145×12=1,740
官　職	有理事官、統計官、翻譯官、編修官、稅務官、稅關鑑定官、警視、學校教諭、圖書館長、公立醫藥機構之醫官、州廳的地方理事官、地方警視等。	主要為院廳層級的事務官、秘書官、理事官、技佐，大同學院教授與學監等。
法令依據	敕令第 134 號〈高等官官等俸給令〉，1910 年 3 月。	敕令第 89 號〈高等官官等俸給令〉，1934 年 7 月。
資料來源	《臺灣總督府職員錄》（昭和 9 年版），頁 74-75。	《滿洲國政府公報》，號外，康德元（1934）年 6 月 30 日，頁 513-515、521。

備註：滿洲國部分原為月俸，為便於比較，乃轉以年俸顯示；當時日本奏任官為高等官三等至九等，滿洲國薦任官一等至九等。
整理：助理陳雅苓

（四）畢業於大同學院的臺灣人

如果不是有 29 個臺灣人曾到大同學院就學，則本研究就不在臺灣史的範圍之內。臺灣人畢業於第一部的有 25 人，第二部的有 4 人。由於第二部的資料較缺，本論文將重點放在第一部，將先探討這些名單如何建立，何以用同窗會名簿，而非用《滿洲國政府公報》的錄取名單。

1.《大同學院同窗會名簿》中的臺灣人

大同學院第一部一年到底收多少人，日人、朝鮮人、臺灣人、其他人（包括當

時的滿洲人，有時有蒙古人、白俄、達斡爾人）的比例又如何（詳見表4-5）。大同學院一共十九期，[104] 在1936、1943兩年各招生兩期。《滿洲國政府公報》所載的為大同學院的錄取學生名單，但《大同學院同窓会名簿》的名單卻是畢業生名單。在此有必要說明兩種名單的特點與缺陷，以及本文以《大同學院同窓会名簿》為主要文本的原因。

（1）《大同學院同窓會名簿》簡介

《大同學院同窓會名簿》為「大同學院同窓會」的出版物。該會於1943年5月9日制定會則，至1998年間有多次改正。依照會則，該會會員可分：

①特別會員：如大同學院院長、參與、教官、助教官、事務官及醫官或贊同該會主旨且經總會推舉者。

②正會員：如大同學院畢業生及研究所研究員，或曾參加大同學院主辦之講習會，會員遺族欲入會者。

而該會的業務，主要為編纂名簿、發行會報、援助過世會員的遺族、各種資料的蒐集及研究調查等。

此一名簿內的名單，分為特別會員、正會員（第十七期分成前、後期兩期）、研究所（共二期）、中堅指導者（共五期）與自治指導部訓練所（僅一期），並於書末附上五十音順別的索引。每期又以發行時仍健在者、消息不明者、物故者及「遺族名・住所・死去年月日等不明者」分類，並依「イロハ」順別列出會員姓名。除了會員姓名外，依類別而各有不同的書寫方式及資訊，茲整理如下：

第○期生

昭和△年△月畢業□名

姓名	服務單位	服務單位電話	郵遞區號	現住所地址	電話

【消息不明者】（僅列姓名）

【物故者】

姓名	遺族姓名	死亡年月日	郵遞區號	遺族現住所地址	電話

【遺族名・住所・消息不明者】（除姓名外，有時也會列出已知資訊）

104　〈大同學院の解散〉，收入創立五十五周年記念出版委員会編，《友情の架橋—海外同窓の記錄》，頁198-199。在知道日本投降後，於8月15日下午2時舉行大同學院的解散宣示。

在「姓名」欄內，同時也會列出會員個人的其他姓名，此點利於找出日治時期曾更改姓名的朝鮮人、臺灣人等以及已從妻姓的日本人。「服務單位」則可作為此人自大同學院畢業後的經歷參考。而從「住所地址」中，往往也能藉此粗略分辨其為朝鮮人、臺灣人或中國人士。

不過，名簿前面所列的這些資料僅就該會所能掌握的「會員名單」，細數後可以發現與頁面上的「畢業人數」不符。那些看似消失的畢業生，其實位於索引內，若非與《滿洲國政府公報》上的文官考試榜單比對，一不小心便會遺漏。

（2）與《滿洲國政府公報》所載之文官考試榜單的比較與利用

《滿洲國政府公報》（以下簡稱《公報》）理當是研究滿洲國文官考試的首要史料，為何卻選擇《大同學院同窓會名簿》來使用呢？有幾點考量：

①《公報》刊載的文官考試榜單，其實就是「大同學院」的入學名單，但就《大同學院同窓會名簿》及其畢業生的陳述來看，有些人不是沒入學、就是中途休學。這些人沒有畢業，怎具有滿洲國高等官的資格？當然難以運用在高等官吏任用、晉升的討論中。

②《公報》內的榜單，排序法有依應試地、准考證號碼與科目別，也有無法看出排序依據的名單。僅憑錄取者姓名，往往難以辨識其民族別（如漢人、朝鮮人姓名，以及改為日本姓名者），更有同名同姓者的問題，而要從此搜尋個人資料，宛如大海撈針。且《公報》並不完整，缺大同學院第一期、第二期[105]與第十七期後期的榜單。

③《公報》目前雖有影印本出版品，但部分文字模糊難辨，而且標題名稱不一，增加閱讀與搜尋的困難度。

不過在使用《大同學院同窓會名簿》時，也有必須注意的地方。如第十四期後的畢業生名單，有些人的入學期別，與《公報》榜單不同。且兩者在「姓名」部分都有同音異字的狀況。另外，名簿裡滿籍、俄籍等畢業生的資訊極少。最重要的，滿洲國文官考試高等官有行政官、司法官、技術官、教官四類，但在《大同學院同窓會名簿》裡無法看出該員的類別，也無法得知其人是否為協和會的依託學生，或所謂公共團體及特殊會社其他特殊團體的職員。曾在滿鐵服務的楊基振，說他曾在滿洲國政府的高級官僚養成機關——大同學院——訓練一年，[106] 他可能就是會社所委託。但這些人的名單並未出現在《大同學院同窓會名簿》。又如林劍秋，臺北人，1932年自奉天東北大學（該校於1931年遷至北平校區）法律系畢業，1935到1936

---

[105] 缺第一期乃因1932年1月11日由自治指導部訓練所招募20人訓練，但3月15日自治指導部解散，轉由資政局訓練所承接。到4月下旬又在東京、京都選考了80餘名，加上新京當地十多人，這些人為7月11日創設的大同學院所承接，作為第一期生。因而沒有公布錄取名單在《滿洲國政府公報》上。見滿洲國史編纂刊行會，《滿洲國史 總論》，頁250-251。缺第二期的原因不詳。

[106] 黃英哲，《漂泊與越境：兩岸文化人的移動》（臺北：臺大出版中心，2016），頁51。

年曾入滿洲大同學院受訓,[107] 並未見諸名單。

舉例來說,第二期考上的臺灣人只有陳錫卿和黃瀛澤二人,但那年畢業生臺人就有五人,多了黃千里、黃清塗、歐陽餘慶等三人,究竟第一期就考上,還是由另一管道入學延至第二期才畢業,則不得而知。另外要說明的是1998年版的《大同學院同窓會名簿》並未包括舊二部、新二部、新三部,之所以知道舊二部的名單,主要來自1942年版的《大同學院同窓會名簿》(藏於中國遼寧省檔案館),但缺1942年以後的名單。

表4-5 大同學院學生族群別分析

第一部日本、朝鮮、臺灣等籍畢業生的人數與比例

期數\地方	第一期(1932年10月畢)人數(%)	第二期(1933年10月畢)人數(%)	第三期(1934年10月畢)人數(%)	第四期(1935年10月畢)人數(%)	第五期(1936年6月畢)人數(%)	第六期(1936年12月畢)人數(%)	第七期(1937年5月畢)人數(%)	第八期(1937年11月畢)人數(%)	第九期(1938年4月畢)人數(%)	第十期(1939年5月畢)人數(%)
日本	90(91%)	72(87%)	77(90%)	86(97%)	94(96%)	67(90%)	80(100%)	90(95%)	94(96%)	82(94%)
朝鮮	1(1%)	4(5%)	3(3%)	1(1%)	1(1%)	2(3%)	0(0%)	3(3%)	4(4%)	3(3%)
臺灣	0(0%)	5(6%)	5(6%)	0(0%)	1(1%)	0(0%)	0(0%)	1(1%)	0(0%)	1(1%)
其他(含不明者)	8(8%)	2(2%)	1(1%)	2(2%)	2(2%)	5(7%)	0(0%)	1(1%)	0(0%)	2(2%)
合計	99(100%)	83(100%)	86(100%)	89(100%)	98(100%)	74(100%)	80(100%)	95(100%)	98(100%)	88(100%)

期數\地方	第十一期(1939年12月畢)人數(%)	第十二期(1940年11月畢)人數(%)	第十三期(1941年11月畢)人數(%)	第十四期(1942年9月畢)人數(%)	第十五期(1943年7月畢)人數(%)	第十六期(1943年10月畢)人數(%)	第十七(前)期(1944年9月畢)人數(%)	第十七(後)期(1944年11月畢)人數(%)	第十八期(1945年7月畢)人數(%)	第十九期(1945年8月5日畢)人數(%)
日本	73(86%)	108(94%)	169(92%)	87(88%)	101(88%)	51(88%)	113(90%)	184(99%)	94(88%)	1(2%)
朝鮮	4(5%)	2(2%)	7(4%)	8(8%)	8(7%)	5(9%)	7(6%)	0(0%)	6(6%)	0(0%)
臺灣	1(1%)	0(0%)	2(1%)	2(2%)	2(2%)	2(3%)	1(1%)	0(0%)	1(1%)	0(0%)
其他(含不明者)	7(8%)	5(4%)	6(3%)	2(2%)	4(3%)	0(0%)	4(3%)	2(1%)	5(5%)	50(98%)

---

107 國史館臺灣文獻館藏「臺灣省行政長官公署檔案」(臺北市政府宣導股股長陳毓卿林劍秋任免案)(1947年1月7日),典藏號:00303200036001;國史館藏「軍事委員會委員長侍從室檔案」,(林劍秋),數位典藏號:129-160000-4871。

期數 地方	第十一期 （1939年 12月畢）	第十二期 （1940年 11月畢）	第十三期 （1941年 11月畢）	第十四期 （1942年 9月畢）	第十五期 （1943年 7月畢）	第十六期 （1943年 10月畢）	第十七 （前）期 （1944年 9月畢）	第十七 （後）期 （1944年 11月畢）	第十八期 （1945年 7月畢）	第十九期 （1945年 8月5日 畢）
合計	85 （100%）	115 （100%）	184 （100%）	99 （100%）	115 （100%）	58 （100%）	125 （100%）	186 （100%）	106 （100%）	51 （100%）

資料來源：米沢久子編集，《大同學院同窓會名簿》。
製表：助理李安瑜

（3）大同學院學生的族別

在這十九期中，畢業最多的是第十七（後）期（1944年11月畢業），共錄取186人，最少的是第六期（1936年12月畢業），只有74名。這之中日本人占絕大多數，除第二、十一、十四、十五、十六、十八期外（第十九期日本人只有1名，是特例），畢業率都在90%以上，甚至在第七期占100%、第十七期占99%。日本人比例如此高的原因有四：1.用日文考試。2.對「日本國專門高等專門以上學校畢業者或在採用前有畢業之希望者都可以應考。」3.考試時（以1938年為例），必考科目滿洲基本法可用日本憲法取代，選擇科各法制科目得以日本國之相當科目代之。4.在日本高等文官考試本格考試（正式考試，即筆試）及格者，在滿洲國等同於高等文官考試中筆試通過。[108]而在採用考試分為資格、採用考試後，通過日本高等文官的正式考試就等同於通過資格考試。[109] 至於朝鮮人以第十六期畢業9%為最多，其平均畢業率高過臺灣，不過臺灣在第二期、第三期的畢業率分別是6%、5%，高過朝鮮。至於其他，包括滿、蒙、俄等籍則以第一期最高8%，亦有沒有畢業生的如第七期、十六期。

依據筆者整理之「滿洲國大同學院臺籍畢業生履歷表」（詳見附錄一）中，第一部共有臺籍畢業生25人，以第二、三期每期有5人最多。舊、新第二部共有4人。[110]

三、任職於中央部會的臺人

在滿洲國的臺灣人官僚到底有多少？據1936年魏清德到滿洲國旅遊後的報導，

---

108 國務院總務廳編，《滿洲國政府公報》，第1222號，康德5（1938）年5月7日，頁195，〈文官考試規程〉；國務院總務廳編，《滿洲國政府公報》，第1532號，康德6（1939）年5月26日，頁651，〈關於依文官考試規程之認定及指定〉。

109 國務院總務廳編，《滿洲國政府公報》，第1954號，康德7（1940）年10月30日，頁613，〈將文官考試規程中修正〉，第4點。

110 這四人中，周文進、葉炳煌都是大同學院舊第二部第六期（1937年12月畢業）；陳東興為舊第二部第七期（1938年6月畢業）；吳福興為新第二部第二期（1941年4月畢業）。理論上都是臺灣人改籍滿洲人，才有考試資格。

當時除謝介石為勅任官（簡任官）外，奏任官（薦任官）有十多人，判任官（委任官）有 50 多人，至於在民間公司工作的大約有 200 人。[111] 今由各種資料所做成的「表 4-6 滿洲國臺灣人高等官一覽表」，可以知道當時在滿洲國任高等官的臺灣人。從筆者的〈滿洲國政府中的臺籍公務人員（1932-1945）〉一文中，以《滿洲國政府公報》、《滿華職員錄》（及相關人士鑑）、各中學同窗會名錄以及訪談紀錄，做成表 4-7「在滿洲國任公職之臺灣人表」，[112] 可知在滿洲國短短的 13 年半期間，自亞熱帶臺灣到溫帶、寒帶滿洲任官的臺灣人約有 140 名，在各部門中以在經濟部（包括實業部、產業部）、外交部（早期），以及在大學、中學任教者為多。

該表有幾個現象值得一提，一是正如第二節所談滿洲國因建國未久，各部門不斷調整，因此興農部後改成產業部，而外交部先是改為國務院的外務局，在 1943 年再改回外交部，因此個人服務的單位不換，而是單位名稱改了；二是一個人的職務時有調動，故有一個人在好幾個地方待過的現象，因此在分類時其名字會出現在好幾個部門，但合計總數時只算一人，重複計算時會有 208 人次；三是中央政府派駐機關，亦即就職單位也有不在新京者，如國務院興農部馬政局鐵嶺種馬場就在鐵嶺。以下就各部門逐一介紹。

（一）在宮內府、參議府

在這兩個單位任職者都是與溥儀關係較深，是輔弼溥儀的角色。許丙曾任執政府與帝政時期宮內府顧問。許丙，淡水人，臺北師範學校國語部畢業（1911 年 3 月），隨即入林本源總事務所，1916 年成為第一房（林熊徵）庶務系長（家長），在林家事業中任大永興業取締役、林本源製糖會社取締役，亦任臺北商工會常議員、臺北州協議員，1930 年為府評議員，他亦任新新興業取締役、昭南鑛業及打狗土地建物等監察役。[113] 許丙長於外交，得識日本方面高官，1932 年 8 月底，就在滿洲國剛成立 5 個月後，蔡法平在林延琛[114] 的陪伴下到東京訪許丙，在許丙協助下分別拜訪陸軍參謀次長真崎甚三郎（1931.8-1933.6 任臺灣軍司令官）、菱刈隆大將（關東軍司令官，1930.6.3-1931.7.31、1933.7.29-1934.12.9）、渡邊錠太郎大將（1931 年 8 月升任陸軍大將）、香椎浩

---

111 黃美娥編，《魏清德全集　肆：文卷》（臺南：國立臺灣文學館，2013），頁 299。

112 許雪姬，〈滿洲國政府中的臺籍公務人員（1932-1945）〉，收入許雪姬主編，《臺灣歷史的多元傳承與鑲嵌》（臺北：中央研究院臺灣史研究所，2014），頁 63-64，附錄一。此文又收入許雪姬主編《臺灣史論叢移民篇　來去臺灣》（臺北：臺灣大學出版中心，2019），頁 161-210。

113 興南新聞社，《臺灣人士鑑》（臺北：興南新聞社，1943），頁 118。

114 林延琛，福建人，1886 年生，日本法政大學畢業，回中國後，任法部檢事、萬國博覽會總務處長、清皇室法律顧問、國會秘書、國憲起草委員會文書科長。1932 年滿洲國成立後，任滿洲國執政府審查官，1934 年改為宮內府審查官，後任會計審查局長，一面擔任憲法制度調查委員會委員，為簡任二等官。見內尾直昌編，《滿洲國名士錄：康德元年版》，頁 21。

許丙。七〇歲。一九六一年。

圖4-8　許丙任職執政府、帝制時期的宮內府顧問（許玉瑄女士提供）

圖 4-9　蔡法平任宮內府掌禮處交際科長，著未繫帶的協和服
（楊蘭洲先生提供）

平中將（1932年任陸軍次軍補佐、教育總監部本部長）、武藤信義大將（關東軍司令、關東長官，1926.7.28-1927.8.25、1932.8.8-1933.7.28）等關東軍的直屬長官及相關文官，傳達溥儀之真正意向在帝制。1933年7月28日，武藤在任內過世，由菱刈隆接任關東軍司令官，菱刈隆在赴任前曾與許丙會面二、三次，雙方已有默契，知道不久的將來即將實行帝制。1934年3月1日帝制實行，溥儀任命許丙為宮內府顧問，是年底菱刈隆離任，原來渡邊錠太郎是下一任，因夫人不贊成而未上任，由南次郎任下一任關東長官兼日本駐滿洲大使（1934.12.10先任關東長官，12.11任大使，一直到1936.3.5）。

許丙在這年年底到滿洲國訪問十天，先到奉天參見清皇帝的陵寢（在奉天的北陵、東陵），再到新京，並去見溥儀，與溥儀共進午餐，溥儀並賜字，也見了鄭孝胥國務院總理，[115]及張燕卿、胡嗣瑗、許寶衡、熙洽、羅振玉等人。[116]

在宮內府掌禮處的有蔡法平。蔡法平與板橋林家有親戚關係，林家一般都稱其為「蔡少爺」，[117] 他曾任林家的帳房，[118] 1917年任福建銀行經理，以後任福建梨山炭礦公司理事、福州實業公司董事，另因與林家的關係而任臺灣大成火災保險會社監察役、朝日興業會社取締役。1932年滿洲國成立，任執政府秘書廳秘書官，一等勳五；後陞任宮內府禮官、掌禮處交際科長，薦任三等。[119] 1932年溥儀第一次訪日，感謝日本支持時，蔡法平是扈從官員之一。[120] 他是蔡啟運之父，楊蘭洲（後敘）、洪在明的岳父，楊到新京任職即受蔡之牽引，1937年7月任尚書府秘書官，敘薦任一等，[121] 1938年10月陞簡任二等，[122] 旋辭官。[123] 而經由其婿楊蘭洲的引介，一些臺人入了滿洲國經濟部工作。[124]

在參議府任秘書官（參事官）的則為洪利澤（原名洪公川）。[125]

---

115 中國歷史博物館編、勞祖德整理，《鄭孝胥日記》（第5冊）（北京：中華書局，1993），頁2559，「一九三四年十二月六日，岩佐憲兵司令官約至公館晚飯，座有許丙與內藤順太郎」。
116 許伯埏著、許雪姬監修，《許丙・許伯埏回想錄》（臺北：中央研究院近代史研究所，1996），頁78-82，〈「滿洲國」訪問〉。
117 陳三井、許雪姬訪問，楊明哲紀錄，《林衡道先生訪問紀錄》（臺北：中央研究院近代史研究所，1992），頁10。林國華的長女（林維讓、林維源之姊）嫁福州蔡家，因無子嗣，以其夫過房侄兒法平為子。
118 陳三井、許雪姬訪問，楊明哲紀錄，《林衡道先生訪問紀錄》，頁44。
119 中國歷史博物館編、勞祖德整理，《鄭孝胥日記》（第5冊）〈附錄：院錄・第9冊〉，頁2778；高橋勇八，《滿洲國官吏錄》，以及《滿洲商工名錄》中言蔡法平畢業於福州馬尾海軍學校，又說曾赴日本留學，這些都是錯誤的訊息。本人於研究板橋林家時，曾訪談蔡法平之長子蔡啟恒，他當面告訴筆者，其父從未入馬尾海軍學校就讀，以上學歷都非事實。
120 國務院總務廳編，《滿洲國政府公報》，第286號，康德2（1935）年2月22日，頁128。
121 國務院總務廳編，《滿洲國政府公報》，第979號，康德4（1937）年7月5日，頁157。
122 國務院總務廳編，《滿洲國政府公報》，第1355號，康德5（1938）年10月12日，頁200。
123 國務院總務廳編，《滿洲國政府公報》，第2355號，康德5（1938）年10月12日，頁201。
124 許雪姬訪問、紀錄，〈洪智默先生訪問紀錄〉，2000年6月18日訪問，未刊稿。
125 大同學院同窓會編，《大同學院同窓会名簿》，頁17；〈居住長春台灣省民名簿〉（1946年1月

（二）在立法院

在立法院工作的為黃春成（參見圖1-1）。1925年赴上海入持志大學中文系就讀，因家事而中斷學業。回臺後於1927年7月與連雅堂在臺北太平町合辦雅堂書局，1932年到滿洲國立法院第三科任科長。[126] 後任職奉天電政管理局，1933年因病轉為該局囑託。[127]

（三）在國務院部門

1.總務廳（處）、建築局

在總務廳工作者目前已知有三人，分別是林鳳麟、黃千里、歐陽餘慶，他們在滿洲國最後的經歷都在國務院工作。在總務廳建築局工作的則有賴眼前、李謀華、賴崑森；在國都建設局的則有林有伍。

林鳳麟，臺中市人，1908年生。1927年畢業於臺中一中，遂赴日本就讀第六高等學校（岡山），1930年畢業，進入九州帝國大學法學部攻讀法科，1933年畢業，同年4月留校任法學部助手，兼九州小倉法律專門學校講師。1934年11月通過日本高等文官考試，為司法官試補，被派到滿洲國司法部服務，1935年8月任滿洲國司法部總務廳參事官，當時滿洲國正在制定法典，故組織「法典制定委員會及民事法典起草委員會」，林參與其中，制定憲法、六法全書、民事、刑事法。1937年8月法律公布，為試行、驗證該法律是否周延，乃被派任至哈爾濱地方同區法院候補審判官，再任延吉區兼同地方兼吉林高等法院審判官，一直到1939年4月就任司法部大臣官房事務官兼總務廳臨時國勢調查事務局事務官，勳七位。[128] 在這段期間林鳳麟有不少著作問世，[129] 頗獲好評。有關司法部的工作，除事務官外還兼民事法典審議委員諸法令調整委員會暨司法制度委員會幹事，專任法律的編訂、

28日），中國南京第二歷史檔案館藏。
126 《臺灣日日新報》，1932年10月20日，夕刊4版，〈本島人服官滿洲國〉；12月9日，夕刊4版，〈人事〉。
127 《黃旺成先生日記（十九）一九三三年》，頁192，1933年6月9日。
128 許雪姬訪問、曾金蘭紀錄，〈林鳳麟先生訪問紀錄〉，《口述歷史》5（1994.6），頁213-214；《滿洲名人辭典》，頁1205。
129 依《口述歷史》5（1994.6），頁215-216所載共有六篇：1.〈滿洲に行われる各種保證債務の法律的考察（一）、（二）〉，《法曹雜誌》3：1、2.；〈涉外事件に關する國際私法上の諸問題〉，《法曹雜誌》6；8.；滿洲帝國司法研究會編，《滿洲帝國新法律全集》（新京：東光書苑發行，1938年2月10日）第三卷〈債權總則〉，此為與青木佐治彥等共著；4.〈親屬繼承法要綱解說（一）～（五）〉，與千種達夫合著，《法曹雜誌》9：5-10；5.；〈滿洲の家族共同體と家產制度〉，《法曹雜誌》9：11、12；6.〈中、日民法の比較から見た宗教制度の變遷〉，收入《宇賀田順三博士還曆記念會法學論文集》。

修改工作。[130] 1940 年兼總務廳事務官，敘薦任三等，派在臨時國勢調查事務局辦事，[131] 並任臨時國勢調查中央委員會幹事。[132] 1941 年開去兼任官只任司法部事務官兼總務廳事務官；並陞敘薦任二等。[133] 1942 年不僅任司法部事務官也任總務廳參事官敘薦任二等，同年以總務廳參事官為正職，司法部事務官為兼職。給九級俸，派在法制處辦事，並派為總務廳委任文官考試委員會委員，[134] 1944 年派為民事法典審議委員會幹事。[135] 1945 年任國務廳參事官兼司法部參事官，兼任新京法政大學教授，敘薦任二等。[136]

有關其任教新京法政大學的經過將後敘。林鳳麟在對滿洲國長年法律編纂的工作有很大的貢獻，故他與其他參與的六人都被分別賜勳，他是勳五位，賜景雲章。[137] 謝報也說滿洲國的《六法全書》為林鳳麟等人編成，是在與中國與日本的六法全書加以比較後，留下適合滿洲國的條文，是一部符合當時社會需要的法律全書。[138] 滿洲國已在 1945 年滅亡，而林氏法學方面的業績遂為人所遺忘。

黃千里，1909 年生，曾在南滿洲鐵道株式會社任參事，1933 年任東京朝日新聞社參事，10 月任文教部禮教司屬官，委任二等，[139] 再任民生部社會司輔導科事務官。[140] 1940 年 1 月任民生部理事官、勞務司輔導科長，翌年又任總務廳參事官，敘薦任二等，派在總務官房辦事。[141] 1941 年專任總務廳參事官，任總務理事官，給九級俸，派在統計處辦事。[142] 在滿洲，黃千里亦任過大同學院同窓會本部幹事。[143]

130　許雪姬訪問、曾金蘭紀錄，〈林鳳麟先生訪問紀錄〉，頁 216。
131　國務院總務廳編，《滿洲國政府公報》，第 1836 號，康德 7（1940）年 6 月 8 日，頁 193-194。
132　國務院總務廳編，《滿洲國政府公報》，第 1846 號，康德 7（1940）年 6 月 21 日，頁 523。
133　國務院總務廳編，《滿洲國政府公報》，第 2071 號，康德 8（1941）年 3 月 29 日，頁 630；第 2203 號，康德 8（1941）年 9 月 6 日，頁 141-142。
134　國務院總務廳編，《滿洲國政府公報》，第 2446 號，康德 9（1942）年 7 月 11 日，頁 212-213；第 2498 號，康德 9（1942）年 9 月 14 日，頁 141-142。
135　國務院總務廳編，《滿洲國政府公報》，第 3096 號，康德 11（1944）年 10 月 6 日，頁 60。
136　國務院總務廳編，《滿洲國政府公報》，第 3236 號，康德 12（1945）年 4 月 4 日，頁 42。
137　許雪姬訪問、曾金蘭紀錄，〈林鳳麟先生訪問紀錄〉，頁 216。
138　許雪姬訪問，吳美慧、丘慧君紀錄，〈謝報先生訪問紀錄〉，頁 201。
139　國務院文教部編纂、滿洲國教育史委員會監修，《滿洲帝國文教年鑑》（東京：エムティ出版社，1992），頁 19；滿洲國國務院文教部總務司編，《滿洲帝國文教關係職員錄》，頁 5；國務院總務廳編，《滿洲國政府公報》，第 214 號，康德元（1934）年 11 月 16 日，頁 74。
140　國務院總務廳編，《滿洲國政府公報》，第 976 號，康德 4（1937）年 7 月 1 日，頁 463。
141　國務院總務廳編，《滿洲國政府公報》，第 1725 號，康德 7（1940）年 1 月 17 日，頁 374；第 2167 號，康德 8（1941）年 7 月 26 日，頁 417。
142　國務院總務廳編，《滿洲國政府公報》，第 2326 號，康德 9（1942）年 2 月 13 日，頁 162。
143　大同學院同窓會編，《大同學院同窓會名簿》，頁 11。

圖 4-10　1937 年林鳳麟（左）擔任哈爾濱地方法院推事，與友人合影於法院前
（林鳳麟先生提供）

圖 4-11　1940 年林鳳麟攝於滿洲國國務院前
（林鳳麟先生提供）

歐陽餘慶，淡水人，1924年臺北師範學校本科畢業，[144] 後赴日就讀法政大學法律學科，於1931年畢業，1933年大同學院畢業，先任國務院法制處雇員同處屬官、法務廳屬官同事務官，1938年4月任總務廳法制處參事官兼大同學院教官。[145] 曾與林鳳麟一起參與六法全書的編纂，[146] 任國務院總務廳參事官。[147]

　　李謀華，雲林崙背庄人，畢業於新京工業大學，經建築技術士考試及格乃進入設備科工作。設備科的工作是負責維修舊有的設備，只服務五、六個月即因戰局危險回到臺灣。[148]

　　賴眼前，臺中人，畢業於新京法政大學，畢業後任建築局屬官，派在總務處辦事。[149]

　　賴崑森，臺北工業學校舊制建築科畢業（1921年），任職於建築局企畫科。[150]

　　林有伍，澎湖馬公人，於滿洲國國都建設局，在鏡泊湖水力電氣建設所任職。[151]

2. 民政部（民生部）

　　民政部後來改為民生部，分為教育、厚生、勞務、保健四司，教育司有勞務、企劃、師道、普通教育、專門教育、養成教育六科；厚生司分厚生、保護、教化、文化四科；勞務司有勞務、動員、輔導三科；保健司有醫療、保健、體育、防疫四科。[152]

　　林冬桂曾任民政部屬官。新竹州竹南郡人，1913年臺北師範學校公學師範部乙科畢業，並曾任教臺中州大屯郡咯哩公學校，[153] 以後赴山東齊魯大學就讀，並任《大青島報》（青島）主筆、山東省統稅局稽查股長，再到滿洲國任民政部屬官。在這期間也任臺灣居留民會議員、日本居留民會議員，以後選擇當貿易商，在廈門

144　不著編人，《臺北師範學校卒業及修了者名簿》（臺北：臺北師範學校創立三十周年記念祝賀會，1926），頁111。
145　中西利八編纂，《滿洲人名辭典》（東京：日本圖書センター，1989年重印），頁345。
146　許雪姬訪問，吳美慧、丘慧君紀錄，〈謝報先生訪問紀錄〉，頁201。
147　〈居住長春台灣省民名簿〉（1946年1月28日）。
148　許雪姬訪問，李謀華、王美雪記錄，〈李謀華先生訪問紀錄〉，《日治時期在「滿洲」的臺灣人》，頁337。
149　國務院總務廳編，《滿洲國政府公報》，第2075號，康德8（1941）年4月3日，頁61-62。
150　臺北工業學校校友會，《臺北工業學校會員名簿》（臺北：臺北工業學校校友會，1941），頁52。
151　臺北工業學校，《臺北工業學校會員名錄》（臺北：該校，1941），頁230。
152　豐田要三編纂，《滿洲帝國概覽》，頁54-55。
153　不著編人，《臺北師範學校卒業及修了者名簿》，頁80。

圖 4-12　1942 年，吳昌禮抱次女吳洋洋，與長女吳淑麗（左一）、長男吳谷喬（右一）合影。
（吳淑麗女士提供）

開設福林行。[154] 林冬桂精通北京話，著有《北京語基礎》一書。[155]

吳昌禮，滿洲醫科大學專門部畢業，他先任職奉天省國光戒煙所，後赴興安西省民生廳、吉林省立醫院辦事，1944 年任民生部技正，在保健司辦事，最後任厚生研究所副研究官。[156] 戰後基於愛國心，鼓勵臺灣青年從軍報國，在瀋陽經三民主義青年團王書麟主任推薦之下有 30 多名青年志願參軍，加入二○七師，他也入伍受訓，因年紀大、反應慢而退訓。[157]

陳亭卿，臺中龍井人，臺北高等商業學校畢業，大同學院第一部第五期畢業（1936 年 6 月），入大同學院前他已在民生部任屬官、教育司事務官，[158] 1936 年任原學務司普通教育科雇員。[159] 1939 年民生部高等官試補，民政部事務官，在教育司辦事。[160] 1943 年陞敘薦任三等，[161] 1943 年派在學務司工作，後任經濟部事務官，薦任二等，十級俸，派在商務司辦事。[162] 直到戰爭結束，他在自己的職歷上填「偽滿文教部事務官擔當教育行政及經濟部事務官擔當」，[163] 主要是文教部原來在民政部教育司，後另設部。

陳嘉澋，臺南人，臺南第二中學校畢業，原赴日本廣島深造，後因故回臺，之後因兄陳嘉樹、陳嘉濱在滿洲工作而到滿洲，先在政府機構的民生部勞務局工作，主要在管理工人，後來到滿洲電氣會社的子公司合成ゴム（橡膠）工作。[164] 黃千里是曾任職於民生部的公教人員，有關其履歷已在國務院總務廳部分敘述，不贅。

此外，張納川、林航新都任民政部政務司屬官。[165]

3. 滿洲外交部

臺人在滿洲國外交部早期有舉足輕重的角色，先後有第一任滿洲國外交部總長

154　興南新聞社，《臺灣人士鑑》（1943），頁 461。
155　《興南新聞》，1942 年 7 月 28 日，第 2 版，為該報是日之廣告資料。
156　國務院總務廳編，《滿洲國政府公報》，第 3180 號，康德 12（1945）年 1 月 20 日，頁 197。
157　許雪姬訪問，何金生、鄭鳳凰紀錄，〈何金生先生訪問紀錄〉，《日治時期在「滿洲」的臺灣人》，頁 191-192。
158　中西利八編纂，《滿洲人名辭典》，頁 416。
159　滿洲國國務院文教部總務司編，《滿洲帝國文教關係職員錄》，頁 3。
160　國務院總務廳編，《滿洲國政府公報》，第 1646 號，康德 6（1939）年 10 月 9 日，頁 229。中西利八編纂，《滿洲人名辭典》，頁 416；此書記載康德元（1934）年即任民生部教育司事務官，但亦有言康德二年（1935）者，如中西利八編纂，《滿華職員錄》，頁 45。
161　國務院總務廳編，《滿洲國政府公報》，第 2650 號，康德 10（1943）年 3 月 31 日，頁 913、916。
162　國務院總務廳編，《滿洲國政府公報》，第 2872 號，康德 10（1943）年 12 月 28 日，頁 730。
163　〈居住長春台灣省民名簿〉（1946 年 1 月 28 日）。
164　許雪姬訪問、蔡說麗記錄，〈陳嘉樹、陳高絃夫婦、陳正德先生訪問紀錄〉，《日治時期在「滿洲」的臺灣人》，頁 538。
165　山本生，〈滿洲で活躍の臺灣關係者〉，《臺灣實業界》5：9（1933.9），頁 2-5。

謝介石，任職外交部歐米科科長的林景仁，任職駐朝鮮新義州副領事、濟南總領事的吳左金，駐泰公使館一等書記的楊蘭洲，駐汪精衛中華民國大使館高等官試補，後回外交部任職的黃清塗、任外交部高等官試補在政務處辦事的李永清；在外交部政務司任事務官的張建侯及朱叔河等。由於謝介石的角色重要，故以下用較多的篇幅來敘述。

（1）首任外交部總長、第一任駐日全權大使：謝介石（1879-1954），新竹人，幼年時曾於明志書院讀書三年。日本領臺後，就讀新竹國語傳習所，[166]以後就讀新竹公學校，畢業後任新竹辨務署、新竹縣、新竹廳通譯，得里見義正廳長信任，遂推薦謝於1903-1904年之際赴東京東洋協會專門學校（今日本拓殖大學前身）任臺灣語老師。[167]謝到日本後乃到明治大學修讀法律學，由於與清朝前武將張勳之子結為好友，故畢業後在張勳安排下到福州將軍松壽處當法律顧問。以後又到吉林、福建等地任職。[168]中華民國建立後，他在1913年於國務總理處隨辦外交事宜，再任直隸省公署外交秘書直隸交涉署會辦長江巡閱使署諮議同參議外交處處長。[169]在民間方面也推動中日國民協會的成立。[170]以後回吉林工作一段時間，再轉到張勳處任行轅秘書長，而於1914年放棄日本籍加入中華民國國籍。以後參加張勳復辟保皇的行動，甚至被任命為敵前司令官，後段祺瑞打敗了張勳，謝介石在北京無法立足，乃在天津、上海一帶活動。[171]

1924年11月5日溥儀被馮玉祥趕出紫禁城，乃住進天津日本領事館接受保護，以後遷出領事館，住進張園，再轉入靜園。[172]謝在直奉戰爭時，在「奉系」李景林秘書李嘉驥處任秘書長。[173]1927年12月6日溥儀召見謝介石，[174]1928年6月

---

166 《臺灣新報》，1900年5月14日，謝為第一屆畢業生。轉引自許佩賢，〈臺灣近代學校的誕生：日本時代初等教育體系之成立（1895-1911）〉（臺北：臺灣大學歷史研究所博士論文，2001），附錄一。

167 日本外務省外交史料館藏，L,3,3,0,12-1，各國派使節本邦へ派遣關係雜件　滿洲國ノ部，（1）滿洲國答禮使節謝介石，1932年9月；文書課發送，外務省人事課長1932年10月12日起草。發信人內田外務大臣、收信人宮內大臣，件名：滿洲國特使謝介石氏略歷送傳ノ件。

168 離開福建後到北京張勳處任法律顧問，而後到吉林將軍松壽衛門任文案，接著任中央政府參事上行走直隸總督洋務文案、督辦川漢鐵路大臣總文案、福建法律講習所所長兼總教習。見內尾直昌編，《滿洲國名士錄：康德元年版》，頁88。

169 內尾直昌編，《滿洲國名士錄：康德元年版》，頁88。

170 《盛京時報》，第1953號，大正2（1913）年5月16日，第7版。

171 丘樹屏，〈偽滿洲國十四年史話〉（長春：長春市政協文史和學習委員會，1998），頁421。

172 NHK取材班編，《「滿州国」ラストエンペラー》（東京：角川書店，1995），頁112。

173 中國歷史博物館編、勞祖德整理，《鄭孝胥日記》（第4冊）（北京：中華書局，1993），頁2078。

174 中國歷史博物館編、勞祖德整理，《鄭孝胥日記》（第4冊），頁2168。

任命其為外務部右丞任天津行在御前顧問,派其籌辦東三省軍務事宜。[175] 8月裕陵、定陵、東陵被馮玉祥部隊破壞,斫棺暴骨,情況嚴重,溥儀乃聽謝介石之建議,任冀州知州金良撰查辦。[176] 由上可知謝介石與遜帝溥儀間的關係日密。

九一八事變後,日本欲利用溥儀,乃由土肥原賢二將溥儀帶往旅順湯岡子暫住,[177] 以待滿洲國傀儡政權的建立。這時謝也重回吉林,受吉林省長熙洽任命為交涉署署長,[178] 熙洽[179] 和謝的淵源無可考,是否謝前在吉林任職時即有交情？亦無可考。熙洽一向被視為親日家,謝亦然。謝在任內向日本政府交涉永衡官銀號的重新營業;[180] 表面上謝從事對外工作,實則他最重要的任務是為熙洽謀取在新政府中的職位。先是以溥儀為名出犒賞銀三萬元給關東軍,被拒;[181] 以後又先後出10萬元贈送溥儀為熙洽謀求在新政府中的組閣權,引來溥儀的憤怒。[182] 即使未能成功,謝仍以為另有可謀;[183] 未來的國務院總理鄭孝胥,頗有引張海鵬以制熙洽的想法。[184]

在滿洲國建立前一個月,謝介石又兼任哈爾濱市政籌備處長,赴哈爾濱接受濱江市政。[185] 2月初關東軍與滿洲地區親日派首領開會,洽談新政府人員,關東軍方面是本庄繁司令官、三宅光治參謀長、奉天特務機關長土肥原賢二大佐,滿洲方面則為臧式毅、熙洽、袁金鎧、趙欣伯、于冲漢等人。在商討三、四次後,決定執政為溥儀,張景惠為參議府議長、鄭孝胥為國務總理、于冲漢任監察院院長、趙欣伯任立法院長、袁金鎧任參議府參議,至於各部總長則由各省推薦,意在求取各省勢力的平衡。在激烈的爭奪之下,謝介石任外交部總長,主要是來自吉林省長熙洽的推薦。[186]

溥儀並不太在意新政府的人事安排,他要爭取的是帝制,2月18日東北行政委員會[187] 成立,宣布東北獨立,22日開會決定國體,以便因應中華民國政府在1

---

175 興南新聞社,《臺灣人士鑑》(1943),頁192-193。
176 中國歷史博物館編、勞祖德整理,《鄭孝胥日記》(第4冊),頁2193。
177 中國歷史博物館編、勞祖德整理,《鄭孝胥日記》(第4冊),頁2351。
178 《盛京時報》,第7385號,民國20(1931)年11月6日,第5版。
179 熙洽,在九一八事變前,已是吉林東北邊防副司令官公署參謀長兼吉林陸軍訓練總監、吉林省政府委員,在吉林省長張作相下參贊事務。見內尾直昌編,《滿洲國名士錄:康德元年版》,頁56。
180 《盛京時報》,第7845號,民國20(1931)年11月17日,第5版。
181 中國歷史博物館編、勞祖德整理,《鄭孝胥日記》(第4冊),頁2353。
182 中國歷史博物館編、勞祖德整理,《鄭孝胥日記》(第4冊),頁2355。
183 中國歷史博物館編、勞祖德整理,《鄭孝胥日記》(第4冊),頁2361。
184 中國歷史博物館編、勞祖德整理,《鄭孝胥日記》(第4冊),頁2362。
185 《盛京時報》,第7874號,民國20(1931)年12月16日,第5版。
186 NHK取材班編,《「滿州国」ラストエンペラー》,頁129。
187 東北行政委員會由東北四巨頭即馬占山、張景惠、熙洽、臧式毅4人組成,以張景惠為委員長、

月 18 日派顏惠慶為出席國聯會議代表，[188] 且國際聯盟在 21 日已命英國人李頓（Lytton, Victor Alexander George Robert, Second Earl 1876-1947）為國聯調查團團長，[189] 在李頓未到滿洲前，一定要先成立滿洲國以製造既成事實。開會中吉林、蒙古贊成君主制，奉天、黑龍江、哈爾濱則主張先行試行，將來再改君主，換言之，奉天等站在日本立場主張先設執政為宜，鄭孝胥將結果帶給溥儀，溥儀乃決定執政期間為一年。不久板垣親訪溥儀做最後的確認，於是滿洲國的國體及溥儀的臨時執政地位乃告確定。[190]

3 月 1 日發表滿洲國建國宣言，公推溥儀為執政，而早在 29 日已派出包括吉林交涉署長謝介石在內的 11 個代表，前往湯岡子迎接溥儀到長春（後改為新京）。3 月 8 日溥儀抵達，乃在永衡官銀號舉行執政就任典禮，隨即降敕四道派發人事命令，謝介石被任命為外交部總長。[191] 謝介石面臨最重要的問題是滿洲國的外交承認問題，[192] 及如何應付李頓調查團的到來。李頓調查團 3 月 2 日由歐洲出發，3 月 29 日抵達橫濱，和日本各方面交流後才前往中國，再經上海、南京、漢口、北平，預計 4 月（5 月）要到滿洲。[193] 4 月 9 日謝介石致電中國外交部，阻止顧維鈞赴滿，[194] 後經李頓調查團嚴正聲明，若不准顧入，則將全團不赴滿洲，至此日本、滿洲國不得不讓步。[195]

5 月 2 日李頓一行抵達長春，4 日訪外交部，由謝介石致歡迎辭，6 日才准後到的顧隨團活動，此後李頓調查團在滿洲進行一個月的調查後，6 月 2 日回到錦州，[196] 旋離開滿洲。10 月 2 日李頓調查報告出爐，建議組一「東三省特別行政機構」召集諮問會議來解決問題，[197] 唯滿洲國表示自己為獨立的國家，並非國聯一員，不受國聯拘束。[198] 1933 年 2 月 24 日國聯開特別大會決定通過國聯最終報告書，

―
  在張宅開會成立。見郭廷以，《中華民國史事日誌》（第 3 冊）（臺北：中央研究院近代史研究所，1984），頁 128。
188 中國歷史博物館編、勞祖德整理，《鄭孝胥日記》（第 5 冊），頁 2367。
189 郭廷以，《中華民國史事日誌》（第 3 冊），頁 129。
190 郭廷以，《中華民國史事日誌》（第 3 冊），頁 130，民國 21（1932）年 1 月 21 日，丙；中央檔案館編，《偽滿洲國的統治與內幕：偽滿官員供述》，頁 2，〈愛新覺羅・溥儀筆供〉。
191 《盛京時報》，第 7949 號，大同元（1932）年 1 月 21 日，第 2 版。
192 3 月 12 日謝介石向 17 國發出通電，表示新國家的成立及其對外方針。見中國歷史博物館編、勞祖德整理，《鄭孝胥日記》（第 5 冊），頁 2370。此外還保證建國後將保障各國僑民生命之安全，並與各國進行通商貿易、滿洲門戶開放等。見《盛京時報》，第 7955 號，大同元（1932）年 3 月 16 日，第 2 版。
193 中溝新一編輯，《滿洲年鑑》（一）（大連：滿洲文化協會，1933），頁 51。
194 《盛京時報》，第 7980 號，大同元（1932）年 4 月 11 日，第 2 版。
195 顧維鈞，《顧維鈞回憶錄》（第 1 冊）（北京：中華書店，1983），頁 428-429。
196 《盛京時報》，第 8033 號，大同元（1932）年 6 月 4 日，第 4 版。
197 中溝新一編輯，《滿洲年鑑》（一），頁 52-55。
198 《盛京時報》，第 8281 號，大同 2（1933）年 2 月 20 日，第 2 版。

除日本投反對票、暹邏投棄權票外,全體通過。[199] 唯此報告對日、滿並無約束力,日本且惱羞成怒,其代表松岡洋右在 3 月 28 日宣布退出國聯。[200] 謝介石於 30 日向日本外相內田康哉表達謝忱。[201]

在李頓報告書尚未正式出爐前,日本承認滿洲國,並在同年 8 月 8 日派武藤信義大將任關東軍司令官兼駐滿特命全權大臣。[202] 本要由謝介石與武藤兩人簽訂日滿議訂書,後因茲事體大乃改由國務總理鄭孝胥簽字。[203] 所謂日滿議定書的簽訂等於是日本承認滿洲國,這不僅規範了日滿間的關係,並定下兩個原則,一是滿洲國承認日本國及日本國民在滿洲國的既得利益,一是為了對滿洲國進行日滿共同防衛,承認日本軍在滿洲國內的駐屯,[204] 另有鄭孝胥三協定,日本將取得滿洲鐵道、港灣、水路、航空路的管理及架設線路權,設立航空會社權及礦業權。[205]

日滿議定書簽訂後,謝介石乃展開外交善鄰的活動,先是在蘇聯設立四個領事館(其中兩個為總領事館);與中華民國政府之間的關係,也透過錦州領事館加強;此外與日本間的條約修訂的問題也需討論。[206] 至於對滿洲國的承認,除日本外,也對在國聯投下棄權票的暹邏大加拉攏,[207] 不過第一個承認滿洲國的是 1934 年 3 月 3 日的薩爾瓦多共和國,[208] 其次是多明尼加共和國,接著教皇也派特使到滿洲成立布教區,任命布教代表。[209] 1937 年由 Pacil 致贈加強滿洲與教皇國關係的人士十二人聖シルベスタ勳章(聖西爾伯達大十字章),謝介石為其中之一,[210] 顯示其對滿洲布教上的協助。

1932 年 9 月 18 日,九一八事變一週年,滿洲國派外交部總長謝介石當特使到日本向天皇致謝的消息傳達給日本,[211] 此次之行實不僅在答禮,附帶的任務是要

---

199 顧維鈞,《顧維鈞回憶錄》(第 2 冊)(北京:中華書店,1983),頁 181。
200 姜念東等,《偽滿洲國史》(大連:大連出版社,1991),頁 153-154。
201 《盛京時報》,第 8320 號,大同 2(1933)年 4 月 1 日,第 2 版。
202 秦郁彥,《戰前期日本官僚制の制度・組織・人事》(東京:東京大學出版會,1981),頁 401,22-1 關東長官(關東都督)。
203 《盛京時報》,第 8133 號,大同元(1932)年 9 月 14 日,第 2 版。
204 滿洲國史編纂刊行會,《滿洲國史 各論》,頁 342。
205 中國歷史博物館編、勞祖德整理,《鄭孝胥日記》(第 5 冊),頁 2408,「日滿兩國換文于長春,署約者武藤信義、鄭孝胥,午前十時禮畢。」;姜念東等,《偽滿洲國史》,頁 147-148。
206 中溝新一編輯,《滿洲年鑑》(一),頁 67-68。
207 《盛京時報》,第 8296 號,大同 2(1933)年 3 月 8 日,第 4 版。
208 豐田要三編纂,《滿洲帝國概覽》,頁 101。
209 里見甫,〈諸外國關係的一年〉,收入里見甫編,《滿洲國現勢:康德三年版》(新京:滿洲國通信社,1936),頁 70。
210 松本於菟男,〈法王から贈勳〉收入松本於菟男編,《滿洲國現勢》(新京:滿洲弘報協會,1937),頁 72;《滿洲國政府公報》,第 856 號,康德 4(1937)年 2 月 6 日,頁 53。
211 日本外務省外交史料館藏,L,3,3,0,各國特派使節本邦へ派遣關係雜件 滿洲國ノ部,12-1(1)

圖 4-13　滿洲國外交部總長謝介石寄贈照片予黃子正醫師
（時任滿洲國宮內府醫務囑託）之親筆簽名照
（黃洪瓊音女士提供）

到東京與蘇聯駐日大使相商蘇滿兩國修好條約。[212] 日本政府決定要以等同非洲伊索匹亞特派大使同級的規格來招待答禮使謝介石。[213] 謝介石於 10 月 12 日出發，10 月 18 日到東京，19 日到皇宮答禮，而於 11 月 5 日回到新京。[214] 此次之行雖達成答禮的使命，但謝並未如往例獲得敘勳。蓋因滿洲國成立未久，未有敘勳制，故未依例給來訪國官員敘勳，地主國也不能給特派使節敘勳。[215] 為了彌補謝氏的遺憾，乃由天皇賜予七寶花瓶、芙蓉小禽之圖各一，以示禮遇。[216]

除任特派使節赴日答禮外，在 1934 年 3 月 1 日滿洲國改成帝制，溥儀由臨時執政而正位為滿洲皇帝後，為了答謝日本天皇派皇弟秩父宮雍仁親王來滿參加，乃決定到日本訪問。1935 年 4 月 6 日溥儀抵橫濱，其扈從人員共 84 位，外交部總長謝介石排名第二，僅次於宮內府大臣沈瑞麟，謝介石子謝喆生為外交部秘書官排名第四，宮內府禮官蔡法平排名第三，[217] 父子檔同為隨從。4 月 24 日訪問結束。此次溥儀訪日可說是日、滿關係的分水嶺；溥儀在 5 月 2 日頒給省長以下諸官員「回鑾訓民詔書」，還舉行慶祝大會。[218] 日本方面也在 5 月 21 日通告滿洲國，將駐日公使館升格為大使館。[219] 同日鄭孝胥辭退國務總理職，易以張景惠，謝介石也被調為參議，[220] 23 日謝調任第一任駐日全權大使，並給一級俸。[221]

滿洲國原駐日全權公使為丁士源，[222] 這時滿洲國駐日代表辦事處已遷至麻布

滿洲國答禮使節謝介石，昭和 7（1932）年田中總領事代理致內田外務大臣。

212　《盛京時報》，第 8184 號，大同元（1932）年 9 月 30 日，第 4 版。

213　日本外務省外交史料館藏，L,3,3,0，各國特派使節本邦ヘ派遣關係雜件　滿洲國ノ部，12-1（1）滿洲國答禮使節謝介石，昭和 7（1932）年 10 月 7 日發，田中總領事代理致內田外務大臣，第 685 號，一、「往電第六六七號謝介石ノ言上書左ノ通訂正方外交部ヨリ申越シタルニ付、右可然御取計アリ度シ」。

214　《盛京時報》，第 8184 號，大同元（1932）年 11 月 6 日，第 4 版。

215　日本外務省外交史料館藏，L,3,3,0，各國特派使節本邦ヘ派遣關係雜件　滿洲國ノ部，12-1（1）滿洲國答禮使節謝介石，人事課長三谷，〈滿洲國特使一行敘勳ニ關スル件〉，這是 10 月 20 日三谷人事課長向式部外事課長所呈遞的。

216　日本外務省外交史料館藏，L,3,3,0，各國特派使節本邦ヘ派遣關係雜件　滿洲國ノ部，12-1（1）滿洲國答禮使節謝介石，昭和 7（1932）年 10 月 22 日，宮內大臣一木喜德郎呈外務大臣伯爵內田康哉，〈物品下賜ニ關スル件〉。

217　日本外務省外交史料館藏，L,1,3,0,2-6-1，外國元首並皇族本邦訪問關係雜件　滿洲國ノ部　溥儀皇帝御來朝ノ件，〈訪日扈從員順序名簿〉。

218　NHK 取材班編，《「滿州国」ラストエンペラー》，頁 147。

219　《盛京時報》，第 9067 號，康德 2（1935）年 5 月 23 日，第 2 版。

220　中國歷史博物館編、勞祖德整理，《鄭孝胥日記》（第 5 冊），頁 2583。

221　《盛京時報》，第 9067 號，康德 2（1935）年 5 月 23 日，第 2 版；《滿洲國政府公報》，第 380 號，康德 2（1937）年 6 月 19 日，頁 146。

222　丁士源，浙江吳興人，1876 年生，天津北洋水師學校畢業，後任會辦，入北洋宋慶將軍處為幕，到 1912 年已陸至少將。滿洲國成立後任執政個人代表，活躍於國際聯盟開會的前後（因滿洲國非會員），1933 年 4 月任命為駐日特命全權公使。見內尾直昌編，《滿洲國名士錄：康德元年版》，頁 137-138。

區櫻田町五十番地。原為後藤新平之宅，以 27 萬元購得。[223] 謝介石的任命在 6 月 19 日受皇帝溥儀主持的特任式後乃告決定。時謝介石為勳一等，佩慶雲章。[224] 21 日自新京出發，28 日抵日本東京。[225] 謝大使雖名為大使，實則重要的工作落在山崎寅雄參事官、田中正一等秘書官身上，[226] 實無重大外交事件可辦。[227] 7 月 4 日謝率隨員到皇宮晉見日本天皇，呈遞國書。[228] 在駐日大使任上謝介石回臺參加 10 月 18 日起的始政四十周年臺灣記念博覽會，不僅要主持 27 日的「滿洲日」各項活動，主要是為兒子謝喆生與新竹鄭家鄭肇基女鄭蓁蓁成婚，[229] 謝等一行在 12 月 16 日離臺，前後在臺三個月。[230]

1937 年 5 月 6 日滿洲國政府向謝發出回國訓令，謝雖推託準備不及，滿洲國政府仍於 9 日再度催駕。謝乃於拜謁天皇後於 6 月 6 日離開東京，[231] 23 日滿洲國政府以阮振鐸為第二任駐日大使。謝介石何以被調回新京，[232] 是否與支持他最力的熙洽失勢有關，由於史料不足無法評論。這時謝介石已 59 歲。他自滿洲國成立的 1932 年 3 月 1 日到 1937 年 6 月 23 日卸駐日大使任，前後五年在滿洲國都扮演「重臣」的角色。

謝介石自駐日大使任上退下後，在日本居住一段時間再回滿洲任滿洲房產株式會社理事長。[233] 此會社是依 1938 年 2 月以附敕令第九號，收羅資金百萬圓的大德不動產公司，並加以擴充創立而成。資本金三千萬圓（實繳一千五百萬圓），政府是最大的股東，共控股二十萬（東洋拓殖十九萬九千股，興業銀行十九萬九千七百股，個人所有的只

---

223 日本外務省外交史料館藏，M,2,50,3-43，在本邦各國外交官領事官及館員動靜關係雜纂　滿洲國ノ部；外發秘第 2071 号，昭和 10（1935）年 6 月 29 日，呈轉兵庫縣知事湯澤三千男，〈駐日滿洲國大使來往ニ關スル件〉。
224 《盛京時報》，第 9094 號，康德 2（1935）年 6 月 20 日，第 3 版。
225 《盛京時報》，第 9099 號，康德 2（1935）年 6 月 25 日，第 4 版。
226 《盛京時報》，第 9104 號，康德 2（1935）年 6 月 30 日，第 2 版。
227 鹿又光雄，《始政四十周年記念臺灣博覽會誌》（臺北：始政四十周年記念臺灣博覽會，1939），頁 371-373。
228 《盛京時報》，第 9109 號，康德 2（1935）年 7 月 5 日，第 2 版。
229 《臺灣日日新報》，昭和 7（1932）年 12 月 2 日，第 5 版。
230 離開臺北後，到臺南、高雄去見高雄州新任知事、原新竹州知事內海忠司，答謝他請郭廷俊到新竹調停其親家鄭肇基家族間的糾紛。見近藤正己、北村嘉惠、駒达武編，《內海忠司日記 1928-1939：帝国日本の官僚と植民地台湾》（京都：京都大学学術出版会，2012），頁 699、1010。
231 日本外務省外交史料館藏，M,2,50,3-43，在本邦各國外交官領事官及館員動靜關係雜纂　滿洲國ノ部，外發秘第 1502 號，昭和 12（1937）年 5 月 29 日，警視總監橫山助成，〈駐日滿洲帝國全權大使ノ動靜ニ關スル件〉。
232 陳開棟，〈臺灣兩大閥閱一代名媛的毀滅〉，收入陳運棟，《內外公館史話》（出版地不詳：自刊本，1994），頁 166-167。據坊間小說之言，是因溥儀有后而無嗣，日人建議納妃，溥儀不允，此事就交由謝介石負責勸說，終於說動溥儀，然也因此而與妃有染而敗事。
233 國務院總務廳編，《滿洲國政府公報》，第 1259 號，康德 5（1938）年 2 月 17 日，頁 315。

有四百株），所以說此會社是國營的也不為過。此會社的成立主要是解決在滿日本人一屋難求及因建材漸需，導致價格高漲，而使屋價一路攀昇這兩個問題。謝介石任職的期間不詳，唯1941年還在任上。[234]

謝介石家族在謝卸任駐日大使時曾一度住在日本，以後回到新京，再遷北京，終戰時在北京。戰後謝介石被逮捕，判刑十多年，1948年獲釋，1954年過世。[235]

謝介石雖入中國籍，已不算臺灣籍民，然1943年（昭和18年）出版的《臺灣人士鑑》仍有謝介石傳，[236] 可見仍將之視為臺人。

（2）外交部政務司歐米科科長林景仁：林景仁（1894-1940），字健人，號小眉，別署蟬窟，板橋林家第二房林爾嘉長子。1894年生，乙未之役隨祖父林維源內渡，林未入正式學校就讀，但其有傲人的詩才，及通日、英、法三國語文的能力，全靠教師到家教導。娶南洋蘇門答臘橡膠王張煜南之女張福英為妻，張煜南曾因捐鉅款給清廷而獲頭品頂戴侍郎銜，[237] 當時風傳張家的財力在林家之上，故結婚時由新郎到南洋娶親。[238] 林景仁以臺灣無發揮之餘地，乃在南洋投資日麗銀行，也計劃成立飛行公司以便一展鴻圖。[239] 在臺亦曾任株式會社新高銀行董事，[240] 林本源製糖株式會社監事，[241] 主持家族企業的訓眉記。然因歐戰之後，世界經濟蕭條，生意遂告失敗；再加上在爪哇從事的麵粉事業亦受阻於荷人，損失更大。（另一說是賭博失敗）[242] 爾後隨父母赴瑞士7年。1931年得鄒魯之介，謁劉鎮華[243] 於新鄉，被任為豫陝晉邊區綏靖督辦公署上校參議，並主軍中軍政。[244]

---

234 滿洲國通信社編，《滿洲國現勢：康德八年版》（新京：滿洲國通信社，1941），頁458。

235 許雪姬訪問、紀錄，〈謝白倩先生訪問紀錄〉，2006年7月23日，於中國北京石佛營東星謝宅，未刊稿。謝白倩為謝介石之子。

236 興南新聞社，《臺灣人士鑑》（1943），頁192。

237 張煜南在1902年報效廣東武備學堂和廣州府中學堂8萬兩，得授四品京堂候補；後復與其弟張鴻南於1910年捐10萬元報效勸業場善後工作，再以20萬元承包會場地皮和商店。見莊國土，《中國封建政府的華僑政策》（廈門：廈門大學出版社，1989），頁258。

238 《臺灣日日新報》，大正元（1912）年10月22日，第6版。張福英（Queeny Chang, 1896-1986），著有 Memories of a Nonya 一書，1981年出版，1982年再版，2016年三版，敘述其父張煜南一家及自己的婚姻情況。本書已有中文版，見張福英著、葉欣譯，《娘惹回憶錄》（臺南：國立臺灣文學館，2017）。

239 大園市藏，《板橋林本源家》（東京：日本殖民地批判社，1930），頁10。

240 上村健堂，《臺灣事業界中心人物》（臺北：新高堂書店，1919），頁55。

241 上村健堂，《臺灣事業界中心人物》，頁78。

242 陳三井、許雪姬訪問，楊明哲紀錄，《林衡道先生訪問紀錄》，頁28。

243 劉鎮華，1882年生，河南鞏縣人，北京法律學堂畢業，曾肄業於保定軍官學校。辛亥武昌起義，參與河南之役，響應革命，1929年中原大戰，劉鎮華歸附中央，奉命任豫陝晉邊區綏靖督辦，繼任安徽省主席，兼豫鄂皖邊區剿匪總司令，林景仁即在此時至其幕中。見秦孝儀總編纂，《中國現代史辭典 人物部分》（臺北：近代中國出版社，1985），頁536。

244 王國藩，《板橋林本源家傳》（臺北：林本源祭祀公業，1987），頁94。

1932 年 3 月 1 日滿洲國成立，林景仁到滿洲任外交部事務官，在政務司辦事，[245]後任歐米科科長。[246] 1934 年 7 月升任同部理事官，9 月兼宣化司辦事。[247] 1937 年 6 月辭職獲准。[248] 在歐美科長任中，負責接待來自歐洲（法、比）的投資者[249] 和記者，[250] 也曾譯過法人巴勵所著的《極東舞台滿洲國，1644-1932》一書。[251] 據王國璠稱，林景仁在任職一年多後，由新京到大連，想改行從商，卻因資本為宵小所竊而貧病交加，遂再回原任。[252] 1940 年 10 月因肺癌亡於新京，[253] 由同為臺人、任職外交部的吳左金為之開弔。[254] 詩人林佛國、陳逢源有〈輓林小眉〉之追悼詩。[255]

　　(3) 駐「中華民國」濟南總領事吳左金：吳左金（1902-1994），苗栗苑裡人，在臺灣讀完公學校三年級後，因體弱，祖母想日本空氣佳有益健康，乃在表哥郭進木（後為醫生，見前章）的帶領下到東京就讀錦華小學，小學畢業後回臺考入臺北師範學校國語部，[256] 畢業後到故鄉苑裡公學校執教，由於考慮到前途及對法律有興趣，乃赴明治大學就讀法律系，1930 年明治大學畢業。回臺後，先任新竹州有限責任苑裡信用組合理事，[257] 1932 年 3 月 1 日滿洲國成立，8 月乃到滿洲國求發展，適逢外交部招募工作人員，經考試後而於 1933 年 4 月進入外交部為屬官，在通商司辦

245　國務院總務廳編，《滿洲國政府公報》，第 69 號，大同元（1932）年 11 月 25 日，頁 4。

246　高野義夫，《臺灣人名辭典》（東京：日本圖書センター，1989），頁 443。

247　國務院總務廳編，《滿洲國政府公報》，第 182 號，康德元（1934）年 9 月 14 日，頁 52。

248　國務院總務廳編，《滿洲國政府公報》，第 975 號，康德 4（1937）年 6 月 30 日，頁 560。

249　如法人杜比爾，欲投資於國都建設局，法國人多禮維業、日人橫山洋，告知日、法兩國已成立對滿投資調查會；及比國男爵佩英斯。見中國歷史博物館編、勞祖德整理，《鄭孝胥日記》（第 5 冊），頁 2433、2838、2860。

250　法國記者波且倫來訪。見中國歷史博物館編、勞祖德整理，《鄭孝胥日記》（第 5 冊），頁 2479。

251　中國歷史博物館編、勞祖德整理，《鄭孝胥日記》（第 5 冊），頁 2789。

252　王國藩，《板橋林本源家傳》，頁 94。

253　Queeny Chang, *Memoirs of a Nonya*. "I was never to see my husband again. He died in Manchukuo in 1940 of lung cancer. I could not get to him or attend his funeral. His ashes were brought back to Father-in-law in Shanghai." P. 220.

254　許雪姬訪問、曾金蘭紀錄，〈吳左金先生訪問紀錄〉，頁 112。

255　「一家詞賦最憐君，貨殖炎方亦拔群；早歲已增陶猗富，中年翻愛苟蘭文。弟兄父子分南北，事業勳名付水雲，摩達東甯遺草在，忍教老淚灑紛紛。」收入林文岑編、林佛國著，《長林山房吟襍》（臺北：林珮真自刊本，1984），頁 30；〈輓林小眉〉：「少日才名壓建安，忽聞哀訃暗心酸，一園舊第餘斜日，六載新邦作冷官（君任滿洲國外交部歐美司長），計左卻憐為客久，時危應覺咏詩難（聞君近年不事吟詠）海藏樓與東寧草，此後真同隔世看（海藏樓是蘇勘詩集，東寧草乃小眉近作）。」見陳逢源，《溪山煙雨樓詩存》（臺北：自刊本，1980），頁 37。蘇勘（龕）為鄭孝胥，滿洲國成立時任國務院總理。

256　許雪姬訪問、曾金蘭紀錄，〈吳左金先生訪問紀錄〉，頁 96、98；不著編人，《臺北師範學校卒業及修了者名簿》，頁 135。

257　許雪姬訪問、曾金蘭紀錄，〈吳左金先生訪問紀錄〉，頁 99；中西利八編纂，《滿洲人名辭典》，頁 1065。

圖 4-14　副領事吳左金（右二）與領事（左二）及兩名職員於滿洲國駐新義州領事館前合影
（吳左金先生提供）

圖 4-15　吳左金於 1935 年任滿洲國駐朝鮮新義州副領事
（吳左金先生提供）

事。[258] 以後在職通過外交官考試,又通過語言考試三級,1934年滿洲國駐日本國(朝鮮)新義州領事館開館,吳左金被調到該領事館擔任主事,[259] 在副領事期間也幫忙中國僑商解決問題。[260]

1937年5月吳左金調回外交部總務司第一課任職,[261] 三年後升任課長,在課長任內,滿、蘇邊界發生張鼓峰事件和諾門罕事件(ハルヒンゴール,Knalknin-Gol,蘇聯稱 Бои на Халхин-Голе,哈拉欣河戰役)。按諾門罕為蒙古地名,介於滿、蒙之間,中隔哈勒欣河,日方認為滿洲以此河為界與外蒙接壤,蘇俄(外蒙)則指界線在哈勒欣河以東平野,雙方各不相讓,1939年初即陸續發生小規模衝突。4月關東軍訂下國境紛爭處理要項,第一線部隊越境攻擊;5月12日外蒙騎兵渡河開入滿洲國境,14日軍出而迎戰,雙方爆發嚴重衝突。這場衝突中日本小松原師團死傷率達73%(中以蒙古人、滿洲人為多,日本人不到十分之一),此為關東軍建軍以後最大的敗績。之後展開談判,日本代表為哈爾濱總領事久保田、滿洲國代表龜山一二、滿洲國國務局政務處長,日、滿共派出14、5位成員和關東軍派出的技術人員十多位,和蘇聯、外蒙代表談判。外蒙代表為首相代理ヂヤムサロン,蘇聯代表則為ボラターノ少將,共同組成國境確定談判委員會。吳左金為其中的一名,擔任文書工作,到蘇聯赤塔(Чита)與蘇聯外長交涉,要求返還屍體及俘虜。同年12月7日到25日展開談判,會議之初,因國際局勢至為緊張,蘇聯刻意對滿洲及日本示好,用專用特別列車往返搭載與會者,會議期間亦招待週到,會期兩星期,確定國界,由關東軍負責測量,大體照蘇方主張達成協議,接著到哈爾濱開會,自1940年1月7日到30日,[262] 1月底乃告一段落。[263] 但最終到1942年5月15日滿蒙國境才告確定。[264] 吳左金頗以此經歷為榮。

1939年4月通過高等文官特別考試(銓衡)行政科及格。[265] 1939年8月1日為外務局事務官,在長官官房辦事。[266] 1943年10月任外交部事務官,任領事,敘薦任三等,[267] 給十級俸,派駐「中華民國」(汪政權)濟南領事,[268] 翌年3月1日陞

258　國務院總務廳編,《滿洲國政府公報》,第121號,大同2(1933)年4月19日,頁3。
259　國務院總務廳編,《滿洲國政府公報》,第231號,康德元(1934)年12月1日,頁48。
260　許雪姬訪問、曾金蘭紀錄,〈吳左金先生訪問紀錄〉,頁108。
261　國務院總務廳編,《滿洲國政府公報》,第943號,康德4(1937)年5月24日,頁432。
262　滿洲國史編纂刊行會,《滿洲國史 各論》,頁357。
263　許雪姬訪問、曾金蘭紀錄,〈吳左金先生訪問紀錄〉,頁106。
264　滿洲國史編纂刊行會,《滿洲國史 各論》,頁358。
265　國務院總務廳編,《滿洲國政府公報》,第1501號,康德6(1939)年4月17日,頁403。
266　國務院總務廳編,《滿洲國政府公報》,第1592號,康德6(1939)年8月5日,頁85。
267　國務院總務廳編,《滿洲國政府公報》,第2813號,康德7(1940)年10月19日,頁460。
268　國務院總務廳編,《滿洲國政府公報》,第2813號,康德10(1943)年10月19日,頁462。

圖4-16　1939年，吳左金（左二）任外交部總務司第一課課長，
與同僚參加諾門罕事件談判後於赤塔的會談。
（吳左金先生提供）

圖 4-17　1936 年，吳左金（左一）攝於滿洲國通商代表部駐上海辦事處前
（吳左金先生提供）

圖 4-18　吳左金（著協和服）妻鄭鴛鴦的告別式
前排日本課長（左一）、日人課長竹之內（左二）、子女錦雲、天生、錦娥（左三至五）、吳左金（左六）、外交部次長下村信貞（右一）、駐南京公使（右二）。後排日人課長飯盛信一郎（右二）、黃千里（右四）（吳左金先生提供）

圖 4-19　1994 年 1 月 19 日吳左金於苗栗苑裡家中受筆者訪問
攝影：助理曾金蘭
（作者提供）

敘薦任二等。[269] 以後陞任總領事。濟南總領事館為德式建築，向德國人所購。終戰前設總領事一人以外，設日本人副總領事一，及五、六名館員。總領事任內薪給每月 350 元，在辦公費外有機密費可運用，不受限制，主要用來蒐集情報支出、國慶日、萬壽節慶祝活動、策動記者報導及登廣告宣傳的費用。當日本投降前兩個月，滿洲國外交部致電，將所剩款項分發給副總領事、領事及職員，再造冊呈報滿洲國外交部。戰後，國民政府軍隊不斷前來接收，而吳左金也被以漢奸罪名逮捕。[270]

（4）黃清塗：基隆人，日本明治大學政經學部畢業，[271] 1933 年入滿洲大同學院就讀，[272] 畢業後在外交部任屬官，在通商司辦事。[273] 1938 年為高等官試補在政務處辦事，[274] 1939 年 8 月 1 日任滿洲國駐在中華民國通商代表，派在北京通商代表部辦事。[275] 翌年通過高等官適格及特別適格考試及格。[276] 1941 年 10 月 22 日，黃為滿洲國駐在中華民國通商代表部高等官試補，任大使館高等官試補，派在中華民國大使館辦事，[277] 翌年改任外務局事務官敘薦任三等，給十三級俸，派在政務廳辦事，而回到新京。[278] 1945 年陞敘薦任二等，任外交部事務官。[279]

（5）李永清：1909 年生，新竹人，新竹中學第一屆畢業生，取得高等學校教員檢定合格，在日本秋田女子師範任教，後考入大同學院，畢業後於 1935 年 11 月由原任外交部宣化司屬調任通商司辦事，[280] 1934 年改姓為「山本」，[281] 1938 年 3 月調外務局屬官，派在政務處辦事，[282] 1938 年為試補高等官，[283] 並在 1939 年 4 月高等文官行政科特別考試（銓衡）及格。[284] 8 月 1 日升事務官。[285] 在大連辦事處辦

269　國務院總務廳編，《滿洲國政府公報》，第 2929 號，康德 11（1944）年 3 月 17 日，頁 226-227。
270　許雪姬訪問、曾金蘭紀錄，〈吳左金先生訪問紀錄〉，頁 115-116。
271　〈居住長春台灣省民名簿〉（1946 年 1 月 28 日）。
272　中國歷史博物館編、勞祖德整理，《鄭孝胥日記》（第 5 冊），頁 2481。
273　國務院總務廳編，《滿洲國政府公報》，第 248 號，大同 2（1933）年 10 月 27 日，頁 2。
274　國務院總務廳編，《滿洲國政府公報》，第 1400 號，康德 5（1938）年 12 月 6 日，頁 137。
275　國務院總務廳編，《滿洲國政府公報》，第 1592 號，康德 6（1939）年 8 月 5 日，頁 138。
276　國務院總務廳編，《滿洲國政府公報》，第 1804 號，康德 7（1940）年 5 月 1 日，頁 17。
277　國務院總務廳編，《滿洲國政府公報》，第 2240 號，康德 8（1941）年 10 月 25 日，頁 447。
278　國務院總務廳編，《滿洲國政府公報》，第 2336 號，康德 9（1942）年 2 月 26 日，頁 314。
279　國務院總務廳編，《滿洲國政府公報》，第 3210 號，康德 12（1945）年 3 月 3 日，頁 25。
280　中西利八編纂，《滿華職員錄》，頁 14。
281　國務院總務廳編，《滿洲國政府公報》，第 508 號，康德 2（1935）年 11 月 19 日，頁 201。
282　國務院總務廳編，《滿洲國政府公報》，第 616 號，康德 3（1936）年 4 月 9 日，頁 192。
283　國務院總務廳編，《滿洲國政府公報》，第 1178 號，康德 5（1938）年 3 月 12 日，頁 338。
284　國務院總務廳編，《滿洲國政府公報》，第 1400 號，康德 5（1938）年 12 月 6 日，頁 97。
285　國務院總務廳編，《滿洲國政府公報》，第 1501 號，康德 6（1939）年 4 月 17 日，頁 401。

圖 4-20　李水清夫婦晚年與孫子民治（左）、維志（右）合影
（李水清先生提供）

公。[286] 戰後曾任日本名古屋尾張高中教師。[287]

（6）張建侯：1899 年生，1917 年畢業於臺北中學校（非臺北第一中學，為今泰北中學），而後到吉林交涉署當通譯官。[288] 1932 年 8 月任國務院外交部屬官，在政務司辦事，[289] 1933 年 3 月升任事務官，[290] 1936 年 9 月，由政務司改派到通商司辦事，[291] 1937 年調政務處，[292] 而後於 1937 年 9 月底辭職。[293]

（7）朱叔河（1906—1980）：臺中清水人，朱麗的三男，日本立命館大學畢業，[294] 1933 年任外交部屬官，在總務司辦事，[295] 1934 年 4 月調到政務司，[296] 再調到總務司，1935 年 11 月再調回政務司，[297] 1938 年 3 月任經濟部屬官，旋於 3 月 22 日辭職獲准。[298] 可能和謝介石離開外交部有關。1933 年 10 月 21 日，在總務司工作的朱叔河與其兄朱江淮及父朱麗前往拜訪林獻堂，主要是奉謝介石之命來，此時正是謝剛被任命為答禮使訪日期間，三人來霧峰可能負有招商之任務。[299] 當朱叔河等人離開霧峰後，臺中州柳澤道太郎警部補即派金澤信雄特務到霧峰探問是否往滿洲投資事，唯林獻堂因事未與見面。[300]

（8）李水清（1918-2014）：1943 年自大同學院第十六期結訓後，以總務廳高等官試補，[301] 任外交部高等官試補，派在調查司辦事，[302] 1944 年 12 月 1 日因自請到

286　中西利八編纂，《滿華職員錄》，頁 16。
287　黃繼圖撰，〈黃繼圖先生日記〉，1967 年 10 月 26 日，中央研究院臺灣史研究所檔案館藏，典藏號：T0765-04-02-18。
288　外務省情報部，《現代中華民國・滿洲帝國人名錄》（東京：財團法人東亞同文會，1937），頁 659。
289　國務院總務廳編，《滿洲國政府公報》，第 38 號，大同元（1932）年 8 月 20 日，頁 9。
290　國務院總務廳編，《滿洲國政府公報》，第 127 號，大同 2（1933）年 5 月 3 日，頁 2。
291　國務院總務廳編，《滿洲國政府公報》，第 162 號，康德元（1934）年 9 月 14 日，頁 102。
292　國務院總務廳編，《滿洲國政府公報》，第 712 號，康德 3（1936）年 10 月 19 日，頁 298。
293　國務院總務廳編，《滿洲國政府公報》，第 1058 號，康德 4（1937）年 10 月 9 日，頁 183。
294　日本外務省外交史料館藏，I,4,5,2,2-2-2，要視察人關係雜件　本邦人ノ部　臺灣人關係，昭和 2（1927）年，頁 331。
295　國務院總務廳編，《滿洲國政府公報》，第 130 號，大同 2（1933）年 5 月 10 日，頁 7。
296　國務院總務廳編，《滿洲國政府公報》，第 88 號，康德元（1934）年 6 月 19 日，頁 109。
297　國務院總務廳編，《滿洲國政府公報》，第 508 號，康德 2（1935）年 11 月 19 日，頁 201。
298　國務院總務廳編，《滿洲國政府公報》，第 1186 號，康德 5（1938）年 3 月 22 日，頁 592；第 1197 號，4 月 4 日，頁 155。
299　林獻堂著，許雪姬、周婉窈編輯，《灌園先生日記（五）一九三二年》（臺北：中央研究院臺灣史研究所籌備處、近代史研究所，2003），頁 429，1932 年 10 月 21 日。
300　林獻堂著，許雪姬、周婉窈編輯，《灌園先生日記（五）一九三二年》，頁 450，1933 年 11 月 3 日。
301　國務院總務廳編，《滿洲國政府公報》，第 2709 號，康德 10（1943）年 6 月 14 日，頁 444。
302　國務院總務廳編，《滿洲國政府公報》，第 2814 號，康德 10（1943）年 10 月 20 日，頁 473、474。

圖 4-21　楊蘭洲赴泰國就任駐泰國公使館一等書記官時攝,最左邊之勳章為「滿洲國建國十週年高等官紀念勳章」。
(楊蘭洲先生提供)

熱河省圍場北邊25公里的棋盤山擔任主任,[303]而離開外交部。亦即轉入滿洲帝國協和會。[304]

(9) 楊蘭洲:臺南人,其在滿洲的經歷主要在經濟部,此處不贅。1942年楊蘭洲雖仍任經濟部理事,但已改派為公使館理事官,薦任二等給八級俸,派在泰國公使館辦事。[305]何以他由經濟部官員被調赴泰國?主要是1941年8月5日泰國與滿洲國建交,[306]故設立駐泰公使館。首任駐泰國公使為前國務院總理鄭孝胥次子、原任奉天市市長的鄭禹。[307]由於鄭孝胥與楊蘭洲岳父蔡法平是同鄉(福州)好友,而鄭禹需要一名經濟書記官,楊雖推以不懂泰國話,唯因泰國華僑中潮州籍者不少,而潮州話接近閩南語,經勸說後楊乃接受。[308]

滿洲國駐泰國公使中以公使地位最高,其次是參事官、總領事,楊任一等書記官排名第四。當時在泰國的臺灣人,被泰人欺侮並未受援於日本駐泰大使館,反而向楊求助,因此任上處理的事有部分是保護臺灣僑民。他和當地的臺人醫生洪兆漢、[309]三美洋行的陳大棋有交情。至於當時滿洲國和泰國方面的經濟交易乃泰國自滿洲國進口大豆、油、豆餅。館中一般事務由事務官處理,楊為了解各國經濟情形曾先後到菲律賓、爪哇、印尼;也到過廣東找華南銀行廣東分行任職的蕭秀淮,回泰後撰寫一報告,指出臺灣人應該要南進。

然而好景不常,日人在戰爭上節節失利,滿洲國乃決定撤回駐泰公使館,及所有駐泰人員,楊蘭洲奉公使之命先將行李送到新加坡,預定再搭阿波丸(アワマル)

---

303 李水清,〈附錄:東北八年回憶錄(1938年4月-1946年4月)〉,頁80-114。
304 國務院總務廳編,《滿洲國政府公報》,第3105號,康德11(1944)年12月11日,頁190。
305 國務院總務廳編,《滿洲國政府公報》,第2482號,康德9(1942)年8月25日,頁398。
306 1936年6月24日暹羅改稱泰國(自由的意思),為了避免受到外國勢力支配,盡力保持中立,在國際聯盟總會中,會員國投票不承認滿洲國時,泰國卻只投出棄權票,得到日本與滿洲國雙方的感謝。七七事變後,日本和泰國簽訂友好和親條約,日軍進攻法屬中南半島時,泰國為了收復在中南半島的失地也和法國爭奪,1941年1月24日在日本居中調停下,泰國收回失地。二次大戰爆發,在日本壓力下,泰國與日本結攻守同盟,對滿洲國也極為友好。1941年8月5日泰國正式承認滿洲國,並派原駐日大使ルアン・ウイラヨー少將為駐滿公使。見內尾直昌編,《滿洲國名士錄:康德元年版》,頁139-140。
307 鄭禹,1889年生,1905年畢業於日本成城學校,1911年英國利物浦大學畢業。1920年任北京京華印書局副經理,再任東記印刷所經理、上海啟新公司南部批發所經理、上海東豐塘瓷公司常務董事。1932年滿洲國建國後,擔任其父、國務院總理鄭孝胥的秘書。見內尾直昌編,《滿洲國名士錄:康德元年版》,頁139-140。1954年7月9日被中共以漢奸罪名處決。見上坂冬子,《三つの祖国―滿洲に嫁いだ日系アメリカ人》(東京:中央公論新社,1999),頁82。
308 許雪姬訪問,吳美慧、曾金蘭紀錄,〈楊蘭洲先生訪問紀錄〉,《口述歷史》5(1994.6),頁150-151。
309 洪兆漢,1930年臺灣總督府臺北醫學專門學校畢業。見景福基金會,《國立台灣大學景福校友通訊錄》(臺北:景福基金會,1992),頁32。洪兆漢原在汕頭開業,1937年10月到泰國開設瑞昇醫院,病患為當地日人,戰爭結束後仍留在泰國,成為臺灣同鄉會的一員。參見鍾淑敏,《日治時期在南洋的臺灣人》(臺北:中央研究院臺灣史研究所,2020),頁456、462、465、470、526。

回滿洲。楊嫌船慢，搭機回滿。不料阿波丸在經臺灣海峽時被美軍潛艇擊沉，[310]因而逃過一劫。在泰國一等書記官任上，適逢滿洲建國十週年（1942），楊獲高等官紀念勳章一枚。同年7月15日，被敘勳六等錫景雲章。[311]

（10）楊松：字子青，1883年生，新竹人。1890年1月至1894年12月在新竹城內私居軒學習漢文。1896年9月至1897年4月入新竹國語傳習所學習日語。1897年9月任新竹郵便電信局雇，1898年11月任該局通信助手。1902年5月任臺北郵便電信局通信助手，1905年4月任新竹郵便局通信係通信助手，1909年8月任塗葛堀郵便受取所取扱人（負責人），1912年1月任塗葛堀郵便局局長。1913年1月至1916年12月，曾任臺中州通譯。[312] 1917年任辜顯榮之通譯，並任臺北商業會理事（辜顯榮任會長）。1920年時曾任林獻堂私人通譯，[313] 1932年10月前往滿洲國視察臺滿經濟關係，12月底攜眷前往滿洲國，任外交部囑託及滿洲棉花會社監事。[314] 1934年11月任滿洲國駐日大使館商務參事官大阪辦事處駐在員。[315] 1942年後回臺任《高雄時報》臺中支社記者。[316]

（11）謝喆生：1914年生，又稱謝吉生，1929畢業於天津同文書院，1932年入北平中國大學文科，1933年中退，1936年4月入明治大學政治經濟學部就學，1939年畢業。[317] 1934年溥儀赴日答謝滿洲國帝制時，隨行人員中有謝介石、謝喆生父子，謝喆生為薦六的秘書官。[318] 據日人調查報告所載，日語相當好，是個文學青年，甚得其父疼愛。[319]

310　許雪姬訪問，吳美慧、曾金蘭紀錄，〈楊蘭洲先生訪問紀錄〉，《口述歷史》5（1994.6），頁150-151。

311　國務院總務廳編，《滿洲國政府公報》，第2520號，康德9（1942）年10月13日，頁180。

312　〈三等郵便局長楊松任臺中廳通譯〉，大正二年永久保存（進退），第一門秘書，《臺灣總督府公文類纂》，1913年1月1日，第2185冊；〈楊通譯之就聘〉，《臺灣日日新報》，1917年1月2日，第3版。

313　田健治郎著、吳文星等主編，《臺灣總督田健治郎日記》（上）（臺北：中央研究院臺灣史研究所籌備處，2001），頁293，1920年5月6日。

314　〈楊松氏が駐日滿洲國公使館の商務參事官〉，《臺灣日日新報》，1934年11月21日，第2版。

315　日本外務省外交史料館藏，M,2,50,3-43，在本邦各國外交官領事官々館員動靜關係雜纂　滿洲國ノ部，外秘第1535號，昭和10年9月9日，大阪府知事安井英二，〈滿洲国駐日大使館商務官大阪辦公處員ノ退職ニ關スル件〉。當時駐在員為楊松，年48歲，1935年該辦事處撤銷。

316　林獻堂著，許雪姬主編，《灌園先生日記（十四）一九四二年》（臺北：中央研究院臺灣史研究所、近代史研究所，2007），頁102，1942年4月12日。

317　謝吉生，〈在學證書〉、〈卒業証明書〉，1959年11月26日補申請。本件由新竹鄭武龍先生提供，謹致謝意。

318　日本外務省外交史料館藏，L,1,3,0,2-6-1，外國元首並皇族本邦訪問關係雜件 滿洲國ノ部 溥儀皇帝御來朝ノ件，〈訪日扈從員順序名簿〉。

319　日本外務省外交史料館藏，L,1,3,0,2-6-1，東亞局外密第1144號，昭和10（1935）年5月1日，由警視總監小栗一雄提取，〈滿洲国皇帝陛下ノ御動靜並警衛間ニ關スル件〉，別記（二），滿洲国陛下扈從官略歷（特任及簡任官）。

（12）王韞石：又稱王蘊石，謝介石妾王罔市（王香嬋、王香襌）之弟，1932 年 8 月任外交部屬官，委任一等，[320] 在總務司（庶務科、文書科）辦事。[321]

（13）蔡奇麟：任外交部政務司屬官。[322]

（14）蔡奇泉：任外交部總務司屬官，在文書科辦事。[323]

另外，陳和貴（1906 年生，新竹人），[324] 日本法政大學畢業，曾在日本駐滿洲的領事館服務，戰後一度回臺，在鹿場山林場任職，[325] 而後到日本定居。[326] 1924 年自臺中師範學校本科畢業的吳文中，也曾任職於東京滿洲國大使館。[327] 嘉義朴子人林洒恭（1950 年過世），明治大學夜間部畢業，參加日本高考文官考試合格後，委任日本駐奉天總領事館的書記生，在滿洲國十多年後，派任為日本駐泰國公使館職員，戰後回台。[328]

4. 軍政部（治安部）

臺人在軍政部服務的有洪維新、劉發甲。

洪維新：日名櫻內公望，1902 年生，淡水人，1920 年任臺灣銀行雇員，1920 年起任林本源大有物產株式會社社員。1932 年到滿洲任滿洲國軍政部警務司[329]科員，翌年 5 月任軍政部暫編王鐵相軍司令部少校軍需官、中校交際官，1934 年退出軍旅，改任滿洲國鞍山鐵礦株式會社囑託，1937 年 7 月回臺。[330] 總計在滿洲前後五年，前兩年在軍政部工作。

劉發甲，東勢人，1934 年取得旅券，欲往滿洲國軍政部就職。[331]

320　國務院總務廳編，《滿洲國政府公報》，第 38 號，大同元（1932）年 8 月 20 日，頁 9。
321　山本生，〈滿洲で活躍の臺灣關係者〉，頁 2-5。
322　山本生，〈滿洲で活躍の臺灣關係者〉，頁 2-5。
323　佐藤四郎，《滿洲國政府職員錄》（大連：滿洲書院，1932），頁 158；國務院總務廳編，《滿洲國政府公報》，第 38 號，大同元（1932）年 8 月 20 日，頁 10。
324　〈1932 年 7-9 月外國旅券下付表〉，識別號：T1011_03_134，陳和貴，中央研究院臺灣史研究所檔案館「臺灣史檔案資源系統」，http://tais.ith.sinica.edu.tw/sinicafrsFront/index.jsp
325　〈電鹿場山林場該場職員彭德明二二八事件遇難損害統計單應依通知表式填列〉，識別號：LW2_03_016_0003，中央研究院臺灣史研究所檔案館「臺灣史檔案資源系統」，http://tais.ith.sinica.edu.tw/sinicafrsFront/index.jsp。
326　神阪京華僑口述記錄研究會編，《聞き書き・関西華僑のライフヒストリー 6》（神户：神户華僑歷史博物館，2015），頁 67，訪陳伯英。陳伯英為陳和貴之子。
327　櫻井一夫，《旭ケ丘通信》（出版地不詳：臺灣總督府臺南師範學校校友會，1937），頁 13。
328　李昭容，《文化的先行者：嘉義文協青年的運動與實踐》（臺南：國立臺灣文學館，2020），頁 159。
329　原民部警務司，1937 年改為治安部。見滿洲國史編纂刊行會，《滿洲國史 各論》，頁 251。
330　興南新聞社，《臺灣人士鑑》（1943），頁 178。
331　〈1934 年 4-6 月外國旅券下付表〉，識別號：T1011_03_141。

5. 財經部門（經濟部、實業部、產業部）

臺人在國務院服務者以在財政部（後改為產業部）服務的為多，約 20 多名，其中以楊蘭洲最為重要，他在產業部任職時，曾引進不少臺人。以下分別敘述之。

（1）楊蘭洲：臺南人，1904 年生，臺南第一中學畢業後，旋赴日就讀東京商科大學（今東京一橋大學），1932 年畢業。是時其二哥楊燧人已經在滿洲行醫；且滿洲國成立，需要各方面人材，1933 年 11 月乃到滿洲國法制局統計處任職。[332] 在許丙介紹下，與溥儀跟前的紅人蔡法平（宮內府）之長女蔡啟怡結婚，得岳父之助力，以後又受滿洲國經濟部次長岸信介，[333] 產業調查局局長椎名悅三郎[334] 二位日人提拔，[335] 因此在法制局不到一年即轉到實業部商務科，[336] 因部長張燕卿[337] 的賞識，在半年內即升為事務官。[338] 同年始政四十周年臺灣記念博覽會時亦曾回臺。在實業部工商司服務時，日本商工省派椎名悅三郎來滿洲擔任產業調查局長。椎名到滿洲後將實業部改為產業部，認為滿洲國要建設必須先做精密調查，故成立調查局，而由日本調人來從事，椎名在短時間內即離開，然此工作必須持續，故楊引進一些被日人調到中國的軍伕、逃到滿洲的臺灣人任調查員。[339] 在滿洲四、五年間便以產業部理事官任經濟部理事官，敘薦任二等，派任鑛工司工業科長。[340]

在工業科任內，曾隨岸信介到松花江調查勘定水壩的地點，這是因日本要發展滿洲工業必要水力發電廠作為基礎。除松花江外，第二個發電廠計劃設在鴨綠江。楊蘭洲任內體認滿洲位於北方酷寒之地，需布為多，紡織廠卻不足，楊又負責纖維工業，乃以在滿洲自力更生為原則，要求日本商社到滿洲設分店供應；因此設了日本商社棉業聯合會，包括三菱、三井、丸紅各商社及日本棉花、東洋棉花等紡織公司。除了請日本人在新京、奉天等地設廠外，另方面也請朝鮮人來滿洲設廠。也有

---

332 許雪姬訪問，吳美慧、曾金蘭紀錄，〈楊蘭洲先生訪問紀錄〉，頁 148，法制局長三宅福馬請其到法制局工作。

333 岸信介，日本山口縣人，1920 年東京帝大法學部畢業，進入農商務省，1925 年入商工省，1936 年任滿洲國實業部次長，為滿洲國經濟最高決策者。1937 年開始第一次五年計畫，翌年成立滿洲重工業開發社，1939 年回日。見臼井勝美等，《日本近現代人名辭典》，頁 336。

334 椎名悅三郎，日本岩手縣人，後藤新平之甥，1923 年東京帝大法科畢業，入農商務省，1933 年在岸信介推薦下到滿洲國，展開資源調查，1939 年回日本。見臼井勝美等，《日本近現代人名辭典》，頁 491。

335 許雪姬訪問、蔡說麗紀錄，〈許文華先生訪問紀錄〉，《日治時期在「滿洲」的臺灣人》，頁 413。

336 國務院總務廳編，《滿洲國政府公報》，第 180 號，康德元（1934）年 10 月 8 日，頁 38。

337 張燕卿，湖北南皮人，1898 年生，到日本學習院文科學習，回中國後任奉天省復州縣知事、天津縣知縣、吉林省長官公署實業廳長。1932 年滿洲國成立後，任實業部總長，1934 年帝制後因功得勳一位，賜景雲章。見內尾直昌編，《滿洲國名士錄：康德元年版》，頁 116。

338 國務院總務廳編，《滿洲國政府公報》，第 328 號，康德 2（1935）年 3 月 14 日，頁 95。

339 許雪姬訪問，吳美慧、曾金蘭紀錄，〈楊蘭洲先生訪問紀錄〉，頁 147。

340 國務院總務廳編，《滿洲國政府公報》，第 1420 號，康德 6（1939）年 1 月 4 日，頁 91。

不少臺灣人到滿洲國做生意。[341]

在任職工業科長期間，他以經濟部理事官，被派為高等文官考試委員會產業分科會臨時委員，[342] 高等文官考試委員會經濟部分科臨時委員，[343] 科學審議委員會專門委員。[344] 以後他赴滿洲國駐泰國公使館任一等書記官，因泰國公使館關閉而回滿洲，已如上述。

（2）余逢時：1892 年生，臺北泰山人，1908 年臺北師範學校國語部畢業，[345] 之後陸續於臺北廳的興直公學校（今新北市新莊國小）、新庄山腳公學校（今新北市泰山國小）任職，為臺人中第二個拿到教諭執照者。[346] 1915 年經朋友介紹到辜顯榮家擔任其子辜振甫的家庭教師，兩年後辜顯榮任其為大和行總管家。1925 年當辜顯榮的通譯，和鉅鹿赫太郎、岩瀨芳子等四人到滿洲去，[347] 這是他第一次到滿洲。然而余逢時志在創業，選擇煤礦，故離開辜家後，以十數年來所得投資兩個礦場，其中之一為同源炭礦株式會社，另一為海山煤礦，但這兩個礦場卻在一個月之內陸續出事，一是礦坑壓死人，一是工人發生械鬥，於是所創事業全毀。[348] 由於在臺事業無法順利營運，遂聽從舊識、以後任關東軍司令官兼滿洲國駐在特命全權大使（時任參謀次長）植田謙吉[349] 之勸說前往滿洲。一開始並非從事產業部方面工作，而是參加滿洲軍，參與剿「匪」、剿「土霸」的工作，掛少將官階，任第二軍（吉林軍）的參謀長，[350] 當時第二軍軍長程國瑞等人也是臺人。1933 年任實業部鑛務司事務官，1938 年他轉任產業部鑛工司事務官，一直到終戰前任滿洲採金會社業務課長參事。[351]

341　許雪姬訪問，吳美慧、曾金蘭紀錄，〈楊蘭洲先生訪問紀錄〉，頁 150。
342　國務院總務廳編，《滿洲國政府公報》，第 1434 號，康德 6（1939）年 10 月 15 日，頁 451。
343　國務院總務廳編，《滿洲國政府公報》，第 2138 號，康德 8（1941）年 3 月 5 日，頁 345。
344　國務院總務廳編，《滿洲國政府公報》，第 2586 號，康德 10（1943）年 1 月 7 日，頁 44。
345　不著編人，《臺北師範學校卒業及修了者名簿》，頁 125。
346　臺灣日日新報社編，《臺灣總督府文官職員錄》（臺北：臺灣日日新報社，1908），頁 197；臺灣日日新報社編，《臺灣總督府文官職員錄》（臺北：臺灣日日新報社，1910），頁 210；臺灣日日新報社編，《臺灣總督府文官職員錄》（臺北：臺灣日日新報社，1912），頁 283；林進發，《臺灣人物評》（臺北：赤陽社，1929），頁 68。
347　日本外務省外交史料館藏，4,3,2,2-2，不逞團關係雜件　臺灣人ノ部，大正 14（1925）年 6 月 8 日關東廳警務局長，〈臺灣人有力者一行來往〉。
348　許雪姬訪問、鄭鳳凰紀錄，〈余錫乾先生訪問紀錄〉，《日治時期在「滿洲」的臺灣人》，頁 26、28。
349　朝日新聞社，《朝日人物事典》（東京：朝日新聞社，1990），頁 240。大阪人，陸軍軍人，1936 年任關東軍司令官兼滿洲國駐在特命全權大使。
350　許雪姬訪問、鄭鳳凰紀錄，〈余錫乾先生訪問紀錄〉，頁 29-30。
351　〈居住長春台灣省民名簿〉（1946 年 1 月 28 日）；高橋勇八，《滿洲商工名鑑：附諸官廳錄》（下冊）（大連：大陸出版協會，1938），頁 41、66，則言本籍福建安溪，光緒 18（1892）年生，新京政法大學畢業，創設源火煤鑛公司，大同 2（1933）年任產業部鑛工司事務官；滿洲國法人名錄編，

（3）許鶴年：臺南人，臺南師範畢業，1928 年娶楊藍馨為妻，之後因岳父楊鵬摶突然過世，而楊家子弟都在日本求學，乃由其繼承鹽專賣的生意。婚後亦曾赴日本大學就讀，然 1 年多即回臺。1933 年在妻舅楊燧人之勸而到了大連，楊燧人認為大連是亞洲最好的生活地點、最安全的地方。許鶴年到大連後一時未找到工作，後來專賣署招考職員，臨時救急補學北京語應試，幸運考取，乃入專賣局工作。主要任務為查緝私種鴉片，此工作有危險性、有時會遇到馬賊，常怕被包圍而必須找來日本守備隊保護，在此任上前後 3 年。1937 年進入滿洲纖維聯合會（後改名日本商社棉業聯合會）。此一工作的取得與其第三小舅子楊蘭洲任產業部工業科長有關。許鶴年認為只要滿洲有變，可以早日離開回臺的地點是安東（今稱丹東），1939 年乃到安東創辦協和染廠，事業一帆風順，經營成功。[352] 以後再進入安東柞蠶絲工廠服務，此亦為楊蘭洲所介紹，一直到戰爭結束。[353]

（4）郭輝：1892-1962 年，新竹人，1914 年臺北師範學校公學師範部乙科畢業。[354] 畢業後入苑裡公學校分校及新竹女子公學校任教，接著到福州東瀛學校任教職，兼擔任福州華商貿易商「合春正」顧問。歷任福州日商合泰青洋行顧問、福州合春華製造廠經理，又歷任在福州日本總領事館囑託。他通多種語言，除日語、臺語外，還會北京語及福州語。1935 年 4 月，到滿洲國財政部任囑託，旋任吉林稅務監督署屬官、[355] 財政部總務司資料科屬官，[356] 1938 年任理稅官通遼稅捐局長，[357] 1939 年任吉林專賣署事務官販賣科長，[358] 1940 年 4 月任新京專賣署事務官、庶務科長，[359] 同年高等官適格及特別適格登格考試及格，[360] 年底辭職。終戰前任滿洲興農合作社中央會參事。[361]

郭輝還有特殊才能，他發明漢字電報速譯機，得到日本與滿洲國兩國的專

《滿洲國法人名錄》（新京：新京商工公會，1940），頁 45，〈一七 滿洲採金株式會社（特殊會社）〉。

352　許雪姬訪問、蔡說麗紀錄，〈許文華先生訪問紀錄〉，頁 404-406。許文華為許鶴年之子。
353　許雪姬訪問，吳美慧、曾金蘭紀錄，〈楊蘭洲先生訪問紀錄〉，頁 153。
354　不著編人，《臺北師範學校卒業及修了者名簿》，頁 80。
355　國務院總務廳編，《滿洲國政府公報》，第 321 號，康德 2（1935）年 4 月 9 日，頁 102；中西利八編纂，《滿洲人名辭典》，頁 850。
356　國務院總務廳編，《滿洲國政府公報》，第 596 號，康德 3（1936）年 3 月 16 日，頁 240。
357　高橋勇八，《滿洲商工名鑑：附諸官廳錄》（上冊），頁 52。
358　國務院總務廳編，《滿洲國政府公報》，第 1492 號，康德 6（1939）年 4 月 6 日，頁 140。
359　國務院總務廳編，《滿洲國政府公報》，第 1804 號，康德 7（1940）年 5 月 1 日，頁 15；中西利八編纂，《滿洲人名辭典》，頁 85。
360　《滿洲國政府公報》，第 1800 號，康德 7（1940）年 4 月 24 日，頁 569。
361　〈居住長春台灣省民名簿〉（1946 年 1 月 28 日）。

利。[362] 其弟郭海鳴亦到滿洲任職,唯郭輝以中國籍的身分,而郭海鳴以臺灣籍民的身分。[363]

(5) 郭海鳴:1902-1962 年,郭輝弟。亦畢業於臺北師範學校,1924-1925 年任新竹公學校教師,1925 年先赴福州,再往南洋發展,[364] 而在 1935 年 2 月到滿洲國任財政部屬官,在稅務司辦事,[365] 1937 年 2 月兼任財務職員養成所助教授,[366] 1937 年任經濟部屬官,[367] 1938 年兼財務職員養成所副教授,[368] 同年派為洮安稅捐局長,[369] 1939 年 3 月派往新京稅捐局。[370] 1940 年 8 月以理稅官兼財務職員訓練所教官,任財務職員訓練所教官,薦任三等,[371] 1941 年 1 月起派在新京稅關辦事,[372] 6 月任稅關理事官,[373] 1943 年 3 月陞為薦任二等,[374] 1944 年 6 月 10 日辭職,[375] 轉任滿洲貿易公司參事,一直到戰爭結束。[376]

(6) 張世城:豐原人,1912 年生,其父張麗俊為櫟社成員,有《水竹居主人日記》(十冊)問世。張世城有四個兄長、五個姊姊,大姊張彩鸞嫁袁錦昌醫師,是時已在新京開業,租得西五馬路為錦昌醫院,要招呼妻小到新京,這時畢業於臺北開南商工的張世城正好新婚後,經大姊的慫恿決定赴滿洲打天下。1934 年張世城夫婦到達新京專賣署,三個月後就在財政部榷運署工作,榷運署正如專賣局,主要業務是管理鴉片與鹽。在新京兩年後,被派到張家灣專賣局管鴉片,[377] 然後調撫順訓練半年,再回張家灣,以後回新京。在榷運署中還有一個臺灣人郭登洲(相關事蹟不詳)。以後因滿洲天冷在另一位赴滿洲教書的同鄉林朝棨教授的勸說下遷到

---

362 中西利八編纂,《滿洲人名辭典》,頁 85。
363 許雪姬訪問、王美雪紀錄,〈陳亭卿先生夫人訪問紀錄〉,頁 303。
364 陳百齡,《石碑背後的家族史:新竹近代社會家族研究》(新竹:新竹市文化局,2015),頁 75〈第四章西門外南勢的郭氏家族〉。
365 國務院總務廳編,《滿洲國政府公報》,第 288 號,康德 2(1935)年 2 月 25 日,頁 154。
366 國務院總務廳編,《滿洲國政府公報》,第 869 號,康德 4(1937)年 2 月 20 日,頁 279。
367 國務院總務廳編,《滿洲國政府公報》,第 1040 號,康德 4(1937)年 9 月 15 日,頁 373。
368 國務院總務廳編,《滿洲國政府公報》,第 1261 號,康德 5(1938)年 6 月 23 日,頁 433。
369 國務院總務廳編,《滿洲國政府公報》,第 1261 號,康德 5(1938)年 6 月 23 日,頁 433。
370 國務院總務廳編,《滿洲國政府公報》,第 1486 號,康德 6(1939)年 3 月 30 日,頁 598。
371 國務院總務廳編,《滿洲國政府公報》,第 1855 號,康德 7(1940)年 8 月 6 日,頁 127。
372 國務院總務廳編,《滿洲國政府公報》,第 2009 號,康德 8(1941)年 1 月 8 日,頁 75-76。
373 國務院總務廳編,《滿洲國政府公報》,第 2123 號,康德 8(1941)年 6 月 4 日,頁 58。
374 國務院總務廳編,《滿洲國政府公報》,第 2650 號,康德 10(1943)年 3 月 31 日,頁 914、916。
375 國務院總務廳編,《滿洲國政府公報》,第 2999 號,康德 11(1944)年 6 月 12 日,頁 165。
376 〈居住長春台灣省民名簿〉(1946 年 1 月 28 日)。
377 郭東聯編輯發行,《開南會員名簿(昭和十六年六月三十日現在)》(台北:開南同窓會,1941),頁 73。

圖 4-22　1936 年張世城於新京的全家福照
後排中為大女兒懷謹，右一起為長子德洲、三子德賢（七個月時過世）、次子德潤、次女寶惠。
（林更味女士提供）

圖 4-23　陳嘉樹（左）、葉敏棟醫師於吉林江北
（陳嘉樹先生提供）

北京,而到宜蘭人楊朝華(雕塑家楊英風之父)開的新新戲院擔任會計工作,再轉至華北電影公司擔任配片工作,一直工作到日本投降後半年,被派到天津管理金剛電影院,協助中國政府接收,再回臺。[378]

(7)陳嘉樹:臺南人,1909年生,臺南第一中學畢業後,[379]有志於工科,但是時臺灣只有高商尚未設高工,乃到日本廣島高等工業學校機械科就讀,畢業後回臺,卻找不到工作,約一年之後,經老師介紹回到廣島工業學校當助教兩年。以後聽前輩楊蘭洲言滿洲缺人,乃到福岡應滿洲國的考試,通過後即到滿洲。1934年被任命為臨時產業調查局技士,此機構附屬於滿洲國政府經濟部,工作地點在新京,該局約分為農業組、採礦組、水租組、工業組,每組人數有4、50人,故整局約有兩百多名員工,都錄用剛畢業具高等學校程度的年輕人。陳嘉樹分配在工業組,負責調查工廠的地點、內容。在此局兩年後,乃調到總局,先在楊蘭洲任鑛工司工業科長的工業局工作,再轉到重工業局,仍以調查相關資料(如布袋、高粱酒)為主,並寫報告,以便滿洲國政府掌握各項有用的產業經濟資料。1938年任產業部技士,[380] 1939年高等文官特別考試及格,[381]同年任產業部技佐,並辭官。[382]後轉到滿洲電氣化學會社任職。[383]

(8)邱欽堂:1904年生,苗栗人,1929年臺北帝國大學附屬農林專門部第一屆畢業,[384]畢業後留在臺北帝大森林經理學研究,1939年4月到滿洲就任林野局技佐,[385]後到錦州任新武營林署長,[386] 1942年陞薦任二等,[387]在〈居住長春台灣省民名簿〉(1946年1月28日)登記為興農部技佐。[388]戰後任林產管理局副局長,[389]以後意外死亡。[390]

378　許雪姬訪問、鄭鳳凰紀錄,〈林更味女士訪問紀錄〉,《日治時期在「滿洲」的臺灣人》,頁365-369。林更味為張世城之妻。
379　臺南第一中學校同窓會,《臺南第一中學校同窓會員名簿》,頁35。
380　國務院總務廳編,《滿洲國政府公報》,第1409號,康德5(1938)年12月16日,頁370。
381　國務院總務廳編,《滿洲國政府公報》,第1501號,康德6(1939)年4月17日,頁404。
382　國務院總務廳編,《滿洲國政府公報》,第1541號,康德6(1939)年6月6日,頁136、137。
383　〈居住長春台灣省民名簿〉(1946年1月28日)。
384　黃得時等,《臺大畢業同學錄》(臺北:臺大同學會,1952),頁17。
385　中西利八編纂,《滿洲人名辭典》,頁631。
386　中西利八編纂,《滿華職員錄》,頁150。
387　國務院總務廳編,《滿洲國政府公報》,第2776號,康德10(1943)年9月10日,頁240、241。
388　〈居住長春台灣省民名簿〉(1946年1月28日)。
389　黃得時等,《臺大畢業同學錄》,頁17。
390　許雪姬訪問、鄭鳳凰紀錄,〈林更味女士訪問紀錄〉,頁368。所謂意外死亡,楊逸舟認為「戰後營林局『林產管理局』副局長〔邱欽堂〕賭命阻止濫伐森林,甚至向聯合國致送陳情書,但被蔣經國的手下特務謀殺。」見楊逸舟,《臺湾と蔣介石:二‧二八民変を中心に》(東京:三一

(9)吳福興：臺南人，1909 年生，[391] 1928 年畢業於臺南第一中學校，[392] 後畢業於日本大阪工業大學專門部採鑛冶金科。[393] 1934 年到滿洲，任鑛業監督署技士，[394] 1939 年以產業部技士任職鑛山司，[395] 1940 年 5 月高等官適格及特別適格登格考試及格。[396] 後任經濟部技佐，薦任三等，派在鑛山司工作，[397] 一直到日本戰敗。按吳福興為陳嘉樹妹婿。[398]

(10)邱昌河：日本山口高商畢業，1936 年 9 月任稅務監督署屬官，[399] 派在龍江稅務監督署辦事，[400] 1938 年 3 月為經濟部屬官，派在熱河稅務司辦事，[401] 1938 年通過滿洲國高等文官考試，[402] 乃兼稅務監督署屬官，[403] 1939 年轉任總務廳高等官試補，[404] 12 月派在吉林稅務監督署。[405] 1942 年 6 月以稅務監督署高等官試補兼任經濟部高等官試補，派在稅務司辦事。[406] 1943 年在（康德 8 年度）高等官考試（銓衡）行政科特別適格考試及格。[407] 7 月即任經濟部事務官，派在大臣官房辦事。[408] 1942 年 4 月以經濟部事務官兼任總務廳事務官，派在統計處辦事。[409] 11 月以經濟部事務官兼總務廳事務官，任總務廳調查官，給十二級俸，派在企畫處辦事。[410] 1943

書房，1970），頁 38。

391 〈1934 年 4-6 月外國旅券下付表〉，識別號：T1011_03_141，吳茂松二男，昭和 9 年（1934）為就職而到牛莊。

392 臺南第一中學校同窓會，《臺南第一中學校同窓會員名簿》，頁 34。

393 〈居住長春台灣省民名簿〉（1946 年 1 月 28 日）。

394 國務院總務廳編，《滿洲國政府公報》，第 264 號，康德 2（1935）年 1 月 19 日，頁 129。

395 國務院總務廳編，《滿洲國政府公報》，第 1600 號，康德 6（1939）年 8 月 15 日，頁 366。

396 國務院總務廳編，《滿洲國政府公報》，第 1804 號，康德 7（1940）年 5 月 1 日，頁 23。

397 國務院總務廳編，《滿洲國政府公報》，第 1837 號，康德 7（1940）年 6 月 11 日，頁 217、218。

398 許雪姬訪問、蔡說麗記錄，〈陳嘉樹、陳高絃夫婦、陳正德先生訪問紀錄〉，《日治時期在「滿洲」的臺灣人》，頁 538。

399 國務院總務廳編，《滿洲國政府公報》，第 770 號，康德 3（1936）年 10 月 16 日，頁 270。

400 國務院總務廳編，《滿洲國政府公報》，第 1034 號，康德 4（1937）年 9 月 8 日，頁 204。

401 國務院總務廳編，《滿洲國政府公報》，第 1186 號，康德 5（1938）年 3 月 22 日，頁 592。

402 國務院總務廳編，《滿洲國政府公報》，第 1355 號，康德 5（1938）年 10 月 12 日，頁 201。

403 國務院總務廳編，《滿洲國政府公報》，第 1492 號，康德 6（1939）年 4 月 6 日，頁 143。

404 國務院總務廳編，《滿洲國政府公報》，第 1702 號，康德 6（1939）年 12 月 15 日，頁 378。

405 國務院總務廳編，《滿洲國政府公報》，第 1702 號，康德 6（1939）年 12 月 15 日，頁 379。

406 國務院總務廳編，《滿洲國政府公報》，第 1835 號，康德 7（1940）年 6 月 7 日，頁 168、171；第 2319 號，康德 8（1941）年 2 月 8 日，頁 270。

407 國務院總務廳編，《滿洲國政府公報》，第 2093 號，康德 8（1941）年 4 月 24 日，頁 481。

408 國務院總務廳編，《滿洲國政府公報》，第 2161 號，康德 8（1941）年 7 月 19 日，頁 314。

409 國務院總務廳編，《滿洲國政府公報》，第 2365 號，康德 9（1942）年 4 月 2 日，頁 43。

410 國務院總務廳編，《滿洲國政府公報》，第 2551 號，康德 9（1942）年 11 月 21 日，頁 427。

年 8 月派在工務司辦事，[411] 翌年 9 月陞到薦任二等。[412] 邱昌河為吳金川（任職滿洲中央銀行）妹婿。[413]

　　(11) 許坤元：新店人，1941 年臺北帝國大學文政學部（第十一屆）畢業，[414] 大同學院第一部第十三期畢業，以縣高等官試補入龍江省林甸縣分署工作，[415] 1944 年回到新京，在經濟部稅務司工作。[416] 戰末蘇軍於 8 月 6 日進兵滿洲時，與徐水德等人一起疏散到新立屯，不幸於 1945 年 11 月 4 日過世。（後敘）[417]

　　(12) 洪適安：臺北人，為洪禮修之子。1940 年畢業於臺北工業學校機械科，[418] 由於楊蘭洲之推介，[419] 入滿洲國政府產業部工務司工業科工作。[420]

　　(13) 徐水德：1905 年生，桃園大園人，11 歲才入公學校，以後入臺中商業學校就讀。1925 年畢業後考上臺灣銀行臺中分行，任職一段時間後，到日本山口高等商業學校就讀，畢業後再讀大阪市立商科大學金融科，[421] 於 1932 年 3 月畢業，到 5 月在日本仍找不到工作，乃決定前往新建國的滿洲。5 月抵新京後，透過謝介石的介紹，1933 年到該部情報處辦出納工作。白天上班，夜間到滿鐵辦的華語講習班學中文，中文學會後即考取大同學院，為該院第一部第三期生，1934 年 6 月畢業。[422] 畢業後到財政部任屬官，派在理財司辦事，[423] 1936 年 8 月兼任稅關事務官佐在營口稅關辦事，[424] 由上司、曾任職於關東廳（後改為州）的山中派令調查滿洲的銀，因當時滿洲的幣制有遭到破壞之虞，後果堪慮。

　　要知道銀的下落問題，首先要瞭解錢如何流通（circulation），至於追蹤的路線，則由大同學院第一期畢業生峯良平，[425] 帶徐水德前往拜託為中國雇用的 Peterson 海

411　國務院總務廳編，《滿洲國政府公報》，第 2754 號，康德 10（1943）年 8 月 6 日，頁 95。
412　國務院總務廳編，《滿洲國政府公報》，第 3069 號，康德 11（1944）年 9 月 2 日，頁 28、30。
413　許雪姬訪問、鄭鳳凰紀錄，〈徐水德先生訪問紀錄〉，《日治時期在「滿洲」的臺灣人》，頁 249。
414　黃得時等，《臺大畢業同學錄》，頁 4。
415　國務院總務廳編，《滿洲國政府公報》，第 2272 號，康德 8（1941）年 12 月 3 日，頁 65。
416　國務院總務廳編，《滿洲國政府公報》，第 3080 號，康德 11（1944）年 9 月 15 日，頁 221。
417　徐水德，〈光復日記（民國 34 年 8 月 9 日立）〉，《日治時期在「滿洲」的臺灣人》，頁 263-264。
418　臺北工業學校校友會，《臺北工業學校會員名簿》，頁 168。
419　許雪姬訪問、王美雪紀錄，〈林永倉先生訪問紀錄〉，《日治時期在「滿洲」的臺灣人》，頁 353。林永倉與洪習定為莫逆之交，洪適安為洪習定之兄。
420　臺北工業學校校友會，《臺北工業學校會員名簿》，頁 168。
421　許雪姬訪問、鄭鳳凰紀錄，〈徐水德先生訪問紀錄〉，頁 232-237。
422　大同學院同窓會編，《大同學院同窓會名簿》，頁 23。
423　國務院總務廳編，《滿洲國政府公報》，第 247 號，康德元（1934）年 12 月 25 日，頁 207。
424　國務院總務廳編，《滿洲國政府公報》，第 714 號，康德 3（1936）年 8 月 5 日，頁 114。
425　米沢久子編集，《大同學院同窓會名簿》，頁 15，於 1986 年 1 月 19 日故世。

關長，承其相告，才知道走私到滿洲國的銀是由中國運來。先是運銀者將銀運到萬里長城，由城上吊到滿洲這邊，人則由小門過長城，再穿特製背心揹過山海關，入山海關即為滿洲國。將這些銀搜集後，再將龍銀改成廢銀，運到奉天，經安東、新義州，再送到日本大阪川崎造幣廠去熔成滿洲銀。若未能查出此線則無法遏止。此事本應該由滿洲中央銀行的人調查，卻由徐水德查出，之後將經過寫成報告，經上司修改日文後印製三百本，交由其股長、科長、司長等上司參考，因而1937年11月任經濟部屬官兼稅關屬官，派在金融司辦事，[426] 1941年3月任專賣總局理事官。[427] 1941年4月任專賣局理事官，派在商務司辦事，[428] 隨即改任經濟部商務司調查科長，[429] 5月又派為企畫委員會（綜合立地計畫委員會）特別幹事。[430] 在此任內，還在1942年3月被派為高等文官考試委員會經濟部分科會臨時委員。[431] 1945年2月，升到參事官（先是事務官，再為理事官，再陞參事官），給七級俸，派在大臣官房辦事。[432] 這已是不外調者能得到的最高職位。

（14）王森井：日本大學工科電氣科畢業，[433] 1942年10月任總務廳高等官試補，[434] 1943年7月任水利電氣建設局高等官派在工務處辦事，[435] 1944年3月任經濟部高等官試補派在工務司辦事，[436] 10月任經濟部技佐，仍在工務司辦事，[437] 之後一度任東北電業公司技術員。[438]

（15）蔡森榮：京都同志社高等商業學校畢業，[439] 1938年8月任內務局屬官，派在管理處辦事，[440] 1939年7月任總務廳經濟部屬官，在稅務司辦事，[441] 1940年5月，高等官適格及特別適格登格考試及格，[442] 7月任省事務官，派在奉天省長官

---

[426] 國務院總務廳編，《滿洲國政府公報》，第1101號，康德4（1937）年11月30日，頁892。
[427] 國務院總務廳編，《滿洲國政府公報》，第2069號，康德8（1941）年3月27日，頁588。
[428] 國務院總務廳編，《滿洲國政府公報》，第2084號，康德8（1941）年4月14日，頁293、294。
[429] 國務院總務廳編，《滿洲國政府公報》，第2084號，康德8（1941）年4月14日，頁297。
[430] 國務院總務廳編，《滿洲國政府公報》，第2123號，康德8（1941）年6月4日，頁5。
[431] 國務院總務廳編，《滿洲國政府公報》，第2342號，康德9（1942）年3月5日，頁52。
[432] 國務院總務廳編，《滿洲國政府公報》，第3191號，康德12（1945）年2月2日，頁37、38。
[433] 〈居住長春台灣省民名簿〉（1946年1月28日）。
[434] 國務院總務廳編，《滿洲國政府公報》，第2545號，康德9（1942）年11月14日，頁315。
[435] 國務院總務廳編，《滿洲國政府公報》，第2730號，康德10（1943）年7月8日，頁139。
[436] 國務院總務廳編，《滿洲國政府公報》，第2948號，康德11（1944）年9月8日，頁204。
[437] 國務院總務廳編，《滿洲國政府公報》，第3092號，康德11（1944）年10月2日，頁6。
[438] 〈居住長春台灣省民名簿〉（1946年1月28日）。
[439] 〈居住長春台灣省民名簿〉（1946年1月28日）。
[440] 國務院總務廳編，《滿洲國政府公報》，第1338號，康德5（1938）年9月21日，頁454。
[441] 國務院總務廳編，《滿洲國政府公報》，第1589號，康德6（1939）年8月2日，頁58。
[442] 國務院總務廳編，《滿洲國政府公報》，第1804號，康德7（1940）年5月1日，頁19。

官屬辦事，[443] 1943 年 10 月，省事務官，任經濟部事務官，派在稅務司辦事。[444]

（16）謝東光：1896 年生，1918 年臺北工業學校畢業，[445] 1933 年 10 月為商標局屬官，任審查員，[446] 1936 年任特許發明局屬官，派為特許發明局評定官佐，[447] 1937 年為特許發明局技士，派為特許發明審查官佐，[448] 1939 年 12 月為特許發明局技佐。[449]

（17）羅振麟：1909 年生，1928 年臺北商業學校第八屆畢業，而後考入在上海的東亞同文書院二十八期，1932 年畢業。[450] 1934 年 5 月任財政部屬官在稅務司辦事，[451] 7 月升任技士，[452] 1935 年任稅關鑑查官佐，1937 年派在旅順市巖島町大連稅關旅順分關任職，[453] 1938 年任稅關技士，[454] 1939 年 8 月辭官，[455] 離開滿洲。

（18）許伯昭：1905 年生，臺南人，1933 年日本東北大學法文學部畢業，1935 年入滿洲國官需局，[456] 1935 年 5 月，任國道局屬官，在第二技術處辦事，[457] 1937 年 1 月改到水利電氣建設局總務處，[458] 9 月 1 日任水利電氣建設局事務官，[459] 1940 年任水力電氣建設局事務官兼官需局事務官，任官需局事務官，[460] 1943 年任審計局審計官派在第一處辦事。[461]

（19）謝華輝：1896 年生，1923 年日本早稻田大學畢業後，到日本廣東汕頭交涉署任秘書；後當東亞同文書院講師，1926 年任東亞協會常任理事兼財務處長，

443　國務院總務廳編，《滿洲國政府公報》，第 1874 號，康德 7（1940）年 7 月 24 日，頁 555。
444　國務院總務廳編，《滿洲國政府公報》，第 2800 號，康德 10（1943）年 10 月 2 日，頁 48。
445　〈居住長春台灣省民名簿〉（1946 年 1 月 28 日）。
446　國務院總務廳編，《滿洲國政府公報》，第 263 號，大同 2（1933）年 11 月 14 日，頁 3。
447　國務院總務廳編，《滿洲國政府公報》，第 747 號，康德 3（1936）年 9 月 12 日，頁 167。
448　國務院總務廳編，《滿洲國政府公報》，第 861 號，康德 4（1937）年 2 月 5 日，頁 104。
449　國務院總務廳編，《滿洲國政府公報》，第 1711 號，康德 6（1939）年 12 月 26 日，頁 698。
450　日本外務省外交史料館藏，H,4,3,0,2-5，東亞同文書院關係雜件，〈卒業者及成績關係〉，羅振麟。
451　國務院總務廳編，《滿洲國政府公報》，第 78 號，康德元（1934）年 6 月 6 日，頁 31。
452　國務院總務廳編，《滿洲國政府公報》，第 173 號，康德元（1934）年 9 月 27 日，頁 276。
453　國務院總務廳編，《滿洲國政府公報》，第 358 號，康德 2（1935）年 5 月 23 日，頁 211；矢口良忠，《臺北商業學校同窓會會員名簿》（出版地不詳：出版單位不詳，1937），頁 330。
454　國務院總務廳編，《滿洲國政府公報》，第 1392 號，康德 5（1938）年 11 月 26 日，頁 408。
455　國務院總務廳編，《滿洲國政府公報》，第 1613 號，康德 6（1939）年 8 月 30 日，頁 695。
456　中西利八編纂，《滿華職員錄》，頁 21。
457　國務院總務廳編，《滿洲國政府公報》，第 347 號，康德 2（1935）年 5 月 9 日，頁 75、79。
458　國務院總務廳編，《滿洲國政府公報》，第 875 號，康德 4（1937）年 3 月 3 日，頁 29、33。
459　國務院總務廳編，《滿洲國政府公報》，第 1034 號，康德 4（1937）年 9 月 8 日，頁 200。
460　國務院總務廳編，《滿洲國政府公報》，第 1957 號，康德 7（1940）年 11 月 2 日，頁 55。
461　國務院總務廳編，《滿洲國政府公報》，第 2783 號，康德 10（1943）年 9 月 10 日，頁 240、241；〈居住長春台灣省民名簿〉（1946 年 1 月 28 日）。

1932 年滿洲國成立後在專賣總署濱江專賣署工作。[462] 據其外甥廖欽福說，1934 年時任哈爾濱鴉片專賣局長，[463] 應為濱江支署長。[464] 後在華北政務委員會北京特別市任警察局顧問、河北省津海道道尹兼新民會津海道指導部長。[465]

（20）吳森炎：1905 年生，1923 年開南商工畢業，在財政部資料室任職。[466]

（21）吳裕興：臺南人，大阪工業大學專門部畢業，1941 年大同學院新制第二部第三期畢業，後入經濟部任礦山局技佐。[467]

（22）謝昌：1917 年臺北州立工業學校舊制電氣科畢業，在經濟部特許發明局商標科任職。[468]

除上述能確定前往滿洲年代者外，也有不明其到滿洲時間者，茲分敘如下。

趙鴻謙，板橋人，其父趙一山為前清之秀才，不僅精岐黃之術，並開塾教徒。日人領臺後，在稻江懸壺濟世，被推為臺北醫生會長，有遺稿〈劍樓吟稿〉未梓。謝介石夫人王香禪，為其門弟子。[469] 有此緣故趙鴻謙乃到滿洲服務，任新京稅務監督署文書股長。[470]

李如琨：日本早稻田大學理工科電氣科畢業，經濟部高等官試補。

沈文華，日本東京帝國大學畢業，特許發明局登錄課長。

楊義夫，日本中央大學經濟科畢業，曾任經濟部屬官。[471] 是楊肇嘉的親戚，為逃避兵役，才到滿洲，經介紹後到經濟部服務。[472]

6. 興農部

興農部為實業部和產業部合併的單位，臺人在興農部服務的有 5 人。如果包括在馬政局工作的獸醫則有 11 人。

462　內尾直昌編，《滿洲國名士錄：康德元年版》，頁 88。
463　廖欽福口述、吳君瑩紀錄、林忠勝撰述，《廖欽福回憶錄：苦盡甘嘗詠福華》（臺北：前衛出版社，2005），頁 53。
464　國務院總務廳編，《滿洲國政府公報》，第 110 號，大同 2（1933）年 3 月 24 日，頁 4。
465　金丸裕一監修、解說，《中國紳士錄上》（東京：株式会社ゆまに書房，2007），頁 518。
466　戴榮輝，《商工學校同窓會會員名簿》（臺北：開南同窓會，1939），頁 46。
467　大同學院同窓會編，《大同學院同窓會名簿》，頁 200。
468　臺北州立臺北工業學校內大安工業俱樂部，《會員名簿》（臺北：該部，1941），頁 40。
469　賴子清，《臺灣詩醇》（嘉義：蘭記書局，1935），頁 184；邱旭伶，《臺灣藝妲風華》（臺北：玉山社，1999），頁 161。
470　〈居住長春台灣省民名簿〉（1946 年 1 月 28 日）。
471　〈居住長春台灣省民名簿〉（1946 年 1 月 28 日）。
472　許雪姬訪問、鄭鳳凰紀錄，〈徐水德先生訪問紀錄〉，頁 251。

（1）黃瀛澤：新竹人，1907年生，1932年臺北帝大農學部畢業。[473] 翌年入滿洲國，進入大同學院，是年11月畢業，[474] 1933年10月任實業部屬官，在農務司辦事，[475] 1937年5月任農事試驗場技佐，派在藍山農事試驗場辦事。[476] 1939年任產業部技佐，派在農務司辦事，[477] 1940年6月，在興農部農產司、農政司辦事，[478] 1944年12月25日，任興農部技佐在大臣官房辦事。[479]

（2）許進來：日本大學農科畢業，[480] 1944年10月任總務廳高等官試補，[481] 1945年7月1日，任興農部高等官試補，派在大臣官房辦事。[482] 同年7月畢業於大同學院第一部第十八期。

（3）吳杜火：大湖農蠶專修學校畢業，職位不詳。

（4）翁其鴻：鹽水人，臺南第二中學校畢業，任興農部屬官。[483]

（5）李朝舟：臺北南港人，畢業於東京目白中學校、武藏高校及中央大學法學部，曾任滿洲農產公社主事、書記，後任興農部參事官。[484]

至於在馬政局國立種馬場服務的獸醫一共有6名。

（1）鍾謙順：桃園龍潭客家人，[485] 日本麻布獸醫學校畢業，原預備畢業後再考醫科大學，正巧滿洲國到日本招考技術人員，由於薪水不錯（一個月160元，加六成現地津貼，一共200多元），因此改日本名為中村謙三，與畢業於日本高等獸醫學校的蘇貴興（改名大山金吉）參加考試。錄取後於1939年1月任國立種馬場技士，在林口國立種馬場辦事。[486] 1940年2月因成績優良，經林東新任場長劉永達的徵募，乃轉任熱河邊界新設的林東種馬場改良科長。[487] 同年底再轉任蘇聯、蒙古邊界下最

---

[473] 中西利八編纂，《滿華職員錄》，頁141。

[474] 大同學院同窓會編，《大同學院同窓會名簿》，頁11。

[475] 國務院總務廳編，《滿洲國政府公報》，第248號，大同2（1933）年10月27日，頁3；《滿洲國政府公報》，第19號，康德元（1934）年3月27日，頁167。

[476] 國務院總務廳編，《滿洲國政府公報》，第927號，康德4（1937）年5月5日，頁70。

[477] 國務院總務廳編，《滿洲國政府公報》，第1529號，康德6（1939）年5月23日，頁547。

[478] 國務院總務廳編，《滿洲國政府公報》，第1910號，康德7（1940）年9月4日，頁69。

[479] 國務院總務廳編，《滿洲國政府公報》，第3162號，康德11（1944）年12月25日，頁435。

[480] 〈居住長春台灣省民名簿〉（1946年1月28日）。

[481] 國務院總務廳編，《滿洲國政府公報》，第3104號，康德11（1944）年10月16日，頁152。

[482] 國務院總務廳編，《滿洲國政府公報》，第3300號，康德12（1945）年7月2日，頁5。

[483] 〈居住長春台灣省民名簿〉（1946年1月28日）。

[484] 〈李母佐竹文子女士訃告〉（2012年2月28日）。由其長子李博信先生提供，謹致謝意。

[485] 〈居住長春台灣省民名簿〉（1946年1月28日）；黃紀男口述、黃玲珠執筆，《黃紀男泣血夢迴錄》（臺北：獨家出版社，1991），頁252。

[486] 國務院總務廳編，《滿洲國政府公報》，第1452號，康德6（1939）年2月13日，頁189。

[487] 國務院總務廳編，《滿洲國政府公報》，第1743號，康德7（1940）年2月13日，頁150。

偏僻的索倫國立種馬育成牧場科長。[488] 當時臺人郭斗指（後敘）被派來當其助手。1940 年回臺與周桃（北斗人）結婚，周氏為產婆，畢業於日本東京產婆學校。婚後再回索倫，因係以日本籍任職，乃接到關東軍徵集令，派到「幹部候補生學校」受訓六個月，脫離種馬場科長轉入軍旅。與其同時期到滿洲的蘇貴興，在日本為高等獸醫，但在滿洲的經歷不詳。[489]

（2）翁廷尉：畢業於日本高等獸醫學校，職位不詳。[490]

（3）郭斗指：1912 年生，嘉義人，[491] 畢業於日本麻布獸醫學校，[492] 為國立種馬場技士，派在新京國立種馬場辦事，[493] 後被派在索倫國立種馬育成牧場。[494]

（4）曾德裕：畢業於日本麻布獸醫學校，[495] 職位不詳。

（5）蘇茂寅：嘉義人，1932 年畢業於嘉義中學（第四屆），旋到日本東京高等獸醫科就讀。畢業後到滿洲，1937 年 11 月任畜產局技士，[496] 1938 年任馬政局技士，[497] 1939 年 2 月任職國立種馬場技士，[498] 派在海拉爾國立種馬場辦事。[499]

（6）陳滄（倉）水：1939 年任馬疫研究處委任官試補，任馬疫研究處研究士，同年辭職獲准，[500] 1940 年考上齊齊哈爾開拓醫院，[501] 畢業後於 1942 年 7 月登記為滿洲國限地醫師。[502]

7. 交通部

（1）何敏璋：日本早稻田大學政治經濟學部畢業，任郵政總局屬官。[503]

---

[488] 國務院總務廳編，《滿洲國政府公報》，第 2068 號，康德 8（1941）年 3 月 26 日，頁 557。

[489] 鍾謙順，《煉獄餘生錄：臺獨大前輩坐獄二十七年回憶錄》（臺北：前衛出版社，1999），頁 39-74。

[490] 〈居住長春台灣省民名簿〉（1946 年 1 月 28 日）。

[491] 〈1938 年 4-6 月外國旅券下付表〉，識別號：T1011_03_157。

[492] 〈居住長春台灣省民名簿〉（1946 年 1 月 28 日）。

[493] 國務院總務廳編，《滿洲國政府公報》，第 2068 號，康德 8（1941）年 3 月 26 日，頁 557。

[494] 鍾謙順著、黃昭堂編譯，《台湾難友に祈る：ある政治犯の叫び》（東京：株式会社日中出版，1987），頁 17。

[495] 〈居住長春台灣省民名簿〉（1946 年 1 月 28 日）。

[496] 國務院總務廳編，《滿洲國政府公報》，第 1105 號，康德 4（1937）年 12 月 4 日，頁 166。

[497] 國務院總務廳編，《滿洲國政府公報》，第 1429 號，康德 6（1939）年 1 月 14 日，頁 300。

[498] 國務院總務廳編，《滿洲國政府公報》，第 1462 號，康德 6（1939）年 2 月 28 日，頁 421。

[499] 國務院總務廳編，《滿洲國政府公報》，第 1462 號，康德 6（1939）年 2 月 28 日，頁 422。

[500] 國務院總務廳編，《滿洲國政府公報》，第 1581 號，康德 6（1939）年 7 月 24 日，頁 508。

[501] 國務院總務廳編，《滿洲國政府公報》，第 1806 號，康德 7（1940）年 5 月 4 日，頁 87。

[502] 國務院總務廳編，《滿洲國政府公報》，第 2666 號，康德 10（1943）年 4 月 19 日，頁 438。

[503] 〈居住長春台灣省民名簿〉（1946 年 1 月 28 日）。

（2）吳昌仁：臺北人，日本遞信省官吏練習所畢業，[504] 1934 年任滿洲國郵政管理局技士，派在奉天郵政管理局辦事，[505] 1934 年 11 月，調到新京郵政管理局辦事，[506] 而後陞任技佐。1940 年改名為清水昌夫。[507] 戰後失業，全家由長春遷到瀋陽。1946 年 10 月就職於遼寧省公營事業管理委員會，1948 年 11 月中共「解放」瀋陽，轉入東北人民政府管理局任職。[508]

（3）賴武明，1908 年生，[509] 臺北二中第一期畢業。[510] 原在新京交通部土地局任技士，從事道路建築，[511] 1940 年 8 月派在錦州土木工程處遼河治水調查處辦事。[512]

（4）廖行貴：臺南州曾文郡人，1907 年生，1934 年大阪帝大工學部機械科畢業，[513] 1934 年 6 月大同學院第一部第三期畢業，[514] 10 月為交通部屬官在交通部路政司辦事，11 月入路政司鐵道科工作，1938 年任交通部遼河治水調查處技佐。[515] 以後任交通部技正兼港口科長。[516] 據云在東北時曾與陳重光合資開消防器材公司，也曾在東北買下一座小金礦，在臺人中算是較活躍者。[517]

（5）林永倉：林永倉相關事蹟見前不贅。1939 年畢業於臺北工業學校土木科，後到滿洲新京工業大學就讀，畢業於 1942 年。在未畢業前即考入大同學院受訓一年，[518] 同年以衛生技術廠高等官試補，任交通部高等官試補，給五級俸，派在牡丹江土木工程處辦事。[519] 專門做滿、蘇國境之道路、橋樑工程，不久被派到東滿

504　〈居住長春台灣省民名簿〉（1946 年 1 月 28 日）。
505　國務院總務廳編，《滿洲國政府公報》，第 94 號，康德元（1934）年 8 月 26 日，頁 191。
506　國務院總務廳編，《滿洲國政府公報》，第 214 號，康德元（1934）年 11 月 16 日，頁 194。
507　〈居住長春台灣省民名簿〉（1946 年 1 月 28 日）；戶主清水昌夫之戶籍謄本。（吳利薇女士提供）。
508　清水榮，《自傳》寫於 1955 年 6 月 3 日。清水榮改名清水榮子，東京人，吳昌仁妻。本資料由吳昌仁之女吳利薇女士提供（任職遼寧省檔案館），謹致謝意。
509　依金山戶政事務所藏賴武明相關戶籍資料。
510　許雪姬訪問、鄭鳳凰紀錄，〈余錫乾先生訪問紀錄〉，頁 29。余錫乾到新京找父親余逢時，先住在賴武明處。
511　許雪姬訪問、蔡說麗記錄，〈陳嘉樹、陳高絃夫婦、陳正德先生訪問紀錄〉，頁 522。
512　國務院總務廳編，《滿洲國政府公報》，第 1904 號，康德 7（1940）年 8 月 28 日，頁 699。
513　中西利八編纂，《滿洲人名辭典》，頁 1137。
514　大同學院同窗會編，《大同學院同窗會名簿》，頁 23。
515　中西利八編纂，《滿洲人名辭典》，頁 1137；滿洲國國務院文教部總務司編，《滿洲帝國文教關係職員錄》，頁 23；國務院總務廳編，《滿洲國政府公報》，第 273 號，康德 2（1935）年 11 月 30 日，頁 213；第 1185 號，康德 5（1938）年 3 月 21 日，頁 563。
516　〈居住長春台灣省民名簿〉（1946 年 1 月 28 日）；1942 年 9 月為薦任二等技佐。見國務院總務廳編，《滿洲國政府公報》，第 2498 號，康德 9（1942）年 9 月 14 日，頁 167。
517　許雪姬訪問、蔡說麗記錄，〈陳嘉樹、陳高絃夫婦、陳正德先生訪問紀錄〉，頁 532。
518　大同學院同窗會編，《大同學院同窗會名簿》，頁 137。
519　國務院總務廳編，《滿洲國政府公報》，第 2500 號，康德 9（1942）年 9 月 17 日，頁 206、

圖 4-24　廖行貴夫妻（左一前、後）與朋友到新京黃子正醫師（左二前，後為妻黃洪瓊音）宅
　　　　　右一為洪利澤（洪公川）
　　　　（黃洪瓊音女士提供）

國境東寧附近之小地營工務所和阿城縣派到的供出工人一起參加牡丹江河東橋建設工作，直到蘇聯軍隊入滿洲。[520]

（6）林樹枝：彰化人，1919年臺北工業學校舊制土木科畢業，[521] 1933年到滿洲，被派任國都建設局技士，在技術處辦事，[522] 1936年3月，一度調任濱江省公署技佐，[523] 同年陞省技佐，任交通部技佐，派在道路司辦事，[524] 1939年7月，任交通部技正，派在都邑計畫司水道科辦事，[525] 1944年2月辭職。[526]

8. 司法部、文教部

在司法部任職的包括法官與保健技士等，臺灣人高等官中的司法官有林鳳麟、陳茂經；檢察官有陳生等三人。林鳳麟，已在總務廳介紹過，不贅。

（1）陳生（陳全生）：1909年生，北斗人，1932年京都帝大法學部畢業，而後到滿洲國，先任新京地方兼同區延吉地方兼同區各檢察廳候補檢察官，1936年司法考試及格，[527] 1939年任延吉區檢察廳兼同地方檢察廳檢察官（住間島延吉街），[528] 1941年5月任奉天區檢察廳檢察官兼奉天地方檢察官，派充遼陽檢察廳檢察官兼遼陽地方檢察廳檢察官。[529] 1942年3月時任司法部職員訓練所檢察官。[530]

（2）陳茂經：1938年滿洲國高等文官法科考試及格，10月1日任法院檢察廳高等官試補，派在新京地方法院兼新京地方檢察廳新京區法院新京區檢察廳辦事，[531] 1939年4月1日至5月31日，任新京檢察廳檢察官事務處理，[532] 1940年1

207。

520　許雪姬訪問、王美雪紀錄，〈林永倉先生訪問紀錄〉，頁351-352。
521　大場則雄，《會員名簿》，頁45。另一說是畢業於名古屋高工。見中袴田熊吉編輯，《あきら第52號彰化第一公學校四十周年紀念》（彰化：彰化第一公學校，1938），頁82。
522　國務院總務廳編，《滿洲國政府公報》，第123號，大同2（1933）年4月24日，頁4。
523　國務院總務廳編，《滿洲國政府公報》，第595號，康德3（1936）年3月14日，頁223、229。
524　國務院總務廳編，《滿洲國政府公報》，第1308號，康德5（1938）年8月17日，頁348。
525　國務院總務廳編，《滿洲國政府公報》，第1564號，康德6（1939）年7月4日，頁56；〈在長春台灣省民名簿〉（1946年1月28日）。
526　國務院總務廳編，《滿洲國政府公報》，第2735號，康德11（1944）年3月24日，頁301；中西利八編纂，《滿洲人名辭典》，頁626。
527　國務院總務廳編，《滿洲國政府公報》，第839號，康德4（1937）年1月11日，頁151。
528　國務院總務廳編，《滿洲國政府公報》，第839號，康德4（1937）年1月11日，頁151；中西利八編纂，《滿洲人名辭典》，頁606。
529　國務院總務廳編，《滿洲國政府公報》，第2106號，康德8（1941）年5月13日，頁197。
530　國務院總務廳編，《滿洲國政府公報》，第2356號，康德9（1942）年3月21日，頁311。
531　國務院總務廳編，《滿洲國政府公報》，第1400號，康德5（1938）年12月6日，頁91、99。
532　國務院總務廳編，《滿洲國政府公報》，第1494號，康德6（1939）年4月8日，頁187；第1551號，6月17日，頁531。

月法院檢察廳高等官試補，任審判官，派為候補審查官，派在遼陽地方法院兼遼陽區法院辦事，[533] 1941 年 7 月任遼陽區法院審判官兼遼陽地方法院審判官兼充奉天地方法院覆判所審判官奉天區法院審判官。[534] 1942 年 10 月派充安東區法院審判官兼安東地方法院審判官奉天高等法院安東分庭審判官。[535]

（3）楊金涵：在司法部的還有楊金涵，已在滿洲醫科大學專門部部分介紹過。在 1934 年畢業後，[536] 1935 年 4 月先入滿洲醫科大學婦人科教室，後就職於奉天省瀋陽看守所醫務科。1936 年任司法部屬官派在司法部行刑司辦事，[537] 1938 年派任保健技佐，在新京監獄辦事，[538] 1939 年 4 月高等文官特別考試技術官及格，[539] 9 月 1 日任省技佐，在奉天省民生廳辦事，[540] 1941 年 3 月為市技佐，派在鐵嶺市辦事，[541] 1942 年 11 月辭職。[542]

（4）楊藏興則是在畢業後短暫在滿洲國司法部行政司醫務課服務。[543]

至於黃演淮（行政官）則留待下敘。

在文教部工作者有五人，陳亭卿、黃千里已介紹過不贅。洪火煌，畢業於日本善鄰外事專門學校，任文教部屬官。郭生利畢業於日本中央大學法學部，亦任文教部屬官。[544] 另一位是陳錫卿。南投竹山人，臺中第一中學畢業，保送臺北高等科，畢業後再保送臺北帝國大學文政學部法學科，1933 年畢業。[545] 後考入滿洲國大同學院第一部第二期而畢業於 1933 年 11 月。[546] 先任文教部屬官在文教部學務司辦事。[547] 1937 年後調到安東省公署教育廳任視學官，[548] 1939 年 2 月除任視學官外，任總務廳事務官，派任北安省民政廳文教科長，[549] 因天寒，在林柏壽女婿、時任

533　國務院總務廳編，《滿洲國政府公報》，第 1723 號，康德 7（1940）年 9 月 15 日，頁 307。
534　國務院總務廳編，《滿洲國政府公報》，第 2157 號，康德 8（1941）年 7 月 14 日，頁 225。
535　國務院總務廳編，《滿洲國政府公報》，第 2523 號，康德 9（1942）年 10 月 19 日，頁 275。
536　中西利八編纂，《滿華職員錄》，頁 463。
537　國務院總務廳編，《滿洲國政府公報》，第 619 號，康德 3（1936）年 4 月 13 日，頁 241、244。
538　國務院總務廳編，《滿洲國政府公報》，第 1143 號，康德 5（1938）年 1 月 24 日，頁 619。
539　國務院總務廳編，《滿洲國政府公報》，第 1501 號，康德 6（1939）年 4 月 17 日，頁 81。
540　國務院總務廳編，《滿洲國政府公報》，第 1623 號，康德 6（1939）年 9 月 11 日，頁 240。
541　國務院總務廳編，《滿洲國政府公報》，第 2511 號，康德 8（1941）年 3 月 6 日，頁 86。
542　國務院總務廳編，《滿洲國政府公報》，第 2560 號，康德 9（1942）年 12 月 2 日，頁 6。
543　滿洲醫科大學，《滿洲醫科大學一覽》（奉天：滿洲醫科大學，1941），頁 168。
544　〈居住長春台灣省民名簿〉（1946 年 1 月 28 日）。
545　黃得時等，《臺大畢業同學錄》，頁 1。
546　大同學院同窗會編，《大同學院同窗會名簿》，頁 13。
547　國務院總務廳編，《滿洲國政府公報》，第 261 號，大同 2（1933）年 11 月 11 日，頁 1。
548　國務院總務廳編，《滿洲國政府公報》，第 931 號，康德 4（1937）年 5 月 10 日，頁 134、135。
549　國務院總務廳編，《滿洲國政府公報》，第 1537 號，康德 6（1939）年 6 月 1 日，頁 83。

日本復興部聯絡官吳鴻裕的協助下，10月回到新京任職，在民生部教育司辦事。[550]在這段期間，他曾於1939年2月被派為高等文官考試委員會臨時委員。[551]後因吳鴻裕介紹到上海任周佛海[552]秘書，即上海特別市政府專員。[553]而於學務司專門教育科屬官委任第二等五級時退職。

9. 大陸科學院

大陸科學院是全滿洲國最重要的研究機構，為了開發國家的資源與進行科學研究而設，以自然科學配合建國大學的人文科學、精神科學，將其研究成果，成為國家興隆的原動力。大陸科學院的研究課題以遂行國策為目的，因此在國務院下設科學審議委員會管理之，1935年設於新京南嶺，第一任院長為國道局長工學博士直木倫太郎博士，[554]其研究人員分主任研究官、副研究官、研究士（員）、雇傭員，直屬國務院總理，其院長則與國務院的院長同級，為特任官（親任官）。設有農產化學、畜產化學、林產化學、生物化學、有機化學、無機化學、電氣化學、燃料、燃燒、動力、土性、土木、上下水、機械、建築、冶金、電氣、防毒、纖維、航空等20個研究室，之外還有哈爾濱分院地質調查所、馬疫研究處、獸疫研究所、衛生技術廠，分散在滿洲各地。[555]又有前蘇聯的哈爾濱博物館，由大陸科學院管理，因而成立哈爾濱分院。[556]該院的研究人員皆為博士或碩士，戰後前往進行調查東北大學教育景況的官員稱其「校舍之宏大，設備之完全，實堪稱為盡美盡善之研究機構」、「各部門均有定期刊行之"研究報告"」，[557]實為滿洲國最重要研究資源

---

550 許雪姬訪問、蔡說麗紀錄，〈陳許碧梧女士訪問紀錄〉，《口述歷史》5（1994.6），頁247-267；國務院總務廳編，《滿洲國政府公報》，第1655號，康德6（1939）年10月19日，頁487。

551 國務院總務廳編，《滿洲國政府公報》，第1461號，康德6（1939）年2月27日，頁353。

552 周佛海在汪精衛政權中歷任警政部部長、行政院副院長及上海市長等職。李盛平主編，《中國近現代人名大辭典》（北京：中國國際廣播出版社，1989），頁406。

553 中西利八編纂，《滿華職員錄》，頁913。

554 直木倫太郎，1876-1943，日本兵庫縣人，1899年東京帝大工科大學土木工學科畢業，旋任東京市東京港調查事務所工務課長，1905年轉任土木課長，1906年任大藏省臨時建築部技師，1911年後歸東京市，1924年任內務省復興局長官，1926年入大林組。1933年到滿洲國任國務院國道局長，在滿洲國期間任水力電氣建設局長、交通部監察、大陸科學第一、三任院長，又是滿洲土木研究會會長，在視察大東港建設工程途中病倒，死於安東滿鐵醫院，著有《土木工學：水理學》（1907）、《技術生活より》（1918）。秦郁彥編，《日本近現代人物履歷事典》（東京：東京大學出版會，2002），頁360。

555 據滿洲國史編纂刊行會，《滿洲國史 各論》，頁1132-1133，所載與上述略有出入，此依1995年出版的《大陸科學院の会―会報と名簿》，頁8。此名簿為楊藏嶽先生所提供，謹致謝意。另可參考滿洲帝國國務院，《大陸科學院要覽》（新京：該院，1943），頁7。

556 哈爾濱分院是接管1937年1月1日成立的濱江省立文物研究所。其中設有動物、植物、地質、經濟、考古學研究室及博物館、飼育場、植物園等。

557 中國第二歷史檔案館，〈偽滿大學教育實況及抗戰勝利後整理意見（二）〉，《民國檔案》（南京），2001.3，頁36。

圖 4-25　陳錫卿於滿洲國大同學院受訓時之騎馬照
（陳許碧梧女士提供）

及應用技術的場所。

臺灣人任職大陸科學院及其分屬機構的有十多人，有兩位已擔任到副研究官，其中有三人回臺後進入臺大當教授，大陸科學院成為其獲得工作經驗最重要的場所。到大陸科學院的臺人，有較早期即到的，如何芳陞、林耀堂等；也有不明年份或較晚期戰爭危急時才自日本前往滿洲者；亦有人只短暫停留，或終戰前即已離開。茲分敘如下：

（1）何芳陞：臺北人，1935 年畢業於臺北帝國大學農學部（第五屆）農化科。[558] 1937 年到滿洲後任職大陸科學院研究士，[559] 在生物化學研究室，1939 年 4 月高等文官特別考試技術官合格，[560] 5 月 15 日任副研究官。[561] 戰後曾和同為副研究官的史書麟，向戰後到東北的接收大員張嘉璈報告當時大陸科學院的情形。[562] 回臺後任臺灣大學農學院食品化學科教授。[563]

（2）林耀堂：臺北人，1936 年自臺北帝國大學理學部有機化學科畢業，先到大阪帝國大學理學部（小竹研究室）任職，[564] 1938 年 8 月到滿洲後，進入大陸科學院任研究士，在有機化學研究室工作。[565] 1940 年 5 月高等官適格及特別適格登格考試技術官合格，[566] 6 月升任大陸科學院副研究官，敘薦任三等，[567] 1944 年 7 月陞為薦任二等，同時給十一級俸。[568] 這時他決定辭職，[569] 轉到北京大學醫學院藥學系擔任副教授。[570] 戰後他擔任臺大理學院有機化學科教授。[571]

（3）楊藏嶽：臺南大內人，1917 年生，1939 年臺南高等工業學校畢業。畢

558　黃得時等，《臺大畢業同學錄》，頁 7。
559　國務院總務廳編，《滿洲國政府公報》，第 2929 號，康德 11（1944）年 3 月 17 日，頁 225、227。
560　國務院總務廳編，《滿洲國政府公報》，第 1501 號，康德 6（1939）年 4 月 17 日，頁 404。
561　國務院總務廳編，《滿洲國政府公報》，第 1524 號，康德 6（1939）年 9 月 6 日，頁 166。
562　伊原澤周編注，《戰後東北接收交涉記實：以張嘉璈日記為中心》（北京：中國人民大學出版社，2012），頁 17。
563　黃得時等，《臺大畢業同學錄》，頁 7。
564　內藤力，《化友會誌 創刊號》（不著出版地：臺北帝國大學理農學部化學教室內化友會，1938），頁 41。
565　黃得時等，《臺大畢業同學錄》，頁 7；國務院總務廳編，《滿洲國政府公報》，第 1337 號，康德 5（1938）年 9 月 20 日，頁 443。
566　國務院總務廳編，《滿洲國政府公報》，第 1804 號，康德 7（1940）年 5 月 1 日，頁 23。
567　國務院總務廳編，《滿洲國政府公報》，第 1837 號，康德 7（1940）年 6 月 11 日，頁 217。
568　國務院總務廳編，《滿洲國政府公報》，第 3023 號，康德 11（1944）年 7 月 10 日，頁 96、97。
569　國務院總務廳編，《滿洲國政府公報》，第 3023 號，康德 11（1944）年 7 月 10 日，頁 97。
570　陳永發、孫慧敏、沈懷玉訪問，陳逸達、孫慧敏、張成瑋記錄，《臺灣蛋白質化學研究的先行者：羅銅壁院士一生回顧》（臺北：中央研究院近代史研究所，2016），頁 60。
571　黃得時等，《臺大畢業同學錄》，頁 5；不著編人，《大陸科學院の会：会報と名簿》，頁 45。

圖 4-26　國務總理張景惠第一次（1939 年 9 月 29 日）到大陸科學院巡視紀念攝影
（楊藏嶽先生提供）

圖 4-27　楊藏嶽（右）與友人攝於吉林天下第一江山
（楊藏嶽先生提供）

第四章　滿洲國官僚體系的建立與臺籍官員

業時到日本福岡參加滿洲國的高等文官考試，考取後同年抵達新京大陸科學院任職。[572]安插在電氣化學研究室交流電解研究之研究士。[573]直到戰爭結束。

（4）陳達仙：日本大學拓殖科畢業（專攻貿易），在大陸科學院擔任菌蕈的人工栽培。[574]

（5）楊茂盛：畢業於臺南高等工業學校電氣科，[575]職位不詳。

（6）楊茂德：出身學校不詳，任大陸科學院電氣化學研究室交流電解研究任技工，後升研究士。[576]

（7）葉清標：畢業於日本帶廣獸醫學校，一度為厚生研究所職員，以後任職衛生技術廠。[577]

（8）李訓忠：1921年生，臺北人，1936年畢業於臺北工業學校應用化學科。[578]畢業後到臺灣工業研究所當實習生，後到臺北帝大農業化學科主任中塚佑一[579]處做化驗、分析工作。1940年12月離任，在中塚的介紹下翌年啟程到滿洲，進入大陸科學院無機研究室，主要的工作乃是對稀有金屬做分析，看是否可作為飛機的材料。由於身上有疾及恐戰爭發生，故在1942年回臺，再入臺灣工業試驗所工作。[580]

（9）翁通楹（1920-2017）：嘉義義竹人，1920年生，義竹公學校畢業後，進入臺南第二中學校，尚未畢業即考上臺灣總督府臺北高等學校，畢業後考上京都帝國大學機械工學科，因戰爭的緣故，提早半年於1944年9月畢業。時翁通楹之弟翁通逢已在滿洲，而且在日本有生命危險，乃決定到滿洲。先以到鶴岡炭礦公司為由申請赴滿洲手續，到滿洲後乃轉至新京大陸科學院的航空研究室。

剛入研究室時由研究士做起，由於在學中專攻流體力學，乃進入機械部門，[581]

572　許雪姬訪問、鄭鳳凰紀錄，〈楊藏嶽先生訪問紀錄〉，《日治時期在「滿洲」的臺灣人》，頁437-445；臺南第一中學校同窓會，《臺南第一中學校同窓會員名簿》，頁62。
573　大陸科學院編，《大陸科學院要覽》（新京：滿洲國國務院，1943），頁26。
574　〈居住長春台灣省民名簿〉（1946年1月28日）。
575　〈居住長春台灣省民名簿〉（1946年1月28日）。
576　滿洲國國務院編，《大陸科學院要覽》，頁26；〈居住長春台灣省民名簿〉（1946年1月28日）。
577　〈居住長春台灣省民名簿〉（1946年1月28日）。所謂衛生技術廠成立於1934年11月1日，在新京興大路，原為民政部所管，1938年12月24日移到大陸科學院。
578　臺北工業學校校友會，《臺北工業學校會員名簿》，頁175。
579　中塚佑一助教授，1920年東京帝大理科大學化學科畢業，1929年3月任臺北帝大助教授。見興南新聞社，《臺灣人士鑑》（1943），頁294。
580　許雪姬訪問、蔡說麗紀錄，〈李訓忠先生訪問紀錄〉，《日治時期在「滿洲」的臺灣人》，頁423-426。
581　不著編人，《大陸科學院の会：会報と名簿》，頁30。應為低溫實驗室，本室原為日滿商事會社所創立，1942年移由大陸科學院掌理，從事低溫下各種物質之反應試驗及調查。參見中國第二歷史檔案館，〈偽滿大學教育實況及抗戰勝利後整理意見（二）〉，《民國檔案》（南京），2001.3，頁37。

圖 4-28　翁通楹回臺後於 1947 年的結婚照，站在他身後的是其弟翁通逢醫師。

新郎（翁通楹）、新娘（蘇倩卿）所在的前排（兒童不算在內），左二岳母蘇曾素，右二二姊翁嘆，右三母親翁郭蔓。

第二排左四妻妹蘇倩霞，左一王櫻茂的太太，右一三嫂翁陳奕芳。

第三排右一五嫂翁顏永品，右二二哥翁通茂，右四三哥翁通義。

第四排左二妻弟蘇浴沂，左五妻弟蘇鴻垤，右一弟翁通時，右二大哥翁通成。

最前面的兒童右一姪女翁碧梅，右三姪女翁蘭花。

（翁青志先生提供）

研究的主題是如何讓飛機的飛行不受結冰作用的影響，當時日本在南洋作戰正遭遇這個問題。該研究室只有翁一人是大學畢業，主任學的是電機，因此此研究由翁挑大樑。

按日本占領南洋如新加坡、印尼等地後，飛機產生機翼結冰的問題，若結冰則無法產生足夠的浮力，影響飛機的飛行。解決的方法，一是不讓機翼結冰，二是結冰後設法讓冰融化，尚未研究出結果，日本已經戰敗投降。[582]

（10）林恩魁：臺南第二中學畢業後，到日本東京帝國大學讀醫科，尚未畢業即因東京空襲嚴重而逃到滿洲，先進入厚生研究所吳昌禮的研究室工作，即任職衛生技術廠。[583] 僅工作二星期，日本即投降。

10. 在國立大學、中小學任教

就目前的資料顯示，臺人曾在新京法政大學、新京醫科大學、新京工業大學、奉天醫科大學、哈爾濱工業大學任教或當助手。也有在中、小學任教者，除了新京醫科大學的教授郭松根及其助手翁通逢[584]留後介紹外，茲分述於下。

（1）新京法政大學：林鳳麟畢業於九州大學，並具有日本高等考試司法科合格的資歷，因此到滿洲後參與相關法律的起草制定，已如前述，他有《滿洲國債權法總論》一書問世。[585] 1943年起在法政大學當兼任教授，[586] 唯滿洲國政府公報卻登載1945年4月起才兼任法政大學教授。[587] 陳寶川，臺北萬華人，1917年生，1932年臺北工業學校土木科畢業，[588] 以後通過新京法政大學入學考試而於1934年前往新京。畢業後考上高等考試司法、行政科為榜首。畢業後轉往日本京都帝國大學繼續深造。1939年畢業後乃回新京法政大學任講師、副教授等職，前後三年。1942年離開滿洲回到臺灣，旋為日本陸軍司令部調往蘇州，擔任司政官，而隸屬關東軍司令部，一直到戰後。[589]

582　許雪姬訪問、鄭鳳凰紀錄，〈翁通楷先生訪問紀錄〉，《日治時期在「滿洲」的臺灣人》，頁463-466。

583　許雪姬訪問、鄭鳳凰紀錄，〈翁通逢先生訪問紀錄〉，《日治時期在「滿洲」的臺灣人》，頁106；許雪姬訪問，黃子寧、林丁國紀錄，〈林恩魁先生訪問紀錄〉，《日治時期臺灣人在滿洲的生活經驗》（臺北：中央研究院臺灣史研究所，2015年2刷），頁220。林恩魁誤為衛生研究所。

584　許雪姬訪問、鄭鳳凰紀錄，〈翁通逢先生訪問紀錄〉，頁106-107。

585　中西利八編纂，《滿洲人名辭典》，頁1205。

586　許雪姬訪問、曾金蘭紀錄，〈林鳳麟先生訪問紀錄〉，頁211-232。

587　國務院總務廳編，《滿洲國政府公報》，第3226號，康德12（1945）年4月4日，頁42。

588　臺北工業學校校友會，《臺北工業學校會員名簿》，頁174。

589　陳寶川口述，卓遵宏、歐素瑛訪問，歐素瑛紀錄整理，《陳寶川先生訪談錄》（臺北：國史館，1999），頁19-26。

圖 4-29　陳寶川通過滿洲國高等文官考試司法、行政科攝影留念
資料來源：卓遵宏、歐素瑛等訪問紀錄整理，《陳寶川先生訪談錄》，前附照片。

黃演淮，臺中石岡人，1906年生，1921年入臺南長榮長老教中學，[590] 後到日本同志社大學讀法科，1933年畢業。1936年到滿洲國任法院繙譯官兼司法部法學校譯官，[591] 一直到1939年入新京法政大學任助教授，被派往京都市立國大學院研究室研究2年，[592] 1942年回任副教授，[593] 而後陞任教授，著有《國際法概論》一書。[594] 回臺後先任臺中縣立民眾教育館館長，臺中縣立圖書館館長、省立臺中圖書館閱覽部主任、臺中家事職業學校校長。[595]

王朝坪，早稻田大學畢業，1940年4月入法政大學任助手，[596] 同年8月31日即辭職。[597] 前後只有4個月。

（2）新京工業大學：周義輝，臺南人，1912年生，1931年嘉義中學校第三屆畢業，[598] 1936年畢業於日本大學工業部，1940年入新京工業大學任教授。[599] 林朝棨，豐原人，1934年畢業於臺北帝國大學理學部。他先在帝大理學部任副手囑託，再到臺陽礦業會社工作。1939年4月到新京工業大學（原為新京工礦技術院）任教授。[600] 在新京時曾任臺灣同鄉會會長，[601] 後因天冷等原因而在翌年（1940年9月）辭職，[602] 轉往北京師範學院地學系任教授，兼北京大學地質系教授，[603] 戰後在臺大理學院任教授，教地質學。[604]

林煥星，板橋人，1928年臺北工業學校專修科應用化學科修了，畢業後任母校助教，而後到新京工業大學冶金工學科任教，[605] 擔任副教授之職。[606]

590　臺南市私立長榮中學，《校友芳名錄》（臺南：長老教中學校，1933），頁3。
591　國務院總務廳編，《滿洲國政府公報》，第552號，康德3（1936）年1月15日，頁173。
592　國務院總務廳編，《滿洲國政府公報》，第1435號，康德6（1939）年1月21日，頁4806；黃五常族譜續編輯委員會，《黃五常族譜續編》，頁87。
593　中西利八編纂，《滿華職員錄》，頁54。
594　〈居住長春台灣省民名簿〉（1946年1月28日）。
595　許雪姬訪問，何金生、鄭鳳凰紀錄，〈何金生先生訪問紀錄〉，頁176；黃五常族譜續編輯委員會，《黃五常族譜續編》，頁87。
596　國務院總務廳編，《滿洲國政府公報》，第1868號，康德7（1940）年7月17日，頁432。
597　國務院總務廳編，《滿洲國政府公報》，第1955號，康德7（1940）年10月31日，頁674。
598　嘉義中學校同窓會，《嘉義中學校同窓會會報‧附會員名錄》，第13號（嘉義：嘉義中學校同窓會，1942），頁17。
599　中西利八編纂，《滿華職員錄》，頁57。
600　中西利八編纂，《滿洲人名辭典》，頁272。
601　許雪姬訪問、蔡說麗紀錄，〈李訓忠先生訪問紀錄〉，頁430。
602　國務院總務廳編，《滿洲國政府公報》，第1946號，康德7（1940）年10月21日，頁408。
603　許雪姬，〈1937年至1947年在北京的臺灣人〉，《長庚人文社會學報》，1：1（2008.4），頁67；林恩朋，《林朝棨（戟門）先生紀念文輯》（臺北：自刊本，1989），頁3。
604　黃得時等，《臺大畢業同學錄》，頁5。
605　臺北工業學校校友會，《臺北工業學校會員名簿》，頁211。
606　許雪姬訪問、蔡說麗紀錄，〈李訓忠先生訪問紀錄〉，頁425-426；許雪姬訪問、鄭鳳凰記錄，〈陳

圖 4-30　新京工鑛技術院教授林朝棨一家人 1937 年在新京的全家福
資料來源：林恩朋編輯，《林朝棨（戟門）先生紀念文輯》（臺北：林吳媽媽發行，1986），頁 24

黃春木，嘉義人，[607] 臺北高校第一屆（1928）畢業，[608] 1932 年九州帝國大學工學部採鑛冶金科畢業；1940 年在國立新京工鑛技術院任教授，[609] 一直任到戰後。回臺後任臺大機械系教授。[610]

以上四位都從事教職，以下三位即是以助手的身分就職於新京工業大學。

陳登財，臺北大稻埕人，1940 年臺北工業學校應用化學系畢業。畢業後正要求職時，前所提亦畢業於臺北工業學校的林煥星邀其往滿洲國。陳登財因見在臺有差別待遇，又想到新京讀大學，乃應邀前往。原想進滿洲最高學府建國大學，但建大難考；且當時為了培養技術人員及保持技術人員的人數，當年發布了升學停止令，命令所有工業學校畢業生，畢業當年不准升學；乃自我盤算回臺讀文科，再到滿洲投考。回臺後見家中財政由大哥一人苦苦支撐，當時又正好失業，乃留在臺灣，前後在新京工業大學化工系任助手一年。[611]

陳顯義，士林人，1940 年畢業於臺北工業學校應用化學科。[612] 1941 年與前述校友李訓忠、陳登財一起往滿洲國，一直在新京工業大學任職，一直到戰後才回臺。[613]

謝振熹，1940 年畢業於臺北工業學校機械科，[614] 和陳登財為同學。畢業後進入新京工業大學機械工學科就讀，畢業後留在母校任職員，[615] 一直到戰爭結束。戰後回臺。[616]

（3）奉天醫科大學：謝秋濤之生平事蹟前已敘述，他在 1945 年即滿洲國最後一年的 4 月 1 日以省（奉天省）技正任國立醫科大學教授，敘簡任二等，給五級俸，派在奉天醫科大學辦事，實則被任命為奉天醫科大學附屬醫院長。[617] 在大學任教的時間不長。

（4）哈爾濱工業大學：此大學原名哈爾濱高等工業學校，創立於 1934 年，

登財先生訪問紀錄〉，《日治時期在「滿洲」的臺灣人》，頁 221。
607 許雪姬訪問、王美雪紀錄，〈林黃淑麗女士訪問紀錄〉，《日治時期在「滿洲」的臺灣人》，頁 142。林黃素華為黃春木的堂姪女，出版訪問紀錄時用偏名「淑麗」。
608 台高會，《台高會名簿》（台北：台高會，1982），頁 5。此書為蔡錦堂教授所提供，謹致謝意。
609 國務院總務廳編，《滿洲國政府公報》，第 1955 號，康德 7（1940）年 10 月 31 日，頁 674。
610 許雪姬訪問、鄭鳳凰紀錄，〈翁通楹先生訪問紀錄〉，頁 475。
611 許雪姬訪問、鄭鳳凰記錄，〈陳登財先生訪問紀錄〉，頁 221-223。
612 臺北工業學校校友會，《臺北工業學校會員名簿》，頁 174。
613 許雪姬訪問、蔡說麗紀錄，〈李訓忠先生訪問紀錄〉，頁 430。
614 臺北工業學校校友會，《臺北工業學校會員名簿》，頁 169。
615 〈居住長春台灣省民名簿〉（1946 年 1 月 28 日）。
616 許雪姬訪問、鄭鳳凰記錄，〈陳登財先生訪問紀錄〉，頁 225。
617 國務院總務廳編，《滿洲國政府公報》，第 3234 號，康德 12（1945）年 4 月 2 日，頁 18、19。

圖 4-31　陳登財到新京車站接來自臺北工業學校同學謝振熹
（陳登財先生提供）

1938 年改為今名。[618]

王銘勳，嘉義人，日名太田章博，1934 年畢業於嘉義中學，[619] 畢業後考入臺南高等工業學校，1937 年畢業，旋考入大同學院第一部第八期，而於 1937 年 11 月畢業。[620] 畢業後任民生部高等官試補，任哈爾濱工業大學高等官試補，[621] 即在該大學任機械科助教授，後升到教授。他在 1940 年即開始集中精力鑽研齒輪的基本理論及精密齒輪的設計與製造。1943 年 3 月，被派往日本東京工業大學精密機械研究所進修，從事齒輪形的研究。自 1941 年起到 1943 年止，他在日本機械工程學會的機關刊物《機械學會論文集》上，先後發表〈給定接觸點軌跡的齒形曲線與滑動率〉、〈變位齒輪的一方式〉，受到日本學界重視，1945 年 3 月王銘勳回哈爾濱，繼續教學工作，在哈爾濱工業大學時他講授機構學、製圖、材料力學、機械工學及機械設計。是中國第一位研究齒輪幾何學的專家。[622] 戰後留在哈爾濱。

（5）哈爾濱學院：胡煥奇，臺中人，1932 年畢業於臺北帝國大學文政學部第一屆，[623] 畢業到上海任職後，[624] 1936 年受聘到哈爾濱的哈爾濱學院當教授，[625] 經過一段時間，即被派任為漢口市長。[626] 戰後於 1947 年任臺灣省政府農林處林務科科長，後任職華南商業銀行。[627]

（6）國立師道大學／吉林師道學校：又稱國立師道學校，原為吉林大學，設於吉林市黃旗屯，九一八事變後原吉林省政府所設。1934 年滿洲國公布高等師範教育令，將吉林大學改組為高等師範學校，以培養各中學的師資為主。有資格報考的以高中畢業者為限，每年招收 250 名，修業年限四年。1938 年公布新學制後改為滿洲國立師道高等學校，修業年限改為三年，每年招收 150 名，中國學生占 70% 弱，其餘為日、滿、鮮、蒙籍學生。1941 年因日籍生增加，而該國鑑於師範教育令下，已普遍使用於全滿各農、醫、工、法政大學內，乃將此校改為綜合大學。1942 年

618　中國第二歷史檔案館，〈偽滿大學教育實況及抗戰勝利後整理意見（一）〉，《民國檔案》（南京），2001.2，頁 37-38。

619　嘉義中學校同窓會，《嘉義中學校同窓會會報・附會員名錄》，第 13 號，頁 26。

620　大同學院同窓會編，《大同學院同窓會名簿》，頁 54。

621　國務院總務廳編，《滿洲國政府公報》，第 1976 號，康德 7（1940）年 11 月 25 日，頁 504。

622　不著撰人，《瀋陽文教學院校教育人物匯編》（上）（遼寧：遼寧教育出版社，出版年不詳）。此為王銘勳之女王光華女士所提供，謹此致謝。

623　黃得時等，《臺大畢業同學錄》，頁 1。

624　胡煥奇可能在上海擔任新聞記者，黃旺成於 1934 年在上海時曾與之相往返，故在日記中屢有提及。見《黃旺成先生日記（二十）一九三四》，頁 407，1934 年 12 月 13 日。

625　〈黃旺成先生日記〉，1936 年日記住所人名錄。

626　許雪姬訪問、蔡說麗紀錄，〈陳許碧梧女士訪問紀錄〉，頁 255。

627　黃得時等，《臺大畢業同學錄》，頁 1。

公布師道大學令時，本校改為國立師道大學。[628]

董清財：1906 年生，恆春人，1926 年臺南師範學校畢業，[629] 1926-1929 年任教於高雄州車城公學校，1933 年 3 月日本私立武藏野音樂學校本科畢業，同年因日人園山民平（大連音樂學校校長）之介紹，到大連秋月公學校任音樂教員兼大連音樂學校囑託，1935 年任吉林高等師範學院助教授，該校後改名師道學校。1938-1942 年間陞任副教授兼音樂系主任，1942 年滿洲高等官適格、登格考試及格，[630] 而後通過滿洲國公費日本留學生選拔，到東京上野音樂學校研究科進修，1944 年回校繼續任教授，到滿洲國滅亡為止。[631]

蔡啟運：福建人，父蔡法平，1939 年東京一高特設高等科理科畢業，[632] 日本東京帝大農學士，[633] 1942 年 2 月任總務廳高等官試補，[634] 7 月以衛生技術廠高等官試補，任公立國民高等學校高等官試補，派在北安省立真山國民高等學校辦事。[635]

徐文書：1939 年 11 月獲得中等學校教諭許可狀。[636]

何金生：1912-2012，臺中人，早稻田第一高等學校文科畢業，回臺後先任職於臺中香蕉檢查所與朝陽貿易公司，後再赴日與郭明欽經營牡丹亭餐廳，餐廳結束後，到黑板工業所任職。該所派他到奉天任鐵工師傅的翻譯，1938 年 3 月乃由東京到奉天，三個月工作結束，已習得當地語言，見有維城國民高等學校[637]招考日語教員，乃前往應徵，而獲錄取，遂入校教日語。1941 年回臺娶詹春秧（彰化女中畢業），再回維城，妻也同在該校教書，1943 年擬再赴東京求學，不果，是年 12 月回奉天當啟明學園教師，兼盲人協會書記，1944 年 7 月 1 日再回維城中學任副校長，

---

628 中國第二歷史檔案館，〈偽滿大學教育實況及抗戰勝利後整理意見（一）〉，《民國檔案》（南京），2001.2，頁 36-37。

629 松下史生等，《ああわが母校台南師範　台灣總督府台南師範学校史》（不明出版地、出版者、出版年代），頁 55。

630 國務院總務廳編，《滿洲國政府公報》，第 2402 號，康德 9（1942）年 5 月 20 日，頁 289。

631 林ひふみ，〈滿州国の台湾人と日本人その戰後董清財、吉崎ヨシ夫婦の足跡〉，頁 1-38。所謂師道大學應係師道高等學校，位在吉林，以培養中學教育教師師資為主。見豐田要三編纂，《滿洲帝國概覽》，頁 269、272。

632 一高同窓會，《會員名簿 昭和二十七年四月十五日現在》（東京：一高同窓會，1952），頁 341。

633 許雪姬訪問，吳美慧、曾金蘭紀錄，〈楊蘭洲先生訪問紀錄〉，頁 147-148。

634 國務院總務廳編，《滿洲國政府公報》，第 2337 號，康德 9（1942）年 2 月 27 日，頁 332、334。

635 國務院總務廳編，《滿洲國政府公報》，第 2500 號，康德 9（1942）年 9 月 17 日，頁 207、209。

636 國務院總務廳編，《滿洲國政府公報》，第 1955 號，康德 7（1940）年 10 月 31 日，頁 673。

637 滿洲國為給滿族少數上層以某些特殊待遇，在奉天特別成立滿族學校，專門收容清代皇族子弟，進行特別教育，故設維城國民高等學校。見姜念東等，《偽滿洲國史》，頁 241-242。

圖 4-32　新婚的何金生、詹春秧夫妻在 1941 年攝於奉天（何金生先生提供）

直到日本戰敗。[638]

此外鄭財昌，臺中石岡人。1936 年 2 月取得旅券，到滿洲國任教員，[639] 唯學校不詳。

經由以上的介紹，自 1932 年 3 月 1 日至 1945 年 8 月 18 日為止，臺灣人在滿洲國政府任職的情況。對臺灣人在滿洲任高等官者。可做一觀察，謝介石為唯一的特任官，簡任官也只有謝秋濤、蔡法平二人為簡二；薦一的有楊蘭洲、郭松根兩二人。共有 57 人，其中行政官 27 人，司法官 4 人，技術官 19 人，教官 7 人。（前述李如琨，未在《公報》中取得資料。）其中唯一的女性為謝久子，她是技術官。

638　許雪姬訪問，何金生、鄭鳳凰紀錄，〈何金生先生訪問紀錄〉，頁 171-185。
639　〈1936 年 1-3 月外國旅券下付表〉，識別號：T1011_03_145。

表 4-6　滿洲國臺灣人高等官一覽表

採用年份		姓名	採用或銓衡考試名稱	最終高等官資格	官種
1932	1	謝介石		1937.6/24 駐箚日本國特命全權大使	行政官
	2	謝秋濤		1932.8/1 國立醫科大學教授敘簡二	技術官
	3	林景仁		1932.10/30 外交部理事官敘薦三	行政官
1933	4	張建侯	大同學院一部二期	1933.3/1 外交部事務官敘薦八	行政官
	5	黃千里		1942.2/10 總務廳理事官敘薦二	行政官
	6	黃瀛澤		1941.6/16 總務廳技佐敘薦二	技術官
	7	黃清塗		1945.3/1 外交部事務官敘薦二	行政官
	8	陳錫卿		1939.10/16 民生部事務官敘薦三	行政官
	9	吳左金	外交部招募考試	1944.3/1 領事敘薦二	行政官
	10	林樹枝		1939.7/1 交通部技正敘薦三	技術官
	11	郭　良		1934.4/24 首都警察廳理事官敘薦六	行政官
	12	楊蘭洲		1945.4/4 事處長敘薦一	行政官
	13	謝東光		1939.12/21 特許發明局技佐薦三	技術官
1934	14	蔡法平		1938.10/6 宮內府秘書官敘簡二	行政官
	15	徐水德	大同學院一部三期	1945.2/1 經濟部參事官敘薦二	行政官
	16	廖行貴		1942.9/1 交通部技佐敘薦二	技術官
	17	吳昌禮		1945.1/20 厚生研究所副研究官敘薦二	技術官
	18	洪公川（洪利澤）		1941.3/27 參議府秘書局參事官敘薦三	行政官
	19	李永清		1939.8/1 外務局事務官敘薦三	行政官
1934	20	吳福興	大同學院二部二期	1940.6/11 經濟部技佐敘薦三	技術官
	21	陳嘉樹	在福岡考試錄取	1939.5/30 產業部技佐敘薦三	技術官
	22	郭　輝	1934.8 財政部囑託	1939.4/1 專賣署事務官敘薦三	行政官
1935	23	郭海鳴		1942.3/1 稅關理事官敘薦二	行政官
	24	許伯昭		1937.9/1 審計官敘薦三	行政官
1936	25	黃演淮		1939.1/1 新京法政大學助教授敘薦三	行政官
	26	楊金涵		1942.3/1 市技佐敘薦二	技術官
	27	林鳳麟	1934 日本高文司法科	1945.4/4 國務廳參事官兼司法部參事官，兼任新京法政大學教授敘薦二	司法官
	28	吳松興		1940.7/11 省技佐敘薦三	技術官
	29	陳亭卿	大同學院一部五期	1943.12/28 經濟部事務官敘薦二	行政官
	30	邱昌河	大同學院一部十一期	1944.9/1 經濟部事務官敘薦二	行政官

第四章　滿洲國官僚體系的建立與臺籍官員　｜　259

採用年份		姓名	採用或銓衡考試名稱	最終高等官資格	官種
1937	31	何芳陞		1939.5/15 大陸科學院副研究官敘薦二	技術官
1938	32	林耀堂		1940.6/1 大陸科學院副研究官敘薦二	技術官
	33	蔡森榮		1940.7/11 經濟部事務官敘薦三	行政官
	34	王銘勳	大同學院一部八期	1940.11/1 哈爾濱工業大學高等官試補	教官
	35	陳茂經	1937 日本高文司法科、大同學院一部十期	1940.1/15 審判官敘薦三	司法官
	36	林朝榮	新京工鑛技術院教授	1939.4/1 國立大學工鑛技術院教授薦三	教官
	37	郭松根	新京醫科大學教授	1944.9/1 國立醫科大學教授敘薦一	教官
1940	38	黃春木		1940.8/5 國立大學工鑛技術院教授薦三	教官
	39	周義輝		1940 年入新京工科大學任職	教官
	40	葉炳煌	大同學院二部補六	1942.7/16 黑河省警正敘薦三	行政官
	41	陳東興	大同學院二部七期	1940.10/28 省事務官敘薦三	行政官
	42	謝指南		1940.11/1 公立醫院醫官敘薦三	技術官
	43	許坤元	1940.12/9 高等官採用考試大同學院一部十三期	1944.9/15 經濟部事務官敘薦三	行政官
1940	44	蔡西坤	1940.12/9 高等官採用考試大同學院一部十三期	1941.4/1 總務廳高等官試補	行政官
1941	45	黃禎祥		1941.4/1 公立醫院高等官試補	技術官
	46	謝報		1944.10/1 省事務官敘薦三	行政官
	47	林永倉	1941.12/6 高等官採用考試	1942.9/14 交通部高等官試補	技術官
	48	蔡啟運		1942.9/14 公立國民高等學校高等官試補	教官
1942	49	陳生	1942.5/20 高等官適格、登格考試及格	1942.3/1 檢察官敘薦二	司法官
	50	董清財		1943.5/1 師道大學教授敘薦三	教官
	51	邱欽堂		1942.9/1 營林署長薦二	技術官
	52	溫錦堂	1942.9/14 高等官採用考試	1944.9/1 總務廳高等官試補	司法官
	53	謝久子	1942.9/23 高等官採用考試	1942.10/1 公立醫院高等官試補	技術官
	54	王森井		1944.10/1 經濟部技佐敘薦三	技術官
1943	55	李水清	1943.6/4 高等官採用考試	1943.10/16 外交部高等官試補	行政官
	56	黃山水		1943.6/12 總務廳高等官試補	行政官

採用年份		姓名	採用或銓衡考試名稱	最終高等官資格	官種
1944	57	許進來	1944.9/12 高等官採用銓衡大同學院一部十八期	1945.7/1 興農部高等官試補	技術官
說明			高等官：1934年滿洲國帝制後，包括特任，簡任一、二等，薦任一至八等，還包括「高等官試補」。任職行政官、技術官、司法官、教官之高等官前都有「試補」階段。		

資料來源：國務院總務廳編，《滿洲國政府公報》；中西利八，《滿華職員錄》。

還有如鹿港人王永宗，1934年曾到新京的蒙政部任職，後在北京華北政務委員會任參事。[640] 另有西螺人王熙宗（王國珍），1903年生。畢業於東京商科大學，曾任滿洲國官員，著有〈露亞銀行論〉、〈南洋之華僑〉。[641] 方清輝，竹南人，1933年3月取得旅券，欲到特務機關任職。[642]

四、在地方任公職的臺灣人

在地方上任職的臺人較不容易搜集到詳細的資料，主要靠〈居住長春台灣省民名簿〉、《滿洲國政府公報》以及相關口述歷史等資料，整理出「在滿洲國任公職之臺灣人表」。[643] 由於有些任地方公職者，在滿洲的生涯中亦曾任中央公職，有此情形者即不再贅述。以下介紹在各省服務的臺灣人。

（1）謝秋濤（1891-1977）：豐原人，1912年4月臺灣總督府醫學校畢業，11月入東京傳染病研究所，[644] 而後在1914年辦妥中華民國國籍（亦即放棄日本籍，因此其祖籍寫廣東蕉嶺），由於其兄謝秋涫也在滿洲，故先到滿洲，任奉天省警官補習所日語及衛生學教官、奉天紅十字會醫學校教員，旋任陸軍二十九師二等軍醫正兼洮南衛戍區院總醫官、東省鐵路護路軍哈滿司令部諮議，黑龍江省官醫院總醫官，吉林省陸軍軍醫院院長兼長吉防疫所所長、吉林陸軍醫務傳習所所長、江蘇省督辦公署軍醫課長，奉軍兵站總督部上校醫官、鎮威上將軍公署參議、東省兵工廠醫院院長、山海關鐵路醫院院長。1932年滿洲國成立後，即在奉天省公署警務廳任衛生

---

640 李心怡，〈獨盟秘書長王康厚 全心全意珍愛臺灣〉，《新臺灣新聞週刊》601（2007.9.27），頁52-55。
641 此資料為其子王華南先生提供，謹致謝意。經尋找其在臺灣省參議會服務時的履歷，未敘明為何官。
642 〈1933年1-3月外國旅券下付表〉，識別號：T1011_03_136。
643 許雪姬，〈滿洲國政府中的臺籍公務人員（1932-1945）〉，收入許雪姬主編，《臺灣歷史的多元傳承與鑲嵌》，頁63-64（見本章附錄二）。
644 《盛京時報》，第10616號，康德6（1939）年10月31日，晚刊，第2版。

科長。[645] 先後由事務官陞任理事官，[646] 1939 年由警察廳而改在民生廳辦事，任建設科長；[647] 1941 年升簡任二等，派到濱江省民生廳辦事。[648] 之後又以教授身分在奉天醫科大學擔任教授、醫院長，已如前敘，亦即滿洲國成立後，[649] 他一生大半在奉天省警務廳、民生廳、濱江省民生廳工作。據杜聰明說，在滿洲國成立後，原要聘他為新京滿洲國衛生廳長，但他認為能掌握實權較重要，因此依然駐足在奉天省。[650]

（2）洪慶昌：淡水人，臺北工業學校畢業，之後到大阪高等工業學校就讀，畢業後再到京都帝大經濟學部就讀。京大畢業後一度在神戶就職，而後到滿洲，得張作霖信任，擔任兵工廠廠長，並與滿洲女性結婚，夫婦曾一度回臺。馬占山事件，「洪君為外交科長，自己去願往交涉，就不知去向無消息」。[651]

（3）郭良：1933 年畢業於上海復旦大學，原在滿洲國建國第二軍服務，曾任滿洲救國軍第二梯隊情報主任。[652] 1933 年為奉天省公署屬官在奉天省公署警務廳辦事，[653] 4 月 24 日，改派為熱河省公署事務官，在赤峰辦事處辦事；[654] 12 月改在警務廳辦事；[655] 1935 年 11 月任首都警察廳警正，理事官；[656] 分別在奉天省、熱河省、新京特別市任職。

（4）洪公川（後改名利澤）：淡水人，1909 年生，[657] 日本中央大學法科畢業，大同學院第一部三期（1934 年 6 月）畢業。1934 年 10 月任黑龍江省屬官，在該省總務

645　《盛京時報》（晚刊），第 10616 號，康德 6（1939）年 10 月 31 日，第 2 版。尋常百姓家，http://ordinaryhousehold.blogspot.tw/，〈謝文壇自傳序〉。原本滿洲國政府欲聘他擔任滿洲國衛生廳長，但他以在奉天省任職掌實權較好，而不赴任。見杜聰明，〈任臺灣總督府專賣局囑託及往朝鮮滿洲出張旅行〉，收入杜淑純編，《杜聰明博士世界旅遊記》（臺北：財團法人杜聰明博士獎學基金會，2012），頁 244。

646　內尾直昌編，《滿洲國名士錄：康德元年版》，頁 89。

647　國務院總務廳編，《滿洲國政府公報》，第 55 號，大同元（1932）年 10 月 14 日，頁 5；第 758 號，康德 3（1936）年 10 月 1 日，頁 1。

648　國務院總務廳編，《滿洲國政府公報》，第 1456 號，康德 6（1939）年 2 月 17 日，頁 266、267。

649　國務院總務廳編，《滿洲國政府公報》，第 2058 號，康德 8（1941）年 3 月 14 日，頁 309。

650　杜聰明，《回憶錄》（臺北：杜聰明博士獎學基金會，1982 年再版），頁 76。

651　杜聰明，〈任臺灣總督府專賣局囑託及往朝鮮滿洲出張旅行〉，收入杜淑純編，《杜聰明博士世界旅遊記》，頁 244。

652　金丸裕一監修、解說，中西利八編《中國紳士錄 上》，頁 13。另花村一平（林正光），《中國革命的舞台裏：北京・宮元公館》，頁 174。

653　國務院總務廳編，《滿洲國政府公報》，第 141 號，大同 2（1933）年 6 月 5 日，頁 6。

654　國務院總務廳編，《滿洲國政府公報》，第 147 號，康德元（1934）年 4 月 30 日，頁 243。

655　國務院總務廳編，《滿洲國政府公報》，第 249 號，康德元（1934）年 12 月 27 日，頁 231。

656　國務院總務廳編，《滿洲國政府公報》，第 565 號，康德 3（1936）年 2 月 6 日，頁 97。

657　〈1934 年 4-6 月外國旅券下付表〉，識別號：T1011_03_141。

廳辦事；[658] 1938 年為省高等官試補在龍江省官房辦事，[659] 1939 年 4 月高等文官特別考試行政科及格；[660] 派在奉天市財務處辦事，[661] 1941 年 3 月，派為參議府秘書局參事官，[662] 在滿洲期間大半在龍江省任職之後到奉天，最後才調到新京。

（5）吳松興：旗山美濃人，1907 年生，[663] 日本武藏高工畢業。[664] 1936 年為濱江省屬官派在民政廳辦事，[665] 1937 年 10 月任牡丹江省屬官，在民生廳辦事，[666] 1938 年 2 月升任技士，[667] 1940 年高等官適格及特別適格登格考試技術官合格，[668] 1940 年升技佐，在牡丹江省開拓廳辦事，[669] 而後任勤勞部技佐，[670] 在滿洲期間在濱江、牡丹江兩省服務。

（6）劉德藩：新竹芎林人，1917 年生，1936 年取得獸醫資格，1938 年前往滿洲國，[671] 8 月 20 日任吉林省技士，派在實業廳辦事；[672] 1943 年通過高等官適格、登格考試技術官第一次考查及格。[673] 11 月 1 日，登錄為獸醫。[674]

（7）葉炳煌：1915 年生，新竹湖口人，新竹中學畢業，1937 年 12 月大同學院第二部第六期畢業。[675] 1939 年 4 月高等文官特別考試行政科及格，[676] 4 月任中央警察學校助教授，三江省地方警察學校教官，[677] 1942 年 8 月，由警佐升警正，派

---

658 國務院總務廳編，《滿洲國政府公報》，第 282 號，康德 2（1935）年 2 月 15 日，頁 64、67。
659 國務院總務廳編，《滿洲國政府公報》，第 1400 號，康德 5（1938）年 12 月 6 日，頁 94、105。
660 國務院總務廳編，《滿洲國政府公報》，第 1501 號，康德 6（1939）年 4 月 17 日，頁 401。
661 國務院總務廳編，《滿洲國政府公報》，第 1585 號，康德 6（1939）年 7 月 28 日，頁 608、612。
662 國務院總務廳編，《滿洲國政府公報》，第 2071 號，康德 8（1941）年 3 月 29 日，頁 628。
663 〈1934 年 1-3 月外國旅券下付表〉，識別號：T1011_03_140。
664 〈居住長春台灣省民名簿〉（1946 年 1 月 28 日）。
665 國務院總務廳編，《滿洲國政府公報》，第 830 號，康德 3（1936）年 12 月 25 日，頁 411、414。
666 國務院總務廳編，《滿洲國政府公報》，第 1223 號，康德 5（1938）年 5 月 9 日，頁 249。
667 國務院總務廳編，《滿洲國政府公報》，第 1247 號，康德 5（1938）年 6 月 7 日，頁 88。
668 國務院總務廳編，《滿洲國政府公報》，第 1804 號，康德 7（1940）年 7 月 24 日，頁 24。
669 國務院總務廳編，《滿洲國政府公報》，第 1874 號，康德 7（1940）年 7 月 24 日，頁 553、557。
670 〈居住長春台省民名簿〉（1946 年 1 月 28 日）。
671 〈1938 年 7-9 月外國旅券下付表〉，識別號：T1011_03_158；國務院總務廳編，《滿洲國政府公報》，第 2903 號，康德 10（1943）年 2 月 14 日，頁 215。
672 國務院總務廳編，《滿洲國政府公報》，第 1414 號，康德 5（1938）年 12 月 20 日，頁 477、480。
673 國務院總務廳編，《滿洲國政府公報》，第 2676 號，康德 10（1943）年 5 月 5 日，頁 215。
674 國務院總務廳編，《滿洲國政府公報》，第 2903 號，康德 11（1944）年 2 月 19 日，頁 215。
675 大同學院同窓會編，《大同學院同窓會名簿》，頁 180。
676 國務院總務廳編，《滿洲國政府公報》，第 1501 號，康德 6（1939）年 4 月 17 日，頁 401。
677 國務院總務廳編，《滿洲國政府公報》，第 1625 號，康德 6（1939）年 9 月 13 日，頁 313。

到黑河省警務廳辦事,[678] 1944 年辭職。[679]

（8）陳東興：臺中師範畢，1938 年大同學院第二部第七期畢業。[680] 1940 年 10 月任省事務官派在牡丹江省長官房辦事,[681] 1941 年 5 月被休職,[682] 7 月辭官照准。[683] 而後曾任錦州省警務處警正。[684]

（9）謝報：1915 年生，彰化二水人，臺北工業學校二年制機械科畢業，由於成績優良得到州知事獎。畢業後在日本三機工業株式會社臺北分社工作，不久就通過日本文部省專科學校檢定考試，之後派往臺灣總督府交通局鐵道部（臺北機械廠松山機廠）工作，1934 年前往日本大學攻讀法律，畢業後又回日本三機工業株式會社東京總社的鑛山運輸機械設計課當工程師。工作一年餘後，報考滿洲國高等文官，考上後必須赴大同學院接受為期一年的訓練。1938 年謝報乃前往滿洲，[685] 為第一部第十四期生。[686] 1942 年以省高等官試補被派往錦州省政府實業廳服務。[687] 實業廳猶如建設廳，專管經濟事務，因工作須常來往冷口警署之間，此地常有八路軍來襲，因此必須由政府自熱河派兵護送進城。[688] 1942 年 9 月以衛生技術廠高等官試補任高等官試補，給五級俸，派在錦州省辦事。[689] 翌年參加康德十年度（1943）高等官適格、登格考試,[690] 通過後於 1943 年 8 月以縣高等官試補派在綏中縣辦事，四級俸。[691]

在綏中縣政府任經濟科科長，是派任的事務官而非委任官，負責管理山海關貨物進出，由於山海關號稱天下第一關，不能隨便進出，通關者能否過關，全憑謝報核發通行證。在綏中縣服務一年多後，再調到奉天省政府經濟廳服務，主要為金融和統制經濟，以配給物資為主。戰爭後期由於日人都被徵兵，謝乃代理副廳長處理

678　國務院總務廳編，《滿洲國政府公報》，第 2450 號，康德 9（1942）年 7 月 17 日，頁 302。
679　國務院總務廳編，《滿洲國政府公報》，第 3134 號，康德 11（1944）年 11 月 22 日，頁 269。
680　大同學院同窓會編，《大同學院同窓會名簿》，頁 189。
681　國務院總務廳編，《滿洲國政府公報》，第 1955 號，康德 7（1940）年 10 月 31 日，頁 672、673。
682　國務院總務廳編，《滿洲國政府公報》，第 2132 號，康德 8（1941）年 6 月 14 日，頁 230。
683　國務院總務廳編，《滿洲國政府公報》，第 2176 號，康德 8（1941）年 8 月 6 日，頁 105。
684　大同學院同窓會編，《大同學院同窓會名簿》，頁 189。
685　許雪姬訪問，吳美慧、丘慧君紀錄，〈謝報先生訪問紀錄〉，頁 196-197。
686　大同學院同窓會編，《大同學院同窓會名簿》，頁 130。
687　國務院總務廳編，《滿洲國政府公報》，第 2500 號，康德 9（1942）年 9 月 17 日，頁 206、208。
688　許雪姬訪問，吳美慧、丘慧君紀錄，〈謝報先生訪問紀錄〉，頁 199。
689　國務院總務廳編，《滿洲國政府公報》，第 2500 號，康德 9（1942）年 9 月 17 日，頁 206、208。
690　國務院總務廳編，《滿洲國政府公報》，第 2677 號，康德 10（1943）年 5 月 5 日，頁 125。
691　國務院總務廳編，《滿洲國政府公報》，第 2753 號，康德 10（1943）年 8 月 5 日，頁 75、76。

所有事務,奉天曾遭受到美機的攻擊,因此上司令謝帶一千多名省府眷屬疏散到關東州的瓦房店,終戰時人在瓦房店(離大連不遠)。[692] 謝報在滿洲的工作在錦州省和奉天省。

(10)蔡西坤:臺南人,1914年生,臺北高等學校文科畢業,畢業後到日本京都就讀帝國大學法律系,三年級時即準備參加滿洲國考試,考試分司法科與行政科,蔡西坤兩科都通過,通過後必須到大同學院受訓,蔡為第一部十三期生。[693] 1931年4月第十三期學員由東京前往大同學院,結訓後,蔡選擇走政務官路線(檢察官屬行政官體系),由於檢察官滿額,乃被派為軍法官,但因蔡拒絕,遂派往錦州當警佐。當時錦州省警務處共有數百個警務人員,最高階者為警正,次為警佐,故其職位不低,一年後到新京參加升等考試,因成績優異而升為事務官,本要派任司法課長,唯鑒於前三任司法課長皆死於任上,而且習慣南方的生活,乃推辭,遂再被分發為高級警佐,為期兩個月,任內到處巡視十分辛苦。接著派到經濟部保安科統制經濟,以後再調到特務科和高級特務科,負責管理思想。後由警務人員改調到同省文教科任副科長,在此待的時間最久,也須到處巡查管理文化、教育工作,後陞科長,以後調到動員科,主要辦理各種人員調動事宜,因此只要國家有需要,不論是勞工、勤奉隊都向動員科申請,蔡到終戰前都停在動員科工作,[694] 亦即一直在錦州省任職。

(11)張丁誥:臺南人,1923年生,日本關東中學校(今千葉敬愛高等學校)畢業,時為1943年,臺灣總督府已抽調所謂「志願兵」,張在徵調之列,乃逃往滿洲國。8月出發,經朋友介紹入牡丹江市政府建築科工作,從事查報違建的工作,期間與滿洲人頗有接觸,不輕易查報,因此戰後未受報復。[695] 回臺後從事建築業。

(12)沈武英:廈門集美商業學院畢業,任新京特別市事務官。[696]

(13)黃文煌:畢業學校不詳,任新京市政府行政科職員。[697]

(14)李征昌:東勢農林國民學校第一部第四回(1933)畢業,在新京特別市公署行政科任職。[698]

(15)陳再來:臺中師範學校演習科第四回修了,任職於安東省民政廳。[699]

---

692 許雪姬訪問,吳美慧、丘慧君紀錄,〈謝報先生訪問紀錄〉,頁201-202。
693 大同學院同窗會編,《大同學院同窗會名簿》,頁115。
694 許雪姬訪問、吳美慧紀錄,〈蔡西坤先生訪問紀錄〉,頁178-179。
695 林德政,〈日據時代臺灣人之海外經驗:以《安南區志》為例〉,收入王明蓀主編,《海峽兩岸地方史志地方博物館學術研討會》(南投:臺灣省文獻會,1999),頁80。
696 〈居住長春台灣省民名簿〉(1946年1月28日)。
697 〈居住長春台灣省民名簿〉(1946年1月28日)。
698 大沼總次,《大地》(第七號)(臺中:東勢農林國民學校,1937),頁73。
699 磯江清,《同窗會誌創刊號》(臺中:臺中師範學校同窗會事務所,1939),頁40。

（16）林文龍：臺中師範學校演習科第八回畢業，在安東省莊河縣公署服務。[700]

（17）方丙申：臺南長榮中學校畢業，在熱河省平泉專賣局任職。[701]

（18）李發：1935年畢業於臺北工業學校土木科，在奉天省開原縣公署內務局行政股任職。[702]

（19）賴眼前：臺中師範學校演習科第四屆畢業，在新京治安部警務同教養督察科任職。[703]

（20）郭炳煌，臺南人，臺南第一中學校第九屆畢業（1937年），[704]任民生部屬官、安東省委任官試補。[705]

（21）王世恭（即王洛），1938年臺北開南商工學校商科畢業，任職新京市保健司防疫科。[706]

（22）吳森炎，1937年開南商工學校商科畢業，任職新京市保健司防疫科。[707]

（23）林仁潭，1908年生，1931年東京醫學專門學校畢業，曾任哈爾濱防疫醫師、特別市立施診所所長，而後任職哈爾濱市政公署總務處。[708]

五、滿洲國軍隊中的臺人

　　滿洲國的治安及國防，除了1937年11月30日由日本關東軍司令官兼任特命全權大使與滿洲國國務總理大臣簽訂「滿洲國內駐屯的日本國軍的軍事關係法規適用相關之件」外，滿洲國的國內治安、國防似全由日本軍隊加以「協助」，共同防衛。[709]實則滿洲國內除了日本人組成的關東軍外，也有由國軍編成的中央直轄軍、第一到第十軍管區司令部（以上陸軍）、江上軍（海軍）等。由於滿洲國建立之初，反對日本、滿洲國者仍負嵎抵抗，因此建國當時即建軍，換言之1932年3月9日發布軍政部官制、制定陸海軍條例及相關軍令，即開始建軍。分成整備一期（1932.3—

700　磯江清，《同窓會誌創刊號》，頁40。
701　萬代賢平，《彌榮第二號》（臺南：長榮中學校，1941），頁43。
702　臺北州立臺北工業學校內大安工業俱樂部，《會員名簿》，頁225。
703　磯江清，《同窓會誌創刊號》，頁40。
704　臺南第一中學校同窓會，《臺南第一中學校同窓會員名簿》，頁30。
705　國務院總務廳編，《滿洲國政府公報》，第1868號，康德7（1940）年7月17日，頁432。
706　戴榮輝，《商工學校同窓會會員名簿》，頁49。
707　戴榮輝，《商工學校同窓會會員名簿》，頁46。
708　東京醫學專門學校，《南瀛會名簿（會誌第6刊）》（東京：該校，1942），頁8；芳賀登等編，《日本人物情報大系》第二回滿洲篇（東京：株式會社皓星社，1999），頁666。
709　豐田要三編纂，《滿洲帝國概覽》，頁106。

1933.4）、整備二期（1933.5─1934.3）逐步進行，雖然軍人是滿洲人，但卻由日本軍事顧問加以「訓練」，一直到 1934 年，經過整備期二年，隨著實施帝制，也進入整軍時代（1934.9），一共分成六個軍區，奉天（第一軍）、吉林（第二軍）、齊齊哈爾（第三軍）、哈爾濱（第四軍）、承德（第五軍）、牡丹江（第六軍，1937 年 7 月設）。[710]

這些軍的來源，是 1939 年 4 月開始實施國兵法後，規定有服兵役義務者為帝國內的男性，其中日本人則可志願服役。[711] 這六軍中和臺灣關係較深的為第二軍。

（一）滿洲國第二軍（吉林）

滿洲國軍隊中的臺人並不多，但卻是一種存在，其中最重要的是所謂滿洲建國第二軍。所謂「建國」，顧名思義即滿洲剛要建國時所成立而有別於關東軍的軍事隊伍，軍長為程國瑞，支隊長為劉佩忱、王鐵相、王前西三人，此軍為滿洲國軍政部顧問宮元利直所建，並兼本軍的總參議。據說程國瑞為臺灣人，此軍有臺灣軍司令部移給關東軍司令的臺灣人，使之編入第二軍。有余逢時（少將）、王桂庭、李爐己（中將）、林建（原文誤為「健」）寅（少將）、陳文山（原文誤為「三」）（少將）、黃南埔、謝呂西、謝美洲（即謝龍闊）等人。[712] 上述這些人中有幾位必須做簡單的介紹。

余逢時，約在 1933 年到滿洲，先參加滿洲軍，但因畢竟是文人，而非軍人，在滿洲第二軍中掛少將的參謀長，等滿洲軍剿「匪」告一段落後，才到實業部工鑛司當事務官。[713] 已如前述。

李爐己，1915 年畢業於臺北師範學校公學師範部乙科，[714] 和滿洲國外交部總長謝介石有十多年交誼，在福州曾任福建省長李厚基之顧問，並包辦稅捐而成巨富，在閩之臺灣人供其馳驅者不少。九一八事變後，日本軍部和外交部主張相異，李奉軍部之密令，為增加中日間之糾紛以遂其侵略之陰謀，乃暗殺日本小學校教諭水戶守夫婦。後來案情明朗，福建省政府未予追究而移送給日本領事處罰，李在日本軍部的掩護下得到自由，又在軍部的推薦下到滿洲國任特務隊長，李自詡與關東軍甚熟。[715]（參見第二章）

710　豐田要三編纂，《滿洲帝國概覽》，頁 108。

711　豐田要三編纂，《滿洲帝國概覽》，頁 109-110。

712　花村一平（林正光），《中國革命の舞台裏：北京・宮元公館》（東京：原書房，1973），頁 174。

713　許雪姬訪問、鄭鳳凰紀錄，〈余錫乾先生訪問紀錄〉，頁 29-30；高橋勇八，《滿洲商工名鑑》，頁 41。

714　不著編人，《臺北師範學校卒業及修了者名簿》，頁 83。

715　日本外務省外交史料館藏，A,5,3,0,3，臺灣人關係雜件，自昭和 2 年至昭和 17 年，在福州總領事守屋和郎致外務大臣伯爵內田康哉，昭和 8 年 8 月 12 日，〈國光日報ノ記事並李爐己ノ動靜ニ關スル件〉。另一說法是福建方面受日本駐福州總領事佐藤壓逼，決定儘快賠償 2 萬元。日後省府

林建寅，嘉義人，1908 年臺灣總督府大目降糖業講習所畢業，曾在嘉義廳任翻譯官，霧峰林家林季商的林裕本堂聘其為經理，[716] 1920 年他曾和林獻堂、林瑞騰等霧峰林家的人一起去見田健治郎總督，[717] 1921 年赴廈助理林季商業務，同年 5 月 14 日，林建寅再度往見田健治郎總督，「請於漳州與林季商等合辦［辦］輕鐵事業擁護之事。」[718] 9 月 30 日又再見總督一次，[719] 據推測是為了林季商之事業而前往。由於林季商於 1925 年 7 月 3 日為張毅暗殺，蔬河公司被占，銀錢物件被洗劫一空，[720] 林建寅乃離開霧峰林家。

　　據其弟林張耀指出，林建寅曾因買賣糖的股票而賺許多錢，並在今臺中公園附近建造擁有花園的巨宅，不過也因經濟不景氣及炒做股票而失敗。[721]

　　1932 年 3 月 1 日滿洲國成立，這對林建寅而言不失為一可以再度雄飛之地，4 月 28 日乃往滿洲，當他在出發前一日往見林獻堂時，林認為「牛不食險草不肥」鼓勵其前往，[722] 並在往後亦補助其子林麗川[723] 在浙江之學費。[724] 林建寅到滿洲乃入建國第二軍，並曾任少將軍官。[725] 而後林轉赴天津入華北鐵路部任秘書長一職，[726] 直到 1947 年回臺。

　　陳文山，名陳悟，以出身文山郡，故又名陳文山，臺北深坑人，在溥儀逃往天津後，即跟隨在身邊，[727] 教育程度不詳，是建國第二軍少將，曾任滿人代表擔任

　　　委員林知淵由臺人謝萬發口中得知，水戶事件的兇手不是中國人，而是臺人李爐己，林知淵乃設法和李見面，確認李是兇手，乃向日本駐福州新任領事宇佐美提出協助逮捕李爐己的要求，這時李爐己已被日本警察解往臺北。見林知淵，《政壇浮生錄：林知淵自述》，收入《福建文史資料》第 22 輯，1989 年，頁 41-44。李後來到天津、上海，為日本軍部進行情報工作，1943 年被軍統局派人暗殺於自家浴室。當時其身分為滿洲國的陸軍中將。見謝東漢等著，《徘徊在兩個祖國》（下）（臺北：自刊本，2016），頁 515。

716　林惠撰，〈林氏族譜〉，修於 1958 年，未刊本。由林建寅侄孫女林孟兒提供，謹致謝意。
717　田健治郎著、吳文星等主編，《臺灣總督田健治郎日記》（上），頁 487，1920 年 10 月 15 日。
718　田健治郎著、吳文星等主編，《臺灣總督田健治郎日記》（中）（臺北：中央研究院臺灣史研究所，2006），頁 173，1921 年 5 月 14 日。
719　田健治郎著、吳文星等主編，《臺灣總督田健治郎日記》（中），頁 335，1921 年 9 月 30 日。
720　《臺灣日日新報》，大正 14（1925）年 9 月 24 日，第 4 版，〈林季商死後之餘波〉。
721　許雪姬訪問、鄭鳳凰紀錄，〈林張耀先生訪問紀錄〉，2001 年 6 月 18 日，於臺北市遼寧街，未刊稿。林張耀為林建寅之弟。
722　林獻堂著，許雪姬、周婉窈編輯，《灌園先生日記（五）一九三二年》，頁 181，1932 年 4 月 22 日。
723　林麗川畢業於杭州國立浙江大學電器工程系，並曾任天津市中國鹽業公司技正。見林惠撰，〈林氏族譜〉，未刊本。
724　林獻堂著，許雪姬編輯，《灌園先生日記（七）一九三四年》（臺北：中央研究院臺灣史研究所籌備處、近代史研究所，2004），頁 102，1934 年 3 月 15 日。
725　林惠撰，〈林氏族譜〉，未刊本。
726　〈林氏族譜〉言 1931 年即赴天津任職，不確。因 1932 年《灌園先生日記》仍載其由滿洲國回來。至於林建寅何時離開滿洲到天津任職，不得而知。
727　許雪姬訪問、蔡說麗紀錄，〈許文華先生訪問紀錄〉，頁 418。

鴨綠江水利發電株式會社的專務取締役。該會社日、滿各出資一半，共 3,000 萬圓，社長是日人野口遵。[728]

謝呂西，1926 年曾在上海參加臺灣同鄉會。[729] 在滿洲建國前即活躍在滿洲的舞台。1932 年 2 月 18 日在日本關東軍操縱下，東北行政委員會開會，並發表「獨立宣言」，東北邊防軍熱河駐軍上將司令兼熱河省主席湯玉麟，派謝呂西為代表參加會議，並代表湯在宣言上簽字。[730] 1939 年時任天津特別市的最高顧問。[731]

王桂庭原名王桂，彰化公學校畢業，自小活潑，很早就到中國，不僅能說北京話，也能說地方話，他在九一八事變時任上尉，在日軍攻打熱河時，擔任大隊的副官，得到大隊長的信任。事件後成為滿洲國軍夫的總管理人，滿洲國建立後，被編入滿洲國建國第二軍。七七事件後隨軍至華北，任寺內壽一部隊宣撫班的通譯。[732]

謝龍闊，臺北人，1897 年生，1919 年日本明治大學經濟科畢業，後赴廈門居住，任全閩新日報社經理及臺灣公會副會長，1922 年有臺人被廈門人殺死，乃組臺灣人自衛團，自任團長。1930 年因許卓然暗殺案之嫌疑乃到上海、香港逃匿。九一八事變後到滿洲，加入所謂軍國第二軍，後因不得意而回臺。[733]

（二）滿洲國第四軍（哈爾濱）

余錦華，先任陸軍步兵少校，[734] 後任哈爾濱陸軍騎兵中校參謀。[735]

楊坤明，哈爾濱陸軍騎兵中校。[736]

洪金川，嘉義人，任滿洲國砲兵中尉。[737]

此外還有澎湖人呂奇立，他於 1932 年在中國大陸沿岸各地經營藥材生意，而後到滿洲從軍，擔任安撫班，在前線工作，1940 年 5 月卸下軍籍。[738] 至於他隸屬

728　潁川生，〈新京特別通信……臺灣人で成功して居る者は誰れか〉，《臺灣實業界》11：12（1939.11），頁 31。

729　臺灣總督府警務局編，《臺灣總督府警察沿革誌（III）》（東京：綠蔭書房，1986，復刻本），頁 93。

730　馬越山，《九一八事變實錄》（瀋陽：遼寧人民出版社，1991），頁 291。

731　陳逢源，〈北支の玄關と滿鮮印象記（二）〉，《臺灣新民報》，2874 號，1939 年 2 月 1 日，（七）。

732　中袴田熊吉編輯，《あきら第 52 號彰化第一公學校四十周年紀念》，頁 82。

733　林獻堂著，許雪姬、周婉窈編《灌園先生日記（五）一九三二年》，頁 360。

734　國務院總務廳編，《滿洲國政府公報》，第 134 號，大同 2（1934）年 5 月 19 日，頁 4。

735　山本生，〈滿洲で活躍の臺灣關係者〉，頁 2-5。

736　山本生，〈滿洲で活躍の臺灣關係者〉，頁 2-5。

737　〈嘉義市出身の洪氏滿洲國砲兵中尉として北支で奮戰中〉，《まこと》296 號（1937.12），頁 6。

738　吳茂仁編，《在華中臺灣同胞寫真年鑑》（上海：東洋美術社，1943），頁 121，〈在華中臺灣同胞ノ橫顏〉，西島奇立氏，即呂奇立。

圖4-33　陳文山手持溥儀贈送之禮物
（陳復民先生提供）

圖4-34　陳文山（左一）與小坂正則（右一）巡視鴨綠江水壩
（陳復民先生提供）

於何軍,則不可知。

(三) 在關東軍中的臺人

至於加入關東軍行列的也有幾位臺人。所謂關東軍,簡言之是日俄戰爭訂立朴資茅斯條約後駐紮在中國東北（滿洲）的日本軍隊。原來山海關以北一帶的地方稱關外或關東,因此滿洲全域稱為關東,而日本自俄國轉手的租借地旅大（即遼東半島南端）,日本卻襲俄國之舊稱為關東州。為了管理此地,設直隸天皇的關東總督。並將總督府設在遼寧,任命陸軍大將大島義昌為關東總督（1905.10.18-1912.4.25）,[739] 開始了租借地的軍政統治,總督下設二個師團,約有一萬的兵力守衛關東,此即關東軍的濫觴。

關東軍正式獨立出來則在 1919 年,當年 4 月 12 日廢止向來的關東都督府陸軍部,公布新的關東廳官制,關東都督府陸軍部和關東軍司令部條例分離而獨立。第一任關東軍司令官為立花小一郎中將,滿洲國的建立是關東軍的「業績」,而溥儀的「滿洲國」實際上受關東軍的操縱。關東軍的另一項重要的任務即防範蘇聯的侵攻。1941 年 4 月 13 日,日蘇簽訂中立條約後,關東軍對蘇壓力減低乃投入部分軍力想一舉攻下重慶,多少解決中國戰場的困境,但沒有成功。同年 6 月 23 日德軍進攻蘇聯,日本到底是中立、還是和德國夾擊蘇聯？當時軍方高層認為蘇聯極東軍減半時即可對蘇展開進攻,為因應新情勢才有所謂的「關特演」,唯因情勢變化,8 月 9 日斷了對蘇開戰的念頭,而專意於對南方戰場的發展。

1944 年以後隨著南方局勢的惡化,號稱 70 萬的關東軍早在一、二年前即陸續抽調赴南洋,而 7 月塞班島失利後,關東軍一方面被要求即使國境被占領也不能用兵力,9 月美機空襲鞍山,關東軍要滿洲國對英美宣戰,但大本營認為沒必要,還嚴令國境若發生糾紛,也不能使用關東軍的兵力,並且認為蘇聯軍若入侵,應退到京圖線（新京、圖們）、連京線（大連、新京）以東進行持久戰,再由滿洲東南退向北朝鮮,這是針對蘇聯在 4 月解除日、蘇中立條約而做的回應。

在這情形下,關東軍調到南洋戰場的幾近全滅,因此不再調兵南洋,轉向調回日本本土,準備在本土決一死戰。另外 5 月,將中國戰線中的部分軍隊編入關東軍,又把 40 萬在鄉軍人中的 25 萬人編入關東軍。總結日本投降前的 7 月末,關東軍的兵力有 24 個師團、飛機（練習機或舊式的）230 架,兵力 78 萬。但這只是表面的數字,實則其火力比起關特演時期減低了二分之一到三分之一,軍隊中有連小槍也不會用

739　1905 年 10 月 18 日起,1906 年 9 月 1 日改稱都督。見日本近現代史辞典編集委員会編,《日本近現代史辞典》（東京：東洋経済新報社）,頁 878,〈關東総督、都督、長官および特命全権大使〉。

的兵,這樣的關東軍自然無法抵抗8月9日侵入國境線的蘇聯軍。[740]

以上是關東軍建立到滅亡之簡單過程。臺人之所以進入關東軍是在後期,曾經是關東軍的臺人為許敏忠、黃信卿、湯川一丸(湯守仁)、鍾謙順、林慶雲、賴英書(後二人事蹟見第七章)。

許敏信是許丙之子,東京工業大學畢業,曾在哈爾濱任日本關東軍軍官,戰後被強制帶到蘇聯,1950年才被釋放回臺。[741]

黃信卿畢業於日本早稻田大學政經科,臺北人,曾任日本關東軍陸軍少尉。[742]

湯川一丸,阿里山鄒族人,中文名湯守仁,是鄒族領導者高一生夫人春子之堂弟。1923年生。1941年曾以軍屬身分在廣東俘虜營當守衛,服役中表現特優,破例由戰地保送其到日本陸軍士官學校特訓班訓練,結業後派到關東軍任職,先由見習士官起,再升到少尉。1945年8月蘇聯向日本宣戰後,於第四天被俘,送到西伯利亞,後證實非日人才被釋回。[743]

鍾謙順前已介紹過他是獸醫,被抽調為軍前在國立種馬育成牧場當改良課長,1941年他在結婚一年多後收到徵兵通知。應召當天,牧場職員、家族都一起歡送,同為臺人的郭斗指也噙著淚,緊握其手,鍾感動之餘哭了。鍾先到白城子,以此為始轉戰各地,以逮捕「土匪」有功,幾次得到來自部隊長的表揚。鍾自稱勳章乃是利用人類虛榮心來煽起戰鬥精神,自己不知何時已變作鬥牛而牛化了,其勇猛得到同僚的贊歎!也因此戰功不斷昇進。太平洋戰爭一開始日本打勝,曾幾何時戰況持續惡化,此反映在物質面上,對日本人而言一向仰賴特別配給,到這時也不能不仰賴黑市,紙幣貶值,但軍營中仍是米、肉無缺,尚有丟棄剩飯的餘裕,但民間則十分困乏。軍隊的移動頻繁,戰局更為惡化,1945年夏天鍾的部隊被調到滿、蘇國境的滿洲里駐防,軍隊手忙腳亂地構築工事,拚命挖戰壕,村中的學校、廟住滿了軍隊,充滿戰爭的氣息。8月9日蘇聯三面夾攻滿洲,關東軍想要迎面痛擊,估量沒有勝算,乃乘夜撤退,與其說是撤退,因為沒有統制的機制,倒還不如說是敗走,不知過了幾天,總算逃到哈爾濱附近,已看到秋意。8月15日得知天皇無條件投降的敗訊,全員擁抱痛哭。一旦投降,被蘇軍解除武裝後,就被關入蘇聯軍設的俘虜營,鍾因是臺人未被送西伯利亞。但以蘇聯為始,國、共兩方都勸他加入軍隊,鍾思鄉心切選擇回臺而拒絕。[744]

740　椎野八束,《別冊歷史読本　第79(178)号　滿洲国最期の日》(東京:株式會社新人物往來社,1992),頁168-192。
741　長戶毅,〈許敏信さんを偲んで〉,收入東京工業大學硬式網球部,《藏前テニスクラブ會會誌》27(2001),頁3。
742　鍾逸人,《辛酸六十年》(上)(臺北:前衛出版社,1993),頁472。
743　鍾逸人,《辛酸六十年》(上),頁507-508。
744　鍾謙順著、黃昭堂編譯,《臺湾難友に祈る:ある政治犯の叫び》,頁17-19。

此外，如林才，1931年開南商工學校機械科（第12屆）畢業，曾任小島部隊背山隊第二班。[745] 新竹人潘其男，原先任職於臺北郵局，後加入志願兵，於1943年11月入伍，1945年曾前往滿洲參加戰爭，1946年5月回臺。[746] 賴永祥，戰爭後期成為「特別志願兵」的一員，1944年3月10日向水戶陸軍步兵第37部隊報到。這時一同入營的有50名臺灣學生，受訓後考上經理部（後勤、辦理糧食、運輸、會計等事務）甲種幹部候補生，被轉到宇都宮部隊接受陸軍步兵進一步訓練後，再派到設於滿洲的陸軍經理學校，經數月後，1945年6月從該校畢業。[747] 賴永祥雖非必須上戰場的軍人，其經歷亦值得記載。鄭土木，1928年3月臺北工業學校電氣科畢業，任職關東軍經理部奉天派出所。[748]

　　陳以文，宜蘭人，考上陸軍特別幹部候補生（整備兵），1944年9月入伍，接著到青森縣的八戶教育隊接受訓練，之後被派往滿洲訓練飛行，1945年5月抵杏樹分教所（第二十二飛行教育中隊），1945年8月9日蘇聯軍進犯滿洲後被俘往西伯利亞（詳第七章）。[749]

　　陳增雄，嘉義人，玉川公學校高等科畢業後，到日本大阪讀工業學校，然後就進入軍隊，即廣島市品町曉部隊，編入「曉二九五一部隊能美隊」，先派到中國青島，後又派往南洋群島，再編入「南海派遣軍照二九四四部隊（關東軍）」，一直到戰爭結束。[750]

小結

　　臺灣人中有的是滿洲籍（廣義的說是中華民國籍），如讀大同學院舊第二部的臺人與謝介石、謝秋濤，當然大部分是日本籍，為何他們能在滿洲國當上官公吏？臺人在滿洲號稱日系，但既不是日本人也不是朝鮮人，在民籍中是屬於「其他日人」，非經區法院同意不能加入滿洲籍，有滿洲籍當滿洲國的官公吏是順理成章的事，但日本籍者則是日本人為了保留日本籍，默許雙重國籍的存在。換句話說，臺人在滿

745　戴榮輝，《商工學校同窓會會員名簿》，頁120。
746　潘國正，《天皇陛下の赤子：新竹人・日本兵・戰爭經驗》（新竹：新竹市立文化中心，1997），頁1940-1947。
747　許雪姬等訪談，賴永祥、鄭麗榕等紀錄，《坐擁書城：賴永祥先生訪問紀錄》（臺北：遠流出版事業股份有限公司，2007），頁76-77。
748　臺北州立臺北工業學校內大安工業俱樂部，《會員名簿》，頁212。
749　陳力航，《零下六十八度：二戰後臺灣人的西伯利亞戰俘經驗》（臺北：前衛出版社，2021），頁36-60。
750　張炎憲總編輯，《諸羅山城二二八》（台北：財團法人吳三連台灣史料基金會，1995），頁286，〈陳增雄（三民主義青年團成員，見證者）〉。

洲國內，既是滿洲籍也是日本籍。這一矛盾的現象正好可以說明滿洲國迄未頒布國籍法，而只有民籍的原因，臺人在滿洲擔任官公吏，除了部分經由介紹外，大半都經考試有真才實學者，甚至有些人喜歡上滿洲，準備入滿洲籍，或入了滿洲籍。

綜觀臺人在滿洲國任官公吏的地位最高者為謝介石，曾任外交部總長、第一任駐日大使，但這只是曇花一現，不過因謝的經歷，對在臺飽受差別待遇、意欲雄飛的臺人青年，是一個標竿的存在，因此臺人赴滿洲者不絕如縷。以部會來說，以在外交部、實業部（經濟部）任職者為多；若以分布地點，則以滿洲國中央政府所在地的新京人數最多，其次是大連、奉天、哈爾濱等大城市。也有在濱江省、三江省較偏遠的地區。這些官公吏在臺人中的比例要比在華北、華中、華南一帶的臺人比例為高，素質也較為整齊，這也是臺人海外經驗中較特殊的地區。

依目前所做成的「在滿洲國臺灣人高等官一覽表」（表4-7）臺灣人高等官共57名來觀察，由於其間有人辭職轉入國策會社或直接進入國策會社，或準國策會社，因此最後的官等不一定落在1945年。這57名高等官中，行政官27名、技術官19名、教官7名、司法官4名，早期以行政官、技術官為多。如果就最終的官等來加以分析，高等官有特任官一名，即謝介石，謝秋濤、蔡法平都是簡二，薦一有楊蘭洲與郭松根兩人，薦二到薦八的有45人；試補高等官的都是較晚進入滿洲官場，或較晚到滿洲者。這些人中有王銘勳、蔡西坤、黃禎祥、林永倉、蔡啟運、溫錦堂、謝久子、李水清、黃山水、許進來共十人。

在說到高等官時，要特別提出訓練滿洲國中堅官吏設於1932年的大同學院，凡畢業於該校，即取得往後任高等官的資格，1938年「文官令」頒布前，代行高等考試的機構即大同學院，因而畢業自大同學院的臺灣人29名中，除了周文進轉行當醫生外，其他人都至少取得試補高等官的資格。至於入後期大同學院的建國大學畢業生，有第十六期的李水清、黃山水，第十七期的蔡誠傑都是，亦即上述大同學院、建國大學性質獨特，因此不在文教部的管轄下，而是直屬於國務院。

臺灣人也有在省任職者，這些人中有些不耐北滿的天氣，希望在比較溫暖的南部任職，但數目不如在新京、中央政府任職者；除了在各部會、各省份任職外，在滿洲國軍、關東軍也有少數的臺人，其中尤以在吉林的建國第二軍和臺灣關係較深，這部分過去沒有人探討過。

不論在滿洲國的中央政府或地方政府服務的官僚在戰後他們的遭遇如何？往後會有專章敘述。以下將討論在非政府機關任職的臺灣人。

表 4-7 在滿洲國任公職之臺灣人表

地區	部門或單位	人數	人名
國務院	總務廳（處）[1]	15	林鳳麟、黃千里、歐陽餘慶、賴眼前、陳錫卿、黃嗣胖、蔡森榮、蔡颺運、林永倉、溫錦堂、王森井、黃山水、蔡誠傑、許進來
	建築局	2	李諫華、賴崑森
	民政部[2]	2	林冬桂、王甲寅
	民生部[3]	9	吳昌禮、吳松興、郭炳煌、陳嘉清、陳亨閣、陳錫卿、王銘勳
	外交部[3]	9	朱叔河、吳左金、李水清、林景仁、張健侯、楊蘭洲、謝介石、李永清
	軍政部[4]	1	洪維新
治安部	中央警察學校	1	楊蘭洲
		1	教師楊炳煌
財政部[5]		7	徐水德、張世城、許鶴年、郭　輝、趙鴻謙、羅振麟、郭海鳴
經濟部	財務職員養成所	20	王森井、余蓮時、陳亭閣、吳裕典、吳福興、邱昌河、沈文革、蔡森榮、徐逸德、許坤元、郭　輝
			郭海鳴、楊義夫、楊蘭洲、趙鴻謙、謝　昌、謝東光、朱叔河
		1	教師郭海鳴
	實業部	4	余蓮時、陳嘉樹、楊蠻洲、黃瀛澤
	產業部[6]	7	余蓮時、邱欽堂、洪適安、楊蘭洲、黃瀛澤、吳麟興、陳嘉樹
		5	吳忙火、邱錦堂、翁其鴻、許進來、黃瀛澤
興農部	馬政局	國立種馬場	1	郭討指
		種馬場及種馬育成牧場	2	郭討指、鍾謙順
		林口種馬場	1	鍾謙順
		林東種馬場	1	鍾謙順
		海拉爾種馬場	1	蔡茂寅
		鐵嶺種馬場	1	蘇茂寅
	交通部		7	何敏寅、吳昌仁、廖行貴、賴武明、林樹枝、賴武明（錦州）、林永倉（牡丹江）

地區	部門或單位		人數	人名
	司法部	法學校	3	林鳳麟、楊金涵、楊藏興
			1	黃演淮
國務院		文教部	5	洪火煌、郭生利、陳亭卿、陳錫卿、黃千里
		審計局	1	許伯昭
		國道局	1	許伯昭
		官需局	1	許伯昭
		法制局	1	楊蘭洲
	大陸科學院	各研究室	8	何芳陵、李訓忠、林耀堂、翁通盈、陳達仙、楊茂盛、楊茂德、楊藏嶽
		衛生技術廠	4	吳昌禮、林恩魁、蔡啟運、葉清
		馬疫研究處	1	陳滄水
	厚生研究所		3	吳昌禮、林恩魁、葉清
	不確定部門者		1	洪立平
參議府	秘書局		1	洪利澤
宮內府	顧問官		1	許丙
	掌禮處		1	蔡法平
大學	新京法政大學		3	教師 林鳳麟、陳寶川、黃演淮
	新京醫科大學		1	助手 王朝枰
			1	教師 郭松根
			1	助手 翁通蓮
	新京工業大學[7]		4	助手 周義輝、林朝棨、林煥生、黃春木
			3	助手 陳登財、陳顯義、謝進焱
	吉林師道學院		1	教師 董清財
	奉天醫科大學		1	教師 謝秋濤
	哈爾濱工業大學		1	教師 王銘勳
	哈爾濱陸軍醫學校		1	教師 彭春水

地區	部門或單位	人數	人名
	新京特別市	2	沈武英、黃文煌
	奉天省	8	李 發、楊金涵、謝秋濤、謝 報、洪利澤、蔡秋英、陳茂經、陳 生
	錦州省	5	陳奎成、陳柬興、蔡西坤、謝 報、陳 生
	黑河省	2	連根塗、葉炳煌
	三江省	1	葉炳煌
	安東省	2	陳茂經、陳錫卿
	龍江省	1	許坤元、洪利澤、郭海鳴
	北安省	2	陳錫卿、蔡啟運
	濱江省	3	林樹枝、謝秋濤、吳松興
	興安西省	1	吳昌禮
	吉林省	5	楊藏德、郭 輝、劉德潘、黃麟畔、謝久子
	熱河省	1	黃興成
	牡丹江省	3	吳松興、陳柬興、張丁浩（牡丹江市）
	間島省	1	謝指南
	其他（不知在何部門／向地任職）	4	吳阿興、翁廷樹、傅承禹、傅慶騰
	軍警	17	王桂庭、李爐己、林建黃、許歐信、郭 良、陳文山、程國端、黃信卿、黃南浦、湯守仁、劉佩忱、謝呂丙、謝美洲、謝龍閣、鍾謙順、蘇 潭、葉炳煌
	滿洲國公職人員總數	139[8]	（總數為 208，減去重複者 69，實際總數為 139）

資料來源：《滿洲國政府公報》、《滿華職員錄》、《謝人名辭典》、《居住長春臺灣省民名簿》（1946 年 1 月 28 日）、《中国革命の舞台裏》、北京宮元公館，相關口述訪談。
口名字加灰網者（■）表示曾任職一個以上的部門或單位；名字加框者（□）表示既是醫師或獸醫師，又任職於政府單位。

註釋
1. 總務廳後來改為總務處。
2. 民政部後來改為民生部。
3. 外交部改為外務局，後又改回外交部。
4. 軍政局後來改為治安部。
5. 財政部後來改為經濟部。
6. 實業部與產業部後來改為興農部，並且有些部門併到經濟部。
7. 原為滿洲工礦技術員養成所，後改為新京工礦技術院。
8. 臺灣人任滿洲國公職人員者總數為 139 名，任新京在職者有 103 名。

附錄一：滿洲國大同學院臺籍畢業生履歷表

	姓名又名	籍貫	生卒年	畢業學校	大同學院畢業期數	在滿洲的經歷	回臺後（或在中國）的經歷	參考書目
1	黃瀛澤	臺灣新竹	1907-?	臺北帝大農學部農業工學科（1932.3）	第二期（1933年10月畢業）	1933年10月實業部屬官，在農林司辦事，委任二等。11月任產業試驗場克山農事試驗場技佐。1934年任農務司辦事，委任二等；7級俸；9月改6級俸。1936年5級俸。1937年轉任農事試驗場技佐，薦任六等，派在克山農事試驗場辦事。1938年給7級俸，11月給13級俸。1939年5月，任產業部技佐，敘薦任二等，派在農業司辦事。1940年5月1日委囑為統計講習所第四回講習師，6月1日任興農部統計技佐，兼任總務廳技佐，派在統計處辦事。1944年任興農部技佐，派在大臣官房辦事。	任臺灣省農林廳新竹區農林改良場場長，新竹縣建設局局長。	許雪姬訪問，蔡說麗紀錄，〈陳嘉樹、陳高絃夫婦、陳正德先生訪問紀錄〉，收於[8]、[9]、[25]、[30]、[26]。大同第248號，康德第19號，第180號、第747號、第927號、第1169號、第1372號、第1529號、第1835號、第2133號、第3162號。
2	黃清塗	臺灣基隆	1912-1994	日本明治大學政經科	第二期（1933年10月畢業）	1933年，為外交部屬官。1937年給9級俸。派在外交部通商司辦事。1938年為外交部屬官，給12級俸，年底為外務局試補高等官。1940年以外務局高等官試補的身分，派在滿洲國駐汪記中華民國通商代表部。1941年派在北京通商高等適格及特別適格考試及格。1942年通過高等適格及特別適格考試及格。1943年2月為外務局事務官，敘薦任二等，給13級俸，派在政務廳辦事。1945年3月陞敘薦任一等。	1953年任臺北市政府民政局工商科科長，二年後陞任課長。1960年起擔任第七任松山區區長，1967年卸任，轉任臺北市第一任松山區區長，一個月後轉任延平區區長，直到1977年卸任。	許雪姬訪問，王美雪紀錄，〈黃陳波蔓女士訪問紀錄〉，收於[8]、[11]、[12]、[14]、[15]（1968）、（1971）。[26] 康德第248號、第1001號、第1178號、第1400號、第1592號、第1804號、第2240號、第2336號、第3210號。

	姓名又名	籍貫	生卒年	畢業學校	大同學院畢業期數	在滿洲的經歷	回臺後（或在中國）的經歷	參考書目
3	黃千里	臺灣臺南	1909-?	日本早稻田大學英文科（1933）	第二期（1933年10月畢業）	1933年11月為文教部屬官，在禮教司辦事，委任二等。1935年5級俸。1939年7月任民生部事務官，在社會司辦事，薦任六等，改領11級俸。1941年7月任民生部理事官，總務廳參事官。1942年任勞務司理事官，派在勞務司輔導科。同年任大同學院同窓會本部幹事。亦任大同學院同窓會本部輔導科長。戰後曾任阜新市市長。	1950年2月任臺北市公用事業管理處處長。1952年7月該處改為公共汽車管理處與自來水廠，改任自來水廠廠長。1954年11月調任工務司局長，一直到1956年2月卸任。	許雪姬訪問、紀錄，〈洪智慧先生訪問紀錄〉，2000年6月18日，於洪宅，未刊稿。〈陳亭卿先生夫人訪問紀錄〉，收於【8】。〈林永倉先生訪問紀錄〉，收於【8】。【23】、【29】。【26】。大同第261號，康德第328號，第976號，第1725號，第2167號，第2326號。
4	陳錫卿（陳銳鋙）	臺灣南投（竹山）	1907-1985	臺北帝大文政學部法學科（1933）	第二期（1933年10月畢業）	1933年10月任滿洲國文教部學務司專門教育科屬官。1939年派高等文官考試委員會臨時委員。1941年6月改任俸及高等文教科長。1年半後再調回文教部，在上海特別市政府參事，調在佛海市長處擔任秘書。一直到戰爭結束。	回臺後，先擔任臺灣省紅十字會專員，之後任農林廳廳長徐慶鐘的機要秘書。1947年參加縣長考試，得第二名，4月份就任彰化縣長，任期2年8個月，之後任官派的彰化縣長第三名。1951年當選實施地方自治後第一任彰化縣長，又連任二次、前後任職9年。1960年起任臺灣省政府民政廳長6年半，並兼指派為國民黨中央黨部副秘書長，1967年被銀行常務董事兼中國電視公司常務監察。1970年任省營公司董事長兼臺灣省選舉委員會主任委員、最後以省政府顧問、行政院顧問退休。	【6】、【7】。【17】、1933年3月8日，夕刊，第4版。〈臺北帝大卒業生進出之途　大同學院採用三名〉。【26】，第1461號。許雪姬訪問、蔡說麗紀錄，〈陳許碧梧女士訪問紀錄〉，收於【35】，頁267。〈附錄〉，《陳錫卿先生簡歷》。

	姓名又名	籍貫	生卒年	畢業學校	大同學院畢業期數	在滿洲的經歷	回臺後（或在中國）的經歷	參考書目
5	歐陽慶一（歐陽餘慶）	臺灣臺北（淡水）	1905-?	臺北師範學校本科（1924），日本法政大學法律學科	第二期（1933年10月畢業）	1933年10月任國務院法制處委員、同處屬官、總務廳屬官同事務官。1938年任總務廳法制處參事官，兼大同學院教官。		[5]、[16]。
6	洪公川（洪利澤）	臺灣臺北（淡水）	1909-?	日本中央大學法學部英法學科（1933）	第三期（1934年10月畢業）	1934年10月任黑龍江省公署屬官，委任三等，5級俸。1936年改在龍江縣辦事。1937年陞敘委任二等，給4級俸。1938年任省高等官試補，派在龍江省長官房辦事，敘薦任三等給4級俸。1941年任市事務官，派在奉天市財務處辦事，後任參議府秘書局參事官。	戰爭結束後回臺，由徐水德介紹進入臺灣省政府農林廳工作。1951年11月5日任農林廳秘書。1955年7月30日派為臺灣省農業加工實驗場秘書。1959年2月13日派為農林廳秘專員。1973年9月10日再任農林廳秘書。後於1975年6月4日從農林廳秘書退休。	[1]、[5]。〈1934年46月外國旅券下付表〉（T1011_03_141）《臺灣總督府旅券下付反返納表》（T1011）中研院臺史所檔案館數位典藏。[26]大同第282號，康德第718號、第913號、第1069號、第1400號、第1585號。[8]，頁249。《總統府公報》，第320期、第623期、第1002期、第2623期、第2894期。

280　離散與回歸：在滿洲的臺灣人（1905-1948）／上

姓名又名	籍貫	生卒年	畢業學校	大同學院畢業期數	在滿洲的經歷	回臺後（或在中國）的經歷	參考書目
7 廖行貴	臺灣臺南	1907-?	日本大阪帝大工學部機械科	第三期（1934年10月畢業）	1934年11月在交通部鐵路司鐵道科服務。1938年任交通部遼河治水調查處技佐，而後轉任交通部正港口科長。在東北期間與陳重光合作經營消防器材，頗為活躍。	1947年2月17日任職高雄工業學校校長，二二八事件後去職，罪名「任學校學生聯絡團員」。一度在臺灣省農會機械廠當總經理。曾製造臺灣第一台家庭用淨水器。	[4]、[18]、[30]。許雪姬訪問，〈徐水德先生訪問紀錄〉，收於[8]。許雪姬訪問，〈陳嘉樹、陳高紋夫婦、陳正德先生訪問紀錄〉，收於[8]。許雪姬訪問，〈鄭鳳凰先生訪問紀錄〉，收於[8]。許雪姬訪問，〈余錫乾先生訪問紀錄〉，收於[8]。《國聲報》，1947年2月11日，〈高雄工職校校長 李鍾渭革職 後任校長廖行貴氏充任〉。

第四章　滿洲國官僚體系的建立與臺籍官員　281

姓名又名	籍貫	生卒年	畢業學校	大同學院畢業期數	在滿洲的經歷	回臺後（或在中國）的經歷	參考書目
8 徐水德	臺灣桃園	1905-?	臺中商業學校（1925）、日本大阪市立大商科大學金融科（1932.3）	第三期（1934年10月畢業）	1932年畢業後到新京找工作。1933年人情報總處任出納，而後學習中文，考上大同學院。1934年10月畢業入財政部任屬官，在理財司辦事，委任三等，給7級俸。1936年兼任稅關事務官佐，派在營口稅關辦事，敘委任三等。1939年經濟部，稅關屬官，派在金融司辦事，薦委六等，給11級俸。1940年任經濟部事務官，給14級俸。1942年任經濟總局經理事官，兼任經濟部理事官，薦任三等。翌日改為經濟部商務司辦事，再更動為經濟部商務司調查科長。該年6月4日派在企畫委員會（綜合立地計畫委員會）特別幹事。1942年3月派為高等文官考試委員經濟部分科會臨時委員。1945年2月任經濟部參事官，給7級俸，派在大臣官房辦事。戰後國民政府任東北行營成立東北中央銀行總裁張嘉璈邀請任經濟委員會委員，與吳金川等人協助蒐集相關資料，歷時2個月。	1946年9月回臺，因失業而經營鐵工廠。1948年後進入臺灣省政府農林廳服務，3年後到檢驗局任職，升到副局長，而後退休。	許雪姬訪問、鄭鳳凰紀錄，〈徐水德先生訪問紀錄〉，收於 [8]。[26]、康德第247號、第612號、第1001號、第1372號、第1569號、第1769號、第2084號、第2123號、第2342號、第3139號。
9 李永清（1934年12月20日改姓山本）	臺灣新竹		臺灣高等學校教員檢定合格	第三期（1934年10月畢業）	1934年11月在外交部宣化司辦事，為外交部屬官。1939年任外務局事務官，派在政務廳辦事。後派在滿洲國外務局政務處大連辦事處服務。		[6]。[26]、康德第508號、第616號、第1592號。

282　離散與回歸：在滿洲的臺灣人（1905-1948）／上

姓名又名	籍貫	生卒年	畢業學校	大同學院畢業期數	在滿洲的經歷	回臺後（或在中國）的經歷	參考書目
10 吳昌禮	臺灣臺北		滿洲醫科大學專門部（1934.3）	第三期（1934年10月畢業）	1934年10月敘職於奉天市國光戒煙所。1935年為民政部技士，派在衛生司辦事，委任四等，給7級俸。同年派在戒煙所技士，在奉天戒煙所辦事，給8級俸。1937年12月1日登錄為滿洲國醫師。1939年為衛生技術廠技佐，委任三等，給6級俸。1940年6月任管理事官，同年任厚生省研究所技佐，薦任三等，9月派在興安西省民生廳辦事，薦任六等，給15級俸。1942年任興安西省民生廳保健科長。1944年3月陸薦任二等，8月任公立醫院醫官，10級俸，派在吉林省立醫院辦事，同年任保健司防疫科技正，給9級俸。1945年1月，任厚生省研究所副研究官，給8級俸。	1952年起任臺北市建成區衛生所主任，一直到1970年。1971年起任中山區衛生所所長。	[13]、[27]、[15]（1970、1971）。[26]，康德第282號、第430號、第910號、第1366號、第1369號、第1372號、第1834號、第2478號、第2940號、第3180號。〈滿洲醫科大學專門部昭和四至十年學籍簿〉，《滿洲醫科大學檔案》（瀋陽：中國遼寧省檔案館藏），檔號：JD24,54。
11 陳亭卿	臺灣臺中	1914？	臺灣臺北高等商業學校經濟科（1935）	第五期（1936年6月畢業）	1935年臺北高商畢業經滿洲國民生部次長文教司長蒲尾大等授推薦給滿洲國民生部司文教司長蒲尾文等同學）後，一個星期內即到學務司普通教育科僱員而後考入大同學院。1936年6月在民生部教育司任職官。1938年6月在民生部所屬官給6級俸，10月以民生部高等官試補給7級俸，派在教育司辦事。1939年3月陸薦任三等，4月任文教部事務官，派在學務司辦事。12月任經濟部事務官，派在商務司辦事，給10級俸。	1946年9月底回臺，12月到臺灣廣播電台任職，擔任文書日文翻譯。1947年二二八事件發生後，因大批民眾進入電台播音，他以「煽動民眾，擾亂社會秩序」的罪名被關了三個月，9月出獄後，進入華南銀行任職，後輾轉到各地分行，一直到退休。	[1]、[4]、[7]許雪姬訪問、王美雯紀錄，〈陳亭卿先生夫人訪問紀錄〉，收於[8]。[26]，康德第1326號、第1400號、第1646號、第2655號、第2872號。

第四章　滿洲國官僚體系的建立與臺籍官員 | 283

姓名 又名	籍貫	生卒年	畢業學校	大同學院畢業期數	在滿洲的經歷	回臺後（或在中國）的經歷	參考書目
12	王銘勳（太田章博）	臺灣嘉義	?-1959	臺灣臺南高等工業學校（1937）	第八期（1937年11月畢業）	1938年12月以哈爾濱工業大學助教授身分任民生部高等試補，給7級俸，自1940年起潛心鑽研齒輪的基本理論及精密齒輪的設計與製造。1943年被哈工大派往日本東京工業大學精密齒輪機械研究所進修，從事齒輪形的機關刊物《機械學會論文集》（即日本機械工程學會的機關刊物）上，先後發表論文，受到哈爾濱齒輪機構學、機械構學、材料力學、機械工學、機械設計等課，是中國第一位研究齒輪幾何學的專家。	日本敗戰後，他未回臺，曾任家庭教師和哈爾濱三中教員，1954年擔任中國醫科大學（原滿洲醫科大學改名）教務科教授兼數理系主任，再調瀋陽工學院（即後的東北工學院前身）1955年擔任東北工學院機械系主任。1957年中共整風反右的活動，被劃為右派分子，遂被送到農村勞改，1958年他的《變位齒輪評價》一書問世，但1959年很高的學術評價，得年僅43歲，1961年被徹底改正，恢復中國共產黨黨籍。	[3]、[19]、[24]、[26]，康德第1400號，第1976號。
13	陳茂經	臺灣彰化（田中）		臺中師範學校演習科（1929）	第十期（1939年6月畢業）	滿洲高等文官司法科考試通過，1938年12月任司法官試補，派在新京區法院地方法院檢察廳兼新京區檢察廳辦事，1939年5月畢業於大同學院。1940年1月為候補審判官，派在遼陽地方法院兼遼陽區法院辦事。1941年5月被派為候補審判官，任遼陽地方法院審判官，兼遼陽地方法院審判官，奉天地方法院審判官，法院審判官，敘薦任三等。1942年派充奉天區法院審判官兼安東地方法院，奉天高等法院安東分廳審判官。	回臺後在南投合作金庫任輔導室主任。	[1]、[10]。許雪姬訪問、蔡說麗紀錄，〈許文華先生訪問紀錄〉，收於[8]。[17]，1929年6月18日，夕刊，第4版。許雪姬訪問，吳美慧紀錄，〈謝報先生訪問紀錄〉，收於[35]，頁195-210。[26]，康德第1400號、第1494號、第1551號、第1723號、第2523號。

284　離散與回歸：在滿洲的臺灣人（1905-1948）／上

姓名又名	籍貫	生卒年	畢業學校	大同學院畢業期數	在滿洲的經歷	回臺後（或在中國）的經歷	參考書目
14 邱昌河	臺灣臺中（內埔）		日本山口高等商業學校	第十一期（1939年12月畢業）	1940年6月任稅務監督署高等官試補，兼任經濟部司辦事。1941年2月兼任經濟部高等官試補（銓衡），派在稅務司工作，第一次合格後，派在稅務司辦事。同年參加高等官考試，特考科特別適格考試，7月教薦事。行政科特別適格考後，任經濟部事務官。派在大臣官房辦事等。1942年4月兼總務廳事務官，派在統計處辦事。派在大臣官房調查官，11月任總務廳調查官。1943年8月給12級俸，派在經濟企畫處辦事。1944年9月任經濟部事務官，陞敘薦任一等。	臺北市進出口公會常務理事，兼任經濟部聯合會理事。臺灣省進出口商業公會聯合會理事。	【26】、康德第1835號、第2039號、第2161號、第2365號、第2551號、第2754號、第3069號。
15 蔡西坤	臺灣臺南	1915-?	日本京都帝國大學法學部	第十三期（1941年11月畢業）	畢業後被派到錦州省警在（升等）。一年後參加一年的登格考試（升等）。因成續優良，乃升任加任錦州省警務處高級警佐，再派到經濟保安事務官（10個月），調任錦州省警務處高級特務科、特務科。教科副科長，再升任文教科員動的事。主要辦理各種人員調動的事。一年多後，再調到日本投降。	1946年6月回臺，一度任教於臺大法學院，參加國家考試及格後出任檢察官，後辭職為執業律師。	【2】許雪姬訪問，吳美慧紀錄，〈蔡西坤先生訪問紀錄〉，頁178-180。
16 許坤元	臺灣臺北（新店）	?-1945	臺北帝國大學文政學部政學科（1941）	第十三期（1941年11月畢業）	大學畢業後到新京參加高文官考試及格，乃入大同學院。1941年11月畢業後經濟部任職，一度調任經濟部被派到龍江省林甸縣分署工作，與徐水德同事。日本投降後，在長春待機回臺時，因病況惡化，11月4日過世。滿洲電信電話他員格，做墓碑，11月5日在20幾個同鄉送葬下，埋在「長春市大房身南工公會義墓地，十八排五十六號」。		【1】許雪姬訪問，鄭鳳凰紀錄，〈徐水德先生訪問〉，收於【8】。徐水德，〈光復34年8月9日〉，收於【8】。

第四章　滿洲國官僚體系的建立與臺籍官員　285

姓名又名	籍貫	生卒年	畢業學校	大同學院畢業期數	在滿洲的經歷	回臺後（或在中國）的經歷	參考書目
17 謝報	臺灣彰化（二水）	1915-1997	臺北工業學校畢業，日本大學法科（1938）	第十四期（1942年9月畢業）	大同學院畢業後，先在衛生技術廠任高等官試補，後給5級俸。派在錦州省辦事，專管經濟事務。1943年參加高等官（行政科）適格，登格考試通過，而在8月任高等官試補，給4級俸。派在綏中縣政府經濟科當科長，為事務官，負責管理山海關的貨物進出。一年多後被派到奉天省政府經濟廳服務，主掌金融，統制經濟。後奉命任代理副廳長，處理所有事務。	1946年底回臺，經營報關行與營商，參與地方選舉數次都告失利，也曾到宜蘭教書，到新光人壽保險公司服務，最後終於在1973年許崇姬君跟丘念臺天訪問紀錄，〈謝報先生訪問紀錄〉，收於[35]，頁195-210。選上國大代表，任期8年。	[26]，康德第2500號，第2677號，《中國時報》，1998年7月30日，第18版，吳美慧、許崇姬君跟丘念臺天訪問紀錄，〈謝報先生訪問紀錄〉，收於[35]，頁195-210。
18 林永倉	臺灣臺北（瑞芳）	1921-	臺北工業學校土木科（1939）、滿洲國新京工業大學（1942）	第十四期（1942年9月畢業）	新京工業大學畢業前（1941年）即考取大同學院，畢業後入大同學院受訓一年，1942年9月畢業，後任衛生技術廠高等官試補，交通部所任工務廳部長，給4級俸。派在丹江土木工程處辦公路之道路、橋樑工程，不久被派到東滿國境蘇滿國東滿附近之小地當工務所，和由阿城被派來的供出工人，參加河東橋建設工程。1945年8月9日蘇軍入侵後，乃照軍方指示率領200名供出工人撤退，走到穆棱時被蘇軍超前，雖把搶劫身上的財物，仍進到丹江大車站，將工人送上火車，經過哈爾濱回到新京，當天正好是日本宣布投降的一天。	1946年7月回臺，曾任教於私立開南高級工商學校土木科。1953年入臺北市政府任工務局都市計畫科長。1955年升任技正，翌年轉任工務局建築管理課技正。1956年2月至11月兼代工務局局長。1958年工務局長。1965-1969年改任技正，因任內教化路曲直案被停職十多年，後判無罪乃得復職，調任內湖特定區開發處副處長，直到退休。	[2]，頁197。[26]，康德第2500號。[13]（1953、1955、1956、1959、1965）。[26]，康德第2500號。[29]
19 蔡啟運	臺北福州	?-1993	日本東京帝國大學農學士	第14期（1942年9月畢業）	1942年任衛生技術廠高等官試補，高等官考試通過後，派在北安省立克山國民高等學校辦事，給4級俸。	未回臺，留在吉林2年，後任長春大學副校長、吉林省委員。1976年中國改革開放後，在臺灣同鄉會工作。1981年任中國民主自治同盟吉林省主任委員。1983-1987年任中國民主自治同盟第三屆總部理事會常務理事。1989-1992年任中國民主自治同盟第四屆中央委員會常務委員。	[2]，頁197。[26]，康德第2500號。[32]，頁147-148。[33]，頁108-109、115。

姓名又名	籍貫	生卒年	畢業學校	大同學院畢業期數	在滿洲的經歷	回臺後（或在中國）的經歷	參考書目
20 溫錫堂	臺灣苗栗	1916-?	臺中師範學校畢業（1935）、日本法政大學法律學科（1942）、同校碩士、博士進修。	第十五期（1943年7月畢業）	大學畢業當年（1942年）滿洲國高等官採用考試及格，又考入大學院專攻私法學，成法學碩士。1943年7月大同學院畢業，歷任滿洲國高等官試補、法制處事務官主任。	戰後歷任臺北市立大同中學高中部訓導主任、臺中執業律師、新竹律師公會理、監事、臺北律師公會法令研究委員。	[2]、[28]、[26]，康德第2498號。
21 王森井			東京日本大學工科電氣科	第十五期（1943年7月畢業）	1943年7月任滿洲國經濟部技佐、畢業公司技術員。戰後一度任東北電		[30]
22 李水清	臺灣臺北		建國大學第一期經濟系	第十六期（1943年10月畢業）	1933年臺灣總督府普通文官考試及格。入滿洲建國大學、學程六年、是建大第一期唯一經濟系畢業生。依當時規定，建大生畢業後要入大同學院受訓，1943年10月結訓，給4級俸，為總務廳高等官試補、外交部高等官試補，派在調查司辦事。1945年6月上旬收到協和會中央本部來電即刻到新京工作，遂到熱河承德的牧場農改所，協助中央鍊成所訓練本年採用的新職員，一直到端午節後後回到牧場。後成兼任中央鍊成所教導，端午節後回到牧場。	回臺後建國大學歷屆承認，不被承認，由於常在家中與建大後輩集會，受同學林慶雲（判5年）的牽連，被判決有期徒刑2年，罪名為「共同陰謀置以暴動之方法顛覆政府」。出獄後，經營士林紙業改成。	[17]，1938年3月7日，第4版，〈英才を救ひ上に 満少佐謙遜の感ひ出〉、〈關少佐訪問紀錄〉。臺灣高等法院刑事判決，民國39年度訴字第6號。許雪姬等訪問、黃子寧、林丁國訪問紀錄，《李水清先生訪問紀錄》，收入《日治時期臺灣人在滿洲的生活經驗》，頁1-30。[26]，康德第2814號、第3150號。[31]

第四章　滿洲國官僚體系的建立與臺籍官員　287

姓名 又名	籍貫	生卒年	畢業學校	大同學院畢業期數	在滿洲的經歷	回臺後（或在中國）的經歷	參考書目
23 黃山水	臺灣臺南		臺南第二中學、滿洲國建國大學第一期	第十六期（1943年10月畢業）	1943年大同學院畢業後，即到訓練所任職。1945年1月到協和會承德縣土板城青年訓練所協和會承德部任職，和李水清都以同樣的助引訓練採用的新職員，故又兼任中央鍊成所教導。日本投降後前往北平。	回臺後，參加在李水清家的同學校友集會。1948年與李水清等建大生被捕。和李水清部以同樣的罪名被判刑2年，1952年1月他不服上訴，乃加重改判為3年，9月他再度上訴，改判4年。出獄後曾任新竹高中主任、臺南長榮中學及臺南市立臺南一中學歷史教師。	[26]，康德第1181號。[31]。臺灣高等法院刑事判決民國39年度訴字第1號、民國41年度訴字第1號。許雪姬訪問、鄭鳳凰紀錄〈涂南山先生訪問紀錄〉，未刊稿。
24 蔡宗傑（蔡誠傑、蔡川傑、芳澤誠傑）			新竹中學、建國大學第二期	第十七期前期（1944年9月畢業）	1944年6月19日，任總務廳高等官試補，給四級俸。9月辭官，後轉入滿洲帝國協和會。	戰後回臺，因二二八事件逃亡日本，定居神戶。	[2]、[20]、[21]、[26]，康德第1343號、第3006號、第3092號。許雪姬訪問、鄭鳳凰紀錄〈涂南山先生訪問紀錄〉，未刊稿，頁11、28。
25 許進來			日本大學農科	第十八期（1945年7月畢業）	曾在興農部工作。		[30]
26 周文連		1917. 07.25-?	臺北第一中學校	第二部第六期（1937年12月畢業）	後赴朝鮮平壤醫學專門學校就讀。	戰後回臺任暘明山結核防治所衛生院的醫師。	[34]

姓名又名	籍貫	生卒年	畢業學校	大同學院畢業期數	在滿洲的經歷	回臺後（或在中國）的經歷	參考書目
27 葉炳煌	臺灣新竹（湖口）	1915.11.4-1976.02.20	新竹州立中學校	第二部第六期（1937年12月畢業）	1939年中央警察學校助教授，並任三江省地方學校教官。1940年薦任三等，三江省警務廳警務科警正。1942年黑河省解職。1944年辭職。	戰後回臺，曾任臺灣省合作總幹事（會長為翁鈐）及臺灣省畜產公司總業務科長等職。也曾在湖口鄉擔任農會理事。曾任湖口鄉連續三屆的鄉長。新竹縣連續三屆省議員病逝後，依候補順序遞補為省議員。在陳俊宏省議員病逝後，再度參選並當選第三屆臺灣省臨時省議會議員。	[1]、[26]、[30]。湖口鄉志編輯委員會編，《湖口鄉志》（新竹：湖口公所，1996），頁321-322。〈省議員陳俊宏 腦溢血逝世〉，《聯合報》，1958年9月15日，第3版。〈戰幕初啟談選壇大勢 彭瑞鷺意外獲徵召 葉炳煌躍躍欲出馬 新竹縣長選局爆出冷門〉，《聯合報》，1960年1月28日，第4版。
28 陳東興	臺灣南投（竹山）		臺中師範學校演習科（1929）	第二部第七期（1938年6月畢業）	1935年欲入滿洲國陸軍士官學校就讀，但未成行。1939年滿洲國高等文官考試及格，乃到新京治安部警務司警察科任職，一度任錦州省警務處警正。其間以優異的成績畢業於大同學院，又及格高等文官適格考試。	戰後回臺，一說曾任警察局長，一說曾任彰化縣祕書。	[1]、[10]。1931年9月11日，第3版。〈郡下學校職員異動〉，1935年5月22日，第8版〈竹山ノ渡滿者多〉，[17]，1939年5月7日，第8版，〈竹山ノ高文パス〉。許雪姬訪問、鄭鳳凰紀錄，〈徐水德先生訪問紀錄〉，收於[8]。許江椎（為陳東興在臺中師範學校的同學）的證詞。

第四章　滿洲國官僚體系的建立與臺籍官員　289

姓名又名	籍貫	生卒年	畢業學校	大同學院畢業期數	在滿洲的經歷	回臺後（或在中國）的經歷	參考書目
29 吳福興	臺灣臺南		日本大阪工業大學專門部採礦冶金科	新制第二部第三期（1941年4月19日畢業）	1934年到滿洲任實業部鑛業監督署技士，給6級俸。1936年給4級俸。1937年委任二等。1939年改為產業部技士，派在工務司辦事。1940年任產業部技佐，派在鑛山司辦事。同年高等官適格考試及科適格登科試通過。1941年入大同學院新制第二部第三期，畢業後任經濟部技佐。	回臺後曾任水泥公司協理。	〈許文華先生訪問紀錄〉，收於〔8〕。〔30〕，康德第264號、第590號、第880號、第1600號、第1804號、第1837號。〈1934年4-6月外國旅券下付表〉，（T1011_03_141），《臺灣總督府旅券下付反返納表》（T1011）中研院臺史所檔案館數位典藏。

附註：為省篇幅，表格中以代碼代表參考資料，對照如下：

[1] 大同學院同窓會編，《大同学院同窓会名簿》（1942年版）。
[2] 米沢久子編，《大同学院同窓会名簿》（1998年版）。
[3] 不著編人，《瀋陽文史研究所彙編，《遼寧文史資料選輯（六）》（遼寧：遼寧教育出版社，不詳），上冊。
[4] 中央研究院近代史研究所編，《二二八事件資料選輯（六）》。
[5] 中西利八編纂，《滿洲人名辭典》（東京：日本圖書センター，1989年重印本）。
[6] 中西利八編纂，《滿洲職員錄》（東京：日本圖書センター，1941）。
[7] 滿洲國國務院總務廳文教部編，《滿洲帝國文教關係職員錄》。
[8] 許雪姬訪問，許雪姬等紀錄，《日治時期在「滿洲」的臺灣人》（臺北：該會，1952）。
[9] 臺大同學會編，《臺大畢業同學錄》。
[10] 臺中師範學校編，《臺中師範學校職員課學股以上人員通訊錄》（臺中：該會，1929）。
[11] 臺北市政府編，《臺北市各機關學校職員課學股以上人員通訊錄》（臺北：該府，1960）。
[12] 臺北市政府編，《臺北市各機關職員錄》（臺北：該府，1959）。
[13] 臺北市政府編，《臺北市各機關職員通訊錄》（臺北：該府，1953）。

[14] 臺北市政府人事室編印,《臺北市政府機關員工通訊錄》(臺北:該府)。
[15] 臺北市政府編,《臺北市政府暨所屬各機關學校職員通訊錄》(臺北:該府,1953、1955、1956、1959、1965年版)。
[16] 臺北師範學校創立三十周年記念祝賀會編,《臺北師範學校卒業及修了者名簿》(臺北:該會,1964、1968、1970、1971年版)。
[17] 《臺灣日日新報》(1929-1939)。
[18] 臺灣區機器工業同業公會編,《臺灣區機器工業同業公會會員錄》(臺北:該會,1956)。
[19] 哈爾濱工科大學編,《哈爾濱工科大學一覽》(哈爾濱:該校,1940)。
[20] 建國大學同窓會編,《建國大學同窓會名簿》(新京:該會,1941)。
[21] 建國大學同窓會編,《會員名簿(昭和16年6月30日現在)》(東京:該會,1988)。
[22] 開南同窓會,《會員名簿》(東京:該會,1941)。
[23] 滿洲國教育史委員會編,《滿洲帝國文教年鑑》(東京:ェムティ出版社,1992)。
[24] 嘉義中學校同窓會編,《嘉義中學校同窓會會報・附會員名簿》13 (1941年12月)。
[25] 高橋勇八,《滿洲商工名鑑》(大連:大陸出版協會,1938)。
[26] 國務院總務廳編,《滿洲國治權科大學一覽》(奉天:該校,1941)。
[27] 滿洲醫科大學編,《滿洲醫科大學一覽》(奉天:該校,1941)。
[28] 劉恆妏,〈日治時期臺灣權法曹前後臺籍法律人之研究:以取得終戰前之日本法曹資格者為中心〉,收於林山田教授退休祝賀論文集編輯委員會編,戰鬥的法律人:林山田教授退休祝賀論文集》(臺北:該會,2004),頁587-638。「附錄一、1923-1943 臺灣人通過日本高等文官考試司法科及格或具法曹同等資格者之名單」。
[29] 臺灣省文獻委員會編,《重修臺灣省通志:卷八.職官志.文職表篇・武職表篇》(南投:該會,1993),第2冊。
[30] 〈居住長春臺灣省民名簿 (1946年1月28日)〉,《中國第二歷史檔案館藏》。
[31] 李水清,〈東北八年回憶錄 (1938年4月至1946年7月)〉,收入《日治時期臺灣人生活訪問紀錄》,頁143-160。
[32] 許雪姬訪問,吳美慧,《楊蘭洲先生口述訪問紀錄》(金蘭史論叢)(北京:金海出版社,1997)。
[33] 臺盟史論編輯委員會編,《臺盟史論》。
[34] 臺灣省醫師公會,《臺灣省醫師公會55年度會員名冊》(高雄:臺灣醫界社,1966)。
[35] 中央研究院近代史研究所編,《口述歷史(第5期)》:日據時期臺灣人赴大陸經驗》。

第四章 滿洲國官僚體系的建立與臺籍官員 | 291

第五章
非公職的臺人及臺人在滿洲的生活

一、在國營會社任職的臺人
二、在特殊會社或準特殊會社任職者
三、在其他相關單位服務者
四、臺人在滿洲的生活
小結

除了在中央各部、地方省任公職者外，臺灣人也有在特殊會社、準特殊會社以及從事其他行業者。臺灣人在非公職單位任職者有的在工業部門，有的在生產部門，有的在交通事業上，經商、開工廠的臺人也都有所敘述。此外，在與臺灣風土不同的滿洲，臺灣人如何在該地生活，亦值得一提。本章將先介紹在國營、特殊、準特殊會社任職的臺人；其次介紹在滿洲的臺灣人如何在天氣、物產都和故鄉不同的滿洲過日子。

一、在國營會社任職的臺人

（一）國營會社

滿洲國自始至終有兩個國營會社，一是南滿洲鐵道株式會社，一是滿洲重工業開發株式會社，[1] 南滿洲鐵道株式會社（以下簡稱滿鐵），創立於 1906 年 11 月 16 日，真正開始運作則是 1907 年 4 月 1 日，其業務除了經營鐵道和炭礦，也經營鐵道附屬地內的土木、教育、衛生等事項，而其費用則可向附屬地住民徵收；以後在各附屬地內從旅館、醫院到學校都歸其經營。約而言之，在滿洲國尚未形成日本傀儡政權前，關東州的統治歸關東都督，附屬地的行政歸滿鐵，外交、警察權歸領事館，這三者間的軋轢不斷地發生。[2] 滿洲建國前，亦即 1932 年 1 月 15 日至 26 日，由關東軍統治部以駒井德三部長為中心，召集日本一流學者和關東局專家就即將成立的滿洲國之幣制、金融等方面提出對策，起草滿洲國的政治、經濟政策，這項工作由改屬於滿鐵總裁的滿鐵經濟調查會來進行。1936 年以後經調會則被併入滿鐵的產業部。[3] 滿鐵的資本金為八億元（到 1937 年止實繳六億二千零二十萬八千圓），主要經營鐵道事業[4] 及鐵道的相關附屬事業，如礦業（特別是撫順、煙台的煤礦）、水運業、電氣業、倉庫業、鐵道附屬地的土地及房屋經營或其他政府許可經營的事業，滿鐵最大的股東是日本政府，由大藏省持股八百萬。[5]

另一個國營會社是滿洲重工業開發會社（以下簡稱滿工）。這是由滿洲國政府和日本產業株式會社各半出資共四億五千萬圓而成。日本產業株式會社成立於 1912

1　高橋勇八，《滿洲商工名鑑：附諸官廳錄》（下冊）（大連：大陸出版協會，1938），頁 12-21。
2　太平洋戰爭研究會，《図說滿洲帝國》（東京：河出書房新社，1996），頁 36-37。
3　姜念東等，《偽滿洲國史》（大連：大連出版社，1991），頁 261-264。
4　經營的鐵道包括：1. 大連新京間；2. 南關嶺旅順間；3. 大房身到柳樹屯間；4. 大石橋至營口間；5. 煙台至煙台炭礦間；6. 蘇家屯到撫順間；7. 奉天到安東間鐵道。
5　高橋勇八，《滿洲商工名鑑：附諸官廳錄》（下冊），頁 12。

年，資本額二億二千五百萬圓（實繳一億九千八百三十七萬五千圓），[6] 滿洲重工業開發會社成立於 1937 年 12 月 27 日，之前的 10 月 22 日日本政府內閣會議先通過「滿洲重工業確立要綱」，四天後滿洲國國務院會議已通過決議設立滿工，總公司設在新京滿鐵附屬地滿蒙旅社，[7] 由日產社長鮎川義介[8] 為總裁。滿工主要經營的事業有製鐵、輕金屬、自動車、金屬、煤礦、特殊金屬工業、機械工業等，這些工業大半是由滿鐵分支的重工業子公司[9] 組成的，換句話說，全滿炭礦（撫順炭礦除外）、昭和製鋼所、滿洲輕金屬、滿洲自動車、滿洲飛行機製造等各種特殊會社，都脫離政府的直接監督，而改由滿洲重工業掌控，而這些子公司正是滿洲國建國初期主要重工業的特殊公司，此外還陸續設立和接收一些子公司，總計到 1943 年為止滿工總公司及其子公司共有 38 家。[10]

有別於在滿洲國中央與地方任職的臺灣人，以下要介紹在國營會社、特殊會社、準特殊會社服務者。

（二）在南滿洲鐵道株式會社的臺灣人

在 1998 年財團法人滿鐵會編的《會員名簿》中，沒有任何一位來自臺灣（但有來自韓國者），[11] 但實際上臺灣人有派在滿鐵任職者。

臺灣人要進入滿鐵，必須經過考試，大約是每年三月舉行（有時會提前舉行），先筆試，再口試，及格後再分發到各部門工作。[12]

6　高橋勇八，《滿洲商工名鑑：附諸官廳錄》（下冊），頁 19。一說是四億五千萬圓，見滿洲國史編纂刊行會，《滿洲國史 各論》（東京：財團法人滿蒙同胞援護會，1971），頁 579。

7　姜念東等，《偽滿洲國史》，頁 275。

8　鮎川義介：1880-1967，日本山口縣人，1903 年東京帝大機械科畢業，畢業後隱蔽學歷以職工的身分入芝浦製作所，任職 2 年後赴美學習鑄物技術，回日後於 1910 年在福岡開設戶畑鑄物，1921 年在東京開店，1928 年由其妹婿久原房之助手中接手久原鑛業，改為日本產業（日產），不到 20 年即擁有分公司。1937 年順應日本國策設立滿洲重工業開發會社。他和松岡洋右、岸信介二人並稱「滿州の三スケ」。1943 年成為貴族院勅選議員，日本戰敗後列為戰犯，被囚禁在巢鴨，出獄後於 1953 年當選參議院議員，1956 年就任日本中小企業政治連盟總裁，1959 年因選舉違反事件，與其長子金次郎一起辭職。見朝日新聞社，《朝日人物事典》（東京：朝日新聞社，1990），頁 12-13。

9　本溪湖煤鐵公司、東邊道公司、阜新炭礦（由滿炭分出）、密山炭礦、滿洲輕金屬、滿洲礦山、滿洲鉛礦、滿洲飛機、滿洲汽車。

10　姜念東等，《偽滿洲國史》，頁 277。

11　財團法人滿鐵會，《會員名簿》（出版地不詳：該會，1998）。

12　張星賢著，鳳氣至純平、許倍榕譯，《我的體育生活：張星賢回憶錄》，頁 175、183。據說每年新進人員有 200 多名，入社後分到鐵道部、總務部、商事部、經理部、地方部、埠頭、撫順煤礦等部門。

1. 第一位周連之助

周連之助,桃園人,1890 年生,1897-1902 年在臺灣總督府國語附屬學校艋舺祖師廟公學校就讀,1902 年前往東京,1904 年自工手學校(位於東京築地)機械科畢業,而後入東京工業學校附屬工學專門部就讀,[13] 1907 年畢業,之後入南滿鐵道車輛課任技術員,後轉任監查課員。[14]

2. 第二位進入滿鐵的臺人鄭瑞麟

鄭瑞麟,嘉義人,長兄為王鍾麟,次兄為王炳麟,[15] 是清代水師名將王得祿之後裔,因過房給鄭家故姓鄭。[16] 1929 年 5 月畢業於東京商科大學,通過滿鐵的考試,乃在畢業後前往滿鐵大連本社任職。[17] 他之到滿洲可能受其妻舅楊燧人醫師的影響。按鄭瑞麟娶楊燧人三妹楊藍水為妻,而楊燧人可能在 1925 年以後即到滿洲。[18] 鄭瑞麟在 1930 年左右轉到滿鐵安東地方事務所任事務員,[19] 在調查部服務,[20] 換言之,他在試用過一段時間後陞為正式職員,主要負責滿鐵資料的調查工作,[21] 終戰前曾任長春纖維會社監察人。[22] 他是目前所知第二位任職於滿鐵的臺人。[23]

3. 第三位進入滿鐵的楊基振

楊基振為楊肇嘉的堂弟,臺中清水人,在早稻田大學就學中,於 1933 年參加翌年 3 月大學畢業學生的滿鐵就職考試,考過第一試與第二試,只剩下口試一關。滿鐵此次預計錄取六人,有資格參加口試的有十人,當時有種傳聞說滿鐵是國營會

---

13 不著編人,《東京工業大學卒業者名簿》(東京:東京工業大學,1942),頁 75。
14 不著撰者,〈高等工業教育を受けたる本島人の青年技術者〉,《臺灣(始政第十六年號刊)》7 (1911.5),頁 71-72。
15 顏新珠編著,《嘉義風華:嘉義縣老照片選集(1895-1945)》(嘉義縣:嘉義縣立文化中心,1997),頁 146-147。
16 許雪姬訪問、蔡說麗紀錄,〈許文華先生訪問紀錄〉,《日治時期在「滿洲」的台灣人》,頁 412。
17 許雪姬訪問、吳美慧、曾金蘭紀錄,〈楊蘭洲先生訪問紀錄〉,《口述歷史》5(1994.6),頁 146。
18 楊燧人於 1930 年已任哈爾濱中華醫院院長,而他 1923 年畢業於臺灣總督府醫學校,再到日本醫專進修,隨即到孟天成的博愛醫院任職,估計赴日最早在 1925 年左右。見《臺灣民報》,第 295 號,昭和 5(1930)年 1 月 11 日,第 11 版,〈馬賊と大豆粕及び張作霖で有名な滿洲〉(中)。
19 南滿洲鐵道株式會社總務部人事課,《職員錄》(大連:南滿洲鐵道株式會社總務部人事課,1933),頁 260。
20 許雪姬訪問、吳美慧、曾金蘭紀錄,〈楊蘭洲先生訪問紀錄〉,頁 145。
21 許雪姬訪問、蔡說麗紀錄,〈許文華先生訪問紀錄〉,頁 414。
22 〈居住長春台灣省民名簿〉(1946 年 1 月 28 日)。
23 《臺灣民報》,第 296 號,昭和 5(1930)年 1 月 18 日,第 10 版,〈馬賊と大豆粕及び張作霖で有名な滿洲〉(下)。

圖 5-1　1935 年楊基振當大連列車實習列車長
資料來源：黃英哲、許時嘉編譯，《楊基振日記 附書簡‧詩文》，頁 12。

社要用道地的日本人，正式社員非日本人不用。楊基振聽聞此風聲，因此前往訪問許丙，說是自己考試已通過兩關，但有人說反正滿鐵不用臺人，去參加口試是白費力氣，拜託許丙打聽真相。許丙認為成績好不可能因不是道地的日本人而被淘汰，乃拜訪當時任滿洲國國務院總務廳長岡隆一郎，[24] 要他向當時滿鐵總裁松岡洋右[25]

24　長岡隆一郎，1884-1963，東京人，1908 年東京帝大獨法科畢業，在學中通過高等文官考試。1929 年後任關東州關東局總長、滿洲國國務院總務廳長。1946 年到 1951 年被公職追放。見朝日新聞社，《朝日人物事典》，頁 1137；許伯埏著、許雪姬監修，《許丙‧許伯埏回想錄》（臺北：中央研究院近代史研究所，1996），頁 289-290，長岡隆一郎誤為長岡隆太郎，其官銜國務院總務廳長誤為總務長官。

25　松岡洋右，1880-1946，山口縣人，1893 年赴美留學，1900 年畢業於美國奧立岡大學，1904 年外交官考試及格，先是任領事官補而到上海就任，接著任關東都督府外事課長，關心滿蒙問題，以後到俄、美任職，再回本部政務局，1921 年自外務省退役。同年 7 月在同鄉田中義一的推薦下入滿鐵，先任理事，1927 年升為副總裁，有感於滿蒙問題有積極解決的必要，乃於 1929 年回日，1930 年以政友會的身分當選眾議院議員，攻擊幣原外相的外交政策，領導輿論以武力解決滿蒙。1932 年擔任日本派往國際聯盟的首席會議代表，翌年為否定國聯有關「滿洲國」調查報告書而抗議退場，日本隨即退出國際聯盟。1935 年任滿鐵總裁，為圖侵略華北，乃在社內設調查部，1940 年 7 月任第二次近衛文麿內閣的外相，1941 年 4 月在莫斯科與蘇聯締結中立條約，7 月卸任外相。戰後被列為 A 級戰犯，由極東國際軍事裁判所起訴，1946 年 6 月死於東大醫院。見朝日新聞社，《朝日人物事典》，頁 1492-1493。

確認,並希望能照拂楊基振。長岡立刻和松岡聯絡,得到的回答是,只要是日本籍,不管是朝鮮、臺灣出身都可以被採用,問題在成績而已!楊基振通過口試如願以償於1934年進入滿鐵。1935年4月入學大連鐵物學院,10月任大連列車區車掌,1936年4月任大連奉天間一等車站大石橋站列車長(該站屬奉天鐵道局管轄),1937年4月任新京站貨物列站長,1938年華北交通株式會社設立後,轉任天津鐵路局,1945年3月辭職,轉任啟新水泥公司唐山工廠任副廠長兼業務部長,[26] 受命前往任該社所屬的水泥工廠當廠長,一直到戰爭結束。戰後任職臺灣鐵路局總務處副處長。[27]

4. 張星賢、林迺信、柯子彰與曾煥鎮

張星賢,臺中人,1910年出生,1930年畢業於臺中商業學校,[28] 後到日本,進入早稻田大學專門部商科,於1934年畢業,是第一個參加奧運的臺灣選手。[29] 畢業後於1935年4月進入大連市滿鐵本社工作,任地方部地方課員。[30] 1939年調到滿鐵鐵路總局附業局(在奉天)土地課,1940年調往人事局福祉課,負責滿鐵社員的體育行政。[31] 1943年轉到華北交通會社,在北京鐵路局營業處服務。[32] 戰後致力於推動田徑運動,曾任第一屆臺灣省體育會田徑學會會長。[33]

林迺信,嘉義朴子人,1931年6月畢業於嘉義中學,[34] 旋入東京帝大理學部地質鑛學科,1938年畢業,畢業後進入滿鐵大連本社服務,前後八年,[35] 負責調查地

---

26 黃英哲、許時嘉編譯,《楊基振日記:附書簡·詩文(下)》(臺北縣:國史館,2007),頁805-806〈楊基振年譜簡編〉;柏崎才吉編,《滿洲國現勢:康德八年版》(新京:滿洲國通信社,1941),頁414。

27 許伯埏著、許雪姬監修,《許丙·許伯埏回想錄》,頁289-290,〈臺灣出身者の人事問題—楊基振、張水蒼、簡萬銓の場合〉。本書言任臺灣省鐵路局民間鐵路委員會副主任委員,〈楊基振年譜簡編〉,頁806,則言鐵路局總務處副處長。

28 臺中商業學校同窗會,《臺中商業學校同窗會會報》(1937年)(臺中:臺中商業學校同窗會,1937),頁14。

29 興南新聞社,《臺灣人士鑑》(1943),頁250。張星賢在1932年美國洛杉磯奧運時代表日本參加1,600公尺接力(為五名選手之一,但未上場),400公尺跨欄第四名,400公尺第五名,未能進入決賽。見林瑛琪,《日治時期臺灣體壇與奧運》(臺北:五南出版社,2014),頁163-165。

30 南滿洲鐵道株式會社總務部人事課,《職員錄》(大連:南滿洲鐵道株式會社總務部人事課,1937),頁444。

31 張星賢著、鳳氣至純平等譯,《我的體育生活》,頁235、246。

32 興南新聞社,《臺灣人士鑑》(1943),頁250。

33 行政院體育委員會編,《中華民國建國一百年體育專輯:體育人物誌》(臺北:行政院體育委員會,2011),頁57。

34 嘉義中學校同窗會,《嘉義中學校同窗會會報·附會員名錄》,第13號(嘉義:嘉義中學校同窗會,1942),頁17。

35 壽山,〈本省人地質專家林迺信〉,《旁觀雜誌》15(1958.11),頁53。

質與礦山資源。[36] 戰後在臺灣省地質調查所擔任技正,而後任省建設廳特設委員會副主任委員。[37]1983 年 8 月過世。

柯子彰 (1910-2002),臺北人,柯保羅[38] 之子,[39] 日本早稻田大學橄欖球名將。當時日本橄欖球的專門雜誌《キャプテン》特集號中刊載「臺灣奇才」柯子彰,因為他在球隊中攻擊力甚強,觀眾席上喊「柯!加油!加油!」的聲音不絕於耳,就好像競技場中有大群的烏鴉飛過。(因柯的發音和烏鴉叫〔か〕聲很像),1934 年畢業後到滿鐵就職,娶日人同事橋本鶴代為妻(中文名柯秀鳳),戰後自上海回臺。[40] 在鐵路局任職時,一度擔任臺灣鐵路工會理事。[41] 推動橄欖球運動。

曾煥鎮,1928 年臺北工業學校專修科應用化學系畢業,任職於大連的滿鐵中央試驗所農產化學課。[42]

吳振輝(1907-1979),屏東人,畢業後受聘到滿鐵,先在哈爾濱任職,後被派往印尼蘇門答臘擔任調查員,戰後回臺。[43]

5. 陳欽梓

陳欽梓,原名陳欽子,1906 年生於淡水,父親陳進財於 1895 年自福建來臺,在淡水海關當工友,有日本籍,日語很好。後來擁有許多土地,有一妻一妾,長子陳欽子 1906 年出生,為了慶祝長子誕生,據說淡水街上的鄰居吃了三天陳家的油飯。由於其父娶妾,母親乃與兒子別居,過清苦的日子。陳欽子讀淡水中學兩年就輟學入郵局當通信士,賺取生活費。1934 年陳欽子經人介紹給日本仙台藩士、無子的中目俊平家當養子,此一便宜策乃為要取得實際的日本籍,若無此籍,則薪水只有一半。1935 年陳欽梓離開臺灣鐵路局,到滿鐵齊齊哈爾站任職,一直到二戰

36　李昭容博士提供,謹致謝意。此為李昭容訪問林迺信之妻所得。
37　黃英哲、許時嘉編譯,《楊基振日記:附書簡・詩文(下)》,頁 862-863。
38　柯保羅據林衡道言是臺北淡水人,基督教長老會信徒。國語學校畢業後,到大龍峒教書,後到福州閩江的鴨姆洲經營建興鋸木廠和寶利鋸木廠。見陳三井、許雪姬訪問,楊明哲紀錄,《林衡道先生訪問紀錄》(臺北:中央研究院近代史研究所,1992),頁 18-20。
39　1923 年入同志社中學就學後就成為橄欖球隊員,身高 176 公分,二年級時開始,同志社中學連續三年都獲冠軍。1929 年就讀早稻田大學,不僅是校隊,也成為日本橄欖球隊隊長,穿 13 號球衣,打後衛,他創出「搖晃攻擊法」盛行一時,尤其大二時代表日本到加拿大遠征,且在 1933、34 兩年連續成為日本風雲人物。見 2002 年 1 月 5 日公視體壇人物,pm10:00-10:30。
40　宮本孝,《玉蘭莊の金曜:臺湾に生きる日本人妻たちの戰後 50 年》(東京:展転社,2007),頁 216;行政院體育委員會編,《臺灣世紀體育名人傳》(臺北:行政院體育委員會,2002),頁 1-4。
41　林獻堂著,許雪姬編著,《灌園先生日記(二十)一九四八年》》(臺北:中央研究院臺灣史研究所、近代史研究所,2011),頁 195-196,1948 年 5 月 19 日:「吳慶豐引鐵路工會理事柯子彰、呂傳辛來,請為其消費合作社之顧問,許之。」
42　大場則雄,《會員名簿》(臺北:臺北工業學校校友會,1941),頁 211。
43　黃英哲、許時嘉編譯,《楊基振日記:附書簡・詩文(下)》,頁 841。

結束。[44]

二、在特殊會社或準特殊會社任職者

所謂特殊會社，實為滿洲國經濟統制下的產物，滿洲建國第二年（1933）就已決定其經濟發展方針，並發表「滿洲國經濟建設綱要」，其中特別指出「**凡國防的或公共公益性質的重要事業，以公營、特殊會社的經營為原則**」。[45]特殊會社這個名稱的使用才公開化。[46]事實上滿洲國剛成立時已設定的特殊會社為滿洲中央銀行，準特殊會社為滿洲航空株式會社，但真正通過特殊公司制定者，為1934年6月28日提出的「對一般企業的聲明」，將產業分為三類，一是認可由國營、公營或特殊公司經營的事業共22種（特殊銀行業以下22種），二是許可事業24種（普通銀行業以下24種），三是可經自由經營的事業共20種，[47]而特殊會社、準特殊會社就是配合滿洲產業開發五年計畫[48]而陸續成立的，這些會社基本上是以一行業一會社為原則。以下介紹在滿洲中央銀行、滿洲電信電話株式會社、滿洲炭礦株式會社、滿洲興業銀行、滿洲映畫學會、滿工、電業株式會社任職的臺灣人。

（一）滿洲中央銀行

滿洲中央銀行設立於1932年6月1日，總資本額三千萬圓（實繳一千五百萬圓），其主要的任務是製造、發行貨幣，調節貨物流通，保持金融安定。可說是滿洲國的中樞金融機關。[49]臺人之所以到中央銀行服務，主要是一些曾在臺灣任職的日人到滿洲國服務，經由其介紹臺人才能進入中央銀行，這些日人是中央銀行副總裁山成

44　楊威理，〈台灣人、中國人、日本人の三国人に生きる─自敘傳〉（東京：未刊稿，2003），頁9-10、17、48。
45　滿洲國經濟建設綱要共有四個基本原則：一、以國民全體的利益為重，排除一部分階級壟斷利益之弊；二、結合發展各個經濟部門對重要經濟部門加以國家統制；三、廣求資本于世界範圍，特別要吸取先進各國的技術、經驗及其他文明，加以適當有效的利用；四、達到東亞經濟的融和，把重點放在同日本的協調上，而愈益加強相互扶助。見姜念東等，《偽滿洲國史》，頁265。
46　豐田要三編纂，《滿洲帝國概覽》（新京：滿洲事情案內所，1942），頁309。
47　豐田要三編纂，《滿洲帝國概覽》，頁297。
48　又稱〈滿洲國產業五個年計畫〉，由岸信介擬訂。
49　高橋勇八，《滿洲商工名鑑：附諸官廳錄》（下冊），頁25-26。

喬六、[50]理事鈴木謙則、竹本節藏等。[51]

1. 吳金川：臺南人，1906年生，公學校畢業後進入四年制臺南長老教中學就讀，再考入臺南商業專門學校本科，即將畢業之際，該校升格為臺南高等商業學校，他受推薦保送再讀三年，後因高等商業學校與臺北高等商業學校合併，故成為臺北高等商業學校畢業生，[52]而後經推薦考入東京商科大學本科。[53]他在經濟學博士高垣寅次郎[54]指導下專攻貨幣金融，畢業後繼續在研究所研究一年，此時專攻金融問題、貨幣制度、貨幣政策及銀行研究，一年後取得商業碩士，時為1932年。

這時滿洲國正好成立，緊接著成立中央銀行，鑑於當時滿洲的實際狀況，決定採用銀本位政策，因此需要關於研究銀的專才，經由其師高垣的推薦，[55]乃到滿洲中央銀行工作。吳金川在中央銀行的工作約略可分為三個時期：首先是研究當採用銀管理本位政策的主張，其次是1934年到1936年被派到上海任駐在員時期，最後是任中央銀行營業部副理及銀行調查部時期。[56]

吳之所以主張採用銀本位，主要是中國人有愛銀的本性，其次是Theodor Emanuel Gregory的 *The Silver Situation: Problems and Possibilities* 一書中談到二百年間銀價和物價的相關曲線圖；而銀價和物價的升降幾乎成反比例，兩百年來銀價徐徐下降，而物價指數則徐徐上升，此正合凱因斯（John Maynard Keynes）教授的理論——即徐徐的通貨膨脹對經濟發展有所幫助；吳認為採用銀本位對滿洲的開發應有所助益。然而滿洲國中央銀行要統一貨幣，卻產生很大的難關。

滿洲國國境內各銀行由於可自行發行紙幣，而且東三省官銀號的紙幣在英國印製，紙質較在日本印的滿洲國國幣好；為了回收舊幣採取了幾個方式，一是在中央銀行邊開一家日本進口用品店，凡到該店購物要使用新國幣，其次派日本人駐在員到滿洲各地做回收工作。舊幣回收後，接著的難題是維持幣值。（由於銀價居高不下，

50　山成喬六，日本岡山縣人，1872年生，在日本領臺不久，日本中立銀行出張所即在臺設立，而後與三十四銀行合併，山成喬六時為三十四銀行支店長。1899年臺銀設立，乃入臺銀，當到副頭取，1922年任東洋製糖社長。見大沢貞吉，《台湾緣故者人名錄》（橫濱：愛光新聞社，1959），頁227。

51　許雪姬訪問，吳美慧、曾金蘭紀錄，〈楊蘭洲先生訪問紀錄〉，頁147。

52　臺灣商專同窓會，《會員名簿》（臺南：臺灣商專同窓會，1939），頁8。

53　中西利八編纂，《滿華職員錄》（東京：滿蒙資料協會，1942），頁675。有關記載錯誤，說吳金川畢業於東京帝大，實則為東京商科大學，即今一橋大學。

54　高垣寅次郎，1890-1985，金融學者，廣島人，1913年東京高等商業專攻部畢業，1935年任母校教授，隨後任紅陵大學（即今拓植大學）校長，日本學士院會員。著有《貨幣的生成》、《貨幣的本質》、《貨幣的職能》三書。見朝日新聞社，《朝日人物事典》，頁916。

55　中央銀行副總裁山成喬六（原臺灣銀行理事）和理事鷲尾磯一與高垣寅次郎是神仁高商時代的同學，兩人向高垣商請介紹學生赴滿洲中央銀行。見許雪姬訪問，吳美慧紀錄，〈吳金川先生訪問紀錄〉，《口述歷史》5（1994.6），頁123-124。

56　吳金川，〈我們夫妻五十年的恩愛〉，收入張水木總編輯，《吳金川・吳楊湘玲女士金婚紀念集》（臺北：實財企業股份有限公司，1990），頁10。本書為日本愛知大學黃英哲教授所贈，謹致謝意。

一百元滿洲國幣可以兌換一百八十元銀幣）當舊幣回收後，經濟開始成長，新幣發行量漸增，銀幣與紙幣間的差異越大，大家都想換成銀圓，擠兌的危機時時浮現，幸得山成喬六（第一任中央銀行副總裁）採取應變措施，[57]才將新幣的情形穩定下來。

1934 年到 1936 年間吳金川被派至上海當特派員，而後回滿洲，正值政局不穩定，翌年七七事變發生，吳金川時任營業部副理，這時由華北、華南到滿洲的臺灣人不少，由於通貨膨脹厲害，拿華北、華南的匯票換滿洲錢時，滿洲的銀行營業部都不肯兌給，吳金川知道此事，乃利用其副理的身分做出指示，只要有他本人的簽字，臺人即可兌換滿洲國的錢，[58]對臺人可謂貢獻不小。

吳金川以後調回新京本社調查部任副課長，[59]每天必須將所有的經濟資料做成數字，包括面積、人口、出產品；還考核開發滿洲國由中央銀行撥付的款項流向何處，將相關的問題製成「現金流動表」交給上司做參考。再更積極的做法是請人由日本、上海寄到當天的英文報紙，將最新的數字及歐洲匯率變動填上，另將包括滿鐵在內的各機關調查部部長找來開會，請其提供精確的各機關資料，他憑此詳細資料，不僅調升為該科科長，[60]且提供上司最完整而精確的資料，使之幾乎成了「滿洲通」。[61]除了調查資料外，他在 1944 年 11 月還以滿洲中央銀行調查部次長的身分，被委囑為建國大學研究部研究員。[62]

2. 許建裕：京都帝國大學法學部畢業，[63] 約生於 1905 年，在滿洲中央銀行調查課任職，與吳金川同科。[64]

3. 王萬賢：1909 年生，京都同志社大學畢業，在中央銀行國庫科工作。[65]

4. 侯震東：日本明治大學畢業，約出生於 1916 年，任中央銀行職員。[66]

5. 涂榮慧：臺南第二中學畢業，[67] 後入日本西南學院就讀。畢業後任中央銀行

57　許雪姬訪問、吳美慧紀錄，〈吳金川先生訪問紀錄〉，頁 127-129。
58　許雪姬訪問、吳美慧紀錄，〈吳金川先生訪問紀錄〉，頁 131。
59　中西利八編纂，《滿華職員錄》，頁 65。
60　〈居住長春台灣省民名簿〉（1946 年 1 月 28 日）。
61　許雪姬訪問、吳美慧紀錄，〈吳金川先生訪問紀錄〉，頁 131-132。
62　國務院總務廳編，《滿洲國政府公報》，第 3022 號，康德 11（1944）年 7 月 8 日，頁 82。
63　另有一說是畢業於農業經濟系。見黃紀男口述、黃玲珠執筆，《黃紀男泣血夢迴錄》（臺北：獨家出版社，1991），頁 245-246；〈居住長春台灣省民名簿〉（1946 年 1 月 28 日）。
64　不著編人，《同窓會名簿》（臺北：臺北第二中學校同窓會，1941），頁 16；中島力，《同窓會名簿》（臺北：臺北第二中學同窓會，1943），頁 25。
65　〈1937 年 1-3 月外國旅券下付表〉，識別號：T1011_03_152，中央研究院臺灣史研究所檔案館「臺灣史檔案資源系統」，http://tais.ith.sinica.edu.tw/sinicafrsFront/index.jsp；〈居住長春台灣省民名簿〉（1946 年 1 月 28 日）。
66　〈居住長春台灣省民名簿〉（1946 年 1 月 28 日）。
67　許雪姬訪問、鄭鳳凰紀錄，〈翁通楹先生訪問紀錄〉，《日治時期在「滿洲」的台灣人》，頁 473。

職員。[68]

  6. **劉啟盛**：1913 年生，[69] 1932 年畢業於臺北商業學校，[70] 在中央銀行就職。[71]
  7. **蔡金泉**：畢業學校不詳，任職中央銀行。[72]
  8. **謝義**：雲林人，[73] 日本中央大學法學部畢業，任職於中央銀行。[74]
  9. **蕭秀淮**：1910 年生，[75] 高雄州人，1933 年東京帝國大學畢業，同年進入滿洲中央銀行佳木斯支行任駐在員。[76] 終戰前任職於華南銀行廣州分行。[77]

（二）滿洲電信電話株式會社

本社成立於 1933 年 8 月 31 日，資本金五千萬圓（實繳三千六百二十五萬圓），主要是處理關東州、南滿鐵道附屬地及滿洲國行政權下的地域之附屬鐵道及航空事業、官署及警備專用的電信、電話、無線電信、無線電話、放送無線電話，及其他的電氣通信事業。1933 年 5 月，日、滿兩國間締結條約，在 8 月 31 日創設半官半民的電氣代行會社，受日、滿兩國政府監督，股東大會的決定要發生效力，必須經兩國認可才行，總裁到理事都是日系，只有副總裁和監查役（各 1 名）是滿系，以後連副總裁都由日系擔任，向來在滿洲由日本所管的電信、電話事業都改歸滿洲國管，使之一元化。[78] 總部設在新京（原設奉天，1935 年 11 月遷），地方分社為大連、奉天、哈爾濱管理處，以後改為大連、奉天、新京、哈爾濱、牡丹江、齊齊哈爾、承德管理局。[79] 曾在滿洲電信電話株式會社（以下簡稱電電）服務的，以臺南工業學校的校友為多，此外還包括非該校畢業而任秘書和社醫者，茲分述於下：

  1. **任電電秘書的彭華英**：1895 年生，1921 年 3 月畢業於明治大學政治經濟科。

---

68 〈居住長春台灣省民名簿〉（1946 年 1 月 28 日）。
69 〈1935 年 1-3 月外國旅券下付表〉，識別號：T1011_03_144。
70 矢口良忠，《臺北商業學校同窓會會員名簿》（不著出版地、出版者，1937），頁 56。
71 〈居住長春台灣省民名簿〉（1946 年 1 月 28 日）。
72 〈居住長春台灣省民名簿〉（1946 年 1 月 28 日）。
73 許雪姬訪問、鄭鳳凰紀錄，〈翁通逢先生訪問紀錄〉，《日治時期在「滿洲」的台灣人》，頁 114。
74 〈居住長春台灣省民名簿〉（1946 年 1 月 28 日）。
75 〈1935 年 1-3 月外國旅券下付表〉，識別號：T1011_03_144。
76 中西利八編纂，《滿華職員錄》，頁 675。
77 許雪姬訪問、吳美慧紀錄，〈吳金川先生訪問紀錄〉，頁 152。
78 高橋勇八，《滿洲商工名鑑：附諸官廳錄（下冊）》，頁 28-29。滿洲境內原先有蘇聯在北滿鐵路沿線的，有朝鮮總督府遞信局經營的間島地方，以及在滿洲的各民營電話，到 1935 年、1936 年、1940 年才陸續完成統合一元化。見滿洲國史編纂刊行會，《滿洲國史 各論》，頁 925-926。
79 滿洲國史編纂刊行會，《滿洲國史 各論》，頁 925。

圖 5-2　陳文山（左）與彭華英（右）合影
（陳復民先生提供）

圖 5-3　陳永祥（前排右二）於滿洲電信電話株式會社安東鳳凰城中繼所
（陳永祥先生提供）

圖 5-4　陳永祥攝於安東鳳凰城暖氣設備所
（陳永祥先生提供）

在日本期間加入啟發會、臺灣新民會,並成為《臺灣青年》雜誌社的一員,以後以上海為中心,特別著眼於日、華合辦進行沿海漁業的大漁業會社的組織,但因當時中國國內內政不統一,終於未能成功。1924年回臺,1927年加入臺灣民眾黨,旋又離黨。1933年到滿洲,在奉天入電電,擔任社長的秘書,1940年回臺,前後在電電待了八年。[80] 1939年10月任北京市警察局秘書,特務科、經濟科科長,1944年入華北廣播協會任廣播部部長,一直到戰爭結束。[81]

2. 臺南高等工業學校畢業生

(1)陳永祥:電氣工學科第三屆,臺南官田人,畢業後正值電電到臺灣招生,陳乃到福岡報考,獲錄取。1936年3月到電電工作,從事建置載波地下電纜,以應國營的需要。電電當時主要的工作是建成新京到東京的電話線3,600公里、哈爾濱到新京300公里,僅六年就建置完成,當時採用的是歐美正在流行的裝荷電纜(pupin cable),即市外電纜,每隔1.83公里裝一個線圈,使其音頻損失(voice frequency loss)減少的方式。

陳永祥的專長是裝置長途電話的技術,特別是載波電話(carrier telephone)的設備,「所謂載波電話以簡單的比喻來說,一條電線原來只容許在甲乙兩地二人通話。但自從發明了真空管、transistor等後,克服了線路的high frequency loss問題,若裝上載波設備後,原來的一條電話線外另可以擴充至同時為6路、12路,以當時的技術可以擴充到24路,也就是說在甲乙兩地可供12、24路同時通話。載波的設備俗稱為大黑盒子,內有發振器(oscillator)、變調器(modulator)、後調器(demodulator)、各種濾波器(filter)、等化器(equalizer)、增幅器(amplifier)、信號機等,裝於兩端之線路上,並將地下電纜埋在地下約1.2公尺深的地方以保安全,而線路的心線直徑1.2mm最適合。」

陳永祥在新京工作一年後,轉到安東的鳳凰城兩年,爾後又到草河口兩年再回到新京。期間短期到哈爾濱、牡丹江、綏芬河、東寧及密山等地,亦曾到過滿、蘇國境架設電纜。也曾被派到日本接受六個月訓練,[82] 以後一直留在奉天工作,總計一共在滿洲13年(1936-1948)。[83]

---

80 興南新聞社,《臺灣人士鑑》(1943),頁356-357。彭華英生於新竹,但本籍應是南投國姓鄉柑子村人。

81 國家檔案局藏,檔號 B5018230601/0034(013.81/4212/1/001)(35.4-36.1),〈彭華英戰犯嫌疑(案號119號)〉,原史政局典藏。

82 滿洲電電,除本社、管理局外,在新京、大連、旅順設有社員養成所,之外尚有技術研究所,及在東京、大阪的出張所和新潟事務所。見滿洲國史編纂刊行會,《滿洲國史 各論》,頁934。

83 許雪姬訪問、王美雪紀錄,〈陳永祥先生訪問紀錄〉,《日治時期在「滿洲」的台灣人》,頁490-491。

圖 5-5　汾河機務站所長陳永祥（前排中）
(陳永祥先生提供)

（2）其他的臺南高工校友：電氣工學科第四屆畢業的有林有丁、徐應勳。[84] 林有丁，1914 年生。[85] 電氣工學科第五屆有徐晉海、施其華。[86] 第六屆有林含鈴。[87] 此外還有化學系畢業的郭教，電機系畢業的潘圖左、周漢揚、吳豐貴、洪玉輝、鄭清奇、林料聰、蔡讚泉。[88] 上述諸人都曾在電電工作。

84　傅慶騰撰、高淑媛譯，〈傅慶騰回憶錄〉，《日治時期在「滿洲」的台灣人》，頁 574。徐應勳曾一度在滿洲國奉天市電話局技術課工作，參見井上茂治，《卒業生名簿》，頁 26。
85　〈居住長春台灣省民名簿〉（1946 年 1 月 28 日）。
86　〈居住長春台灣省民名簿〉（1946 年 1 月 28 日）；傅慶騰撰、高淑媛譯，〈傅慶騰回憶錄〉，頁 580。
87　〈居住長春台灣省民名簿〉（1946 年 1 月 28 日）；傅慶騰撰、高淑媛譯，〈傅慶騰回憶錄〉，頁 574。
88　臺南工學院，〈畢業生調查表〉，頁 4-6。其中洪玉輝在滿洲中央電報局新京孟家屯受信所工作。

  3. 廣島高等工業學校畢業的陳嘉濱：陳嘉濱，臺南人，1910 年生，1928 年臺南第一中學畢業，[89] 轉往廣島高等工業學校就讀電氣科，[90] 先在東京工作幾年，一度也在臺南放送局工作，[91] 以後到電電任職，二年後到滿洲電力公司當技術員，直到戰後。[92]

  4. 臺北第二中學校畢業的洪玉輝：日本名為春ノ島輝男，臺北第二中學第 14 屆畢業生（1936），再就讀臺南高等工業學校，在滿洲中央電報局新京孟家屯受信所任職。[93]

  鄭新奇也在電電工作，相關事蹟不詳。[94]

（三）滿洲炭礦株式會社

  滿洲炭礦株式會社（以下簡稱滿炭），成立於 1934 年 5 月 7 日，資本金八千萬圓（實繳三千二百萬圓），主要以挖掘煤礦、販賣煤炭、對炭礦業的投資，受實業部大臣認可的各種附帶事業為經營對象。大的股東是滿鐵、財政部、交通部及滿洲中央銀行。滿炭除了滿鐵撫順、煙台及大倉系的本溪湖等已開發的礦外，對全滿的炭礦加以統制。為了開發滿洲國的煤礦，乃與滿鐵做有關生產、販賣等有關協定；為煤價的合理化以圓滑煤炭的供需，1934 年 2 月乃在軍部、滿洲國、滿鐵協調下成立日滿合辦的特殊會社。[95] 滿炭之下有阜新、鶴岡、北票、西安各炭礦。[96]

  在滿炭工作的臺人不多，目前所知僅陳老尾、沈技英、翁通楹三人。沈技英約生於 1922 年，嘉義商工專修學校畢業，任營子城炭礦職員。[97] 陳老尾，約出生於 1919 年，曾經在 1940 年同時考上新京工鑛技術學院 [98] 和新京醫科大學，[99] 但他

89　臺南第一中學校同窓會，《臺南第一中學校同窓會員名簿》（臺南：該會，1940），頁 35。
90　〈居住長春台灣省民名簿〉（1946 年 1 月 28 日）。
91　臺南第一中學校同窓會，《臺南第一中學校同窓會員名簿》，頁 35。
92　許雪姬訪問、蔡說麗記錄，〈陳嘉樹、陳高絃夫婦、陳正德先生訪問紀錄〉，《日治時期在「滿洲」的台灣人》，頁 537。陳嘉樹為陳嘉濱之兄。
93　中島力，《同窓會名簿》，頁 63。
94　許雪姬訪問、吳美慧紀錄，〈蔡西坤先生訪問紀錄〉，《口述歷史》5（1994.6），頁 177；鄭新奇曾邀蔡西坤夫人（蔡西坤在大同學院受訓）到其家同住，十分照顧，一直到結訓。
95　高橋勇八，《滿洲商工名鑑：附諸官廳錄》（下冊），頁 33。據滿洲國史編纂刊行會，《滿洲國史 各論》，頁 579-580，則言滿炭成立於 1940 年，是基於「特殊會社機能刷新要綱」，對經營予以再檢討所得的結果。
96　滿洲國史編纂刊行會，《滿洲國史 各論》，頁 579-580。
97　〈居住長春台灣省民名簿〉（1946 年 1 月 28 日）。
98　國務院總務廳編，《滿洲國政府公報》，第 1790 號，康德 7（1940）年 4 月 12 日，頁 219。
99　國務院總務廳編，《滿洲國政府公報》，第 1781 號，康德 7（1940）年 4 月 1 日，頁 8。

被取消醫科的入學許可。[100] 新京礦業技術學院畢業後乃入鶴岡煤礦任職員，[101] 鶴岡煤礦是滿洲國主要煤礦之一。[102] 另翁通楹 1943 年 9 月畢業於京都帝大機械工學科後，因戰局吃緊難以回臺，在日本又遭轟炸，恐有生命危險，乃取得到鶴岡煤礦工作的證明才得以渡滿，故依約到鶴岡工作兩個月後才轉至位於新京的大陸科學院。[103]

（四）滿洲興業銀行

滿洲興業銀行（以下簡稱興銀）成立於 1936 年 12 月 7 日，其成立主要目的是統合日本方面設在滿洲國的銀行，[104] 並供給產業開發必要而長期的低利資金，此為基於 1936 年 12 月 3 日所制定的滿洲國興業銀行法而設立的特殊銀行，到 1944 年 6 月其存款是創業當時的 7 倍、放款為 10 倍，此外興銀又被授權可發行實繳資金 15 倍的興業債券，這可說是特權，資本金三千萬元（實繳一千五百萬元）。[105] 在興銀服務的臺人有二人。

1. 高湯盤：約生於 1908 年，淡水人，1927 年臺灣商工學校商科第八期畢業。[106] 1933 年到滿洲，曾在興業銀行通化分行擔任經理，[107] 也服務過中央銀行總行、[108] 吉林銀行行長；[109] 更是興農金庫支店長，[110] 經歷脫不了銀行界。

2. 江呈麟：約生於 1920 年，臺南第一中學畢業，[111] 後入日本西南學院就讀，任興銀職員。[112]

100　國務院總務廳編，《滿洲國政府公報》，第 1837 號，康德 10（1943）年 6 月 11 日，頁 219。
101　〈居住長春台灣省民名簿〉（1946 年 1 月 28 日）。
102　豐田要三編纂，《滿洲帝國概覽》，頁 348。
103　許雪姬訪問、鄭鳳凰紀錄，〈翁通楹先生訪問紀錄〉，頁 464。
104　朝鮮銀行支店、正隆銀行、滿洲銀行、橫濱正金銀行，除正金銀行以外都被統合。
105　高橋勇八，《滿洲商工名鑑：附諸官廳錄》（下冊），頁 45-46；滿洲國史編纂刊行會，《滿洲國史各論》，頁 486。
106　開南同窓會，《會員名簿》（臺北：開南同窓會，1941），頁 60；在〈居住長春台灣省民名簿〉載畢業於臺北高商經濟科。
107　許雪姬訪問，吳美慧、丘慧君紀錄，〈謝報先生訪問紀錄〉，《口述歷史》5（1994.6），頁 198。
108　開南同窓會，《會員名簿》，頁 6。
109　許雪姬訪問、鄭鳳凰紀錄，〈徐水德先生訪問紀錄〉，《日治時期在「滿洲」的台灣人》，頁 249。株式會社吉林銀行設立於 1920 年，資本金 30 萬圓（實繳 7 萬 5,000 圓），從事一般銀行業及保險業務、日資。見高橋勇八，《滿洲商工名鑑：附諸官廳錄》（下冊），頁 32。
110　〈居住長春台灣省民名簿〉（1946 年 1 月 28 日）。
111　許雪姬訪問、鄭鳳凰紀錄，〈楊藏嶽先生訪問紀錄〉，《日治時期在「滿洲」的台灣人》，頁 450，楊為江的同學。
112　〈居住長春台灣省民名簿〉（1946 年 1 月 28 日）。

（五）株式會社滿洲映畫協會

　　株式會社滿洲映畫協會（以下簡稱滿映）成立於1937年8月21日，[113] 資本金五百萬圓（實繳125萬圓），重要的股東是滿洲國政府和滿鐵，各投資一半，主要的任務是配合國策，輸入或配給影片，拍攝教育電影、娛樂電影，並透過電影來指導民眾，提振國民教育，以向王道樂土的建設邁進，特別是要妥善對應思想戰和宣傳戰。不僅如此還準備培養明星，協助日本國內松竹、日活等電影公司的影片打入華北市場。[114]

　　在滿映有一導演張天賜，臺北人，1909年生，1937年七七事變之後到滿映任職，不久被公司認為是可造之才，乃被派到日本東寶映畫會社學導演6個月，[115] 擔任「愛焰」的助導演，撰寫「患難交響曲」的劇本。1941年起當導演，執導的片子有「荒唐英雄」、「在雪夜」、「夜未明」三部，不僅執導也是編劇；在「黑臉賊」、「白馬劍客」、「燕青與李師師」等片中任監督。他的創作包括喜劇和現代劇，武俠的時代劇也是其得意的劇種。戰後受命留駐長春，導演了《哈爾濱之夜》、《看東北》兩部十分叫座的電影，一度留在長春製片場服務，[116] 之後在上海當導演。[117]

　　臺灣人進入滿映的人相對的較多，大半是經由日本人介紹而來，主要是利用臺人的雙語能力以便作為日本人和滿洲人間的橋樑，也有的只在片場駕車或送片到各地放映。[118] 茲將相關臺人介紹於後：

1. 吳太郎：約生於1916年，臺中自動車學校畢業，任滿映技術員。
2. 吳長興：約生於1915年，高雄自動車學校畢業，任滿映技術員。
3. 呂西智：約生於1916年，出身背景不詳，亦任職於滿映。
4. 李麒麟：約生於1915年，臺中自動車學校畢業，滿映的技術員。
5. 林呈東：約生於1917年，臺灣商工學校畢業，滿映技術員。
6. 施家振：約生於1920年，臺灣商工學校畢業，滿映技術員。
7. 施家福：約生於1913年，臺灣商工學校機械科畢業，滿映技術員。

113　8月15日發布制定的「株式會社滿洲映畫協會」。理事長為金璧東、常務理事林顯藏，創立時正好是七七事件後不久，協會乃立刻派技師到戰爭現場拍攝實況，並製作新聞電影。見滿洲國史編纂刊行會，《滿洲國史 各論》，頁64。

114　高橋勇八，《滿洲商工名鑑：附諸官廳錄》（下冊），頁47。

115　呂訴上，《臺灣電影戲劇史》（臺北：銀華出版社，1980年再版），頁22。

116　葉龍彥，《日治時期臺灣電影史》（臺北：玉山社，1998），頁155-156。

117　王艷華，《「滿映」與東北淪陷時期的日本殖民化電影研究：以導演和作品為中心》（吉林：吉林大學出版社，2010），頁216。

118　許雪姬訪問、鄭鳳凰紀錄，〈林更味女士訪問紀錄〉，《日治時期在「滿洲」的台灣人》，頁390。

8. 柯隆礎：約生於 1920 年，臺灣商工學校畢業，滿映技術員。
9. 柯鴻允：約生於 1918 年，電影技術員。
10. 洪台岩：約生於 1916 年，臺灣商工學校畢業，滿映協會技術員。
11. 洪恩得：約生於 1914 年，臺中自動車學校畢業，滿映協會技術員。[119]
12. 袁柏偉：袁錦昌侄，服務於滿映，後至北京讀中國大學。
13. 袁柏濤：約 1914 年生，在臺灣讀完高中後就到滿洲，[120]任滿映會社職員。
14. 傅傳欽：約生於 1925 年，新京⬚生塾畢業，任滿映光音技術員。
15. 張江水：約生於 1917 年，臺南第二中學畢業，任職滿映。[121]

另有楊伯釗，約生於 1922 年，臺北國民中學畢業，為滿映演藝學協職員。[122]而蘇逸甫據云也在滿映工作。[123]

由以上就任滿映的人員加以分析，除張天賜導演外，大半是自動車學校與臺北商工學校的畢業生居多，以任技術員及職員為多。

（六）株式會社昭和製鋼所

成立於 1929 年，資本一億圓（實繳 8,200 萬圓），以製造、販賣銑鐵、鋼材及其副屬品，採掘礦石及相關附帶業務為主，[124]原來是特殊會社，[125]由滿鐵經營，但後來納入滿工。換言之在 1936 年日本政府和軍部決定將有關重工業的子公司交給滿工：以昭和製鋼所為首，包括滿炭、日滿鎂礦、滿洲鋁礦、同和汽車、滿洲石油等公司。[126]

進入昭和製鋼所（以下稱昭鋼）的是呂天爵，為九州帝國大學工科畢業。[127]任鞍山昭鋼所員；[128]另一人為郭枝萬，約生於 1912 年，在滿洲鞍山製作所做機械加工的工作，[129]唯此製作所是否為昭鋼的子工廠尚需進一步查證。

---

119 〈居住長春台灣省民名簿〉（1946 年 1 月 28 日）。
120 許雪姬訪問、鄭鳳凰紀錄，〈林更味女士訪問紀錄〉，頁 390。林更味為袁柏濤的姻親。
121 〈居住長春台灣省民名簿〉（1946 年 1 月 28 日）。
122 〈居住長春台灣省民名簿〉（1946 年 1 月 28 日）。
123 葉龍彥，《日治時期臺灣電影史》（臺北：玉山社，1998），頁 155-156。
124 高橋勇八，《滿洲商工名鑑：附諸官廳錄》（下冊），頁 53-54。
125 豐田要三編纂，《滿洲帝國概覽》，頁 310。
126 姜念東等，《偽滿洲國史》，頁 276。
127 台高會，《台高會名簿》（臺北：台高會，1982），頁 15。
128 興南新聞社，《臺灣人士鑑》（1943），頁 467，呂阿昌。
129 〈居住長春台灣省民名簿〉（1946 年 1 月 28 日）。

（七）滿洲電業株式會社

滿洲電業株式會社（以下簡稱滿電）設立於 1934 年，資本金一億六千萬圓（實繳 1 億 750 萬圓），以供給電燈、電力及其附帶業務，或對同種事業的投資為其經營主體，由於是特殊會社，故統制同業，或以資本加以買收。[130] 這是日滿合辦的公司，[131] 以國家的力量發展滿洲國的電業，到 1937 年七七事變後，除撫順煤礦、鞍山製鐵所、本溪湖煤鐵公司三個大型企業所屬的自備發電廠外，滿洲國的中小型電廠均歸滿電經營，滿洲的電氣事業迅速發展，直到 1945 年日本戰敗為止。[132]

1. 臺南高工的畢業生

進入滿電工作的以臺南高等工業學校畢業的為多，主要的有第一屆電氣工學科的傅慶騰、黃榮泰，第二屆的曾昌興（因病中途離職返臺），機械工學科第二屆的宋賢清（入社不久因公傷亡），電氣工學科第四屆潘國慶，第五屆周漢揚，第六屆吳登貴，電氣工學科第八屆王立財，[133] 茲簡述如下：

（1）開路先鋒傅慶騰：生於 1912 年，美濃人，高雄中學畢業後，於 1931 年考上臺南高等工業學校，[134] 由於家族的關係，又因專科畢業生在臺月薪不高，故在學中即想在畢業後帶子姪三人赴滿洲謀生。傅氏與滿洲結緣，主要是臺南高工電氣工學科創科主任長濱重磨教授，原任職於旅順工科大學，因此在長濱的推薦下於 1933 年暑假到南滿洲鐵道撫順發電所實習一個月，因而認識該所所長，才有赴滿洲的念頭。

由於滿電剛設立，因此開始招考職員，在滿洲、日本各設一個考場，當時日本考場已準備錄取三人，臺南高工學生在鈴木清次[135] 老師的帶領下，帶了八名學生（包括日籍）前往下關參加考試。是次考試只有傅慶騰考上，然而其為日薪是 2 圓 50 錢的工手，月入 75 圓，沒有加給。依正常情況，專科畢業月薪 65 圓，但有地方加給，

130　高橋勇八，《滿洲商工名鑑：附諸官廳錄》（下冊），頁 56。
131　日方的會社有南滿洲電氣株式會社、營口水道電氣株式會社、北滿電氣株式會社；滿洲國方面的有奉天電燈廠、新京電燈廠、吉林電燈廠、哈爾濱電業局、齊齊哈爾電燈廠、安東電業股份有限公司。見高橋勇八，《滿洲商工名鑑：附諸官廳錄》（下冊），頁 56。
132　傅慶騰撰、高淑媛譯，〈傅慶騰回憶錄〉，頁 554-555。
133　傅慶騰撰、高淑媛譯，〈傅慶騰回憶錄〉，頁 580，傅言楊藏嶽曾任職滿電，唯根據〈楊藏嶽訪問紀錄〉並未說及此項經歷，應以楊本人的訪談紀錄為主。
134　臺灣總督府臺南高等工業學校，《臺灣總督府臺南高等工業學校一覽》（臺南：該校，1934），頁 114。
135　鈴木清次，1898 年生，日本佐賀縣人，1918 年自貝島鑛業株式會社所設立的桐野電氣學校畢業，歷任明治專門學校助手、京城電器株式會社技手、山口縣立宇部工業學校教諭心得等職。1921 年任臺灣總督府臺南高等工業學校助手，1932 年升任該校助教授，1945 年升任教授。見興南新聞社，《臺灣人士鑑》（1943），頁 209。

圖 5-6　傅慶騰任職滿洲電業株式會社，1936年11月4日與山本久江於大連市大和ホテル結婚

前排左起賀門フクエ（妻姊）、小林（義姊夫）、山本（義姊）、山本久江（妻）、傅慶騰、唐澤博士（證婚人）、唐澤夫人、傅元烜博士（大連市立病院外科主任）

後排左起大垣トクエ（妻妹）、妻嫂、兄、山本金十郎（岳父）、簡仁南醫師、傅元烜夫人、簡仁南夫人盧淑賢

（傅慶騰先生提供）

大連加6成，長春加8成，本社在大連，故傅的薪水應該是104圓，鈴木老師因此大怒，主張此係有損校譽之事，不該去大連報到！而傅則認為此乃日方對臺灣的高工教育認識不足，因此應該去報到，並以良好的工作品質來改變社方的刻板印象。

1934年3月30日傅到滿電大連本社報到。傅在大連受到差別待遇，[136] 以工手的身分被編入大連市甘子井火力發電所建設事務所電爐係（組）工作，主要擔任鍋爐包商培成公司的boiler（蒸汽罐）安裝工程檢查監督，由底座水泥調配及鐵骨（柱子、樑）中心距離尺寸的檢查開始，到boiler ash hopper 的配管和header 插入角度、相關尺寸都必須檢查，由於事先擬定要檢查的項目及要旨，故能適時一一指出承辦者的錯誤，而事後的報告書也極完善，因此工作三個多月，畑生武男蒸汽罐科長認定傅與日人能力一樣而為其差別待遇向人事課長抗議。10月傅在安裝boiler wall 的作業中，被由ash hopper 上方摔下來的block 砸到頭而受重傷，送往大連市立病院外科治療。而當時外科主任是新竹縣湖口客家人傅元煊（下敘），故受到特別的照顧。11月傅升為月薪75圓的雇員，到1935年3月，升格為月薪60圓（外加在大連的地方加給共月薪112圓）的職員，此舉仍不如第二屆的後輩宋賢清月薪65圓的職員，畑生還要再度為其抗議，但傅認為已為母校後輩爭取到和日人相同的待遇，斯願已了，故不再抗議。

1935年4月底甘井子的工作告一段落，5月調往哈爾濱市馬家溝火力發電所增設工程工作，1936年2月工事完成，乃調回本社工務部建設課參加新設及增設火力發電所之設計計畫。當時主要的火力發電設備，係用滿洲的大豆換德國西門子（Siemens）會社製透平發電機，在工作上由於過去工作的經驗，加上讀高工時即修會德文，不僅能與德人溝通，又因會日語、滿洲語，也能直接指揮工人，何況當時的工務部長岡雄一郎又特別指導，因此得以設計阜新火力發電所及渾河火力發電所。[137] 阜新火力發電廠完成於1943年3月，此時傅亦以擔當員（等於副廠長，隨時可擔任需要應對的工作）由大連總社調往阜新發電所。

由於時機已愈來愈緊張，盟軍與蘇軍都有隨時進入滿洲的可能性，1944年下半年開始，尚未施工的渾河發電所的西門子製53,000kw 的turbine 發電機決定疏散到阜新發電廠所附近的荒野，傅擔任疏散的工作，指揮動員滿洲職工一起完成，此時已到了1945年5月。當回到發電所內部工作單位不久，日本即告無條件投降。在這前後，阜新雖靠近內蒙古，但因產煤，故直到蘇聯戰車部隊8月末來到阜新前，

---

136 一起考進的有大學畢業的日人兩名：加納博、寺山敏夫，他們住入日人員工用臨時單身宿舍及公共臨時食堂，傅卻因是工手，以房間不足為由住進臨時單身宿舍，後由廠方提供11坪半的木造臨時小屋。日方之所以只以工手起聘，乃認為臺灣人都是高砂族。

137 阜新火力發電所係27,000kw 發電機兩台，53,000kw 發電機兩台；渾河火力發電所53,000kw 發電機六台。

圖 5-7 黃榮泰、楊藍銀結婚照,於 1934 年底到新京任職。
(黃瑞玉女士提供)

第五章 非公職的臺人及臺人在滿洲的生活

發電、送電的工作仍然繼續著。傅緊守崗位，面臨到極為險峻的局勢。[138]

（2）黃榮泰：臺南人，1930年畢業於臺南第一中學，[139]旋考入臺南高等工業學校電氣工學科，為第一屆。1934年3月與傅慶騰一起赴日本下關接受滿電的考試，未被錄取。黃娶楊燧人之妹楊藍銀，在楊燧人的勸告下赴滿，[140]又在楊蘭洲的推薦下進入滿電。[141]他被分發到松江豐滿水力發電廠（戰後稱水豐滿水庫），戰後任所長。[142]所謂豐滿水庫，是為開發滿洲電源而設，工費約二億，二期五年（事實上到終戰為止仍不斷建設中），自1937年開始建設，每年可發電30億kw，可與當時世界第一的水庫美國的ボルーター水庫（Hoover Dam，又稱Boulder Dam）及正在建設的グランドクリーダム（Grand Coulee Dam）相匹敵。曾任滿洲國長官的星野直樹認為豐滿水庫是滿洲建國的里程碑。[143]

（3）宋賢清：入滿電後不久，於1935年4月在電鐵課公共汽車修理工場工作中，頭部受傷，轉為丹毒病，公傷死亡。[144]

（4）王立財：約出生於1918年，任技術員。[145]

（5）周漢揚：1935年畢業於臺北第二中學，1938年臺南高等工業學校電機系畢業，終戰時在阜新發電廠擔任電氣值班主任。[146]

（6）傅傳欽，高雄美濃人，「東北長春工學院建築科」（可能是新京工業大學）畢業，曾任滿洲電業株式會社公務部建築科職員，及滿洲國電業總局土建課設備股長。[147]

（八）滿洲電氣化學工業株式會社

本社乃利用第二松花江大豐滿發電所剩餘電力十萬K.W.H，以豐富的煤、石灰石與鹽作為原料來綜合開發カーバイト（carbide電石）的有機電氣化學工業。1938年10月，選擇在近水力發電所的吉林設立滿洲電氣化學工業株式會社，除生產電石外，與日本大阪方面的技術合作製造石灰窯業，アセトン（acetone，芳香、無色揮發性

---

138 傅慶騰撰、高淑媛譯，〈傅慶騰回憶錄〉，頁562。
139 臺南第一中學校同窓會，《臺南第一中學校同窓會員名簿》，頁42。
140 許雪姬訪問、蔡說麗紀錄，〈許文華先生訪問紀錄〉，頁414。許文華母為楊藍磬，與楊藍銀為姊妹。
141 傅慶騰撰、高淑媛譯，〈傅慶騰回憶錄〉，頁574。其回憶錄稱楊蘭洲為黃榮泰姊夫，實則為妻舅。
142 許雪姬訪問、鄭鳳凰紀錄，〈楊藏嶽先生訪問紀錄〉，頁451。
143 滿洲國史編纂刊行會，《滿洲國史 各論》，頁1068-1069。
144 傅慶騰撰、高淑媛譯，〈傅慶騰回憶錄〉，頁557。
145 〈居住長春台灣省民名簿〉（1946年1月28日）。
146 傅慶騰撰、高淑媛譯，〈傅慶騰回憶錄〉，頁574；不著編人，《同窓會名簿》，頁52。
147 吳巍主編，《南臺灣人物誌》（臺中：東南文化出版社，1956），頁315。

圖 5-8　1937 年 8 月 31 日，陳嘉樹（中，手抱長子陳正德）任職滿洲電氣化學工業株式會社，與妻陳高絃、父陳瑞山合影於奉天北陵。
（陳嘉樹先生提供）

液體）、ブタノール（butanol）、醋酸、合成橡膠等。[148] 陳嘉樹，臺南人，廣島高等工業學校機械科畢業，1935 年到滿洲。先就職於產業調查局，再換到重工業局，兩年後轉到本社位於吉林的滿洲電氣化學會社。按滿洲電氣化學會社也算是公家單位，其中三分之一的股份為政府所持有，主要是製作電石，以化學方式來提煉日益缺乏的石油；另外也生產焦炭。先是擔任調查股股長，以後任企劃股股長，雖只是股長，但權限很大，可裁決 30 萬圓內之用度。由於較有興趣於技術有關的工作，故申請至工務室任工務股長。在工務室除管理工務股的汽車外，也為員工宿舍解決暖氣設備不足的問題。有時參加會議當紀錄（如董事們與關東軍的會議），關東軍在事後才知道陳是臺灣人，便會責問何以用臺灣人做紀錄。滿洲電氣化學會社今為中共的肥料廠，縱深有七公里。[149]

吳登貴，花蓮人，1936 年臺北第二中學畢業，再畢業於臺南高等工業學校電氣工學科第六屆，在滿洲電氣新京支店工作。[150]

再一位則是陳嘉樹的小舅子高萬安，臺中第一中學畢業後，到日本東京讀醫科，因局勢日漸危險，來滿洲找姊夫，兩三年後進入電氣化學會社工作。[151]

另一個在滿洲電氣化學會社工作的是胡珠照，1941 年畢業於臺南高等工業學校化學系，新竹人，陳嘉樹奉命回臺招募該社職員時所錄用者，戰後回臺任職於台塑。[152]

（九）滿洲特殊鑛會社

1934 年臺北工業學校建築科畢業的黃仁超（廣田仁治）曾任職。[153]

（十）滿洲國鏡泊湖水力電氣建設所

林有伍，1937 年畢業於臺北工業學校專修生土木科，在此任職。[154]

148　滿洲國史編纂刊行會，《滿洲國史 各論》，頁 627。
149　許雪姬訪問、蔡說麗紀錄，〈陳嘉樹、陳高絃夫婦、陳正德先生訪問紀錄〉，頁 514。
150　不著編人，《同窓會名簿》，頁 58。
151　許雪姬訪問、蔡說麗紀錄，〈陳嘉樹、陳高絃夫婦、陳正德先生訪問紀錄〉，頁 538。
152　許雪姬訪問、蔡說麗紀錄，〈陳嘉樹、陳高絃夫婦、陳正德先生訪問紀錄〉，頁 513；臺南工學院，〈畢業生調查表〉。
153　〈1937 年 1-3 月外國旅券下付表〉，識別號：T1011_03_152。據其申請赴滿洲的旅券所登載的旅行目的為「滿洲國國都建設局へ就職ノ為」。
154　大場則雄，《會員名簿》（臺北州：臺北州立臺北工業學校內大安工業俱樂部，1941），頁 230。

三、在其他相關單位服務者

除了在特殊、準特殊會社工作外臺灣人尚從事多種職業,一是在會社工作者,二是擔任教師者,三是交通事業,四是與當地人合組的公司,五是在娛樂場所工作者,六是在協和會任職者,七是經營商工業者,八是其他。

(一) 在會社工作者

1. 日滿商事股份有限公司

本社在新京,屬於配給會社,1936 年 10 月設立,資本金一千萬圓(實繳六百萬圓),主要目的是一、販賣南滿鐵道株式會社及滿洲炭礦株式會社的生產品;二、受在滿洲諸會社的委託販賣其生產品;三、前項的附帶業務,主要是將此業務由滿鐵販賣部分割出來,並和滿炭的營業部門及撫順炭販賣會社聯合,由前兩者共同出資成為準特殊會社,這也顯示出日、滿兩國經濟的協調,以後有關鋼管的販賣則交由滿工。[155]

在日滿商事任職的臺人有兩位,一是吳炎烌,約生於 1922 年,日本慶應義塾大學英語科畢業,任日滿商事的職員;[156] 一是許長雄,北港人,[157] 約生於 1917 年,畢業於日本中央大學法科,任日滿商事經理,其妻為藥劑師,服務於新京火車站旁的順天堂醫院。[158]

2. 新京纖維公社

(1) 王炳麟:嘉義人,王得祿之後,為王鍾麟、鄭瑞麟之兄弟,約生於 1899 年,日本東京法政大學經濟部畢業。1942 年 6 月在其三兄鄭瑞麟的介紹下,辭掉臺南市役所的工作到新京纖維公社任職,一直到日本戰敗。[159]

(2) 林景星:約生於 1922 年,嘉義中學校畢業,任纖維公社社員。

(3) 涂慶楨:約生於 1915 年,臺灣商工學校畢業,任纖維公社社員。[160]

(4) 洪習定:臺北人,為洪禮修之子,大哥洪立平,二哥洪啟真,三哥洪在明,

---

155 高橋勇八,《滿洲商工名鑑:附諸官廳錄》(下冊),頁 62。
156 〈居住長春台灣省民名簿〉(1946 年 1 月 28 日)。
157 許雪姬訪問、鄭鳳凰紀錄,〈翁通楹先生訪問紀錄〉,頁 470。
158 許雪姬訪問、鄭鳳凰紀錄,〈翁通逢先生訪問紀錄〉,頁 108。
159 顏新珠編著,《嘉義風華:嘉義縣老照片選集(1895-1945)》,頁 146-147;〈居住長春台灣省民名簿〉(1946 年 1 月 28 日)。
160 〈居住長春台灣省民名簿〉(1946 年 1 月 28 日)。

八弟洪智默，都曾赴滿洲。國民中學（即今大同中學）畢業後，到新京纖維公社任職[161]約一、二年，後因肋膜炎乃由滿洲前往廈門，依三兄洪在明做「情報工作」。[162]

（5）孫雪：臺南人，約生於1914年，畢業於臺南第二高等工業學校，任纖維公社職員（打字員），[163]其夫在經濟部服務，已經過世，其弟為孫木筆。[164]

（6）孫木筆：臺南第二中學校畢業，約生於1920年，任纖維公社會計。[165]

兩人會到滿洲純粹因陳姓姊夫之故。

（7）張正一：約生於1912年，嘉義農林學校農科畢業，任纖維公社職員。[166]

3. 在滿洲日日新聞社工作者

當時在滿洲的臺人要打入毫無淵源、緣故的報社相當困難，但仍有少數人進入此業，而且大半在滿洲日日新聞社任職。按該社創刊於1905年10月，本社在大連，有日、晚報，資本金75萬圓（全繳），但1927年買下遼東新報社後改稱《滿洲日報》，1935年8月與大連新聞社合併後，又復稱為《滿洲日日新聞》，1938年在奉天設姊妹報《奉天日日新聞社》並將在大連的本社遷往奉天，是當時有影響力的報社。[167] 最早到滿洲任滿洲報社記者的是王甲寅。

（1）王甲寅，臺南人，在九一八事變前的1930年前已活躍於滿洲，他不僅是《滿洲日報》的記者也是編輯員，也在滿洲自動車學校兼任講師，又任當地基督教青年會幹事，且為夜學校日本語主任。[168] 1932年被任命為國務院民政部屬官，委任三等，在地方司辦事。[169] 1933年4月17日敘委任一等，翌日即因公殉職。[170]

（2）張仁石，約生於1918年，臺北高商附屬廣東語講習所畢業，曾在廣州市迅報社工作，後入滿洲日報社。

（3）陳一鶚，約生於1915年，與翁通楹同畢業於臺南第二中學，日本中央大

---

161 許雪姬訪問、紀錄，〈洪智默先生訪問紀錄〉，2000年6月18日，未刊稿。洪智默為洪習定之弟。見第三戰區金廈漢奸案件處理委員會編輯，《閩台漢奸罪行紀實》（廈門：江聲文化出版社，1947），頁46，（五九）洪奸習定。
162 第三戰區金廈漢奸案件處理委員會編輯，《閩台漢奸罪行紀實》，頁6、46〈（十四）洪奸在明〉、〈（五九洪奸習定）〉。
163 〈居住長春台灣省民名簿〉（1946年1月28日）。應為臺南高等工業學校。
164 許雪姬訪問、鄭鳳凰紀錄，〈翁通逢先生訪問紀錄〉，頁113。
165 〈居住長春台灣省民名簿〉（1946年1月28日）。
166 〈居住長春台灣省民名簿〉（1946年1月28日）。
167 高橋勇八，《滿洲商工名鑑：附諸官廳錄》（下冊），頁158；柏崎才吉編，《滿洲國現勢：康德八年版》，頁497。
168 謝春木，《臺湾人は斯く観る》（東京：龍溪書舍，1974），頁133，第二編新興中國見聞記。
169 國務院總務廳編，《滿洲國政府公報》，第36號，大同元（1932）年8月17日，頁4、10。
170 國務院總務廳編，《滿洲國政府公報》，第138號，大同2（1933）年5月29日，頁346；《臺灣民報》，第296號，昭和5（1930）年1月18日，第2版。

學法科畢業,任滿洲日報社職員,戰後由牡丹江到新京,而與翁通逢等人同住。[171]

(4)劉椿輝,約生於1917年,日本大學文學部心理學科畢業,臺南人,任滿洲日報社職員,[172] 日本投降後自牡丹江到新京找翁通逢。[173]

亦有擔任臺灣報紙的通信員,如王進益,臺北人,與其兄王添灯在1931年設立文山茶行(在臺北港町),支店則設在大連、沖繩、新加坡,王進益則任大連支店長,一方面也任《臺灣新民報》大連通信記者。[174]

4. 大正海上火災保險會社

蘇鴻洞,約1918年出生,畢業於日本專修大學商科,畢業後入大正海上火災保險會社(以下簡稱大正保險),派駐新京。由於當時戰爭已推進到日本本土,因此蘇鴻洞以到新京大正保險工作為由,發出證明單,以方便一干由日本逃亡滿洲避難與避徵兵的臺人。蘇鴻洞將工作證明先寄給劉燕瑟,劉乃得以到新京任大正保險的會計。劉燕瑟為新竹新埔人,日本大學附屬第二商業學校畢業,1944年考上日本中央大學。[175] 劉燕瑟又循此線再將工作證寄給嚴盛滿、劉燕鑒等人,他們也順利抵達新京。

按嚴盛滿,約生於1918年,日本大學商經科畢業,來新京後並未入大正保險,而進入滿洲國厚生會任職員。[176] 劉燕鑒可能是劉燕瑟的兄長,他和嚴盛滿在1944年到新京,1945年7月,即離日本投降約一個月,劉燕瑟、蘇鴻洞帶了嚴盛滿工作單位的兩名臺人離開新京,尋找東北抗日民主聯軍,但大都在8月15日日本投降後回到長春,除了劉燕瑟(後改名劉理)在1946年3月加入中國共產黨而沒有回臺外,其餘諸人都回到臺灣。[177]

5. 從事農業相關會社工作的臺人

(1)滿洲農地開發會社:在此會社工作的臺人有涂炳恒、張顯貴、吳濯合等三人。涂炳恒,約生於1925年,日本埼玉農業學校畢業,擁有農藝化學技能,任職

---

171 許雪姬訪問、鄭鳳凰紀錄,〈翁通逢先生訪問紀錄〉,頁112;〈居住長春台灣省民名簿〉(1946年1月28日)。
172 〈居住長春台灣省民名簿〉(1946年1月28日)。
173 許雪姬訪問、鄭鳳凰紀錄,〈翁通逢先生訪問紀錄〉,頁112;〈居住長春台灣省民名簿〉(1946年1月28日)。
174 臺灣新民報社,《臺灣人士鑑》(臺北:臺灣新民報社,1937),頁40。
175 〈居住長春台灣省民名簿〉(1946年1月28日);中華全國臺灣同胞聯誼會編,《臺灣同胞抗日50年紀實》(北京:中國婦女出版社,1998),頁581-582。
176 中華全國臺灣同胞聯誼會編,《臺灣同胞抗日50年紀實》,頁581-583。
177 中華全國臺灣同胞聯誼會編,《臺灣同胞抗日50年紀實》,頁581-583;〈居住長春台灣省民名簿〉(1946年1月28日),劉燕鑒30歲過世,嚴盛滿在60年代移民巴西。

開發會社；張顯貴則約生於 1915 年，東京農業大學畢業。吳濯合，約生於 1926 年，日本埼玉農業學校畢業。[178]

（2）滿洲柞蠶株式會社：是準特殊會社，1939 年設立，以柞蠶增產五年計畫為基礎展開，資本額 500 萬圓（實繳 125 萬圓），本社在新京。[179] 在此會社任職的臺人有吳耀輝、張漢戊兩人。吳耀輝，約生於 1906 年，日本東京二松學舍國漢科畢業，曾任滿洲柞蠶會社副參事，[180] 是任職於中央銀行的吳金川之弟。[181] 張漢戊，約生於 1909 年，日本大學法學部畢業，任柞蠶會社職員。[182]

6. 滿蒙殖產株式會社（大連）

郭教（1911-1982），新竹人，畢業於臺南高等工業學校應用化學科，1934 年起任職。1936 年 4 月改任職於大連市技術會館內之滿洲國專賣石油類大連取扱事務所。[183] 戰後受許金德之邀，1950 年代擔任臺灣工礦公司板橋化工廠廠長，並創建國泰塑膠新竹廠。[184]

7. 新京酪農會社

在本會社工作的臺人有沈耀宗、林炎星、陳光渠三人。沈耀宗約生於 1916 年，其他狀況不詳。林炎星，約生於 1919 年，基隆水產講習所畢業，任本會社職員。陳光渠，約生於 1906 年，任本會社用度股長。[185]

8. 滿洲林產公社

在本社工作的臺人有五人，即江合興、柯田、張添來、陳繼亨、謝汝銘。江合興，約生於 1924 年，鹿兒島綜合實種中學校商業科畢業，任本社職員。柯田，約生於 1920 年，臺南第二中學畢業。張添來，約生於 1923 年，鹿兒島綜合中學校農科畢業。陳繼亨，約生於 1914 年，嘉義農業學校土木科畢業。謝汝銘，約生於

178　〈居住長春台灣省民名簿〉（1946 年 1 月 28 日）。
179　《滿洲國現勢》（康德八年版），頁 455-456。
180　〈居住長春台灣省民名簿〉（1946 年 1 月 28 日）。
181　許雪姬訪問、鄭鳳凰紀錄，〈徐水德先生訪問紀錄〉，頁 249。
182　〈居住長春台灣省民名簿〉（1946 年 1 月 28 日）。
183　臺灣總督府臺南高等工業學校，《臺灣總督府臺南高等工業學校一覽》（臺南：該校，1934），頁 115。
184　陳百齡，《石碑背後的家族史：新竹近代社會家族研究》（新竹：新竹市文化局，2015），頁 76。
185　〈居住長春台灣省民名簿〉（1946 年 1 月 28 日）。

1919 年，臺灣商工學校畢業。[186]

9. 滿洲生活必需品株式會社

本社在新京，作為滿洲國對外物資流通關係的會社，戰爭期間用來統制生產、物資配給，在各地設有縣配給所、倉庫、支庫、支社、事務所，資本額五千萬圓（實繳三千萬圓）。[187] 在本社任職的臺人有二名，一是林上煜，一是黃烈火。林上煜於 1938 年畢業於臺灣商工學校商科第十九期，任本社黑河支庫。[188] 黃烈火，則是本社生活必須品組織委員會委員。工作地點在哈爾濱。[189] 戰後是味全企業負責人。

10. 滿洲製糖會社

社長為赤司初太郎，[190] 本社在奉天，資本金有一千萬圓，在東京、哈爾濱設有支店。曾在滿洲製糖任職的臺人有辜振甫和張錦昌、謝伯東三人。辜振甫乃辜顯榮第五子，彰化鹿港人，1917 年生，在臺北高等學校畢業後，考入臺北帝國大學文政學部，而於 1940 年 3 月畢業。在尚未畢業之際，其父已在 1937 年 12 月病逝東京，辜乃繼承大和拓殖、大和興業、高砂鑄造各株式會社代表取締役，也成為大裕茶行、集大成材木商行行主。同時被臺灣總督府指定為全臺官鹽運輸總館業務擔當人。1938 年 8 月將大裕、集大成改為株式會社，而任兩社取締役。畢業後（1940 年 3 月）赴滿洲製糖就任，1942 年 4 月再辭職歸臺，妻黃菖華為臺南黃溪泉之女。[191] 張錦昌，苗栗人，生於 1907 年，妻子張吳氏旺妹，1938 年到滿洲，在滿洲製糖會社擔任秘書事務。[192] 謝伯東，臺北第二中學第七屆畢業（1933），在奉天本社任職。[193]

---

186 〈居住長春台灣省民名簿〉（1946 年 1 月 28 日）。

187 柏崎才吉編，《滿洲國現勢：康德八年版》，頁 446。

188 豐田要三編纂，《滿洲帝國概覽》，頁 311；開南同窓會，《會員名簿》，頁 99。

189 許雪姬訪問，吳美慧、丘慧君紀錄，〈謝報先生訪問紀錄〉，頁 198；許雪姬訪問、鄭鳳凰紀錄，〈徐水德先生訪問紀錄〉，頁 250。黃烈火此段經歷，並未在其傳《學習與成長：和泰、味全企業集團創辦人 黃烈火的奮鬥史》一書中提及。

190 赤司初太郎，1874 年生，東京人，1895 年，赤司以人夫五十人長的身分來臺。1907 年在臺開墾，並從事製肥、製粉、植林業，1908 年創雲林拓殖合資會社，1937 年 8 月任臺灣合同鳳梨株式會社取締役社長。他參與的事業很多，在滿洲除製糖業外，也創設東滿洲人絹パルプ。見吉田靜堂，《臺灣古今財界人の橫顏》（臺北：經濟春秋社，1932），頁 13；興南新聞社，《臺灣人士鑑》（1943），頁 6。

191 黃得時等，《臺大畢業同學錄》（臺北：臺大同學會，1952），頁 3；興南新聞社，《臺灣人士鑑》（1943），頁 135-136 一；《臺灣人士鑑》（1943），頁 119。

192 〈1938 年 7-9 月外國旅券下付表〉，識別號：T1011_03_158；〈居住長春臺灣省民名簿〉（1946 年 1 月 28 日）。

193 不著編人，《同窓會名簿》，頁 41。

11. 滿洲房產株式會社

1938 年 2 月 10 日附敕令第 9 號而設立的房產會社，主要收買過去的大德不動產公司加以改組擴充而成，資金三千萬，由滿洲國政府、興業銀行及東拓各出資一千萬而成，主要在解決房荒的問題，本社設在新京，由卸任的駐日大使謝介石擔任理事長。[194] 已如前述，其任理事長至少到 1941 年。

12. 滿洲自動車組合

周咏華，1940 年畢業於臺北第二中學，為第 14 屆，曾在此組合工作。[195]

13. 其他

林佳湧，臺北人，新京工業大學畢業，在滿洲鑛山株式會社（吉林省樺甸縣）工作；[196] 吳金獅，日名島崎純一，臺北人，基隆中學第一屆畢業（1932），後畢業於臺北高等商業學校，任職大連汽船株式會社（大連）貨物課。[197]

此外，新竹人劉家榮（1910 年生），畢業於新竹州立新竹中學，曾在芎林庄役場、竹東街役場擔任書記，後入日本大阪「都染」本舖株式會社西部桂屋商店任駐臺巡迴宣傳講師，一度到新京、天津駐在，以拓展業務。戰後任光華木行經理兼臺灣水泥公司竹東廠中國語講師，又兼竹東鎮消防隊副隊長。[198]

（二）任職教師

本書第三章已有述及在高等教育機構任職者，本處則為在滿洲國的國民高等學校任職者。

1. 私立維城中學老師何金生

姜念東在《偽滿洲國史》一書中，將維城國民高等學校，視為日本帝國主義對滿洲境內各民族採取離間政策下的產物。姜認為日本對滿族人的教育是以挑撥滿漢民族之間的關係為基軸，宣稱滿洲自古以來不是中國的領土；同時給滿族極少數上層階級以某些特殊的待遇，其具體辦法就是在奉天設維城國民高等學校，專門收容清代皇族子弟，進行特別教育，此外以滿族士兵組成滿洲國軍警衛連，用以監視漢

---

194 柏崎才吉編，《滿洲國現勢：康德八年版》，頁 458。
195 中島力，《同窓會名簿》，頁 87。
196 井上茂治，《卒業生名簿》（臺北州：基隆中學校友會，1942），頁 60。
197 井上茂治，《卒業生名簿》（臺北州：基隆中學校友會，1938），頁 14；井上茂治，《卒業生名簿》（臺北州：基隆中學校友會，1941），頁 11；井上茂治，《卒業生名簿》（1942），頁 83。
198 臺灣省文獻委員會二二八事件文獻輯錄專案小組，《二二八事件文獻輯錄》（臺中：臺灣省文獻委員會，1991），頁 364，〈劉興鞅先生（八〇 A59）提供〉。

族士兵,防止暴動。[199]

何金生,臺中頂橋仔頭人,1912年生,早稻田第一高等學校文科畢業,回臺後曾任職頭汴坑香蕉檢查所、大坑檢查所,後又到日本與朋友合開牡丹亭餐廳,最後在早大黑板駿策教授的協助下,進入黑板工業所工作。黑板工業主要是製造大收塵器,以收工廠煙筒的灰塵,打算到滿洲去製造金礦製煉廠的收塵器,因必須使用當地的工人,以何金生易學中國話,遂派往當鐵工師傅的翻譯。在奉天學得當地語言,順利完成工作,再調往撫順做同樣的工作,卻被日本鐵工羞辱;且當時工作即將完成又要回日本去。正好這時維城中學在招考日語教員,乃前往應徵,兩天後拿到聘書,開始在滿洲的教書生涯,1938年3月經由考試,取得教員的合格證書,由於日文好、教學方法亦佳,除了正式課程外,還在補習班教日文,因此一個月收入有百來圓(正式薪水六十圓)。

1941年12月8日珍珠港事件發生,何金生一則想在東京找語文方面的職業以便完成早稻田大學文學部的學業,乃先安排妻詹春秧到東京,自己到盲人的啟明學園教日人園長滿洲話,同時也在《盛京時報》當日文稿譯中文的工作,以便赴東京,1943年7月乃辭去維城中學教職到東京去。9月進入早稻田大學文學部東洋哲學科上課,但10月因戰爭之故,日本政府頒布學徒從軍令,強迫學生從軍,已不適合在東京居住,乃回奉天,入奉天小南門外啟明學園,任啟明學園教師兼盲人協會書記。1944年6月底維城中學校長慶厚勸何回維城任副校長,7月1日乃回維城中學任教。慶厚之所以請回何,主要是何的教學績效好,維城的畢業生考上滿洲第一流的大學如建國大學、新京醫科大、哈爾濱工業大學者大有人在。翌年6月慶厚計劃收愛新覺羅外的一班,一方面可增加學校的經費,另方面讓愛新覺羅子弟因有比較而更具向上之心,於是學校由一班而增為兩班。然而7月底,維城接到奉天省政府的通知,要將全國的私立高等國民學校全數收歸公立,維城中學改為遼寧省立第十二國民高等學校,8月起薪水改由省政府發,8月9日蘇聯進兵滿洲國,滿洲國中央銀行在8月11日發六個月薪水給公務人員,機關學校全部停止辦公,何金生乃結束在滿洲的教學工作,準備回鄉。

2. 何妻詹春秧,臺中新社人,彰化高等女學校第12屆畢業(1935),[200] 1938年後到東京學洋裁,何、詹兩人在東京見過面,這時何正要去奉天。當何到維城中學不久,詹表示有意到滿洲服務,何乃在紅卍會辦的慈育職業學校(正好在維城附近)為詹找到一個日語教師的職位,而於1939年10月中旬到達奉天。1941年2月6日兩人回臺,在新社岳家廳堂結婚,再回奉天時,詹女開始教維城中學一年級的日

199　姜念東等,《偽滿洲國史》,頁241-242。
200　鈴木千代吉,《彰化高等女學校同窓會同窓生名簿(1942年12月)》(彰化:彰化高等女學校同窓會,1943),頁50。

語，和二、三、四年級的作文，唯因不久懷孕，又因珍珠港事件發生，乃在 1943 年 5 月辭職前往東京，結束在維城二年多的教學工作。[201]

（三）交通事業

包括擔任司機、經營車行者。

張喜榮，1936 年畢業於屏東長治公學校，而後在屏東客運當車掌，學會開客車，1938 年到奉天就先考上行車執照，以開計程車（奉拓車行）為生，也曾代替某林姓臺灣人，當上木組的木仁三郎的司機；戰爭末期因石油管制，收入漸少，乃轉而在日人奉天中央市場工作，在場長的介紹下，在奉天中央市場賣日本的配給物品，其三舅曾煥球，四舅曾煥秀[202] 也開計程車。另有曾任屏東長治公學校老師的古有桂，一度在大田屋（日本人在屏東火車站前開的計程車公司）開計程車。其屏東老家斜對面的邱家兄弟邱魁龍、邱魁鳳、邱魁琥、邱魁煌四兄弟也在奉天經營計程車業。據張喜榮表示，屏東高樹、車城的人在奉天當司機的不少。[203]

出生於 1915 年的鍾理和，在 1928 年畢業於鹽埔公學校，1930 年畢業於長治公學校高等科，1938 年進入滿洲自働車學校就讀，於 1940 年秋天取得駕駛執照，曾任職於奉天交通株式會社。翌年夏天遷居北京，（當時的名字為鍾漢秋）任華北經濟調查所翻譯員，三個月後辭職，自行經營煤炭零售店，而後專職從事寫作。[204]

---

201 許雪姬訪問，何金生、鄭鳳凰紀錄，〈何金生先生訪問紀錄〉，《日治時期在「滿洲」的台灣人》，頁 171-185。

202 據〈外國旅券下付表〉所載，兩人的父親為曾運才／財，而曾煥秀是「三男」，曾煥球是「次男」，但前者 1914 年生，後者 1919 年生，資料有誤。參見〈1936 年 7-9 月外國行旅券下付及返納表〉，識別號：T1011_03_150；〈1938 年 7-9 月外國行旅券下付及返納表〉，識別號：T1011_03_158。

203 林志宏、何思瑩訪問，黃琬柔紀錄，〈屏東運將的滿洲青春紀事：張喜榮先生訪問紀錄〉，收入中央研究院近代史研究所口述歷史編輯委員會，《口述歷史》，第十五期（臺北：中央研究院近代史研究所，2020），頁 62、65、68-70。有關邱昌古的四個兒子中，有三個可以在「旅券下附表」找到相關資料，因而得知，張喜榮口述資料，要做些修正，如邱魁鳳是三男（一說四男），邱魁龍是三男，邱魁琥（誤為福）為次男。邱魁龍的旅行目的即「自動車營業視察ノ為」。參見〈1936 年 4-6 月外國行旅券下付及返納表〉，識別號：T1011_03_149；〈1937 年 4-6 月外國行旅券下付及返納表〉，識別號：T1011_03_153；〈1938 年 1-3 月外國行旅券下付及返納表〉，識別號：T1011_03_156；〈1938 年 7-9 月外國行旅券下付及返納表〉，識別號：T1011_03_158。

204 高雄縣文化中心，《鍾理和全集》（高雄：高雄縣立文化中心，1997），頁 226-228，〈鍾理和生平與著作刊登年表〉；臺灣省旅平同鄉會，〈臺灣省旅平同胞名冊〉（第 5 冊），1946 年 1 月，頁 18。本名冊為北京台灣同胞聯誼會會長汪毅夫先生提供，並託中研院院士黃樹民帶回臺北轉交給筆者，謹致謝意。

（四）與當地人合組公司

蘇連益，臺南人，1902年生，1924年畢業於臺南師範學校，先在公學校任職，[205] 不久辭職在臺南市經營和洋百貨店，後因同鄉、校友吳深池在滿洲牡丹江做建築業成功，乃前往投靠，學習建築的設計及製圖，不久獨立開業，並帶來家眷。之後與當地有伐木經驗的工頭郝連增等合夥成立連增林業公司。[206] 此公司乃向滿洲國政府林產公社[207]申請而獲核可，每年獲核准的約十多家，主要的工作是從事牡丹江地區原始森林的伐採工作，每年三千立方公尺的木材。這種公司必須有位通曉日語者，以便向林產公社貸款，才能進行採伐。作為股東之一、通曉日語的蘇連益卻未擔任此職，因此遂由澎湖小池角人黃清舜來擔任此項工作。黃清舜是蘇連益臺灣師範的後輩。黃清舜的工作是先到新京去林產公司申請頭期款，接著要雇一名會計。至於另一有伐木事業經驗十餘年的當地人郝掌櫃連增，先要有30名工人去造冰路，以便做砍下木材的輸運道，要100天才能完成，至於運輸則要買蒙古馬（由蘇連益負責），還要招募伐木工人，找好了人還要建好工寮。為了申請另一筆款項，必須到伐木現場了解實際砍伐數目才可，赴現場不但路途遠，過程相當辛苦，他在工作將近兩年請過第五次款一切工作都熟悉後，正盤算明年與郝掌櫃繼續合作，還是自己申請執照從事伐林工作時，不幸蘇軍入侵滿洲，所有的工作、未來的希望都劃下休止符。蘇連益戰後回臺，擔任安順國校校長。黃清舜則回臺在基隆其弟開設民生藥房工作。[208]

（五）在娛樂界、音樂界任職

前曾提及在滿映工作的臺人，此處談曾在滿洲從事電影工作者。楊朝華，宜蘭人，1899年生。曾經營臺灣與滿洲間的貿易，將臺灣的土產、鮮貨運到滿洲、華北出售，後遂往滿洲從商，並在滿洲經營電影業。九一八事變後，移居北平，仍經營戲院，[209] 以後轉到北京經營新新戲院。曾在權運署的張世城，隨林朝棨遷到北

---

205 《臺灣總督府職員錄》，大正十四年版，頁376。
206 黃清舜，《一生的回憶》（澎湖：澎湖縣立文化局，2019），頁321。
207 此即滿洲林業株式會社，正式成立於1936年2月底，資本金500萬圓（實繳250萬圓），1938年成為特殊會社，最重要的工作為對木材採伐業者融資，購入民間砍伐的木材。柏崎才吉編，《滿洲國現勢：康德八年版，昭和十六年版》，頁455。
208 黃清舜，《一生的回憶》，頁332-338。
209 臺南縣文化中心，《劉吶鷗全集・日記集》（上）（臺南：臺南縣文化局，2001），頁102，1927年2月12日，「晚上（蔡）愛仁攜著楊君朝華來，五年來不見的故友，」……據日記註解（頁819），稱1940年曾在滿洲國奉天城內光陸電影院擔任經理。〈居住長春台灣省民名簿〉（1946年1月28日）；黃英哲、許時嘉編譯，《楊基振日記：附書簡・詩文（下）》，頁906；齋藤齊著，

圖 5-9　北京新新戲院老闆楊朝華、陳瀕洲夫妻（前排左起五、六），曾在滿洲經營電影業。前排左二為張世城（豐原人）。
（林更味女士提供）

京，先在楊朝華的新新戲院工作，後受到其過去長官的介紹進入華北電影公司當配片工作，[210] 戰後半年則被派到天津管電影院。[211]

另有王七雄其人，約出生於 1921 年，在新京俱樂部音樂團工作。[212]

林氏好（1907-1991），1922 年自臺南教員養成講習所結業，隨即任臺南第三公學校教員心得，1924 年兼任臺南第二幼稚園保母心得，由於與長期從事社會運動的盧丙丁結婚（1923 年），故被迫在 1928 年離開教職，1932 年漸走紅於歌壇，擔任古倫美亞及太平唱片公司專屬歌手，並以〈紅鶯之鳴〉走紅，一曲風靡全臺，灌製不少暢銷唱片，如《月夜愁》。後赴日本擔任日蓄唱片公司輕音樂團團長，1944 年前往滿洲國新京市，擔任新京交響樂團的專屬歌手。[213]

（六）在協和會任職

滿洲帝國協和會成立於 1932 年 7 月 25 日。協和會員的工作，乃到治安未確立的地區從事宣撫工作，說明建國的意義，新國家的方針；協和會的組織網遍及全滿洲，各地還設有分會、會員極多。[214]

臺人中任職協和會職位最高的是謝介石，以「開國」元老，又任外交部總長、駐日大使的他，擔任滿洲國協和會中央事務局長。[215] 第二位是林金殿。林金殿，鳳山人，1924 年進入臺南長老教中學，[216] 1930 年九州帝國大學畢業，[217] 他擔任四平市協和會事務長，以後轉職任於哈爾濱協和會。[218]

李水清，1943 年 6 月 12 日建國大學畢業，被任命為高等官試補總務廳勤務，

〈《楊英風早年日記（1940-1946）》的分析與考察及其與《葉盛吉日記（1938-1950）》的比較〉（新北：天主教輔仁大學比較文學與跨文化研究所博士論文），頁 80-84。

210 許雪姬訪問、鄭鳳凰紀錄，〈林更味女士訪問紀錄〉，頁 371。
211 許雪姬訪問、鄭鳳凰紀錄，〈林更味女士訪問紀錄〉，頁 392。
212 〈居住長春台灣省民名簿〉（1946 年 1 月 28 日）。
213 張慧文，〈日治時期女高音林氏好的音樂生活研究：一九三二─一九三七〉（臺北：國立臺灣大學音樂學研究所碩士學位論文，2003），頁 1-2；陳郁秀總策畫、呂鈺秀等主編，《臺灣音樂百科辭書》（臺北：遠流出版事業股份有限公司，2008），頁 660-661，〈林是好〉。
214 豐田要三編纂，《滿洲帝國概覽》，頁 79-80。
215 內尾直昌編，《滿洲國名士錄：康德元年版》（東京：株式會社人士興信所，1934），頁 88-89；許雪姬，〈是勤王還是叛國：「滿洲國」外交部總長謝介石的一生及其認同〉，《中央研究院近代史研究集刊》57（2007.9），頁 89-91。
216 阪口直樹，《戰前同志社の台湾留学生：キリスト教国際主義の源流をたどる》（東京：白帝社，2002），頁 80。
217 臺南市私立長榮中學，《校友芳名錄》，頁 37；許雪姬訪問、鄭鳳凰紀錄，〈翁通逢先生訪問紀錄〉，頁 105。
218 許雪姬訪問、鄭鳳凰紀錄，〈翁通逢先生訪問紀錄〉，頁 105。

7月入大同學院100天，10月到外交部調查司第二科上班，年底決定到協和會轄下的熱河省圍場縣青年訓練所，1945年2月11日到職，又兼協和會縣本部青年組組長。黃山水的經歷和他相似，在承德縣上板城青年訓練所任職。[219]

（七）經營商工業

1. 茶葉商賣

要談到在滿洲經商或開工廠的臺人，首先必須要說到臺灣茶開拓滿洲新市場的經過。由於受中日戰爭（指1932年九一八事變）與世界不景氣的影響，臺灣茶葉的外銷日益衰退，臺灣茶業公會會長陳清波有鑒於此，乃在1932年到滿洲國考察該地的茶葉，正要起程，得知臺北州將在1933年8月16日起在大連、20日在奉天、24日在新京，舉辦重要物產樣品展示會，乃命茶葉公會書記朱阿西前往參加，[220]並在大連、奉天、吉林、哈爾濱、營口等地進行茶市場調查，作為開拓新市場之參考。由於滿洲國有四千萬人口，人民自來有飲茶的習慣，所喝的茶絕大多數為來自中國華南之茉莉花毛峰茶，臺灣包種茶與之相類似，又逢南洋市場受關稅政策與排斥日貨等嚴重打擊，滿洲國應該是個好市場。

不過滿洲國進口關稅過高，阻礙這一新市場的開拓，公會乃在1934年向臺灣總督府陳情，請代為協助與滿洲國交涉，以便調降茶的關稅，有利臺茶的外銷。1936年5月，滿洲國實施第三次關稅修正，有利於臺灣茶銷往滿洲。[221]

1937年公會又在滿洲國各地主辦「臺灣茶展示會」，由劉宗妙、朱阿西代表參加。[222]會場陳列茶樣品及參考品百餘件，招待滿洲人茶商參觀，並印製推廣茶的宣傳品，翌年（1938）7月1日為臺茶輸滿及關東州五週年紀念，公會乃向輸入臺茶的滿洲茶商致贈感謝狀與紀念品，10月也向滿洲國經濟部商務司長羅振邦陳情增加臺茶的輸入量，同時在滿洲國大城市展開茶拓銷宣傳會。1939年臺灣總督府在8月4日實施茶輸出統制，整合茶商成立「滿支向臺灣茶輸出組合」，以增進茶銷往滿洲為目的，同時也在大連設置駐在囑託員、補助大連的臺灣茶商駐在員聯合會事務所費用，以便有效推銷臺茶。[223]

219　李水清，〈東北八年回憶錄〉（1938年4月-1946年4月），《日治時期臺灣人在滿洲的生活經驗》，頁77、87、97。

220　〈1933年7-9月外國旅券下付表〉，識別號：T1011_03_138；赤木猛市，《滿洲國と臺灣》（臺北：臺北市役所，1933），頁38。

221　徐英祥、許賢瑤，《臺北市茶商業同業公會會史》（臺北：臺北市茶商業同業公會，2000），頁68。

222　〈1937年7-9月外國旅券下付表〉，識別號：T1011_03_154。

223　徐英祥、許賢瑤，《臺北市茶商業同業公會會史》，頁99，茶拓銷宣傳會9月18日在大連，9月

總之在 1931 年前，雖已有臺茶輸往滿洲，但滿洲建國後臺茶的輸出到滿洲即年年增加，如以 1932 年和 1938 年的外銷數量相比較，則增加約二百倍，有了臺灣總督府做後盾，臺茶由滿洲市場的所得以彌補在南洋的損失。林滿紅雖對臺灣輸往滿洲的茶做了研究，[224] 唯並未提出有那些廠商在經營臺、滿間的茶業貿易。

文山茶行為王添灯所創，他本人當選 1937 年同業組合臺灣茶商公會的評議員。在大連設有分店，由其弟、畢業於日本大學的王進益擔任支店長。[225] 余義，桃園龍潭人，1902 年生，1916 年臺灣總督府國語學校畢業，[226] 畢業後乃開始經營茶業，昭和年間他將茶貿易商組合為臺灣富士茶業組合，並任組合長，1933 年開始向日本國內輸入紅茶，並在臺北市設茶加工工廠及前述組合的辦事處，以規劃輸出事宜。1938 年在大連市設辦事處，勤於販茶於滿洲，1940 年為輸茶赴泰及創設富士公司，並任該公司代表者，同年為該製茶粗製工廠，設立大和茶葉株式會社，並就任會社長。[227]

當時也有一些茶行子弟眼見日本局勢不佳，而當中的茶行在大連、奉天有分店，因此在戰爭後期就由日本到滿洲去，如畢業於明治大學的王連生，到了人生地不熟的滿洲後，以到大連買茶然後到黑市買賣謀生；此外如南興茶行的次子劉振仲也到了大連；王連生更為松柏茶行的兒子許長卿申請到赴滿洲的證明。[228] 許長卿到奉天後找王連生幫忙。郭阿傭，1934 年臺北商業學校第 14 屆畢業生，到大連經營大熊茶行。[229]

在大連還有開經銷臺灣茶葉的店五、六家，僅只在西崗街新開路大街口就有大欽、大榮茶行。蘇金塗也是在大連的茶商，1925 年畢業於士林公學校（1925）。[230] 黃清日，1938 年畢業於基隆中學第 7 屆，在大連金良興商行工作。[231] 此外在大連，販賣臺灣水果的如香蕉、鳳梨、橘子、大甲帽蓆、米粉的也有。也有在紅燈街開新式的咖啡廳的，也有當代理店，經銷大宗糧豆等。[232]

---

22 日在營口，9 月 26 日在奉天，9 月 30 日在新京，10 月 3 日在哈爾濱。
224 林滿紅，〈臺灣與東北間的貿易 1932-1941〉，《中央研究院近代史研究所集刊》24 下（1995.6），頁 678-679。
225 徐英祥、許賢瑤，《臺北市茶商業同業公會會史》，頁 90。
226 在《臺北師範學校卒業及修了者名簿》（1926）的書中，並未查到余義的名字。
227 興南新聞社，《臺灣人士鑑》（1943），頁 415。
228 許雪姬訪問、鄭鳳凰紀錄，〈許長卿先生訪問紀錄〉，《日治時期在「滿洲」的台灣人》，頁 588。
229 矢口良定，《臺北商業學校同窓會會員名簿》（不著出版地、出版者，1937），頁 93。
230 臺北州七星郡士林同窓會，《開校四十周年紀念誌》（臺北州：臺北州七星郡士林同窓會，1937），頁 165。
231 井上茂治，《卒業生名簿》（臺北州：基隆中學校友會，1941），頁 14。
232 郭瑋，〈大連地區建國前旳臺灣人及其組織狀況〉，《大連文史資料》6（1989.12），頁 70。

2. 漢藥店

在大連尚有一家漢藥材行,行名「南洲」,為澎湖人開的店。此店原向香港進口藥材,以為臺灣漢藥店(即藥種商)所需,後因中日關係惡化,不得不開店大連作為購買藥材的重要據點,由精通漢藥材的澎湖西嶼人黃萬,與其擔任會計的親戚陳鴻基共同經營。後兩人離開「南洲」自往天津開業,乃改由陳粒、陳天助兄弟來經營。[233] 漢藥業者澎湖西嶼小池角人呂青,亦曾到滿洲國做過商業視察。[234] 按《二崁漢藥風雲調查·研究》陳粒、陳天助為西嶼二崁人,在臺南創辦建昌藥行,「抗戰時期曾至天津經營藥材」,陳粒終老香港,回葬故鄉。[235] 未提及其往大連經營「南洲」漢藥材行。[236]

3. 開工廠

除了經商外也有經營工廠的,如高雄楠梓人李清漂,在奉天有一家大工廠叫日新,專門製造車床,交由哈爾濱一家航空公司,提供給日本軍隊使用。此廠規模不小,約用了一、兩百位當地的工人,其中有少數的臺人與朝鮮人,他常收容臺灣同鄉。以前述的許長卿為例,他得到王連生的協助到了奉天,卻找不到工作,乃請求李清漂協助,由於許能描圖,乃得以安插在日新工廠描工程師設計出來的圖,複印後再分給各部門製造車床。[237] 日本投降後,李清漂被推舉為瀋陽市臺灣省同鄉會會長,其工廠就成為臺灣同鄉會的辦公室。[238]

嘉義人葉萬發是另一個在鞍山開工廠的人。葉是嘉義人,1929年畢業於嘉義中學,後畢業於臺南高等工業學校,因不平於在臺受差別待遇,乃到日本神戶製鋼所任職,四年後被派往鞍山分公司參與建廠的行列,建廠完成後乃自行開設興亞工務所及新興鐵工廠。由於業績好又與臺灣同鄉常有聯繫,乃被選為鞍山市臺灣同鄉會會長及鞍山市同業工會常務理事。[239]

協和染廠是臺南人許鶴年開辦的染布工廠。許由於不耐東北地方的冷天氣,故由新京的專賣署職員、滿洲纖維聯合會職員退下,改到安東開染布廠。由於安東的水質好,又已有23家手工染布廠,許鶴年乃將之結合成立協和染廠,自任董事長,並由英國進口機器。染布的過程是將一大片白布經由機器運轉拉入染缸上色後,隨

---

233 黃清舜,《一生的回憶》,頁306-307。
234 〈1938年7-9月外國旅券下付表〉,識別號:T1011_03_158。
235 陳榮一,《二崁漢藥風雲調查·研究》(澎湖西嶼:中華民國保存澎湖縣西嶼鄉二崁村聚落協進會,2007),頁21。
236 陳榮一,《二崁漢藥風雲調查·研究》,頁21。
237 許雪姬訪問、鄭鳳凰紀錄,〈許長卿先生訪問紀錄〉,頁588。
238 許雪姬訪問、鄭鳳凰紀錄,〈許長卿先生訪問紀錄〉,頁591。
239 葉萬發,〈自傳〉,2002年,未刊稿。葉萬發95歲(1907年生)時所寫,並提供給作者,謹致謝意。

之拉入乾燥滾筒予以乾燥，一霎時即染成。由於滿洲人喜歡穿藍色的衣服，故所染的顏色大半是藍色。除染布外，裁剩的布也可另外賣錢，許鶴年因開此染廠而賺大錢。[240]

謝秋汀，他是謝秋涫、謝秋濤的幼弟，19歲時離臺，在兄長的資助下到山海關附近讀中學，而後到河南稅捐單位擔任秘書，1938年遷居奉天，開被服廠而致富。[241]

4. 做雜貨生意

彰化出身畢業於和美公學校的黃海南，[242] 他很早就到新京做生意，開雜貨店，專賣來自臺灣的雜貨，如筍乾等，生意發展不錯，賺了一些錢，對同鄉也極為照顧，如葉鳴岡要前往新京參加新京醫科大學的入學考試時，巧遇黃海南之子黃呈財，黃即將之帶回家免費提供住宿一直到考完試。[243]

林顯宗，清水人，1922年3月畢業於臺北師範學校師範部乙科，在臺灣從事教育工作後，[244] 1933年赴大連做生意，[245] 以賣大甲帽蓆到滿洲，由滿洲移出中藥材到臺灣為主，直到戰後才回臺。[246]

臺北人許達財，1926年畢業於臺北商業學校第六屆，在大連經營臺滿貿易公司。[247]

周塗樹（1917-1995），臺北大稻埕人，臺灣商工學校畢業（開南商工），1935年到大連從事青果貿易生意。[248]

如果說到較早期到滿洲國做生意者，則為前養樂多董事長陳重光，陳重光大約

---

240 許雪姬訪問、蔡說麗紀錄，〈許文華先生訪問紀錄〉，頁404-405。許文華為許鶴年之子。
241 許雪姬訪問、藍瑩如紀錄，〈謝文昌先生訪問紀錄〉，《日治時期臺灣人在滿洲的生活經驗》，頁355-359。謝文昌為謝秋汀之子。
242 許雪姬訪問、何金生、鄭鳳凰紀錄，〈何金生先生訪問紀錄〉，頁185-186。
243 許雪姬訪問、鄭鳳凰紀錄，〈葉鳴岡先生訪問紀錄〉，《日治時期在「滿洲」的台灣人》，頁47-48。
244 不著編人，《臺北師範學校卒業及修了者名簿》，頁107。林顯宗於1922年任臺中州沙鹿公學校訓導，1926年任臺中州清水公學校訓導。見《臺灣總督府職員錄》，大正十一年版，頁324；《臺灣總督府及所屬官署職員錄》，大正十五年版，頁338。
245 〈1933年4-6月外國旅券下付表〉，識別號：T1011_03_137。
246 許雪姬訪問、徐紹剛紀錄，〈林省三先生訪問紀錄〉，2016年3月17日，於臺北市士林區林宅，未刊稿。林省三為林顯宗之子。
247 矢口良定，《臺北商業學校同窗會會員名簿》（不著出版地、出版者，1937），頁9。
248 陳翠蓮、薛化元纂修，《續修臺北市志·卷九·人物志·政治與經濟篇》（臺北：臺北市文獻委員會，2014），頁246-247。

圖5-10 1939年滿洲纖維工業同業聯合會安東分會
前排右一為許鶴年（協和染廠董事長，其餘為日人）（許文華先生提供）

圖 5-11　1927 年時的林元文
（林元文孫女林明美女士提供）

圖 5-12　林元文（前坐右二）與家人和友人合照
（林明美女士提供）

圖 5-13　1934 年林元文（左二）與堂弟林元晃（中）出發到滿洲國前眾人送行的合照
（林明美女士提供）

在 1932 年到新京做貿易,[249] 陳重光生前對筆者言,乃與明石元二郎臺灣總督的兒子合作賣馬達,有兩成多的利潤;也一度與廖行貴經營消防器材,而後赴華北做生意,最後在上海從事銀行業,任通華銀行常務董事。[250]

黃烈火,鹿港人,曾在年豐棧服務,後受陳重光鼓吹,乃到滿洲國,先在新京與當地人合作設木材加工廠,將產品賣到中國各地,再將錢匯到滿洲,再由新京匯往日本,透過匯水差價,取得很高的利潤,兩、三年後已賺了兩百多萬,而後將經商戰線延伸到北京和上海,又賺了不少錢。[251]

林元文（1903-1975）,桃園蘆竹人。1923 年臺灣總督府臺北師範學校本科畢業,曾任坑子（1923）、南崁、八塊（1924）、坑子（1926-1933）公學校訓導。1934 年與堂弟林元晃（就讀滿洲醫科大學）同行到奉天,經營自行車販賣業。其妻林陳氏姐、女林秀英、林彩雲也在林元晃帶領下於 1935 年前往,後因陳妻懷孕而回臺。

他本人則約在 1938 年回臺,一直在蘆竹庄役場工作,戰後歷任大園、大竹、埔心、大湳國校校長。[252]

5. 建築業

臺南人吳深池在牡丹江市開設建築公司,以建築房屋、賣疊和袾,以及房屋出租為業,相當賺錢。1928 年 3 月吳深池畢業於臺南師範學校講習科,在安順公學校執教,因反對校方以睡覺用的毛毯鋪在地上,以供來訪的皇室行走其上,大為憤怒而以糞潑在地毯上,校方以其大逆不道乃加以免職並逮捕入獄。出獄後因失業而到牡丹江市,改名為吳秋水。[253] 為能立足乃自習建築學而能畫建築圖,而且在短時間內就學會了中國話,遂與當地富翁王裕民合作經營建築業,合蓋房屋售、租。他自己再承包軍隊、團體機關的室內裝修工作,如疊、袾、障子的新做或換新,聘請日本人藤田氏,率領十幾位朝鮮年輕工人,每次工作都要三、五天才能回到總部修文堂（建築起家的老店）。吳深池當時收入頗豐,人相當慷慨,只要有投奔他的臺

---

[249] 黃烈火口述、賴金波紀錄整理,《學習與成長:和泰、味全企業集團創辦人 黃烈火的奮鬥史》（桃園:黃烈火福利基金會,2006）,頁 75。本書記載:「陳重光從日本運馬達到滿洲去賣,有兩成多的利潤。」和我自陳重光處聽到的相同。

[250] 許雪姬訪問,蔡說麗、吳美慧紀錄,〈林坤鐘先生訪問紀錄〉,《口述歷史》5（1994.6）,頁 68-69。

[251] 黃烈火口述、賴金波紀錄整理,《學習與成長:和泰、味全企業集團創辦人 黃烈火的奮鬥史》,頁 77-78。

[252] 張正昌主纂、林桂英協纂,《蘆竹鄉志》（蘆竹:蘆竹鄉志編輯委員會,1995）,頁 851-852;許雪姬電話訪問林元文孫女林明美女士,於 2022 年 4 月 21 日。〈1934 年 7-9 月外國旅券下付表〉,識別號:T1011_03_142《臺灣總督府旅券下付及返納表》;〈1935 年 7-9 月外國旅券下付表〉,識別號:T1011_03_146《臺灣總督府旅券下付及返納表》。

[253] 林德政,〈日據時代台灣人之海外經驗:以《安南區志》為例〉,收入《海峽兩岸地方史志地方博物館學術研討會》（南投:臺灣省文獻委員會,1999）,頁 79。

灣人，莫不供應食宿與零用錢。當時投靠他的人有其南師同窗、同鄉、校友以及親戚，即同窗黃清舜、同鄉張丁誥、校友鄭秋慶以及兄子吳連慶。[254] 其中幫助吳深池事業最多的為鄭秋慶，他負責申請書類及製圖，都處理得相當好。[255]

（八）其他

1. 在日本人機構做事的臺人

在清水組工作者有江金全，約生於 1922 年，畢業於日本大分工業學校。[256]

日本福昌（可能是株式會社清水組滿洲支店，土木包工業）華工株式會社，是針對滿鐵鐵道、船舶、倉庫貨物的搬運相關工作的包工、華工工人的供給，以及其他相關工作，[257] 設於大連，由滿鐵所投資設立。在此工作的有洪氏兩兄弟，即洪啟真與洪智默。洪啟真，[258] 行二，1933 年臺北工業學校建築科畢業，[259] 畢業後任職於設在奉天的福昌公司支店工業部工作，[260] 以後轉到撫順。洪智默，行八，1941 年臺北工業學校建築科畢業，[261] 由於其兄弟九人中，有八人畢業後都前往滿洲就職，洪智默亦前往，先在滿洲交通會社工作，以後到二哥洪啟真就職的福昌公司任職，一直到戰後。[262] 從事開車的張喜榮對洪姓兄弟有所報導，他看見兩兄弟承包東陵（在奉天）後面的飛機場，說明他們都是建築師出身，[263] 應該是受雇者。

在奉天省協和鑛山株式會社工作的有原臺北工業學校職員秦義松。[264] 另有魏海樹一人，約生於 1914 年，曾於中日貿易聯合會任職員。[265]

---

254 黃清舜，《一生的回憶》，頁 307-313；新豐郡安順庄海尾寮人，1924 年生，1938 年 7 月 16 日得到旅券，乃是吳深池之侄。〈1938 年 7-9 月外國旅券下付表〉，識別號：T1011_03_158。

255 黃清舜，《一生的回憶》，頁 313。鄭秋慶，1910 年生，1938 年 3 月 14 日取得旅券，帶妻鄭謝氏度及長男鄭春輝、次男鄭春振一起到牡丹江，〈1938 年 1-3 月外國旅券下付表〉，識別號：T1011_03_156。

256 〈居住長春台灣省民名簿〉（1946 年 1 月 28 日）。

257 高橋勇八，《滿洲商工名鑑：附諸官廳錄》（下冊），頁 142。

258 許雪姬訪問，王美雪、鄭鳳凰紀錄，〈洪在明先生訪問紀錄〉，《日治時期在「滿洲」的台灣人》，頁 325。

259 大場則雄，《會員名簿》，頁 120。

260 〈居住長春台灣省民名簿〉（1946 年 1 月 28 日）。

261 大場則雄，《會員名簿》，頁 120。

262 許雪姬訪問、紀錄，〈洪智默先生訪問紀錄〉，未刊稿；〈居住長春台灣省民名簿〉（1946 年 1 月 28 日）。

263 林志宏、何思瑩，〈屏東運將的滿洲青春紀事：張喜榮先生訪問紀錄〉，《口述歷史》15，頁 71。

264 大場則雄，《會員名簿》，頁 22。

265 〈居住長春台灣省民名簿〉（1946 年 1 月 28 日）。

2. 在相關公司任職的臺人

曾煥章畢業於臺灣商專。任職於臺北州農會販賣斡旋所，此斡旋所位在大連浪速町。[266] 楊朝葉，任臺北商工協會會長，駐在新京。[267]

謝俊秀，約生於 1908 年，日本大學政經科畢業，他任職於新京房屋組合。[268]

林永賜，約生於 1913 年，日本中央大學法學部畢業，任滿洲紙業統制協會職員。[269]

柯隆礎，彰化二林人，他在 1936 年底帶領全家 6 人，與妹（弟媳）柯黃氏望治一家 4 人，[270] 到哈爾濱就職於哈爾濱的滿洲國國務廳治安部下軍需商（被服廠）。[271] 埔里人胡素和（21 歲，女）、胡寶和（18 歲）姊弟，因胡寶和失業，得知認識的柯家在滿洲國有所發展，乃在 1938 年 4 月前往哈爾濱。[272] 胡素和在柯的介紹下，在電影院做帶位的工作，而胡寶和則當治安部被服支廠第二倉庫庫長，還升到廠長，後因哈爾濱冷就往南到新京、奉天、大連而後到南京工作。[273]

林家鎮，臺北市人，1896 年生，1938 年到滿洲國受僱於貿易商。[274]

3. 牧師

蔡裕（1896-1972），臺中梧棲人，曾任清水郡役所會計役。曾在林獻堂、楊肇嘉家服務，後到中國任南京私立中南醫院總務長，1935 年受聘為彰化基督教醫院總務主任，1939 年遷住東京，在興亞學院修業時兼任中國語講師，並自創臺灣新生基督教會，1941 年由日本基督教團按立為牧師，1943 年疏開至大連，擔任大連長生衛教會牧師，1947 年回臺。[275]

4. 擔任廚師者

澎湖吉貝人陳春生，和大多數的澎湖孩子一樣，讀完公學校就到臺灣學藝，他

---

266 臺灣商專同窗會，《會員名簿》，頁 12。
267 張晴川，《臺北商工協會會報第二十一號》（臺北：臺北商工協會，1939），頁 2。
268 〈居住長春台灣省民名簿〉（1946 年 1 月 28 日）。
269 〈居住長春台灣省民名簿〉（1946 年 1 月 28 日）。
270 〈1936 年 10-12 月外國旅券下附表〉，識別號 T1011-03-151。
271 陳怡如、胡向賢訪問，〈胡寶和先生訪問紀錄〉，2013 年 4 月、2014 年 3 月、2015 年 5 月、2017 年 2 月，訪談於臺北市胡宅，謝謝陳怡如、胡向賢伉儷提供。
272 〈1938 年 4-6 月外國旅券下附表〉，識別號 T1011-03-157。
273 陳怡如、胡向賢訪問，〈胡寶和先生訪問紀錄〉，2013 年 4 月、2014 年 3 月、2015 年 5 月、2017 年 2 月，訪談於臺北市胡宅。
274 〈1938 年 1-3 月外國旅券下付表〉，識別號：T1011_03_156。
275 賴永祥長老史料庫，〈蔡裕牧師略歷〉，網址：http://www.laijohn.com/archives/pc/Chhoa/Chhoa,Ju/biog/kbkc.htm，下載日期：2020 年 8 月 12 日。

向福州廚師學習烹飪，出師後到滿洲擔任滿洲國外交部總長謝介石的專任廚師。據說「他所做的菜，是可以代表福建省的純粹福州料理，與大陸主要地區的名菜可比。」他因和臺南人吳深池為好友，年紀又相近，故每年到訪牡丹江一、兩次。某次吳深池請他做一席拿手好菜以享口福，他咄嗟立辦出 12 道盤或碗菜，吃這桌菜的黃清舜說比臺灣菜館出的菜更好吃。[276]

由以上的論述可知除了在公家單位工作外，臺人也入滿洲國的國營會社、準國營會社、特殊會社、準特殊會社工作，也有進入日人公司，或到滿洲經商者，由目前所知 1,000 多名有滿洲經驗者中可以看出，赴滿洲的人大半從事正當的職業，經營賤業者較少，唯樣本仍有不足之憾，我們只能用上述例子來了解在滿洲臺灣人的職業。以下則探討在滿洲的臺灣人如何生活。

四、臺人在滿洲的生活

（一）滿洲的氣候與臺人的適應

滿洲國的面積 1,303,143 平方公里（約為臺灣面積 36,000 平方公里的 36 倍），西起東經 115°20'，東到東經 135°20'；南自北緯 39°40' 起，北到北緯 53°50'，由於面積廣大，地形複雜，故各地呈現出不同的氣候。

南方遼東半島及渤海沿岸是海洋性氣候，東部則受日本海的影響，很難說是純粹的大陸性氣候；反之，如滿洲西部的內蒙古、呼倫貝爾地方是極端的大陸性氣候，但也顯示出內陸性的氣候，夏冬晝夜氣溫相差很大。由於如上的不同地理區塊緯度高，故其冬天約在半年以上，但由冬天變為夏天又極其快速，而夏天時白天氣溫十分高，但因溼度的配合，因此天氣不錯，但冬天則有涼冷的感覺，不過冬天雖可冷到零下數 10 度，但並非持續低溫，有所謂三寒四溫的現象。

滿洲在 6、7、8 月是雨季，其餘的日子降水量少，即使在酷寒期天氣都相當晴朗，但 4、5 月大陸高低氣壓交替時期風速會增大，這時就會有砂塵暴，全東北到處都有此現象，可謂黃塵萬丈，亦導致天為之暗。[277]

如上的天氣和臺灣大不相同，尤其臺灣是副熱帶氣候，因此剛到滿洲的臺人，

276　黃清舜，《一生的回憶》，頁 315。
277　豐田要三編纂，《滿洲帝國概覽》，頁 26-29。

都不太能適應天寒地凍的生活。彰化二水出身的謝報到滿洲求職時，即因天氣的因素而鎖定在南滿就職，即使如此，他仍表示：晚上即使將炕內的煤炭燒紅，躺在其上，仍需蓋兩三件棉被，被窩內要放置幾個熱水袋，以防半夜被凍醒，然而翌晨起床仍會發現棉被上結了一層薄薄的霜。[278] 臺北人洪在明則在寒冷的冬天，在對街的澡堂洗完澡後，頭髮還沒乾即出室外，不一會兒光景，頭髮便被凍得全部豎立起來，極像怒髮衝冠。[279] 洪在明的弟弟洪智默初到滿洲時，將母親為兩兄弟（指其二兄洪啟真和自己）準備的二條襯被、二條蓋被都蓋上，猶覺不暖和，還將被櫥（おしいれ）的門拆下來壓在棉被上禦寒。以後屋子生火，到夜間12時還要加炭，以免火熄了會冷得受不了。[280] 住花蓮的葉鳴岡，認為天冷對到新京讀醫的他是一項困擾，因為家中無錢，沒買大衣，只有 spring coat，但一到下雪，衣服就如木板硬，而為了夜間禦寒，其母為其縫製鵝毛被子，由於怕被中的鵝毛分量不足，未曾剪細、挑細，只要一拿出來蓋，鵝毛就會鑽出棉被掉了滿地，同室的日本同學覺得詫異，說「奇怪，怎有鳥毛呢！好像鳥飛起來了！」葉鳴岡在述及往事念及母親，充滿感謝和感傷！[281]

凍傷則是在副熱帶住慣的臺灣人到滿洲後最容易受到的傷害，凍傷最直接的感覺是患部麻木，復發的機會大，經常要將該部位保持不動。如初到新京的陳登財到新京火車站接同伴時，不知冷天氣的威力，由於用手去扶住朋友大量的行李以防傾跌，二個小時後，手居然凍傷無法動彈，醫治了半年才治癒。[282] 也由於室內外溫差大（室內有暖氣），室內乾燥，喉嚨難受，室內必須不斷灑水，而要開門外出，若不讓手乾燥才開，手馬上黏在門把上，正如將水潑出，水就結冰一樣。[283]

為了安排一家生活，身為人妻的婦女更是辛苦。每天為全家人的室內取暖而付出心力，住在哈爾濱的醫師夫人侯金魚（臺南人，夫名石林玉燦），由於非住公家有暖氣的房子，故早上起床第一件事是去挖煤、燒煤，揹著孩子，用類似披風似的布包著，騰出手去挖，將煤捧進室內放入有煙囪的 sotve 燒，以確保全家一天的溫暖。[284]

同樣的，在新京就職的張世城妻林更味也談到其住中國街睡炕的經驗。她說：

278　許雪姬訪問，吳美慧、丘慧君紀錄，〈謝報先生訪問紀錄〉，頁202。
279　許雪姬訪問，王美雪、鄭鳳凰紀錄，〈洪在明先生訪問紀錄〉，《日治時期在「滿洲」的台灣人》，頁325。
280　許雪姬訪問、紀錄，〈洪智默先生訪問紀錄〉，未刊稿。
281　許雪姬訪問、鄭鳳凰紀錄，〈葉鳴岡先生訪問紀錄〉，頁52。
282　許雪姬訪問、鄭鳳凰記錄，〈陳登財先生訪問紀錄〉，《日治時期在「滿洲」的台灣人》，頁224。
283　許雪姬訪問、王美雪紀錄，〈陳永祥先生訪問紀錄〉，頁494。
284　許雪姬訪問、王美雪紀錄，〈侯金魚女士訪問紀錄〉，《日治時期在「滿洲」的台灣人》，頁88。

「炕都造在靠近牆壁的地方，大約有三個榻榻米或二個榻榻米的大小，底下有三個或二個灶炕用來燒火。傍晚就開始燒火，炕就熱了，在壁上的煙囪也熱了，晚上不起爐怕發火，而且土沒有那麼快冷卻，下午四、五點燒火，隔天近天亮才冷卻，睡在炕上很溫暖，但是在滿洲天氣很冷，零下三十幾度，一起來就好冷，所以都要早起把爐弄熱以後，才讓孩子、先生起來，並要在晚上將翌日要燒爐用的炭、紙、材（有劈好的材賣）準備好。……睡在炕上也要蓋被子，因為上頭空氣很冷，不能只顧下面熱而已。」

由於不太能適應東北的冷天氣，到新京工業大學任教的林朝棨乃勸張世城一家人遷到比東北溫暖的北京去，林更味也認為東北冷，而且看到冬天在雪牆（將雪挖到馬路兩邊，空出一條通路給人行）中行走的一對子女也怪可憐的，於是乃遷到北京。[285] 在新京專賣署任職的許鶴年，其妻小在二妻舅楊燧人的勸告下，搬到大連，因為若在新京易受風寒，唯因自己在新京任職無法調職，而且認定一家人不能分散，又將家眷接回新京，不久長子許文華得了肋膜炎，經動手術及養病一年才康復。以後許鶴年也認為天氣太冷才將妻小再送到行醫的楊燧人住在大連星之浦黑石礁，最後遷居安東。[286]

冬天的東北是如此冷，家家戶戶都必須有暖房子，因此在滿洲任職者，每年10月到翌年4月有冬天燃料津貼，每個月大約給付20元。[287]

當時前往滿洲的臺灣人或日本人都一樣，只要能捱過前三年，就能適應當地的生活，否則只有離開一途。由於溫差太大，容易患肋膜炎，[288] 再來就轉變為肺病，故也有人放棄繼續待在滿洲。[289]

到目前為止，臺灣人較北是住到牡丹江市的黃清舜，他在牡丹江約三年多，對東北的冬天尤其是哈爾濱、牡丹江一帶有很深刻的描述。他說東北的氣候可以依緯度高低分成四部分，最寒冷的是接近西伯利亞一帶，其次是哈爾濱、牡丹江一帶，接着是新京、吉林、奉天一帶，比較不冷的是大連、旅順、錦州一帶。牡丹江一帶自晚秋（10月）就下雪數次，除山裡的松柏長青以外，一切樹葉全落，大地凍結，迨至晚春冰融以後，才能恢復平地及山河的原狀。哈爾濱、牡丹江的冬天約有半年

---

[285] 許雪姬訪問、鄭鳳凰紀錄，〈林更味女士訪問紀錄〉，頁370-372、380。她說：「……旁邊的雪卻比小孩子的個子還高。我那時住在淨土庵附近，從樓上往下看，看到孩子在一片雪地中，兩個小人兒在走著，看了怪可憐。」

[286] 許雪姬訪問、蔡說麗紀錄，〈許文華先生訪問紀錄〉，頁403-404。許家1934年到新京，1939年許鶴年才轉職安東。

[287] 許雪姬訪問、鄭鳳凰紀錄，〈楊藏嶽先生訪問紀錄〉，頁447。

[288] 前述許文華即得肋膜炎，胸腔長膿瘡，病情嚴重，連棺材都已預備好了，經手術，在背上挖個大洞，將膿取出，也刮了一些壞死的骨頭，養了一年病才恢復健康。見許雪姬訪問、蔡說麗紀錄，〈許文華先生訪問紀錄〉，頁403。

[289] 許雪姬訪問、王美雪紀錄，〈陳永祥先生訪問紀錄〉，頁494。

之久,除了冬天再加各一個半月的秋、春天,真正的冬天三個月,他的經驗是外出時不能超過 15 分鐘,如果超過,則耳、手、足尖凍痛欲絕,容易跌倒而一命嗚呼。若要在外維持 15 分鐘以上,必須在街路邊買酒、喝酒,保持體溫才能步行。街上的賣酒站很多,賣的人也不能單獨站立過久,每半小時要換人一次。酒量的單位為一小瓷杯,配料為數顆炒大豆,若有不足可再買數小杯。酒是高粱酒,醇芳而激烈,喝多必醉。此時在路上或公共廁所,常見穿衣服之凍屍;在炭渣堆或凝凍的垃圾堆邊亦發現紅色裸體的嬰兒死體,令人不忍看,心情為之不爽。[290]

也有到東北的臺人認為東北雖冷,但是因年輕力壯,很快地就適應了,臺中人林鳳麟,在滿洲有 12 年的生活經驗,他認為其往後長壽又身體健康良好,是拜滿洲當地嚴寒之福。他得自一個日本醫師的說法是:水中的氫和氧在普通溫度下有一定的比例,但在攝氏 15 度以下,水中的氫和氧的比例即改變,氧會變多,這樣一來對身體很有益處,喝下低溫的水後,對口腔、胃腸、腎臟、膀胱等器官細胞的刺激較為不同,對細胞組織有強化的作用,因此要多喝低溫的水,林鳳麟認為經過這種嚴寒的氣候,胃腸細胞較強。[291]

由於天氣冷而引發的特別現象,也是臺人赴東北後有強烈印象的生活感受,如寒天中看見未收埋的死人,就讀建國大學的吳憲藏,在戰爭後期糧食取得較困難之際,往往和同學一起走七、八里路到電車站附近市場去打牙祭。有一次一群同學在一間小舖子吃飯時,赫然發現有一人斜躺在桌旁的地面上,一問之下才知道那是因不耐酷寒而凍死路邊的行人,由於尚不知其來歷,不便移動,遂暫置於此,於是一行就在有死屍橫躺的情形下,草草吃完一餐。[292]

任職國務院營繕需品局機械科的洪在明也指出,東北冬天常有人凍死,某次他早上看到一個乞丐在垃圾桶旁找東西吃,下午還看他在垃圾桶旁,臉上似乎掛著笑容,正奇怪他在如此寒冷的天氣還待在室外何幹,仔細一瞧,原來已凍死了。屍體往往放一些時日而不見人去處理,一直到春暖時,政府開始清理公用設施,才用卡車將屍體一具具載走![293]

在日本投降後,日本移民沒有政府保護,面對蘇軍、滿洲當地人的報復,無計迴避,學醫的翁通逢及其兄翁通楹和黃溫恭一起到「日人在滿救濟協會」去看一些住在該地的日本人,才知此時的人口數僅及剛住進去時的三分之一,內中還有十多人臥著,其中有死人也有活人,因為天氣冷並未處理死人的屍體,問其餘日人何以

---

290 黃清舜,《一生的回憶》,頁 313-314。
291 許雪姬訪問、曾金蘭紀錄,〈林鳳麟先生訪問紀錄〉,《口述歷史》5(1994.6),頁 217-218。
292 許雪姬、黃自進訪問,丘慧君紀錄,〈吳憲藏先生訪問紀錄〉,《口述歷史》6(1995.7),頁 217。
293 許雪姬訪問,王美雪、鄭鳳凰紀錄,〈洪在明先生訪問紀錄〉,頁 325。

不處理，他們的回答是：「你看，活人也如死人，根本沒有力氣去抬！」[294]

與不及時處置屍體一樣，另一令臺人較難適應的是，冬天排的糞尿，全部結冰，新京大同公園的廁所一到冬天地面即覆蓋金黃色的結冰蓋有 30 公分高，故就讀新京工業大學的李謀華才研究使用細沙的大小便器作為其畢業論文，因而畢業後獲得國務院建築局設備科的工作。[295] 已如前述，這些結冰的糞尿也如屍體，要等到翌年春暖冰融時才用鏟子鏟掉。[296]

（二）食衣住行娛樂

在滿洲的臺灣人，一般的生活及人生最重要的食衣住行娛樂等物質生活與宗教（精神）生活層面又如何呢！事實上這是談臺人滿洲生活的重要部分，但因相關記載難求，筆者為了在這方面多少著墨一些，因此在做有滿洲經驗者的訪談時，均就上述問題予以請教，故本小節基本上多半採用口述訪談的資料，加上黃清舜《一生的回憶》中有關他在牡丹江的觀察。

1. 食：民以食為天，人若不得食實無以存活，臺人在臺時吃的是米飯或加番薯（或番薯簽）煮成的飯。米食原是中國南方的主食，然而東北地區只有在北緯 49 度以南才能栽種水稻，年產量約 300 萬石，至於旱稻則以北緯 46 度半為其北界，每年可生產 160 萬石，後者主要是供滿洲人食用。事實上滿洲的農作物分為一般和經濟作物。一般作物有高粱、粟（小米）、小麥、大麥、燕麥、黍（粳、糯）、小豆、碗豆、菜豆、豇豆、陸稻、水稻、玉蜀黍、稗等；經濟作物有大豆、蓖麻、落花生、胡麻、大麻、苧麻、馬鈴薯、棉花、煙草。[297]

臺人到東北後基本上仍吃米食，而進入戰爭後期採配給制時，食糧仍未匱乏。一般而言，滿洲帝國以「五族協和」各民族一律平等為號召，但在經濟配給制上就看不出「協和」的樣態，分日系、鮮系、滿系等，配給各有不同，日系最高級，配有米、肉、清酒和衣服；鮮系和滿系級數較低，則配給高粱。理論上日本人、臺灣人原來就以米為主食，滿漢人吃高粱，朝鮮人吃小米，故依其飲食習慣配給是「合理」的事，不過由配給就可看出種族「差別待遇」，雖然一般民間自炊，較不容易發生因配給的民族差別而衍生的問題。

294　許雪姬訪問、鄭鳳凰紀錄，〈翁通逢先生訪問紀錄〉，頁 115。
295　許雪姬訪問，李謀華、王美雪記錄，〈李謀華先生訪問紀錄〉，《日治時期在「滿洲」的台灣人》，頁 337。
296　許雪姬訪問，王美雪、鄭鳳凰紀錄，〈洪在明先生訪問紀錄〉，頁 325。
297　豐田要三編纂，《滿洲帝國概覽》，頁 313，本書是康德 9 年（1942）改訂版，因此此段敘述的生產量應是康德 8 年的產數。

但在滿洲帝國最高學府建國大學、新京工業大學，在五族協和的招牌下，在建國大學就讀分屬日、滿、漢、蒙、鮮（有時加上白俄）不同族的學生，在配給上則必須有對策。就讀新京工業大學的林永倉乃主張將因不同族而發給不同的食糧如白米、高粱、小米、大豆等混合煮飯來吃，幸得日系同學的諒解，加上改良煮飯技術，使學生相安無事。[298] 就讀建國大學的吳憲藏，其宿舍是起初日人（包括臺人）吃白米，滿漢系吃高粱、玉米等，後來為了五族協和，不分系，大家一起中餐吃高粱，晚餐吃白米，週末吃一些紅豆湯當點心。[299]

　　另一就讀建大的涂南山指出，建大學生每年五月都會下鄉做政治性的考察，曾到德輝縣，當時縣長是漢人，副縣長是日本人，縣長招待吃飯時吃的是高粱；副縣長請時則吃白米、蓬萊米。[300]

　　除了主食外，滿洲的水果和蔬菜種類較臺灣為少，但都比臺灣來得大號。住在東北九年的家庭主婦林更味就指出，東北的蔬菜種類不多，因此價格高，如叫一般豌豆炒豬肉，則是幾筴豌豆，大部分是豬肉。菜有菠菜、山東白菜、雪裡紅（用醃的，醃得很黑、很香）、茄子（用油炒）、馬鈴薯、南瓜、蔥、蘿蔔、胡蘿蔔，[301] 還有莧菜。[302] 其中值得一提的是蒜頭，東北蒜頭多，都一串串綁起來掛在家門外，滿洲人吃蒜，配高粱酒以產生熱能。也有將蒜頭切放在桌上，讓到飯店吃飯的客人拌著吃，以補充維他命C。[303]

　　最有趣的是滿洲人過年有送菜的習俗，如在新京的「東來順」、「西來順」，都製作一種禮品賣給顧客吃或送人用，這種禮品是混合瓜、茄子、土豆，用上好的醬油醃製而成，然後用草編的袋子裝著。在滿洲被請客時，都被勸吃「菜」。

　　至於水果有水梨、香瓜（體積比臺灣西瓜小，花皮、子多），冬天的水果較多，有蘋果、沙果。[304] 臺人醫師陳章哲後來在大連老虎灘靠海邊的小山上開設「仁濟農園」專種蘋果。[305] 吳左金任新義州領事時，在安東當視學（文教部）的陳錫卿常到新義

298　許雪姬訪問、王美雪記錄，〈林永倉先生訪問紀錄〉，《日治時期在「滿洲」的台灣人》，頁349；許雪姬訪問、吳美慧紀錄，〈蔡西坤先生訪問紀錄〉，頁178，蔡西坤服務於錦州省警務處警佐。

299　許雪姬、黃自進訪問，丘慧君紀錄，〈吳憲藏先生訪問紀錄〉，頁216。

300　許雪姬訪問、鄭鳳凰、黃子寧紀錄，〈涂南山先生訪問紀錄〉，《日治時期臺灣人在滿洲的生活經驗》，頁132。

301　許雪姬訪問、鄭鳳凰紀錄，〈林更味女士訪問紀錄〉，頁374；自馬鈴薯以下的菜名是〈李謀華先生訪問紀錄〉，頁340所提供。

302　有關莧菜，據陳亭卿夫人言，她在東北經臺人告知滿洲人不吃的莧菜，這些菜長得很好、很高，故以後也介紹東北人吃。見許雪姬訪問、王美雪紀錄，〈陳亭卿先生夫人訪問紀錄〉，《日治時期在「滿洲」的台灣人》，頁297。

303　許雪姬、黃自進訪問，丘慧君紀錄，〈吳憲藏先生訪問紀錄〉，頁217。

304　許雪姬訪問、鄭鳳凰紀錄，〈林更味女士訪問紀錄〉，頁347。

305　許雪姬訪問、蔡說麗紀錄，〈梁金蘭、梁育明姊弟訪問紀錄〉，《口述歷史》5（1994.6），頁

州買比安東便宜的蘋果。[306]

至於魚、肉相對於蔬菜則較便宜,魚來自松花江的大尾魚(林更味住新京),一塊錢可買到好幾斤豬肉,一斤豬肉和一斤菠菜價格一樣。

糖果類巧克力、蛋糕大都是蘇聯製的,特別好吃。[307] 滿洲人一天吃兩頓,蒜頭吃得特多。

在牡丹江的黃清舜,特別提到當地冬天的食物、習慣,肉類有牛、豬、雞、魚,菜有紅蘿蔔(可製糖的甜菜)、結球的白菜。有些滿洲人因宗教(回教)的關係不吃豬而吃牛肉。牛肉店規模較大,每天賣數隻牛,每家店內吊有數片牛頭以外全身一半的牛肉。豬肉、雞肉、蛋、魚,則各家庭一次都買好幾天份,以免每日出來購買而受冷凍之苦。牡丹江的魚為河魚,漁夫在凍結的冰層中挖到水層,可以釣不少魚出來,此事必須在一小時內完成,並且每十分鐘喝一次酒,才能維持工作能力。釣上來的魚,不久即凍結如木頭,拿起來其硬可以打死人。至於菜則每家都有貯藏,不足的再到路旁菜市場買。挑擔上可買的是大豆製品(豆腐、豆乾、豆皮、豆乳)。食糧上,當地人吃高粱及玉米磨粉的粥,及在釜邊烤的燒餅。富裕的人則吃白麵粉製的饅頭,配豆腐白菜湯。在牡丹江市一帶,每家的食品都貯藏在室外特別製作、留有空隙而在半空中的一室,堪稱天然的大冰箱。每日由「冰箱」中取出烹調所需的魚、肉,先在開水中浸約兩小時,才能用菜刀處理。在半年凍結的時間裡,洗臉、洗澡、洗衣服、炊事一切都要用開水。過年時基本上休息一整個月,所以年前要貯藏一個月的食品,才能飲酒、吃好東西、賭博。[308]

一般而言,臺人都入境隨俗,除了主食及蒜頭的食用外,大半就地取材,而東北的物資豐富,到了戰爭後期糧食的取得極為困難,[309] 1939 年在東北出生的吳淑麗,記得當時東北的主食為紅色的高粱,黃色的小米糕、燒餅,也吃過白米。[310]

如果問到東北的臺人,東北有哪些當地好吃的東西?黃子正夫人黃洪瓊音說:「我個人也喜歡麵食,特別是東北鄰居用小豆粉、麵粉做皮包菜的餅,真是好吃,令人難忘。」[311] 問到在大陸科學院工作的翁通楹,他說:「冬天時買雄雞來吃最棒了,雞都是買一對的,賣雄雞的人把雄雞綁在繩子的兩端,背在肩上這樣賣。」

310。

306 許雪姬訪問、曾金蘭紀錄,〈吳左金先生訪問紀錄〉,《口述歷史》5(1994.6),頁 113。
307 許雪姬訪問、鄭鳳凰紀錄,〈林更味女士訪問紀錄〉,頁 375;許雪姬訪問、藍瑩如紀錄,〈謝久子女士訪問紀錄〉,《日治時期臺灣人在滿洲的生活經驗》,頁 348。
308 黃清舜,《一生的回憶》,頁 314-315。
309 許雪姬、黃自進訪問,丘慧君紀錄,〈吳憲藏先生訪問紀錄〉,頁 178。
310 許雪姬訪問、藍瑩如紀錄,〈吳谷喬先生、吳淑麗女士兄妹訪問紀錄〉,《日治時期臺灣人在滿洲的生活經驗》,頁 281。
311 許雪姬訪問、蔡說麗紀錄,〈黃洪瓊音女士訪問紀錄〉,《口述歷史》5(1994.6),頁 237。

「在新京有一種蠻特別的煎餅，材料是高粱或大豆磨粉，做法像臺灣的潤餅皮，不過稍稍不同，做起來比潤餅皮還厚，配蒜頭很好吃。」[312]

當時的雉雞是用氰酸鉀毒死後賣出。按東北的雉雞以前是用子彈打的，但後因打仗，子彈取得不易，所以許多人都將豆子浸泡氰酸鉀，然後撒在地上讓雉雞吃，雉雞一吃就昏倒，故看到賣的雉雞沒有槍傷，則是用毒的，要用水清洗，因氰酸鉀溶於水，一洗就沒毒，吃了沒事。[313]

洪在明則認為炸醬麵最好吃，通常他都是一碗（炸醬麵）配上一個有餡的燒餅，及一碗滴上幾滴麻油和一些蔥花的熱湯充饑。[314]

2. 衣：以公務員而言必須照規定穿協和服，其色為卡其色，領子外翻，前襟為雙層，扣子縫於內側，胸口及下擺各有兩個口袋，口袋由外縫於衣上，故無法裝很多東西，和中山服不同。另外搭配一頂圓帽，用一條繩子綁在上衣口袋，帽子上方有滿洲國旗，表示公務員的身分，[315] 領上要別徽章，其形狀是滿洲國國旗，國旗兩邊的顏色則有白色等五種顏色，不同的機構用不同顏色，如白色指的是中央級。[316] 如係在正式場合穿，必須要戴帽，並將一條平時放在口袋的穗帶垂在前端拉正。[317]

一般臺灣禦寒的衣服拿到東北來，都無用武之地必須重做或購買。陳高絃隨著丈夫陳嘉樹居住在新京，不耐東北的嚴寒，買了一件外頭皮毛內有棉花的大衣，平時需穿棉褲，鞋子舖棉，戴上帽子才敢外出，若不如此打扮會冷得鼻涕直流，一下子便結成小冰柱。[318] 亦有女性不習慣戴帽，而綁頭巾，男性則戴上氈帽，特別要戴耳摀子，以便保護耳朵，否則在外凍上三個小時，耳朵會凍僵，一拉扯便會斷，鼻子也要特別保護，帽子如能連鼻子也遮住大半，只留兩個眼珠子最好。

陳亭卿夫人洪月桂女士，剛到滿洲住在宿舍，就被鄰居的滿洲人告知要穿長褲，不能只穿內褲，才能保暖。所謂長褲是舖棉、下擺束緊，用褲帶繫住的長褲。[319]

據說東北三寶中的一寶——烏拉草——最重要的功用是用來塞在鞋內，保暖且不容易溼。[320]

312　許雪姬訪問、鄭鳳凰紀錄，〈翁通楹先生訪問紀錄〉，頁467。
313　許雪姬訪問、鄭鳳凰紀錄，〈楊藏嶽先生訪問紀錄〉，頁448。
314　許雪姬訪問、王美雪、鄭鳳凰紀錄，〈洪在明先生訪問紀錄〉，頁324。
315　許雪姬訪問、曾金蘭紀錄，〈吳左金先生訪問紀錄〉，頁101-102。
316　許雪姬訪問、鄭鳳凰紀錄，〈楊藏嶽先生訪問紀錄〉，頁448。
317　許雪姬訪問、蔡說麗紀錄，〈陳嘉樹、陳高絃夫婦、陳正德先生訪問紀錄〉，頁520。
318　許雪姬訪問、蔡說麗紀錄，〈陳嘉樹、陳高絃夫婦、陳正德先生訪問紀錄〉，頁517-518。
319　許雪姬訪問、王美雪紀錄，〈陳亭卿先生夫人訪問紀錄〉，頁295。
320　許雪姬訪問、蔡說麗紀錄，〈李訓忠先生訪問紀錄〉，《日治時期在「滿洲」的台灣人》，頁

製作棉襖可以請幫人作棉襖的山東娃婆，她們往往在冬天快到時來到滿洲，纏足穿尖布鞋、頭上插針，帶著一捲捲用竹片捲在外的藍、黃、青、白、紅、黑線，挨家挨戶幫人做棉被及棉襖。一般而言每個孩子至少要有兩套棉襖，冬天一套，過年再換新的一套，舊的就先放著，等山東娃婆來處理。她們鋪下高粱席，兩人一組，拆的拆，洗的洗，拆好棉後，先梳棉，將不能用的丟掉，補上新棉，然後洗乾淨，一年兩次由山東娃婆來幫忙，棉被和棉襖的問題就能解決。這是住在中國人區才可能出現的情形。[321]

較冷的北滿不比南滿，隆冬可以穿西服、皮靴、普通大衣，戴上絨帽即可。在北滿（哈爾濱、牡丹江一帶）則頭需戴封兩頰的毛帽，身穿棉衣棉褲，戴較厚的手套，腳穿膠底高大棉靴才能外出行走而不滑倒。半年的寒冷季，一般人上下一律穿黑色的棉衣、棉鞋，而戴淡駱駝色的毛帽。在牡丹江經營事業有成的吳深池，冬季的打扮是頭戴高級毛帽，身穿純羊毛內衣及上、下、內的純毛西服，足穿防寒高級皮鞋，罩毛質大衣，打扮和當地人迥然有別。[322]

當時臺人的衣著打扮日化，和當地人穿長衫大不相同，因此往後日本戰敗，臺人為了安全起見，必須換穿當地人的服裝避禍。以涂南山為例，他在日本宣布投降前三天與建國大學滿洲同學劉毓玉要逃離新京，既怕被日人發覺，更怕離開市區後被滿洲人視為日人而遭不測，於是先到農家換穿中國式的衣服，即對襟上衣、紮褲帶的褲子、布做的鞋子，頭戴一頂錢帽子。[323]

而臺人戰後要回臺灣時，也將可能一輩子都不會再穿的大衣留給朋友。如在維城中學當副校長的何金生，離開瀋陽時將其厚大衣和防寒帽都送給其臺人朋友曾濟民，因他尚需留在該地為政府工作。[324]

3. 住：在牡丹江的黃清舜對滿洲住的情形，即住房及與之相搭配的禦寒設施有很深入的觀察，而將住房、防寒設施，大略分為四種型式：

（1）日本式：各壁都以磚砌，而中間留空，做成俄式壁爐（ペーチカ，печка pechka，蘇聯語），以便在廚房的爐在燒煤時，熱氣可以通過各室而取暖。

（2）中國式：河北、山東兩省移民的住宅，其特色是占地較廣的四合院，各間都有玻璃窗，壁為磚造，也裝設俄式壁爐，或另種型式的壁爐，後者是在一室中放

428。

321　許雪姬訪問、鄭鳳凰紀錄，〈林更味女士訪問紀錄〉，頁378。
322　黃清舜，《一生的回憶》，頁313。
323　許雪姬訪問，鄭鳳凰、黃子寧紀錄，〈涂南山先生訪問紀錄〉，頁137-138。劉毓玉可能為劉毓善之誤，或者劉毓玉改名，見《建國大學同窗會名簿》，頁135。
324　許雪姬訪問，何金生、鄭鳳凰紀錄，〈何金生先生訪問紀錄〉，頁193。

置火爐,並將亞鉛筒連接各室,燃爐時即可滿室生暖。另外則室內設炕,先設一張炕床,在下面灶口燒煤以取暖,上鋪篾席睡其上,火力過強時,背會很熱,有時難以忍受。城市的中國人以睡炕床為多,較貧窮的鄉下,有些結土為壁,以木材為樑,蓋茅草其上,這類住屋大概都設炕床。

（3）俄式:以哈爾濱為例,該地為俄國人所建的都市,其建築物大部分是二樓,建材是石頭,壁厚。不論店家或住家,前面都有花園,道路亦闊。防寒之法是在房屋中央固定一個通上下樓的圓形大鐵爐,然後以爐為中心,而以磚隔成輻射式的數間房,在廚房的爐口燃燒之炭熱,則各室生暖,是最理想的取暖設施。

（4）朝鮮式:房屋構造大致與日本式同,但為了防寒,地基挖了一丈深再建屋,亦即房屋的下半在地下,所以在室內站立一看,眼睛所望與路面對齊。所鋪的不是榻榻米,而是用世界最強韌的朝鮮紙（與道林紙類似,以朝鮮特產的樹皮所造）糊上漿糊粘在很平的土面上,可以用十年、二十年,愈用愈光而不破。其床非鋪板而是如炕床一樣,下面用鐵筋舖鐵網才能塗土。在廚房燒煤時,熱氣可通床下,使床上溫暖。朝鮮人的生活,在家都坐在床上。

不論那種式房,所有的窗都是二重,連在玻璃與窗框之間也要貼紙條封密,使外界冷氣無法入侵。至於煙囪則高聳,在高處一望,煙囪林立,雖非煮飯,亦不斷吐出黑煙。[325] 至於台灣人住的環境為何？

臺人到了東北,服公職者大半有宿舍,有的住在正式官舍,有的住在代用官舍;也有些人為了安全起見、或開業起見,將住家設在中國人區,如在新京工業大學任教的林朝棨、開業錦昌醫院、出身豐原的袁錦昌醫師,他們都認為盡量不住日人房子（日人區）,否則發生什麼事變會很危險,由於林、袁兩人是同鄉,而袁先到新京,因此林就在袁的協助下租下東三馬路的房子,與另一臺灣人邱欽堂合住一起彼此亦有照應。[326]

房子最起碼要解決取暖和自來水的問題,洪在明在東北任職國務院營繕需品局機械科,主要的工作就是修理、裝置公家機關的水電和暖氣;就水道而言,當地暖房配管需做到地下（ピット,pit,穴）一公尺,不如此做,水管會在冬天結冰。暖房設備有三種,一是用 stove,有煙囪通至屋外,爐上可以燒水,除增加溼度,也可取暖,而燃燒品是木材或煤。另外就是ペーチカ,通常在房子的正中央,如該屋分隔成四間,則一屋一個ペーチカ,只消在一間燒煤炭,四個房間都會暖和。至於radiator（散熱箱）,是由工廠燒煤,產生 steam,經由管路傳到宿舍,只要打開即有暖氣。[327] 就讀建國大學的吳憲藏,就曾提到該校暖氣是利用廚房煮飯時所產生的

325　黃清舜,《一生的回憶》,頁 316-317。
326　許雪姬訪問、鄭鳳凰紀錄,〈林更味女士訪問紀錄〉,頁 368。
327　許雪姬訪問,王美雪、鄭鳳凰紀錄,〈洪在明先生訪問紀錄〉,頁 323;許雪姬訪問、蔡說麗紀錄,

熱氣，用管線輸送到教室，以供師生取暖，但大半只能維持到早上 10 時半左右，所以筆記鋼筆、鉛筆筆跡各占一半，鋼筆的墨水常會凍得寫不出來，只好用鉛筆；而因暖氣斷了，也只好帶著氈帽上課。[328]

使用暖氣就不免有中毒的危險，余錫乾剛到滿洲時，就差點因中毒而喪生，當時其家用ペーチカ取暖，外圍用鐵片圍成，裡面是耐火磚，耐火磚之間填石綿以防著火，而裡面的熱氣會傳遞到外面的鐵片散發熱氣，燃燒時要燒到沒有黑煙為止，而上頭有一ランバ（開關）可以關閉，唯需留一小洞讓 CO 消散才不致中毒。由於余錫乾疏忽，忘了留小洞，因此半夜中毒不省人事，幸賴父親余逢時及時救援方才平安無事。[329] 劉萬在大連開人生醫院時，亦因 CO 中毒，而昏過去，幸而救助的快才化險為夷。劉萬出診時，也見過一家大小都因窗子不透氣而中毒。[330]

用公家的集合暖房好處是只要打開開關，暖氣就來，但是越到後期供應的時間愈有限，室中溫度隨著暖氣的有無而起起落落，至於用ペーチカ則有自己燒炭的麻煩、中毒的危險，但室內溫度變化較小。

不過暖房不僅影響到室內溫度而已，也影響到水管，如果屋內溫度過低幾乎和室外一樣，則水管中的水就會結凍，水結成冰會膨脹，有時造成水管破裂，等到室內氣溫回升，冰一融化，水就噴出來。[331]

為了防止結冰造成屋頂的壓力，及結冰與融化之間，容易使屋頂裂開，進而造成漏雨的現象，因此在滿洲蓋房子不能蓋平頂的，而是要蓋斜的有屋頂。

除了水道、暖氣設備外，也必須談窗戶。通常窗戶有兩層（兩重窗[332]にじゆうまど），這兩層之間，一般家庭通常都當做天然冰庫，用來儲存肉類、蔬菜等食物，[333] 不過窗戶的空隙必須要用土塞住或用紙條黏住，以免冷風灌入屋內，亦有開小窗戶以便換氣及取放東西，夏天外層的窗戶就換成網狀窗。[334]

建國大學宿舍的窗戶亦如此，冬天常用泥土將窗縫塞住，以免冷風灌入。而內層窗戶則須從寢室內才能打開，其窗面更以木條分隔成八格，往往只打開下面一

〈陳嘉樹、陳高絃夫婦、陳正德先生訪問紀錄〉，頁 517。
328　許雪姬、黃自進訪問，丘慧君紀錄，〈吳憲藏先生訪問紀錄〉，頁 216。
329　許雪姬訪問、鄭鳳凰紀錄，〈余錫乾先生訪問紀錄〉，《日治時期在「滿洲」的台灣人》，頁 30。
330　許雪姬訪問、紀錄，〈葉彩屏女士訪問紀錄〉，《日治時期在「滿洲」的台灣人》，頁 129-130。葉彩屏為劉萬之妻。
331　許雪姬訪問、鄭鳳凰紀錄，〈楊藏嶽先生訪問紀錄〉，頁 447。
332　許雪姬、黃自進訪問，丘慧君紀錄，〈吳憲藏先生訪問紀錄〉，頁 216。
333　許雪姬訪問、紀錄，〈葉彩屏女士訪問紀錄〉，頁 30。
334　許雪姬訪問、鄭鳳凰紀錄，〈楊藏嶽先生訪問紀錄〉，頁 447。

格，以便室內通風，外面窗戶亦是如此，需從外面才能打開。[335]

如果住在中國人住宅區，恐怕就沒有水道可以使用，而必須雇人挑水。通常為了通流，會在水管外用草袋、木屑包好，但若到零下30幾度則沒有辦法，必須雇人挑水。挑水以擔為單位，一擔一支牌子，臺灣水資源豐富，用水比起當地人要兇，受雇挑水的人即使有錢賺，也無法挑太多。用完了的髒水亦無下水道可排除，就倒在住屋附近，往往倒出的水，結成髒髒的冰。[336]

前曾述及任過濟南總領事的吳左金，在二次大戰開戰後，新京的自來水水道已沒有鉛製水管，而改用水泥管代替，埋在地底，受到霍亂菌滲透，其長子吳錦榮、妻鄭駕鴦同時喝了受感染的水而得病，因無藥可醫，抵抗力較弱的妻子和其地罹相同病的家庭主婦都先後死亡，兒子抵抗力強，因而存活。其妻死時年僅40歲，是吳左金一生最大的打擊。[337]因飲用水而得病，其死令人惋惜。（參見圖4-18）

4. 行：由臺搭船赴滿洲前已敘及，進入滿洲之後則利用鐵路。滿鐵鐵路即重要交通幹線，其中馳騁於上的是有名的亞細亞號（Stream-Line Asia-Go），此車有豪華座位，並附餐車，時速高達一百二十公里，是寬軌的快車，坐上此車，洪在明有如下的感歎：「車頭雄壯的樣子，令我這個年輕人眼中發亮；鐵道兩側一百公里似是無人的真空狀態，正在進行的快車如以一百二十公里速度馳騁的勇士，真是一幅美麗的圖畫！狹窄的臺灣到處都呼吸困難，到了滿洲眼見天下之廣，感覺元氣百倍！」[338]滿洲寬闊的感覺，與臺灣窄軌火車及車廂兩旁景物不相同的情況大異其趣。

由大連到新京，只需七小時。

自新京火車站到大同大街的馬路嵌著花崗岩石塊，中央道路有60米寬，據聞一旦有事，高射炮可在道路上對空作戰，以大同公園為中心，直徑1,000公里的範圍即新京市區，市內的交通以夏冬間運行的四輪馬車為主，一次10錢、15錢，[339]也有用騾子拉的車，[340]以後有マメタク（豆計程車，意思即迷你型計程車），外皮漆成黃色，行走市內，車資一律50錢。[341]

當然步行仍然是當時最重要的方式，一般搭馬車主要是因天氣冷，而若冰雪融

---

335 許雪姬、黃自進訪問，丘慧君紀錄，〈吳憲藏先生訪問紀錄〉，頁216。
336 許雪姬訪問、鄭鳳鳳紀錄，〈林更味女士訪問紀錄〉，頁379-380。
337 許雪姬訪問、曾金蘭紀錄，〈吳左金先生訪問紀錄〉，頁109-110。
338 許雪姬訪問、王美雪、鄭鳳凰紀錄，〈洪在明先生訪問紀錄〉，頁319。
339 許雪姬訪問、王美雪、鄭鳳凰紀錄，〈洪在明先生訪問紀錄〉，頁324。
340 許雪姬訪問、蔡說麗紀錄，〈李訓忠先生訪問紀錄〉，頁428。
341 許雪姬訪問、王美雪、鄭鳳凰紀錄，〈洪在明先生訪問紀錄〉，頁324。

化時路況泥濘,不坐馬車不行;馬車收費便宜,又隨招隨到送到家門口,尤其方便家庭主婦購物,較有錢的人出門也坐馬車,其馬車漂亮,整個棚像間房子。有錢人則有私家轎車,公家有公務車接送人員上下班。[342] 洪在明有次和兄長及朋友駕車,馳騁在一望無際的曠野中,車突然熄火,正在煩惱之際,黑鴉鴉的烏鴉成群飛來,猶如黑雲蔽日。[343] 私家車亦是交通工具之一。此外在結冰期就得用扒犁(即雪橇),由於連增林業公司必須利用扒犁搬出木材,使用的是蘇聯高大的馬,每扒犁一匹,勝過滿洲馬兩、三匹。扒犁的製作,必須雇木匠按照馬車頭的設計而成,至於其上的扒鐵必須是新的才能直接滑冰。因而往滿、蘇、朝的邊界重地東寧,找當地的朝鮮人製作。[344]

5. 宗教生活:有宗教信仰者雖到了異鄉,仍會選擇廟宇或教會,參加宗教活動,以豐富自己的宗教生活;且其日常生活會得到當地同宗教者的幫忙而方便不少。戰前在瓦房店開業的盧昆山醫生,為防共產黨入城而遭到不幸,乃隨國軍撤退到瀋陽;有助理助產士資格的盧妻李謹慎,原本就是虔誠的基督徒,工作如常,並參與做禮拜。盧昆山離家不久,共軍入城,盧妻是時正參加聚會,傳道師立刻宣布散會,各自逃散。家中有同教會的少年人幫助處理家務,雖該少年接受入城的中共軍隊傳布的共產思想後,漸漸不守傭人之道,少年之母雖透過教會張傳道的安排欲當面賠罪,無如盧妻認為瓦房店已不能住,決定要到大連,臨走時張傳道先生娘協助盧妻將買到的金子縫入衣中以防宵小。[345]

梁炳元醫師和夫人梁許春菊[346] 結婚後,梁醫師回到母校滿洲醫科大學攻讀博士學位,因而住在奉天,家居正好在教會邊,由於兩夫婦都是虔誠的基督教徒,故得到宗教生活很大的方便,隔壁牧師娘常教初到東北的梁許春菊一些生活上的細節,如晒衣服,不需放在室外,只需在屋裡晾乾即可,否則晾在室外衣服很快變硬,一折就破;又如燒洗澡水時,燒炭起後,不得隨意攪動,否則一桶水可以燒兩天而不熱。當戰後蘇軍入城,她險遭蘇軍毒手,因禱告而脫險。[347]

在開原開業的黃順記醫生,也是基督徒,加入當地東北人牧師經營的教會,此

---

342 許雪姬訪問、鄭鳳凰紀錄,〈林更味女士訪問紀錄〉,頁 380-381。
343 許雪姬訪問,王美雪、鄭鳳凰紀錄,〈洪在明先生訪問紀錄〉,頁 325-326。
344 黃清舜,《一生的回憶》,頁 326。
345 許雪姬訪問、蔡說麗紀錄,〈盧昆山、李謹慎夫婦訪問紀錄〉,《口述歷史》5(1994.6),頁 283-284。
346 梁許春菊為李謹慎的外甥女,都是虔誠的基督徒。梁許畢業於奈良女子高等師範,回臺後,任教於母校臺南二高女,是當時少數在高等中學教書的臺人女性。梁炳元的家庭並不是基督徒信者,但因家事紛繁,為求心靈寄託,隨其大姊信基督教。
347 許雪姬訪問、蔡說麗紀錄,〈梁許春菊女士訪問紀錄〉,《口述歷史》5(1994.6),頁 297-298。

教會和臺灣教會的系統相同,是屬於長老教會。當戰後黃醫生帶著在開原的親友要回臺時,該牧師也與之同來,並住黃家,後因沒辦法多照顧他而失去音訊。[348]

信佛教或道教的臺人到滿洲去可能有些不習慣,就是當地的廟不如臺灣多,而且平時不開放,只有在初一、十五才開門讓民眾上香。由於臺人非當地人,往往不知廟在何處,也因生活所逼,並無參加宗教活動。溥儀私人醫生黃子正的夫人黃洪瓊音因與謝介石夫人王香禪(見圖5-16)交情甚篤,謝夫人又是吃全素的佛教篤信者,在家設有佛堂,黃夫人乃常到謝家跟著謝夫人禮佛。[349]

林更味住在新京中國人區亦表示,在當地要拜拜只好向天拜,因為找不到廟,而過年也沒看到鄰居在拜拜,以後她遷到淨土庵隔壁,想進去拜拜,庵內尼姑即嘆道:南方人比較誠心,北方人並沒有去廟裡拜,尤其是新年時,在新京都沒拜,遷到北京時才自己依臺灣習俗將供品放在自家門前拜。[350]

醫師謝久子,談起謝家的宗教,說她母親(日本人)信佛教,家中設有神龕,每天早上母親會在神龕上供茶。7月15日普渡,父親謝秋涫會照臺灣的習俗,在院子裡祭拜,並打開院子的大門,隔壁人家會好奇探頭看。[351]

6. 休閒生活:由於東北冷,能做戶外活動的時間有限,因此據受訪者言,生活中的娛樂是打麻將,如黃子正在晚上12時自宮邸回來,即拿一些溥儀皇帝給的餅乾、糖果到余逢時家聊天;謝介石、黃子正、余逢時、陳文山等人都喜歡打麻將。[352]也有玩撲克牌的。最有意思的例子是,1945年8月8日,蘇軍進攻滿洲前夕,正好是星期五。是晚服務於滿映、畢業於臺南二中的張江水,帶兩個女兒到翁通逢等幾個單身者的宿舍,準備整晚玩牌,不料到11點多,張江水的兩個千金一直號哭,任勸無用,撲克牌局破局。[353]謝秋涫的百川醫院,正月15日以前,可以玩,以後就不准打牌。[354]

看電影也是重要的休閒活動,尤其在新京,建大、大同學院、大陸科學院、新京工業大學的學生和公務人員,看電影就成為假日重要的活動。

謝久子平常的娛樂就是和三兄謝文煥去看電影,她還記得用舒伯特的音樂做配樂的片子「未完成的交響曲」(Leise flehen meine Lieder,1933),還有「泰山」(Tarzan the Ape Man,1932)一片造成的轟動,以及拍蕭邦的音樂劇。她就讀的新京敷島高等女學

---

348 許雪姬訪問、吳美慧紀錄,〈黃順記先生訪問紀錄〉,《口述歷史》6(1995.7),頁205。
349 許雪姬訪問、蔡說麗紀錄,〈黃洪瓊音女士訪問紀錄〉,頁236。
350 許雪姬訪問、鄭鳳凰紀錄,〈林更味女士訪問紀錄〉,頁386-387。
351 許雪姬訪問、藍瑩如紀錄,〈謝久子女士訪問紀錄〉,頁345。
352 許雪姬訪問、鄭鳳凰紀錄,〈余錫乾先生訪問紀錄〉,頁36。
353 許雪姬訪問、鄭鳳凰紀錄,〈翁通逢先生訪問紀錄〉,頁107。
354 許雪姬訪問、藍瑩如紀錄,〈謝久子女士訪問紀錄〉,頁345。

圖 5-14　林元文（左）在奉天開自行車店，曾結伴到新京西公園（林明美女士提供）　　圖 5-15　林元文（中）與友人參觀奉天東陵（林明美女士提供）

　　校，也會每個月一次舉辦電影欣賞，大半都是教忠教孝的電影。[355]

　　旅遊也是重要休閒活動之一，旅居開原的黃順記，細數他在東北時去過新京、奉天、錦州、大連、鞍山、哈爾濱、安東、吉林、齊齊哈爾、本溪湖，只要是鐵路能到之處都曾留下足跡，有時到外地參觀增長見聞，並非旅遊而係參加暑假救濟團，如黃順記之所以到齊齊哈爾就是讀滿洲醫科大時，因日本和滿洲義勇軍對戰（演習），派醫師前往支援，乃得前往。[356]

　　建國大學的學生吳憲藏則因課程中的「勤勞奉工」（義務勞動）而被分配到鄉下，第一年到吉林松花江畔做道路工程，第二年則到北緯五〇度半的黑河舖設軍用道路，由新京到黑河共坐了三天三夜的火車。[357]

　　任職司法部的林鳳麟假日則邀約三、五好友爬山，若有二、三天的假日則相約至景緻優美的名勝郊遊，在滿洲共 12 年，他去過哈爾濱、新京、大連、旅順，最北到過蘇聯邊境，也出山海關到過上海。[358]

　　在滿洲國五年、住錦州、過公務員生活的蔡西坤，因公差的機會到新京、錦州、瀋陽、哈爾濱、海拉爾、齊齊哈爾、佳木斯、大連，也出山海關，帶妻子到天津與

355　許雪姬訪問、藍瑩如紀錄，〈謝久子女士訪問紀錄〉，頁 332。
356　許雪姬訪問、吳美慧紀錄，〈黃順記先生訪問紀錄〉，頁 204。
357　許雪姬、黃自進訪問，丘慧君紀錄，〈吳憲藏先生訪問紀錄〉，頁 218-219。
358　許雪姬訪問、曾金蘭紀錄，〈林鳳麟先生訪問紀錄〉，頁 218。

圖 5-16 謝介石妻王香禪
（陳復民先生提供）

岳父黃欣見面,也到北京旅遊,又為帶妹阿梨到上海嫁給妻弟黃天益乃出山海關,經徐州、南京到上海、蘇州,前後玩了一個月,對關內外風土民情有相當的了解。[359] 林元文雖僅在奉天一年,但仍到新京一帶旅遊。

喝酒則是寒冷的東北必不可少的,到滿洲的臺灣青年,因不耐酷寒而且尚未結婚,因此下班後常與友人前往飲酒。任職滿洲電電的陳永祥並未到酒家喝酒（據說陪酒加酒一次五元還有剩）,只是純粹喜歡杯中物,故是酒館常客,薪水大半都存到「肚子」中,堪稱酒國英豪;就連回臺翌日（1946 年 5 月 5 日）太太生下一個女兒（第二胎）時,因正在喝「芬芳酒」,而把女兒取名「芬芳」,女兒長大後嫌此名俗氣。[360]

李訓忠服務於大陸科學院,亦酷愛杯中物,被在滿洲的朋友勸告出去喝酒千萬不能醉,不能在路上睡著,否則會凍死。即使如此,他在某次與朋友喝得醉醺醺後,並未坐馬車,而一個人在大馬路上走,隨手攔了日人開的汽車,往返三趟才終於找到住處,隔天醒來,發現睡在客廳。[361]

跳舞是另一項休閒,洪在明即常晚上 11 時前往舞廳跳舞,一直到深夜一點半才回宿舍睡覺,藉此保持身體溫暖,[362] 也是重要的休閒活動與社交活動。楊基振就職滿鐵時,女朋友洪月嬌到新京來找他,當時洪月嬌的姊姊醫專畢業,卻在新京經營舞廳,楊到其姊處找她,離別六年的重逢,兩人受其姊、姊夫請吃晚飯,然後到舞廳跳舞,因為聖誕節,舞廳全客滿,楊跳到半夜兩點,洪月嬌則跳通宵。[363] 之後楊要回臺娶親前晚,和女友洪月嬌及張星賢夫妻,共享晚餐,之後前往舞廳一起跳到夜晚要出發時。[364]

風化場所的經驗是一般人在訪談中不太談的,在新京工業大學讀書的李謀華,則前往公娼館見識過,他在訪談後將以下這種經驗寫給我們做參考:

公娼館是教授不能帶學生去見習的建築物。所以我們抱著好奇及冒險的心情,先去屬於高級的〇〇院「開盤子」。開盤子是進來的客人,先被招待盤子上的茶水及香煙,在雙方談話有意後才會接受妓女的服務。我們一進入院內就看到透天式的大圓廳,其周圍一、二樓都隔有小房間,馬上有位姑娘雙手捧著放有茶壺、茶杯、香煙的盤子,來接待去二樓小房間,她就離開。房間裡有棹、椅、中國式眠床掛蚊帳、衣櫥等。我們在這裡喝茶、談笑等姑娘,過了二、三十分鐘都沒有來。我們笑

---

359 許雪姬訪問、吳美慧紀錄,〈蔡西坤先生訪問紀錄〉,頁 180-181。
360 許雪姬訪問、王美雪紀錄,〈陳永祥先生訪問紀錄〉,頁 493。
361 許雪姬訪問、蔡說麗紀錄,〈李訓忠先生訪問紀錄〉,頁 429-430。
362 許雪姬訪問,王美雪、鄭鳳凰紀錄,〈洪在明先生訪問紀錄〉,頁 325。
363 黃英哲、許時嘉編譯,《楊基振日記:附書簡・詩文（下）》,頁 709。
364 黃英哲、許時嘉編譯,《楊基振日記:附書簡・詩文（下）》,頁 709。

一笑「一定看我們不夠資格來這裡罷」就這樣我們下樓付開盤子的費用離開了。

離此不遠的地方就有公娼街，屬於新京市城內（滿洲人住、商的社區）。招牌都寫○○堂，就是普通級的公娼館。我們一進入堂內，多位姑娘都笑瞇瞇站在我們面前，催我們各選一人後，帶入她的房間。內部的陳設比開盤子妓院差多了。房內的暖氣亦不夠暖。因為這樣我和姑娘都沒有脫衣，肌膚都沒有接觸，所以兩人忙了一陣亦沒有結果，同學一來叫就離開，童貞亦沒失去。

回宿舍後一直想這樣危險的見習行動是否將來用得到麼？想不到三年後我在臺北市受委託設計在萬華的公娼館時，居然會派上用場，真是不枉此行。[365]

7. 同鄉會：參加同鄉會，說說家鄉話、聚餐、互相交換消息，也是當時不可或缺的同鄉交誼，一般來說戰前臺灣同鄉會的組織並非嚴密，大抵以地區劃分，以當地有名望、肯服務的同鄉為會長，陸續推動各項相關會務。

撫順臺灣同鄉會會長是梁宰，他曾在某年舊曆年在其天生醫院舉辦臺灣同鄉會，共有2、30位臺人到其家聚餐、交誼。[366]

在開原，臺灣同鄉會的龍頭即黃順記醫師，他在開原當地開業頗為成功，也購置農場，在彰化線西他的故鄉有十多位親戚到達開原，有的因逃兵，有的去讀書，有的去種田，都住在黃家，所以黃家儼然是開原臺灣同鄉會會館。[367]

安東臺灣同鄉會會長由開協和染廠的許鶴年擔任，然而這是戰後才有的頭銜，在安東的臺人並不多，不過戰後就有20多個由日軍退役的臺灣青年住在許家約半年之久。[368]

奉天的臺灣同鄉會會長是李清漂，他開設日新鐵工廠，在奉天的臺人不少，他擔任會長期間協助臺人子弟如許長卿在工廠就職，也以會長的名義融資，並提供部分糧食、住處給臺灣同鄉。[369]

在鞍山臺灣同鄉會會長是嘉義人葉萬發。[370] 在大連的大連臺灣協會會長為孟天成，在錦州的臺灣同鄉會會長為王大樹。

新京的臺人最多，而且以公職人員為數多；有同鄉會的組織，照片中還留下1936年在新京東三馬路市營住宅前（趙鴻謙宅）的合照，張世城在照片中寫著「在新京臺灣住滿郊遊」，照片中有陳亭卿夫婦、趙鴻謙、陳錫卿夫婦、陳嘉樹夫婦、郭

365　許雪姬訪問，李謀華、王美雪記錄，〈李謀華先生訪問紀錄〉，頁337-339。
366　許雪姬訪問、蔡說麗紀錄，〈梁金蘭、梁育明姊弟訪問紀錄〉，頁310。
367　許雪姬訪問，吳美慧紀錄，〈黃順記先生訪問紀錄〉，頁206。
368　許雪姬訪問、蔡說麗紀錄，〈許文華先生訪問紀錄〉，頁415。
369　許雪姬訪問，何金生、鄭鳳凰紀錄，〈何金生先生訪問紀錄〉，頁185-186。
370　葉萬發，〈自傳〉，2002年，未刊稿。

圖 5-17　在新京的臺灣人同鄉，1936 年合影於新京市東三馬路市營住宅趙鴻謙宅庭院。
第一排左起三人為郭海鳴兒女，其中小男孩之後為郭海鳴夫人；左角各抱小孩的為張世城、林更味夫婦。後排最高者為陳嘉樹，其妻陳高絃在左前方（未抱小孩）；後排戴眼鏡者為陳錫卿，左前方為其妻陳許碧梧；陳錫卿右為郭海鳴、趙鴻謙；前排戴眼鏡者為陳亭卿，旁為其妻。
（林更味女士提供，陳亭卿先生辨識相片中人物）

海鳴夫婦、張世城夫婦。[371] 前提及的李訓忠說新京曾有「臺灣協會」（也許是同鄉會）的組織，會長是林朝棨，每兩、三個月就有集會，他曾參加過為了歡送林朝棨前往北大執教（1942）而開的歡送會。[372] 事實上確有臺灣同鄉會的組成，每個月會費一元，有固定的集會，多半是聚餐。[373]

8. 滿洲較特殊的風俗

臺人到滿洲後，見到不同的天地，拾其所見與臺灣本土風俗不同者敘之。

「煙囪掃」是臺灣人所見滿洲地區一種很有趣的職業，其實就是掃煙囪的。從事者大半是滿洲人，身穿黑棉衣，戴著黑帽，全身黑漆漆的，整張臉也弄得烏漆墨黑，只剩下一對眼睛，後面揹一個竹籃子。滿洲的薪水有三分之一要用做冬天的取暖費，家家戶戶要燒煤炭，讓屋子溫暖，而燒煤則必須清煙囪，因為黑煙粒會附著在煙囪壁，若附著太多，會使煙囪不能透氣，必須要清理，在滿洲經常可以聽到街上傳來煙囪掃、煙囪掃……的叫聲。[374]

滿洲有一種小偷專偷鞋子、雨傘，他們通常會悄悄地將玄關的門打開拿走鞋子、雨傘，再把偷來的東西拿到專賣贓物的市場（襤褸屋，ぼろや，BO RO YA）正正當當地賣（有點類似臺灣的賊仔市），有些被偷的人到襤褸屋市場去，看到自己被偷的東西時，對方絕對不會還，並說：「**這和你無關，這是我從別人那裡買來的，你要的話買回去！**」失主沒辦法只好花錢買回。在火車站前，見到小偷用麻袋揹著偷來的東西拚命跑，失主則在後面追，失主眼看正要追上時，小偷乾脆不跑，將麻袋放下，正正當當地大步走了，失主沒他奈何拿了失物回去了。[375]

東北過年的習俗也和臺灣略有不同，在東北農曆12月24日後，當地人便穿一身紅，互相拜年，逢人便說好話，年紀小的見到長輩一定要拜年，黃子正家因是醫院，當地和臺人習俗一樣正月不入醫院，故滿洲人都不到黃家拜年。[376]

林更味也提供他在滿洲體驗到的異俗，如林更味有次與父親（林拔新，自臺灣來）要到吉林長白山的濟公廟遊覽，但他們欲在馬車上拍攝時，馬車伕堅絕不讓自己進入鏡頭，他說如果被拍攝到，則他一輩子都要趕馬車，林拔新堅持要拍照留念，車夫只好遮住臉，只准拍馬車。[377]（見圖5-18）

371　許雪姬訪問、王美雪紀錄，〈陳亭卿先生夫人訪問紀錄〉，頁297。
372　許雪姬訪問、蔡說麗紀錄，〈李訓忠先生訪問紀錄〉，頁430-431。
373　許雪姬訪問、蔡說麗記錄，〈陳嘉樹、陳高絃夫婦、陳正德先生訪問紀錄〉，頁521-522。
374　許雪姬訪問、鄭鳳凰紀錄，〈余錫乾先生訪問紀錄〉，頁31。
375　許雪姬訪問，李謀華、王美雪記錄，〈李謀華先生訪問紀錄〉，頁339。
376　許雪姬訪問、蔡說麗紀錄，〈黃洪瓊音女士訪問紀錄〉，頁237-238。
377　許雪姬訪問、鄭鳳凰紀錄，〈林更味女士訪問紀錄〉，頁381。

圖 5-18　張世城一家陪岳丈林拔新（坐者左一）攝於滿洲新京淨土庵前，馬車夫怕被拍到會一輩子趕馬車，乃遮住臉，只能拍攝馬車。馬車為滿洲最常見的交通工具。
（林更味女士提供）

圖 5-19　1935 年，任新義州副領事的吳左金（前排左一）全家福。
左二起長子天生，長女錦鴛，次女錦雲，妻鴛鴦，幼女錦娥，後排為傭人。
（吳左金先生提供）

9. 帶隨身丫頭赴東北：在臺灣一般習俗，如果家境不錯，女性在結婚時，會由父母價購一個隨身丫頭（通常稱為查某嫺），後來臺灣總督府不准查某嫺買賣，將這類女性稱做「養女」），作為服侍女兒之用，因此部分去滿洲者也帶著隨身丫頭，她們做家事助理的工作。

黃陳波雲是黃清塗之妻，父親是名門——大龍峒老師府的第二房，名陳錫慶，日治時期曾任臺北市會議員，黃陳波雲畢業於靜修女中家政科，畢業後到臺灣銀行儲蓄部任職。結婚後到滿洲前，父親為其買下一個14、5歲的女孩當隨身丫頭，基隆人，平常不給月薪，回臺後才一次付給。她到滿洲後協助買菜做家事，由於和滿洲當地人多所接觸，因此滿洲話說得極為流利，戰後隨著黃家返臺後才結婚。[378]

陳高絃隨丈夫陳嘉樹在滿洲住了11年，11年內生了四個小孩，在生老三時因為忙不過來，其母乃在臺灣幫他找了一個十多歲的女孩（親戚的女兒）叫阿滿，約於1942年到滿洲幫陳高絃帶小孩、煮飯，一同回臺灣時已19歲。[379]

黃婉華是臺南名人黃欣的女兒，嫁給蔡西坤後要到滿洲時，帶來的隨身丫頭，後來及齡回臺灣結婚後，蔡西坤乃寄錢回臺再買一個來，而這次來的女孩是原住民的小女孩。除了這兩個女孩外，蔡家在滿洲因具警佐的身分，雇了當地掌櫃的小男孩幫忙工作。[380]

張登山醫師夫人張琔，家裡也住有一個遠親的女孩幫忙工作。[381] 在鞍山博愛醫院的張宗田醫師家中也由臺灣請了一個叫英桃的女孩幫忙廚房的工作，每月付給八圓。[382]

盧昆山回臺結婚後一星期要回大連時，有侯全成的小姨子同行，並幫忙帶一個小女孩給鄭瑞麟之姊黃王氏采文（黃千里妻）。[383] 上述現象可以映證郭瑋在〈大連地區建國前的臺灣人及其組織狀況〉一文，他指出臺灣人到大連時會帶來島內貧苦家庭的女孩子來大陸做傭人。[384]

事實上當時的臺人收入不錯，因此不論自臺帶去的隨身丫頭，或在當地雇人幫忙都是常見的事。前述的盧昆山妻即有雇人，而吳左金夫婦也雇有滿洲人幫忙家

---

378 許雪姬訪問、王美雪紀錄，〈黃陳波雲女士訪問紀錄〉，《日治時期在「滿洲」的台灣人》，頁287。
379 許雪姬訪問、蔡說麗紀錄，〈陳嘉樹、陳高絃夫婦、陳正德先生訪問紀錄〉，頁521。
380 許雪姬訪問、吳美慧紀錄，〈蔡西坤先生訪問紀錄〉，頁177。
381 許雪姬訪問，許雪姬、張英明紀錄，〈張琔女士訪問紀錄〉，《日治時期臺灣人在滿洲的生活經驗》，頁252。
382 〈林嘉總、張宗田翁婿書信集〉，1938-1939年。本書信為郭双富先生提供，謹致謝意。
383 盧昆山，《七十回憶》，頁24。
384 郭瑋，〈大連地區建國前的臺灣人及其組織狀況〉，頁68。

事。385（見圖5-17）

不過臺人的生活雖過得不錯，但並不表示臺人在滿洲的生活每個人一開始就很好，茲舉徐水德為例，俾讀者亦能體會在滿洲生活艱辛的一面。

徐水德在1932年滿洲國成立那一年畢業於大阪市立商科大學金融科，認為滿洲國才剛成立工作機會多，決定到滿洲去闖天下。他和同科、同時畢業的日本人池田、堀口兩人，一行三人出發前往滿洲，事前曾拜訪一位在滿洲國任官員的日本人，請幫忙介紹職業，由於他要幫忙的有好幾十人，故無法介紹。徐水德將父親寄給回臺經費5、60元當成赴滿冒險的盤纏。

到滿洲後三人分頭找工作都碰壁，工作之前要負責養其他二個日本同學（因徐水德年紀大，大學畢業已28歲），不久堀口找到工作，乃先寄住在其宿舍，以後在路上遇見山口高等商業學校（今山口大學，徐水德在大阪大學前就讀的學校）的中國好朋友（未畢業即回滿洲），見徐沒有工作，乃要徐去當保姆，他談起這段日子的艱辛：

> 我去他那裡當保姆，學包尿布，照顧一個三〔個〕月大的嬰兒，在零下二十度裡，我每天早上六點就要起床起火。通常要先把材劈成一塊塊，以備早上起火燃燒……

以後朋友要介紹到鐵路局，以興趣不合未往。這時想起身上有自朋友郭琛處取得的鄭肇基推薦信，鄭肇基與謝介石都是新竹人，乃拿此信去外交部見謝介石。謝介紹其到情報處，但不知何故叫他一個月後再去。如果世故一點的人一定知道早去就有工作，徐真的在一個月後才到情報處，因而被責罵，又因被情報處長日人川崎責問，如果不會中文要請他來何用。

無論如何，1933年徐水德進入情報處辦出納，利用辦公之餘到滿鐵開設的華語補習班上課，並前往投考大同學院而被錄取，從此才踏上坦途。386

而在滿洲工作上也不是人人輕鬆、個個勝任。陳嘉樹任職產業調查局，須要出差，而到偏遠地區調查在所難免，有些地方廳縣牆頭依舊例吊有死人頭。而冬天不能一直坐在馬車中，否則會凍僵。出差時往往公家會發手槍一把，以備不時之需，這樣的工作真的有些風險。387

在專賣署工作的許鶴年，其主要的職務是查緝私人種鴉片，往往在路上會遇到「馬賊」一、兩千人，每當遇到這種情況只能急馳（坐車或騎馬）趕往日本守備隊接

---

385 許雪姬訪問、曾金蘭紀錄，〈吳左金先生訪問紀錄〉，頁109。口訪時雖未說及請傭人，但留下照片中即有「佣人」的說明。
386 許雪姬訪問、鄭鳳凰紀錄，〈徐水德先生訪問紀錄〉，頁234-235。
387 許雪姬訪問、蔡說麗紀錄，〈陳嘉樹、陳高絃夫婦、陳正德先生訪問紀錄〉，頁511。

受保護。由於無法預料每一趟路出去的吉凶,在出門前總要向妻子一臉肅然地說再見,並對長子許文華摁下「男孩子不要哭」才離別,這樣的日子過了三年才換到工作,進入滿洲纖維聯合會。[388]

張宗田醫生,在鞍山開業,當地仍有馬賊出沒,在給岳父林嘉總寫信時,提到滿洲天氣正是秋涼時,有一個月是馬賊跳梁最激烈時,馬賊一年間就這個月是「爭取生命最後的一線」,在其醫院隔鄰的銀店,就被三個馬賊白天行劫,搶去800多圓,在報警後,打死一個,活抓一個,另一個逃走,奪回了一半的損失。隔天晚上,四番町(張住六番町)又有一工頭,常到博愛醫院來的病人姓姜,在晚上8時自家門騎車出,馬賊由後將他摔倒,說你偷我的車,要和我一起去衙門,姜不理,馬賊強迫其同行,至此方知大禍臨頭,只好隨行。有人看到報警,警察立刻追蹤,9時左右忽聞槍聲四起,迄寫信時,姜尚無下落,[389]可見在滿洲的風險。

10. 與滿洲人的相處

臺人既介於日人與滿人之間,日本籍的臺人與日人有所交往自是不在話下,與滿洲人呢!一般開業在中國人住宅區的醫院,因病人大半是滿洲人,與滿洲人的關係較好,而與滿洲人關係的好壞,則影響到戰後臺人的安危。

以黃清塗而言,他任職外交部,有一屬官姓劉,父親是大興公司[390]董事長劉世忠,某日日本特務指名要逮捕劉,因懷疑劉是共產黨,於是在光天化日之下將劉逮捕。黃清塗聞之,向日本特務抗議並設法營救,特務才釋放了劉,其父母連忙到黃家道謝,當時黃夫人剛生產完,夫妻倆要向黃妻下跪,雖被阻止,然其誠意可見。[391]

何金生一直在滿洲貴族子弟學校——維城中學——教書,在其努力之下有普仁考上建國大學,雨春考上新京醫科大學,永和、重玉考上哈爾濱工業大學,恒章考上奉天農業大學,這些學生(都姓愛新覺羅)的日語都是何金生打下的基礎,因此他與這些滿洲貴族的後代關係良好,而他與紅卍會的王奉豐、及教師金則雍間的私人交誼也深,因此往後由瀋陽要回臺時得到金則雍不少的幫忙。[392]

涂南山則是一特殊的例子,他是基於政治的關懷,站在漢民族的立場反對日本對臺人的不平等,因此到建大後完全站在中國人的立場,都是和滿系的同學交往,最初的目的是學北京話,然後到關內,轉到重慶或延安抗日。在學中,他往往替滿

---

388 許雪姬訪問、蔡說麗紀錄,〈許文華先生訪問紀錄〉,頁402-403。
389 〈林嘉總、張宗田翁婿書信集〉,1938-1939年。
390 是一種傳統的當鋪,1932年成立,資本金為600萬,1939年增資為2,000萬(實繳1,300萬),除經營典當業外,經營釀造業、製油業、雜貨買賣、財產管理等。柏崎才吉,《滿洲國現勢》,頁457-458。
391 許雪姬訪問、王美雪紀錄,〈黃陳波雲女士訪問紀錄〉,頁286。
392 許雪姬訪問、何金生、鄭鳳凰紀錄,〈何金生先生訪問紀錄〉,頁179、182-184、192。

系的同學打抱不平,如日人在學校中規定睡前要討論時局,在談論間都會攻擊滿系同學,由於滿洲人的日本話不能如日人順,辯論起來頗為吃虧,涂就替他們抗辯,後來他利用除草時向最好的同學劉毓玉〔善〕透露其臺灣人的身分,劉也向滿系同學說大村重安(おうむら しげやす,涂南山為考海軍兵學校而改)是臺人,因此涂與滿系同學之間關係不錯,劉、涂之交情,使得日軍戰敗後涂氏得到劉氏及中國同學來的支援。1990年涂還收到來自彼岸同學王振准的詩:

四十四年流光逝,韶華一瞬鬢染霜。
少年狂徒今何在?浪跡天涯滿五洋。
太鼓聲震春野遠,淨月行軍夏日長。
冰雪三九寒稽古,猶憶南山愛家鄉。
今日兩岸一水隔,期於琴台看長江。[393]

小結

　　第四章和本章所探討的是臺人在中央、地方政府機構之外,在各重要國策會社任職的情形。如在國營會社(滿鐵)、特殊會社或準特殊會社(中央銀行、電電、滿映)任職,也有一些人在相關公社工作。此外也探討了在日本私人公司任職,或自行從商、開工廠、當司機的臺灣人。其中最值得重視的是,在滿洲國政府中,有臺灣人高等官57人,這些人不是考上大同學院就是通過滿洲國高等文官考試。今日臺灣史學界在討論、承認日治時期臺灣人高考及格者之餘,完全忽略了在滿洲通過的高等考試者,尤其謝久子是臺人女性中第一通過高等考試的技術官,令人遺憾。

　　由於生活史是人類生活最可親、最重要的歷史,因此借助於訪問紀錄,勾勒出當時到東北的臺人他們的食、衣、住、行、宗教、娛樂休閒、臺灣同鄉會及他們對滿洲特有風俗的描述、期望能重塑當時生活之一斑,並了解當時的滿洲。末了亦論及到滿洲從事公職或準公職者基本上過著物質無缺的生活,有些人還掙得了大量的資產。不過在滿洲生活亦必須克服思鄉的情緒,而滿洲亦非「王道樂土」,他們必須適應天氣,拚命找工作以餬口,幸運的考上公職,生活受到保障,但往往之前,諸苦備嘗;滿洲也還有馬賊肆虐,因此不能只看到成果,而忽略了他們辛苦的一面。

　　郭瑋曾說在大連臺灣的茶商或經銷水果的,「他們資金少、店鋪小、時間短,因此,在大連商業界沒有什麼地位,影響也不大。他們只生活在自己的小圈子中,

---

[393] 許雪姬訪問,鄭鳳凰、黃子寧紀錄,〈涂南山先生訪問紀錄〉,頁133-134。

與其他臺灣人沒什麼往來，在社會上沒有紮下根基。因此解放後都回臺灣去了。」但另有從事醫務的，他提到當時臺灣醫生在大連受到一定的尊重和有一定的地位。[394] 不只是在大連的醫師，在滿洲還有不少臺灣醫師。以下專章探討在滿洲臺灣人中最具特色的臺灣醫師。

394　郭瑋，〈大連地區建國前的臺灣人及其組織狀況〉，頁70。

國家圖書館出版品預行編目 (CIP) 資料

離散與回歸：在滿洲的臺灣人 (1905-1948)/ 許雪姬作 . -- 初版 . -- 新北市：左岸文化出版：遠足文化事業股份有限公司發行, 2023.1
　冊；　公分

ISBN 978-626-96246-4-5（上冊：平裝）. --
ISBN 978-626-96246-5-2（下冊：平裝）. --
ISBN 978-626-96246-6-9（全套：平裝）

1.CST: 滿洲國 2.CST: 民國史

628.47　　　　　　　　　　　　　　　　　　　　　111010469

左岸文化　　　讀者回函（上冊）

離散與回歸：在滿洲的臺灣人（1905-1948）（上冊）

作者・許雪姬｜責任編輯・龍傑娣｜協力編輯・黃嘉儀｜封面設計・謝吉松｜內頁設計・林宜賢｜出版・左岸文化 第二編輯部｜社長・郭重興｜總編輯・龍傑娣｜發行人・曾大福｜發行・遠足文化事業股份有限公司｜電話・02-22181417｜傳真・02-22188057｜客服專線・0800-221-029｜E-Mail・service@bookrep.com.tw｜官方網站・http://www.bookrep.com.tw｜法律顧問・華洋國際專利商標事務所・蘇文生律師｜印刷・凱林彩印股份有限公司｜排版・菩薩蠻數位文化有限公司｜初版・2023 年 1 月｜定價・630 元｜ISBN・978-626-96246-4-5｜版權所有・翻印必究｜本書如有缺頁、破損、裝訂錯誤，請寄回更換｜特別聲明：有關本書中的言論內容，不代表本公司／出版集團的立場及意見，由作者自行承擔文責。若本著作照片有涉及著作權等問題，請來信或在官網留言告知，出版社將盡快聯繫處理。